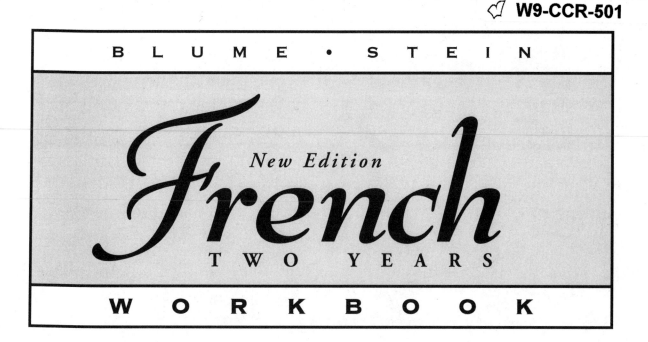

BLUME · STEIN

New Edition French TWO YEARS

WORKBOOK

ELI BLUME
Former Chairman of the Foreign Language Department
Forest Hills High School
New York City

GAIL STEIN
Foreign Language Department
Martin Van Buren High School
New York City

When ordering this book, please specify *either* **R 527 W** *or*
BLUME/STEIN FRENCH TWO YEARS WORKBOOK

AMSCO SCHOOL PUBLICATIONS, INC.
315 Hudson Street/New York, N.Y. 10013

Cover photograph: Pont Alexandre III, Paris, France, by Sandra Baker
Illustrations by Tom Sperling
Maps by Susan Detrich

ISBN 1-56765-306-5
NYC Item 56765-306-4

Printed in the United States of America

1 2 3 4 5 6 7 8 9 10   03 02 01 00 99 98 97

Preface

The BLUME / STEIN FRENCH TWO YEARS is designed to give students a comprehensive review and thorough continuing understanding of the elements of the French language and the highlights of French culture. Abundant and varied exercises help students master each phase of the work.

ORGANIZATION

For ease of study and reference, the book is divided into six parts. In Parts One through Three, the chapters are organized around related grammatical topics. The two chapters in Part Four are devoted to vocabulary: synonyms, antonyms and topical vocabulary. Part Five covers the culture of France, dealing with language, geography, history, life-style, literature, art, music, architecture, and science. Part Six provides material for comprehensive practice and testing of the speaking, listening, reading, and writing skills.

GRAMMAR

Each grammatical chapter deals fully with one major grammatical topic or several closely related ones. Explanations of structure are brief and clear. All points of grammar are illustrated by many examples, in which the key elements are typographically highlighted.

This second year review of French covers a basic grammatical sequence. Care has been taken, especially in the critical *Part One: Verb Structures,* to avoid the use of overly complex, structural elements. To enable students to concentrate on the structural practice, the vocabulary has been carefully controlled and systematically "recycled" throughout the grammatical chapters.

EXERCISES

For maximum efficiency in learning, the exercises directly follow the points of grammar to which they apply. Carefully graded, the exercises proceed from simple assimilation to more challenging manipulation of elements and communication. To provide functional continuity of a grammatical topic, the exercises are set in communicative contexts. Many are also personalized to stimulate student response.

While the contents of the exercises afford extensive oral practice, the book's format also encourages reinforcement through written student responses, including English to French exercises intended to sharpen composition skills. The grammatical chapters conclude with Mastery Exercises, in which all grammatical aspects in the chapter are again practiced in recombinations of previously covered elements. French is used to describe communicative situations and to give specific directions to the exercises.

FLEXIBILITY

The topical organization and the integrated completeness of each chapter permit the teacher to follow any sequence suitable to the objectives of the course and the needs of the students. This flexibility is facilitated by the detailed table of contents at the front of the book and the comprehensive grammatical index at the back. Teachers as well as students will also find the book useful as a reference source.

CULTURE

The cultural chapters in Part Five are in French. Every effort has been made to keep the narratives clear and readable and to provide a wealth of cultural information. Each cultural chapter includes varied exercises designed to test comprehension.

OTHER FEATURES

The Appendix features model verb tables and the principal parts of common irregular verbs, prepositions, a list of proverbs, additional idioms, and basic rules of French punctuation and syllabication. French-English and English-French vocabularies and a comprehensive Index complete the book.

The BLUME / STEIN FRENCH TWO YEARS is a thoroughly revised and updated edition. With its comprehensive coverage of the elements of French, clear and concise explanations, extensive practice materials, functional vocabulary, and interesting cultural narratives, the book will help students strengthen their skills in the French language. As students pursue proficiency, they will also gain valuable insights into the culture of France.

Contents

Part One
Verb Structures

Part Two
Noun Structures; Pronoun Structures; Prepositions

Part Three
Adjective / Adverb and Related Structures

Part Four
Word Study

Part Five
French Civilization

Part Six
Comprehensive Testing
Speaking, Listening, Reading, Writing

Appendix   *565*

Part one
Verb Structures

QUÉBEC

SAINT-PIERRE-
ET-MIQUELON

LOUISIANE

HAÏTI

GUADELOUPE
MARTINIQUE

GUYANE

BELGIQUE
LUXEMBOURG
FRANCE   SUISSE

MONACO
CORSE

MAROC

ALGÉRIE   TUNISIE

MAURITANIE   MALI   NIGER   TCHAD

SÉNÉGAL

GUINÉE   RÉPUBLIQUE
                                          CENTRAFRICAINE
BURKINA FASO
CÔTE-D'IVOIRE

TOGO   BÉNIN

CAMEROUN   ZAÏRE

GABON
CONGO

Chapter 1
Present Tense of Regular Verbs

[1] PRESENT TENSE OF *-ER* VERBS

The present tense of regular *-er* verbs is formed by dropping the infinitive ending (*-er*) and adding the personal endings *-e, -es, -e, -ons, -ez, -ent.*

marcher *to walk*		
SINGULAR	**je marche**	*I walk, I am walking, I do walk*
	tu marches	*you walk, you are walking, you do walk*
	il marche	*he walks, he is walking, he does walk*
	elle marche	*she walks, she is walking, she does walk*
PLURAL	**nous marchons**	*we walk, we are walking, we do walk*
	vous marchez	*you walk, you are walking, you do walk*
	ils marchent	*they walk, they are walking, they do walk*
	elles marchent	*they walk, they are walking, they do walk*

NOTE:

1. The familiar form *tu* is generally used when addressing a relative, a friend, or a child—someone with whom one is familiar. *Vous* is used in the singular to show respect, and to denote formality or politeness.

2. The *e* of *je* is dropped when the next word begins with a vowel or a silent *h*.

J'aime le chocolat.   *I like chocolate.*

J'habite à Montréal.   *I live in Montreal.*

3. The third person pronouns *il, elle, ils, elles* refer to both persons and things. To refer to nouns of different genders, *ils* is used.

L'homme et la femme bavardent.   *The man and the woman chat.*

Ils bavardent.   *They chat.*

Common *-er* verbs:

accompagner *to accompany*

adorer *to adore*

aider *to help*

aimer *to like, love*

ajouter *to add*

allumer *to light, turn on*

apporter *to bring*

arriver *to arrive*

bavarder *to chat*

camper *to camp*

chanter *to sing*

chauffer *to heat, warm*

chercher *to look for*

collectionner *to collect*

commander *to order*

comparer *to compare*

composer *to compose, dial* (phone number)

compter *to count*

continuer *to continue*

coûter *to cost*

crier *to shout*

cuisiner *to cook*

danser *to dance*

décorer *to decorate*

déjeuner *to eat lunch*

demander *to ask (for)*

dépenser *to spend*

désirer *to desire*

dîner *to dine*

donner *to give*

écouter *to listen (to)*

emprunter *to borrow*

entrer *to enter*

étudier *to study*

expliquer *to explain*

fermer *to close*	oublier *to forget*	prêter *to lend*
gagner *to win*	parler *to speak*	raconter *to tell, narrate*
garder *to keep, look after*	participer *to participate*	rapporter *to bring back*
habiter *to live (in)*	passer *to pass, spend* (time)	regarder *to look at, watch*
indiquer *to indicate*	patiner *to (ice-)skate*	rentrer *to return*
inviter *to invite*	pêcher *to fish*	réparer *to repair*
jouer *to play*	penser *to think*	respecter *to respect*
laver *to wash*	plaisanter *to joke*	rester *to stay, remain*
mâcher *to chew*	porter *to carry; to wear*	retourner *to return*
marcher *to walk*	pousser *to push; to grow*	téléphoner *to phone*
monter *to go up*	pratiquer *to practice;*	toucher *to touch*
montrer *to show*	*to play* (sport)	travailler *to work*
noter *to note down, notice*	préparer *to prepare*	trouver *to find*
organiser *to organize*	présenter *to introduce*	vider *to empty*

Other common -er verbs:

arracher *to pull out*	fonctionner *to work*	réserver *to reserve*
arroser *to water*	frapper *to hit*	retirer *to remove*
assister (à) *to attend*	goûter *to taste*	saluer *to greet*
cacher *to hide*	gronder *to scold*	séjourner *to stay*
chasser *to hunt; to chase away*	laisser *to leave, let*	sembler *to seem*
couper *to cut*	louer *to rent*	siffler *to whistle*
critiquer *to criticize*	marcher *to walk*	signer *to sign*
déclarer *to declare*	mériter *to deserve*	sonner *to ring*
décoller *to take off* (plane)	pardonner *to pardon, excuse*	souhaiter *to wish*
demeurer *to live*	piloter *to pilot*	surveiller *to watch*
distribuer *to distribute*	pleurer *to cry*	terminer *to end*
durer *to last*	poser *to place*	tirer *to pull*
emballer *to wrap up*	quitter *to leave*	tomber *to fall*
embrasser *to hug; to kiss*	ramasser *to pick up; to collect*	tousser *to cough*
enregistrer *to record*	regretter *to regret*	traverser *to cross*
épouser *to marry*	remarquer *to notice*	tromper *to deceive*
éviter *to avoid*	remercier *to thank*	visiter *to visit*
exprimer *to express*	rencontrer *to meet*	voler *to steal*
fêter *to celebrate*	repasser *to iron*	

EXERCICE A

C'est la rentrée des classes. Exprimez ce que ces personnes font.

EXEMPLE: le professeur / distribuer les emplois du temps
Le professeur **distribue** les emplois du temps.

1. les jeunes filles / saluer leurs amis

_____

2. nous / raconter des histoires amusantes

_____

3. Alice / organiser un club

_____

4. vous / rencontrer vos amis

_____

5. les petits enfants / pleurer le premier jour d'école

_____

6. je / poser beaucoup de questions

_____

7. le directeur / souhaiter la bienvenue aux élèves

_____

8. tu / surveiller les plus jeunes

_____

EXERCICE B

Tanya écrit une lettre à une amie au sujet d'une boum. Complétez chaque phrase avec la forme correcte du verbe approprié.

accompagner	décorer	emprunter	fêter	organiser
cuisiner	distribuer	enregistrer	inviter	réserver

Chère Michelle,

Louise _____ son anniversaire. Elle a seize ans. Des amis et moi, nous
       1.

_____ une boum pour elle. Nous _____ des invitations à
  2.   *3.*

tous nos camarades de classe. Je _____ avec l'aide de la mère de Louise.
        4.

Paul _____ les chansons préférées de Louise sur une cassette. Les parents de Louise
  5.

_____ une caméra pour filmer les moments les plus amusants de la fête. C'est décidé:
  6.

nous _____ la maison samedi. Toi, Michelle, tu _____ des places
    7.   *8.*

de théâtre et tu _____ aussi Janine. Janine et toi, vous _____
                        9.   10.

Brian et David chez elle le soir de la fête. D'accord?

À très bientôt.

Tanya

a. **Negative constructions**

In a **negative construction**, *ne* precedes the conjugated verb and *pas* follows it.

Je **ne critique pas** mes amis.	*I don't criticize my friends.*
Vous **ne fêtez pas** cet événement.	*You aren't celebrating that event.*

Ne becomes *n'* before a vowel or a silent *h.*

Tu **n'écoutes pas.**	*You are not listening.*
Ils **n'hésitent** pas souvent.	*They don't hesitate often.*

EXERCICE C

Exprimez ce que ces personnes ne font pas aujourd'hui.

EXEMPLE: je / préparer le dîner
                  Je **ne prépare pas** le dîner.

1. nous / surveiller les enfants

_____

2. Lise / arroser les fleurs

_____

3. vous / repasser vos vêtements

_____

4. les filles / couper les légumes pour la salade

_____

5. tu / organiser ton travail

_____

6. le garçon / distribuer ses brochures

_____

7. je / rencontrer mon ami à la bibliothèque

_____

8. Pierre et Charles / ramasser les papiers

_____

EXERCICE D

Exprimez ce que les élèves ne font pas en classe.

EXEMPLE: Je **ne regarde pas** la télévision.

1. Tu _____.

2. Les filles _____.

3. Vous _____.

4. Kim _____.

5. M. Higgins _____.

6. Je _____.

b. Interrogative constructions with simple intonation

In everyday conversations, questions are often asked simply by saying a statement with an interrogative intonation. (In writing, the statement would appear with a question mark at the end.) This is especially the case for questions that can be answered by yes or no.

Tu travailles bien en classe?   *You work well in school?*

Oui, je travaille très bien.   *Yes, I work very well.*

NOTE: The expression *n'est-ce pas?* is sometimes placed at the end of such a statement—especially when the expected answer is *oui*.

Il arrive demain, **n'est-ce pas?**   *He is coming tomorrow, isn't he?*

EXERCICE E

Catherine et Isabelle sont deux amies qui habitent près de Paris. C'est le 2 septembre et elles bavardent au téléphone. Complétez leur conversation avec la forme correcte des verbes donnés.

ISABELLE: Allô! Bonjour, Catherine. Ça va?

CATHERINE: Salut, Isabelle. Ça va. Tu _____ de vacances?
1. (rentrer)

ISABELLE: Oui, mais je _____ à l'école demain. Et toi, tu _____
2. (retourner)   3. (préparer)

tes affaires pour l'école?

CATHERINE: Non. J'aide ma mère à préparer le dîner. Tu _____ dîner chez nous?
4. (désirer)

ISABELLE: Ton frère _____ avec vous?
5. (dîner)

CATHERINE: Ah! Ah! Tu _____ mon frère?
6. (aimer)

ISABELLE: Moi? Tu _____ ? Alors ta mère et toi, vous m'_____ ?
7. (plaisanter)   8. (inviter)

CATHERINE: Bien sûr! À ce soir, Isabelle!

c. Interrogative constructions with *est-ce que*

A question may be formed by beginning a sentence with *est-ce que*. *Est-ce que* becomes
est-ce qu' before a vowel or a silent *h*.

Nous chantons bien.	**Est-ce que** nous chantons bien?
Ils expliquent le problème.	**Est-ce qu'ils** expliquent le problème?
Hélène rencontre Luc.	**Est-ce qu'Hélène** rencontre Luc?

EXERCICE F

Vous faites la connaissance d'un nouveau copain dans une disco. Exprimez les questions que vous lui posez.

EXEMPLE: aimer le sport *(tu)*
Est-ce que tu aimes le sport?

1. danser souvent ici *(tu)*

_____

2. demeurer dans le même quartier *(nous)*

_____

3. quitter l'école à quatre heures le lundi *(Bruce et toi, vous)*

_____

4. habiter depuis longtemps ici *(ta famille)*

_____

5. sembler sympathique *(je)*

_____

6. organiser bientôt une boum *(tes amis)*

_____

7. critiquer tes opinions *(tes parents)*

_____

8. rencontrer tes amis le dimanche *(tu)*

_____

d. Interrogative constructions with inversion

A question may also be formed by reversing the word order of the subject pronoun and the verb and joining them with a hyphen.

Tu restes ici.	**Restes-tu** ici?
Vous étudiez le latin.	**Étudiez-vous** le latin?

NOTE:

1. If the subject pronoun is *il, elle,* or *on,* and the conjugated verb ends in a vowel, a -*t*- is added between the verb and the pronoun.

Il cherche son ami.	Cherche-**t**-il son ami?
Elle étudie beaucoup.	Étudie-**t**-elle beaucoup?
On aime nager.	Aime-**t**-on nager?

2. When the subject of a question is a noun, the noun stays before the verb and a corresponding third person pronoun is added after the verb.

Andrew embrasse son amie.	**Andrew embrasse-t-il** son amie?
Laura travaille beaucoup.	**Laura travaille-t-elle** beaucoup?
Les garçons aiment jouer.	**Les garçons aiment-ils** jouer?
Les feuilles tombent.	**Les feuilles tombent-elles?**

3. The inverted construction is rarely used in spoken French and almost never with the first-person singular. With the pronoun *je* the form with *est-ce que* is generally used.

Je parle trop.	**Est-ce que je** parle trop?

EXERCICE G

Posez des questions sur ce que vos amis et vous faites aujourd'hui.

EXEMPLE: tu / jouer au tennis
Joues-tu au tennis?

1. nous / quitter la maison tôt

_____

2. il / fêter son anniversaire

_____

3. vous / patiner sur le lac

_____

4. tu / organiser un match de foot

_____

5. elles / rester à la maison

_____

6. elle / ranger sa chambre

_____

7. il / travailler après l'école

_____

8. vous / prêter votre bicyclette

_____

EXERCICE H

Écrivez les questions que vous désirez poser au sujet de vos amis.

EXEMPLE: Les garçons jouent au football. *(au tennis)*
            Les garçons jouent-ils au tennis aussi?

1. Hitoshi embrasse sa mère. *(sa petite amie)*

_____

2. John et Michael aiment pêcher. *(patiner)*

_____

3. Lisa séjourne en France. *(en Italie)*

_____

4. Janice et Robert organisent un club. *(un concours)*

_____

5. Jennifer gronde sa sœur. *(son frère)*

_____

6. Katya et Fatima rencontrent leurs cousins. *(leurs amis)*

_____

7. Justin oublie son chapeau. *(son manteau)*

_____

8. Joan et Richard chassent les chiens. *(les chats)*

_____

Common -*ir* verbs:

accomplir *to accomplish*	garantir *to guarantee*	réfléchir *to reflect, think*
agir *to act*	garnir *to garnish*	remplir *to fill*
applaudir *to applaud*	grandir *to grow*	réussir *to succeed*
atterrir *to land* (plane)	grossir *to put on weight*	rôtir *to roast*
avertir *to warn*	guérir *to cure*	rougir *to blush*
bâtir *to build*	maigrir *to lose weight*	saisir *to seize, grab*
choisir *to choose*	nourrir *to feed*	trahir *to betray*
désobéir *to disobey*	obéir *to obey*	
finir *to finish*	punir *to punish*	

NOTE:

1. Negative, interrogative, and negative interrogative constructions with -*ir* verbs follow the same rules as for -*er* verbs.

Elle n'avertit pas ses parents.	*She doesn't warn her parents.*

Tu choisis la robe rouge?	
Est-ce que tu choisis la robe rouge?	*Do you choose the red dress?*
Choisis-tu la robe rouge?	

Julia n'applaudit pas?	
Est-ce que Julia n'applaudit pas?	*Doesn't Julia applaud?*
Julia n'applaudit-elle pas?	

2. For -*ir* verbs, it is not necessary to add -*t*- when forming a question with *il*, *elle*, or *on* since the verb form already ends in *t*.

Punit-il son chien?	*Does he punish his dog?*

EXERCICE K

Exprimez ce que chaque personne fait dans les situations suivantes.

agir	grossir	réfléchir	réussir
applaudir	maigrir	remplir	rougir

1. Je _____ avant de prendre une décision.

2. Le public _____ quand il aime le spectacle.

3. Les personnes timides _____ dans une situation embarrassante.

4. Nous _____ pour sauver l'environnement.

5. Le garçon _____ le questionnaire.

6. Tu _____ quand tu manges trop de gâteaux.

7. Vous _____ parce que vous travaillez beaucoup.

8. M. Williams _____ parce qu'il est au régime.

EXERCICE L

Exprimez ce que ces personnes ne font pas parce qu'elles n'ont pas le temps.

EXEMPLE: Anne / garnir son gâteau d'anniversaire
Anne **ne garnit pas** son gâteau d'anniversaire.

1. je / choisir les disques compacts maintenant

_____

2. Linda / réfléchir avant d'agir

_____

3. Frank et moi / accomplir notre travail

_____

4. tu / finir tes devoirs

_____

5. Felipe et Carlos / agir assez vite

_____

6. vous / réussir

_____

7. elles / nourrir le chat

_____

8. Joshua / rôtir le poulet pour son dîner

_____

EXERCICE M

Vos amis et vous organisez une boum. Écrivez les questions de votre ami en employant l'inversion.

EXEMPLES: saisir l'occasion de venir *(Karl et Marc)*
Karl et Marc **saisissent-ils** l'occasion de venir?

ne pas saisir l'occasion de venir *(tu)*
Ne saisis-tu pas l'occasion de venir?

1. garantir un grand succès *(tu)*

_____

2. ne pas avertir toute la classe *(nous)*

_____

3. ne pas rôtir le poulet avant de faire des sandwichs *(Becky et Cathy)*

_____

4. choisir des cassettes populaires *(vous)*

_____

5. ne pas remplir les éclairs de crème *(on)*

_____

6. réfléchir à tout ce qui est nécessaire *(vous)*

_____

7. réussir à décorer le salon *(Roger et Bernard)*

_____

8. finir ces tartes avant de préparer la limonade *(nous)*

_____

9. ne pas saisir cette chance de jouer de la guitare en public *(tu)*

_____

10. ne pas agir de façon autoritaire *(vous)*

_____

[3] PRESENT TENSE OF *-RE* VERBS

The present tense of regular *-re* verbs is formed by dropping the infinitive ending (*-re*) and adding the personal endings *-s, -s, –, -ons, -ez, -ent*.

vendre *to sell*		
SINGULAR	**je vends**	*I sell, I am selling, I do sell*
	tu vends	*you sell, you are selling, you do sell*
	il vend	*he sells, he is selling, he does sell*
	elle vend	*she sells, she is selling, she does sell*
PLURAL	**nous vendons**	*we sell, we are selling, we do sell*
	vous vendez	*you sell, you are selling, you do sell*
	ils vendent	*they sell, they are selling, they do sell*
	elles vendent	*they sell, they are selling, they do sell*

Common -re verbs:

attendre *to wait (for)*	défendre *to defend*	entendre *to hear*
correspondre *to correspond*	descendre *to go (come) down*	interrompre *to interrupt*

pendre *to hang*	répondre (à) *to answer*	vendre *to sell*
perdre *to lose*	rompre *to break, break up*	
rendre *to give back, return*	tondre *to mow*	

NOTE:

1. There are three exceptions: The verbs *rompre, corrompre* (to corrupt), and *interrompre* end in *-t* in the third person singular.

   il rompt   on corrompt   elle interrompt

2. Negative, interrogative, and negative interrogative constructions of *-re* verbs follow the same rules as for *-er* and *-ir* verbs.

   Les garçons ne tondent pas la pelouse.   *The boys aren't mowing the lawn.*

   Tu attends tes amis?
   Est-ce que tu attends tes amis?   } *Are you waiting for your friends?*
   Attends-tu tes amis?

   Michael ne descend pas?
   Est-ce que Michael ne descend pas?   } *Michael doesn't come downstairs?*
   Michael ne descend-il pas?

3. With *-re* verbs, it is not necessary to add *-t-* when forming a question with *il, elle,* or *on* since the form already ends in a consonant.

   Attend-elle sa voiture?   *Is she waiting for her car?*

EXERCICE N

Exprimez ce que ces personnes font ce dimanche.

attendre des amis au club de tennis   répondre au téléphone toute la journée
correspondre avec un ami   tondre la pelouse
descendre en ville   vendre des fruits au marché
pendre de nouveaux rideaux   entendre un concert

EXEMPLE: Shawn **répond** au téléphone toute la journée.

1. M. Karensky _____ .

2. Je _____ .

3. Vous _____ .

4. Les filles _____ .

5. Tu _____ .

6. Nous _____ .

7. Claude _____ .

EXERCICE O

Exprimez ce que ces personnes ne font pas.

EXEMPLE: Tu es timide. *(défendre tes idées)*
         Tu ne défends pas tes idées.

1. Ching tient sa parole. *(rompre ses promesses)*

_____

2. Claire et Tasha sont calmes. *(perdre patience)*

_____

3. Nous sommes toujours aimables. *(répondre d'une manière impolie)*

_____

4. Vous écoutez attentivement. *(interrompre vos amis)*

_____

5. Tu es loin de la scène. *(entendre bien les acteurs)*

_____

6. Je suis impatiente. *(attendre mes amis en retard)*

_____

EXERCICE P

Reformulez les questions suivantes sur une journée à l'école en employant l'inversion.

EXEMPLES: Tu entends sonner la cloche?
               Entends-tu sonner la cloche?

               Tu n'entends pas sonner la cloche?
               N'entends-tu pas sonner la cloche?

1. Julio ne répond pas à beaucoup de questions?

_____

2. Tu interromps le prof?

_____

3. Megan et moi, nous ne défendons pas bien nos opinions?

_____

4. Stephanie perd patience?

_____

5. Vous ne descendez pas au gymnase?

_____

6. Nous attendons Kevin aussi?

_____

7. Les filles correspondent avec leurs amis français?

_____

8. Le professeur ne rend pas les copies?

_____

9. Vous entendez les réponses correctes?

_____

10. Richard et Paul ne rompent pas leur promesse de bien travailler?

_____

[4] USES OF THE PRESENT TENSE

a. The present tense may have the following meanings in English.

John arrive.	*John arrives (is arriving, does arrive).*
Elles travaillent au magasin.	*They work (are working, do work) in the store.*
Obéissez-vous à vos parents?	*Do you obey (Are you obeying) your parents?*
Je ne descends pas en ville.	*I don't go (I'm not going) downtown.*

b. The present tense is often *used instead of the future* to ask for instructions or to refer to an action that will take place in the immediate future.

Je la répare?	*Shall I repair it?*
Je te parle dans cinq minutes.	*I'll speak to you in five minutes.*

c. The present tense + *depuis* + an expression of time expresses an action or event that began in the past and continues in the present. In such situations, the question is expressed by *Depuis combien de temps...* + present tense, or *Depuis quand...* + present tense.

Je lui parle **depuis une heure.**	*I have been speaking to him for one hour.*
Il travaille ici **depuis 1985.**	*He has been working here since 1985.*
Depuis combien de temps étudies-tu le français?	*How long have you been studying French?*
Depuis quand habitez-vous ici?	*Since when have you been living here?*

NOTE: The construction *il y a* + expression of time + *que* + the present tense also expresses a past action or event that continues in the present. In such situations, the question is expressed by *Combien de temps y a-t-il que...* + present tense.

Combien de temps y a-t-il que vous étudiez le français?	*How long have you been studying French?*
Il y a deux ans que j'étudie le français.	*I have been studying French for two years.*

Finalement, il _____ le restaurant. M. Dupont _____ l'addition
17. (leaves)   18. (asks for)

et la paie. Une fois rentrés à l'hôtel, Henri _____ la télévision et Françoise
19. (watches)

_____ aux lettres de ses amis américains.
20. (answers)

EXERCICE T

Vous regardez un film de guerre. Exprimez ce que les personnages ne font pas.

1. L'avion _____ à l'aéroport.

2. Les soldats _____ le pont.

3. Le héros _____ les ordres de son capitaine.

4. Le lieutenant et ses hommes _____ les fortifications nécessaires.

5. Les hommes _____ cette forteresse.

6. Les soldats ennemis _____ les victimes.

7. Le géneral _____ ses ordres au capitaine.

8. Les victimes _____ avec leurs familles.

EXERCICE U

*Vous participez à une enquête (**survey**) sur vos relations avec votre famille. Écrivez les questions et vos réponses.*

1. How long have you and your family been living here?

_____

We've been living here for five years.

_____

2. Do you watch the young children in your family?

_____

Yes, and I also feed the baby.

_____

3. Doesn't your brother mow the lawn every weekend?

_____

No, but he washes the car.

_____

4. Doesn't your mother water the plants every day?

_____

Yes, and she also finishes the housework *(ménage)*.

_____

5. Do you and your sister prepare dinner every day?

_____

No, but we wash the dishes.

_____

6. Do you talk on the phone too long?

_____

No, I don't chat on the telephone.

_____

Chapter 2
Spelling Changes in Certain -*er* Verbs

[1] -*CER* VERBS

Verbs ending in -*cer* change *c* to *ç* before *a* or *o* to retain the soft *c* sound.

avancer *to move forward*	
j' avance	nous avançons
tu avances	vous avancez
il/elle avance	ils/elles avancent

Other verbs ending in -*cer*:

annoncer *to announce*	lancer *to throw*	prononcer *to pronounce*
commencer *to begin*	menacer *to threaten*	remplacer *to replace*
effacer *to erase*	placer *to put, place*	renoncer (à) *to give up*

EXERCICE A

Utilisez les verbes donnés pour exprimer ce que le professeur dit à Jacques et à ses parents.

annoncer	menacer	prononcer
avancer	placer	renoncer

1. Jacques _____ rapidement dans ses études.

2. Vous ne _____ pas à l'idée d'envoyer Jacques à l'université.

3. En classe, nous _____ ensemble les mots difficiles.

4. Quand les élèves n'écoutent pas, je _____ de les punir.

5. Jacques, tu _____ toujours tes devoirs sur mon bureau à l'heure.

6. Les professeurs et moi, nous vous _____ que Jacques est un élève excellent.

EXERCICE B

Les employés de la Société Lutèce refusent de travailler. Un journaliste enquête (investigates). *Exprimez les questions du journaliste et les réponses des employés.*

EXEMPLE: effacer ces slogans cruels *(oui) (non)*
Effacez-vous ces slogans cruels?
Oui, nous effaçons ces slogans cruels.
OU: **Non, nous n'effaçons pas** ces slogans cruels.

1.   placer une annonce dans le journal *(oui)*

_____

_____

2. renoncer à travailler cette semaine *(oui)*

_____

_____

3. annoncer vos projets pour l'avenir de la société *(non)*

_____

_____

4. lancer ces brochures aux automobilistes *(non)*

_____

_____

5. menacer ceux qui travaillent *(non)*

_____

_____

6. avancer vers un accord *(oui)*

_____

_____

[2]   -*GER* VERBS

Verbs ending in -*ger* insert a silent *e* between *g* and *a*, and between *g* and *o*, to keep the soft *g* sound.

nager *to swim*	
je nage	**nous nageons**
tu nages	**vous nagez**
il/elle nage	**ils/elles nagent**

Other verbs ending in -*ger*:

arranger *to arrange*	déranger *to disturb*	partager *to share, divide*
bouger *to move*	diriger *to direct*	plonger *to plunge, dive*
changer *to change*	manger *to eat*	ranger *to put away, put in order*
corriger *to correct*	mélanger *to mix*	songer (à) *to think (about), consider*
déménager *to move* (to another residence)	neiger *to snow*	voyager *to travel*
	obliger *to force, impose*	

EXERCICE C

La famille Lelong quitte Paris pour aller habiter à Marseille. Exprimez ce qui arrive le jour de leur départ.

EXEMPLE: je / changer de résidence
            Je **change** de résidence.

1. nous / déménager

_____

2. Janine et vous / mélanger les cartons *(boxes)*

_____

3. papa / diriger les déménageurs

_____

4. nous / déranger les voisins avec notre camion

_____

5. tu / ranger tes affaires dans cette boîte

_____

6. maman et papa / songer à notre nouvelle maison

_____

EXERCICE D

Exprimez ce que votre sœur et vous faites ce samedi après–midi.

EXEMPLE: bouger tout dans la cuisine
                    Nous **bougeons** tout dans la cuisine.

1. songer à préparer un gâteau

_____

2. déranger maman pour lui demander où est la recette

_____

3. arranger ce qui est nécessaire sur la table

_____

4. changer un peu la recette

_____

5. mélanger tous les ingrédients

_____

6. ranger la cuisine

_____

7. partager le gâteau avec toute la famille

_____

8. obliger toute la famille à apprécier notre gâteau

_____

[3] *-YER* VERBS

Verbs ending in *-yer* change *y* to *i* before silent *e*.

envoyer *to send*	
j' env*oi*e	**nous envoyons**
tu env*oi*es	**vous envoyez**
il/elle env*oi*e	**ils/elles env*oi*ent**

Other verbs ending in *-yer:*

employer *to use*   nettoyer *to clean*

ennuyer *to bore, bother*   renvoyer *to dismiss, send back*

essuyer *to dry, wipe*

NOTE: Verbs ending in *-ayer* may or may not change the *y* to *i* in all present tense forms except *nous* and *vous.*

essayer *to try*	
j'ess*ai*e or **j'ess*ay*e**	**nous essayons**
tu ess*ai*es or **tu ess*ay*es**	**vous essayez**
il/elle ess*ai*e or **il/elle ess*ay*e**	**ils/elles ess*ai*ent** or **ils/elles ess*ay*ent**

Other verb ending in *-ayer:*

payer *to pay*

EXERCICE E

Exprimez ce que chaque personne emploie pour faire son travail.

EXEMPLE: je / calculette
           J'**emploie** une calculette.

1. Kim et moi / un ordinateur

_____

2. tu / une carte du monde

_____

3. Rachel / une règle

_____

4. vous / un dictionnaire

_____

5. je / un programme de traitement de texte

_____

6. Marcel et Ali / une encyclopédie

_____

EXERCICE F

Aidez-vous des illustrations pour exprimer ce que ces personnes font.

1. Le patron _____ l'employé.

2. Nous _____ nos larmes.

3. J' _____ une lettre au directeur du journal.

4. Les vendeurs _____ Myoko.

5. Vous _____ enfin votre chambre.

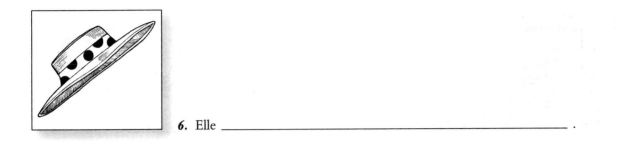

6. Elle _____ .

EXERCICE H

Nanette, une jeune Québécoise, se présente chez Mme Fabre pour travailler au pair. Exprimez les questions de Mme Fabre et les réponses de Nanette.

EXEMPLE: amener souvent les enfants au parc
        MME FABRE: **Amenez-vous** souvent les enfants au parc?
        NANETTE: **Oui, j'amène** souvent les enfants au parc.

1. emmener les enfants à l'école

    MME FABRE: _____

    NANETTE: _____

2. élever bien les enfants

    MME FABRE: _____

    NANETTE: _____

3. peser les avantages et les inconvénients avant de prendre une décision

    MME FABRE: _____

    NANETTE: _____

4. achever toujours le travail ménager avant midi

    MME FABRE: _____

    NANETTE: _____

5. mener une vie tranquille

    MME FABRE: _____

    NANETTE: _____

6. promener le chien tous les jours

    MME FABRE: _____

    NANETTE: _____

7. lever le bébé le matin

    MME FABRE: _____

    NANETTE: _____

[5] *APPELER* AND *JETER*

Some "shoe" verbs with silent *e*, **like** *appeler* **and** *jeter*, **double the consonant instead of changing** *e* **to** *è*.

appeler *to call*		jeter *to throw (away)*	
j' appe**ll**e	nous appelons	je j**ett**e	nous jetons
tu appe**ll**es	vous appelez	tu j**ett**es	vous jetez
il/elle appe**ll**e	ils/elles appe**ll**ent	il/elle j**ett**e	ils/elles j**ett**ent

Other verbs like *appeler* **and** *jeter:*

épeler   *to spell*

épousseter   *to dust*

EXERCICE I

Lisez les situations, puis déterminez qui chaque personne appelle.

EXEMPLE: Alison a mal à l'estomac.
   Elle appelle le docteur.

1. J'ai très mal aux dents.

_____

2. La voiture de M. Spinelli ne marche pas.

_____

3. Tu vois un crime.

_____

4. Vous dînez au restaurant et vous désirez l'addition.

_____

5. Elles voient une maison en flammes.

_____

6. Nous sommes dans un magasin et nous cherchons un vêtement.

_____

EXERCICE J

Les Duval changent la décoration de leur appartement. Exprimez ce que chacun jette.

EXEMPLE: tu / le tapis
   Tu **jettes** le tapis.

1. ma sœur et moi / la lampe de céramique

_____

6. À quelle heure achevez-vous vos devoirs?

_____

7. Quand célébrez-vous votre anniversaire?

_____

8. Combien pesez-vous?

_____

EXERCICE N

Dans la même enquête il y a une liste de travaux ménagers. Exprimez ce que vos frères, vos sœurs et vous faites et ne faites pas.

acheter les provisions	*épousseter nos trophées sportifs*
ranger la maison	*arranger les livres sur les étagères*
jeter les ordures	*envoyer les paquets de vieux vêtements*
changer les draps	*promener le chien*
enlever la neige de l'allée de garage	

EXEMPLE: **Nous (n')achetons (pas) les provisions.**

1. _____

2. _____

3. _____

4. _____

5. _____

6. _____

7. _____

8. _____

EXERCICE O

Thomas est moniteur dans une colonie de vacances. Exprimez ce qu'il écrit à sa petite amie Nicole en choisissant le verbe approprié dans la liste ci-dessous.

acheter	employer	manger	plonger
appeler	ennuyer	nager	répéter
commencer	lancer	nettoyer	

1. Nous _____ la journée tôt, à sept heures du matin.

2. Nous _____ trois bons repas par jour.

3. J'_____ les garçons «mes petits frères».

4. Nous _____ et nous _____ dans le lac deux fois par jour.

5. Nous _____ du pain aux canards du lac.

6. Les enfants ne m'_____ jamais.

7. J'_____ mes talents de musicien pour les amuser.

8. En ce moment, nous _____ une petite pièce de théâtre.

9. Quand nous allons en ville, nous _____ des cartes et des souvenirs.

10. Le vendredi soir, les garçons _____ les cabines.

EXERCICE P

Exprimez en français comment Kimberly passe son après-midi.

1. It's freezing and it's snowing.

_____

2. I'm not happy, but I bring my dog to the park.

_____

3. I walk Médor every day at five o'clock.

_____

4. I hope to meet my friend Michael. He's celebrating his birthday today.

_____

5. Here's Michael now. He's raising his hand to say "Hi."

_____

6. We start to walk together *(ensemble)*.

_____

7. I give Michael a beautiful gift.

_____

8. Now he owns a pretty watch.

_____

9. He sets the watch immediately.

_____

10. Afterward, we share a hot chocolate.

_____

Chapter 3
Verbs Irregular in the Present Tense

[1] COMMON IRREGULAR VERBS

The verbs presented in this chapter are irregular in the present tense and must be memorized.

aller *to go:* je vais, tu vas, il/elle va
nous allons, vous allez, ils/elles vont

avoir *to have:* j'ai, tu as, il/elle a
nous avons, vous avez, ils/elles ont

boire *to drink:* je bois, tu bois, il/elle boit
nous buvons, vous buvez, ils/elles boivent

conduire *to lead, drive:* je conduis, tu conduis, il/elle conduit
nous conduisons, vous conduisez, ils/elles conduisent

Like conduire: **construire** *to build;* **cuire** *to cook;* **produire** *to produce;*
traduire *to translate*

connaître *to know:* je connais, tu connais, il/elle connaît
nous connaissons, vous connaissez, ils/elles connaissent

Like connaître: **paraître** *to appear, to seem;* **apparaître** *to appear*

courir *to run:* je cours, tu cours, il/elle court
nous courons, vous courez, ils/elles courent

croire *to believe:* je crois, tu crois, il/elle croit
nous croyons, vous croyez, ils/elles croient

devoir *to owe, have to:* je dois, tu dois, il/elle doit
nous devons, vous devez, ils/elles doivent

dire *to tell, say:* je dis, tu dis, il/elle dit
nous disons, vous dites, ils/elles disent

dormir *to sleep:* je dors, tu dors, il/elle dort
nous dormons, vous dormez, ils/elles dorment

Like dormir: **partir** *to go away, leave;* **servir** *to serve;* **sortir** *to go out, leave*

écrire *to write:* j'écris, tu écris, il/elle écrit
nous écrivons, vous écrivez, ils/elles écrivent

être *to be:* je suis, tu es, il/elle est
nous sommes, vous êtes, ils/elles sont

faire *to make; to do:* je fais, tu fais, il/elle fait
nous faisons, vous faites, ils/elles font

falloir *to be necessary:* il faut

lire *to read:* je lis, tu lis, il/elle lit
nous lisons, vous lisez, ils/elles lisent

mettre *to put, put on:* je mets, tu mets, il/elle met
nous mettons, vous mettez, ils/elles mettent

Like mettre: **permettre** *to allow;* **promettre** *to promise*

ouvrir   *to open:*   j'ouvre, tu ouvres, il/elle ouvre
                    nous ouvrons, vous ouvrez, ils/elles ouvrent

pleuvoir   *to rain:*   il pleut

pouvoir   *to be able:*   je peux, tu peux, il/elle peut
                    nous pouvons, vous pouvez, ils/elles peuvent

prendre   *to take:*   je prends, tu prends, il/elle prend
                    nous prenons, vous prenez, ils/elles prennent

Like prendre: **apprendre** *to learn;*   **comprendre** *to understand*

recevoir   *to receive:*   je reçois, tu reçois, il/elle reçoit
                    nous recevons, vous recevez, ils/elles reçoivent

savoir   *to know, know how:*   je sais, tu sais, il/elle sait
                    nous savons, vous savez, ils/elles savent

venir   *to come:*   je viens, tu viens, il/elle vient
                    nous venons, vous venez, ils/elles viennent

Like venir: **devenir** *to become;*   **revenir** *to come back*

voir   *to see:*   je vois, tu vois, il/elle voit
                    nous voyons, vous voyez, ils/elles voient

vouloir   *to wish, want:*   je veux, tu veux, il/elle veut
                    nous voulons, vous voulez, ils/elles veulent

NOTE:

1. Negative, interrogative, and negative interrogative constructions follow the same rules as for regular verbs.

Il ne conduit pas bien.	*He doesn't drive well.*
Claire vient ce soir?	*Claire is coming tonight?*
Est-ce que tu le connais?	*Do you know him?*
Tiffany est-elle intelligente?	*Is Tiffany smart?*
Tu ne vas pas chez Anne?	*You aren't going to Anne's?*

2. Verbs that end in a vowel in the third person singular add *-t-* before the pronoun in the inverted question form.

Où va-*t*-il?	*Where is he going?*
A-*t*-elle le temps de venir?	*Does she have the time to come?*
Pourquoi ouvre-*t*-il la porte?	*Why is he opening the door?*

EXERCICE A

Exprimez ce que les personnes suivantes boivent le matin.

EXEMPLE: Alain / du chocolat
           Alain **boit** du chocolat.

1. les filles / du thé

2. nous / du café

_____

3. je / de l'eau

_____

4. Erica / du jus d'orange

_____

5. vous / du café au lait

_____

6. tu / un citron pressé

_____

EXERCICE B

Exprimez comment à votre avis chaque personne conduit sa voiture.

bien	mal	rapidement
d'une façon dangereuse	prudemment	trop vite
lentement		

EXEMPLE: Mon amie **conduit** trop vite.

1. Mes amis et moi, nous _____ .

2. Tu _____ .

3. Je _____ .

4. Ma mère _____ .

5. Mes grands-parents _____ .

6. Vous _____ .

EXERCICE C

Aidez-vous des illustrations pour demander ce que chaque personne connaît.

EXEMPLE: **Connaît**-il cette **rue**?

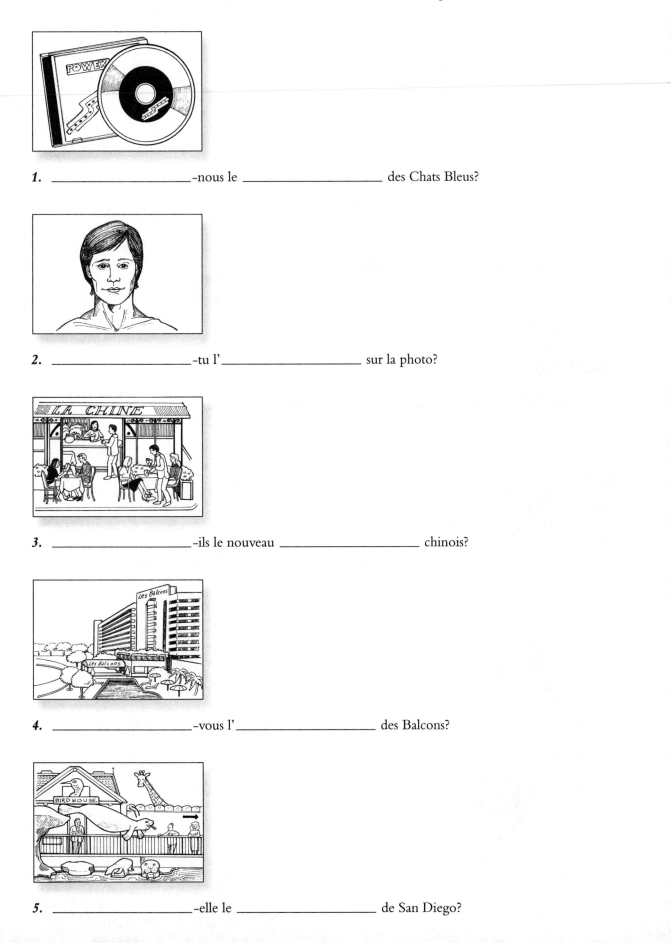

1. _____-nous le _____ des Chats Bleus?

2. _____-tu l'_____ sur la photo?

3. _____-ils le nouveau _____ chinois?

4. _____-vous l'_____ des Balcons?

5. _____-elle le _____ de San Diego?

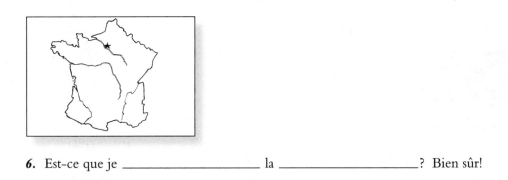

6. Est-ce que je _____ la _____? Bien sûr!

EXERCICE D

Les personnes suivantes sont en retard. Exprimez où elles courent.

EXEMPLE: Il **court à l'arrêt d'autobus.**

1. M. Smith _____.

2. Les enfants _____.

3. Vous _____.

4. Tu _____ .

5. Nous _____ .

6. Je _____ .

EXERCICE E

Exprimez ce que les passagers de l'avion croient voir quelques minutes avant d'arriver à Paris.

EXEMPLE: Marian **croit** qu'elle **voit** la tour Eiffel.

1. Je _____ que je _____ le Sacré-Cœur.

2. Vous _____ que vous _____ la Seine.

3. Tu _____ que tu _____ Versailles.

4. Les hôtesses de l'air _____ qu'elles _____ Montmartre.

5. Paolo _____ qu'il _____ Notre-Dame.

6. Nous _____ que nous _____ l'Arc de Triomphe.

EXERCICE F

Exprimez ce que chaque personne doit faire avant la fin de la journée.

EXEMPLE: Jeffrey / finir ses devoirs
Jeffrey **doit finir** ses devoirs.

1. nous / enregistrer une cassette

_____

2. Patrick / garder ses petits frères

_____

3. je / rendre le pull de Natasha

_____

4. vous / passer l'examen du permis de conduire

_____

5. Amanda et Crystal / poster un colis

_____

6. tu / réserver des places au restaurant

_____

EXERCICE G

*Complétez les paragraphes suivants en utilisant la forme correcte de **dire**, **écrire** ou **lire**.*

1. Chaque matin M. Blanc _____ bonjour à ses employés. Ensuite, il

_____ son courrier puis il _____ quelques lettres.

2. Vous _____ une annonce publicitaire. Vous _____ que les informations

données sont fausses. Vous _____ une lettre à la société.

3. Je (J') _____ un poème. Je ne le _____ pas à mes parents. Je

_____ que c'est un poème très personnel.

4. Nous _____ l'explication du problème dans notre livre. Nous _____

les réponses dans nos cahiers. Nous _____ au professeur que ce problème est facile.

5. Elles _____ qu'elles _____ un excellent roman. Après, elles

_____ une lettre à l'auteur.

6. Tu _____ un conte. Tout le monde _____ qu'il est superbe. Tu le

_____ pendant le cours d'anglais.

EXERCICE H

Exprimez ce que chaque personne fait en utilisant la forme correcte des verbes **dormir, partir, servir** *ou* **sortir.**

EXEMPLE: Ashley **dort** jusqu'à huit heures. Elle **part** dans une demi-heure. Elle **sort** de chez elle. Elle **sert** les repas à la cantine.

1. Je _____ jusqu'à sept heures. Je _____ le petit déjeuner à mes parents.

Je _____ dans cinq minutes. Je _____ avec ma sœur.

2. M. Martinez _____ jusqu'à 7h30. Il _____ de son appartement. Il

_____ en métro parce qu'il va à son restaurant. Il _____ les clients.

3. Nous _____ jusqu'à neuf heures. Nous _____ tout de suite à la

cantine où nous _____ le petit déjeuner. Nous _____ de la cantine à

onze heures.

4. Les filles _____ jusqu'à 6h30. Elles travaillent au café *Chez Pauline*. Elles

_____ à vélo. Elles _____ des sandwichs. Elles _____

de Chez Pauline à quatre heures.

5. Vous _____ jusqu'à midi. Vous _____ la voiture du garage. Vous

_____ travailler l'après-midi. Vous _____ les clients de l'hôtel.

EXERCICE I

Écrivez cinq choses qu'il faut faire avant de partir à l'étranger.

EXEMPLE: **Il faut acheter les billets d'avion.**

1. _____

2. _____

3. _____

4. _____

5. _____

EXERCICE J

Exprimez ce que chaque personne promet de faire.

arroser le jardin	obéir au règlement	repasser les vêtements
faire le ménage	promener le chien	tondre la pelouse
laver la voiture		

EXEMPLE: Alan **promet** de promener le chien.

1. Vous _____ .

2. Arthur et George _____ .

3. Nous _____ .

4. Grace _____ .

5. Tu _____ .

6. Je _____ .

EXERCICE K

Exprimez ce que chaque personne ouvre en arrivant en classe.

EXEMPLE: Il **ouvre le cartable.**

1. Le professeur _____ .

2. Tu _____ .

3. J' _____ .

4. Nous _____ .

5. Vous _____ .

6. Les élèves _____ .

EXERCICE L

Il n'y a pas classe aujourd'hui. Exprimez ce que Catherine et ses amis peuvent faire s'ils veulent.

EXEMPLE: Catherine / aller voir sa cousine Delphine
            Catherine peut aller voir sa cousine Delphine si elle veut.

1. Benjamin / aller à la pêche

_____

2. tu / faire les courses

_____

3. Trisha et Nicole / descendre en ville

_____

4. Brandon et moi / jouer avec l'ordinateur

_____

5. vous / sortir avec des copains

_____

6. je / regarder MTV toute la journée

_____

EXERCICE M

Votre classe déjeune dans un restaurant français. Exprimez ce que chaque personne prend.

de la bouillabaisse	des escargots	du coq au vin	une quiche
de la soupe à l'oignon	du bœuf bourguignon	un croque-monsieur	

EXEMPLE: Tanya **prend** de la soupe à l'oignon.

1. Elizabeth _____.

2. Je _____.

3. Joseph _____.

4. Tu _____.

5. Vous _____.

6. Brad et Amanda _____.

EXERCICE N

Mme Burton distribue des cadeaux à ses élèves pour célébrer Noël. Exprimez ce que chacun reçoit.

EXEMPLE: Nick **reçoit** un magazine français.

1. Gary et moi, nous _____.

2. Albert et Arthur _____ .

3. Je _____ .

4. Vous _____ .

5. Stacy _____ .

6. Tu _____ .

EXERCICE O

Mme Burton demande à ses élèves ce qu'ils savent faire. Ils répondent en exagérant un petit peu. Exprimez leurs réponses.

EXEMPLE: Nick / bâtir une maison
            Nick **sait** bâtir une maison.

1. Albert et Arthur / conduire une voiture

_____

2. je / marcher sur mes mains

_____

3. vous / piloter un avion

_____

4. tu / réussir à tous les examens

_____

5. Stacy / nager comme un poisson

_____

6. Christine et moi / jouer du piano

_____

EXERCICE P

Exprimez comment les invités viennent à la boum de Michel.

EXEMPLE: Jim **vient** en scooter.

1. Nous _____ .

2. Les garçons _____.

3. Janine _____.

4. Tu _____.

5. Vous _____.

6. Je _____.

[2]   COMMON EXPRESSIONS WITH *ALLER*

aller + adverb   *to feel, to be* (describing a state of health)
Comment allez-vous? Je vais bien.   *How are you? I'm fine.*
Les affaires vont mal.   *Business is bad.*

aller à pied   *to walk, go on foot*
Je vais à l'école à pied.   *I walk to school.*

aller à la pêche   *to go fishing*
Ils vont souvent à la pêche.   *They often go fishing.*

aller en voiture   *to go by car*
Tu vas au Canada en voiture?   *You go to Canada by car?*

A conjugated form of *aller* **followed by an infinitive is used to express an action that will take place in the near future.**

Qu'est-ce que tu vas faire ce soir?   *What are you going to do this evening?*

Je vais étudier.   *I am going to study.*

EXERCICE Q

Complétez ce dialogue entre deux amies avec la forme correcte du verbe **aller.**

JANINE: Tu _____ à la patinoire avec Claudine cet après-midi?
                    1.

RACHEL: Non, je ne _____ pas bien. Je _____ aller chez le docteur.
                        2.   *3.*

JANINE: Tes parents _____ aller avec toi ou est-ce que tu _____ à pied?
                        4.   *5.*

RACHEL: Ma mère _____ en ville en voiture à trois heures, elle
                    6.

          _____ m'emmener.
              7.

JANINE: C'est dommage. Patricia et moi, nous _____ au cinéma à deux heures.
                                                        8.

RACHEL: Qu'est-ce que vous _____ voir au cinéma?
                                9.

JANINE: *Le Docteur Zhivago!*

[3]   COMMON EXPRESSIONS WITH *AVOIR*

avoir... ans   *to be . . . years old*
Quel âge as-tu?   *How old are you?*
J'ai seize ans.   *I'm sixteen years old.*

avoir l'air   *to appear, to look*
Tu as l'air fatigué.   *You look tired.*

avoir besoin de   *to need*
Il a besoin d'un crayon.   *He needs a pencil.*

avoir de la chance   *to be lucky*
Vernon a beaucoup de chance.   *Vernon is very lucky.*
Il gagne toujours à la loterie.   *He always wins the lottery.*

avoir chaud   *to be hot* (of persons)
Il a très chaud.   *He is very hot.*

avoir froid   *to be cold* (of persons)
Myriam a souvent froid.   *Myriam is often cold.*

avoir envie de   *to desire, want*
J'ai envie d'une glace.   *I would like some ice cream.*

avoir faim   *to be hungry*
Mon frère a toujours faim.   *My brother is always hungry.*

avoir soif   *to be thirsty*
Nous avons très soif.   *We are very thirsty.*

avoir honte (de)   *to be ashamed (of)*
Il a honte de ses erreurs.   *He is ashamed of his mistakes.*

avoir lieu   *to take place*
Les Jeux Olympiques ont lieu à Atlanta.   *The Olympic Games take place in Atlanta.*

avoir mal à   *to have an ache*
Qu'avez-vous?   *What's the matter with you?*
J'ai mal à la tête.   *I have a headache.*

avoir peur (de)   *to be afraid (of)*
Tu as peur de ce petit chien?   *You're afraid of this little dog?*

avoir raison   *to be right*
J'ai toujours raison.   *I'm always right.*

avoir tort   *to be wrong*
Je sais que vous avez tort.   *I know that you are wrong.*

avoir sommeil   *to be sleepy*
Il est tard et j'ai sommeil.   *It is late and I am sleepy.*

Impersonal use of *avoir*:

il y a   *there is, there are*
Il y a un chat noir dans le jardin.   *There is a black cat in the garden.*

y a-t-il?   *is there? are there?*
Y a-t-il du lait pour le café?   *Is there any milk for the coffee?*

il n'y a pas   *there isn't, there aren't*
Il n'y a pas de chaises dans la salle de classe.   *There aren't any chairs in the classroom.*

n'y a-t-il pas?   *isn't there? aren't there?*
N'y a-t-il pas de serveurs dans ce café?   *Aren't there any waiters in this cafe?*

EXERCICE R

*Pour chaque situation, complétez la phrase avec l'expression avec **avoir** appropriée.*

avoir besoin	avoir froid	avoir mal	avoir soif
avoir de la chance	avoir l'air	avoir peur	avoir tort
avoir envie	avoir lieu		

1. Donnez-moi un coca, s'il vous plaît. J'_____ .

2. Michelle va à la Martinique demain, elle _____ .

3. Nous _____ parce que nous regardons un film d'horreur.

4. Le match est terminé et les joueurs _____ fatigué.

5. Roy court parce que la cérémonie _____ dans cinq minutes.

6. Vous désirez sortir? Vous _____ d'aller au parc?

7. Pour aller au Cambodge, tu _____ de ton passeport.

8. Je vais chez le dentiste parce que j'_____ aux dents.

9. Il gèle. Elles _____ .

10. Deux et deux ne font pas cinq. Vous _____ !

[4] COMMON EXPRESSIONS WITH *ÊTRE*

être à   *to belong to*
À qui est cette bague?   *Whose ring is this?*
Elle est à moi.   *It belongs to me.*

être en train de   *to be in the middle* (of an action)
Je suis en train de faire le dîner.   *I'm in the middle of preparing dinner.*
                                      (I'm preparing dinner.)

EXERCICE S

Exprimez ce que chaque personne est en train de faire.

EXEMPLE: Martin **est en train de planter des fleurs.**

1. Max et Christopher _____ .

2. Je _____ .

3. Vous _____ .

4. Makiko _____ .

5. Tu _____ .

6. Nous _____.

[5]   COMMON EXPRESSIONS WITH *FAIRE*

faire attention (à)   *to pay attention (to)*
Jeanne fait attention au professeur.   *Jeanne pays attention to the teacher.*

faire de son mieux   *to do one's best*
Tu fais de ton mieux pour réussir.   *You do your best to succeed.*

faire la connaissance de   *to meet someone, to become acquainted*
Vous faites la connaissance du   *You meet the new student.*
nouvel élève.

faire les courses   *to go shopping*
Nous faisons les courses le samedi.   *We do the shopping on Saturday.*

faire peur (à)   *to frighten*
Le chien fait peur à l'enfant.   *The dog frightens the child.*

faire une promenade   *to go for a walk*
Le soir, ils font une promenade.   *In the evening they take a walk.*

faire un voyage (en avion, en voiture)   *to take a trip (by plane, by car)*
Les Duval font un voyage en France.   *The Duvals are taking a trip in France.*

Weather expressions with *faire*:

Quel temps fait-il?	*How's the weather?*
Il fait bon.	*The weather is fine.*
Il fait beau.	*It's nice.*
Il fait mauvais.	*The weather is bad.*
Il fait froid.	*It's cold.*
Il fait chaud.	*It's warm / hot.*
Il fait frais.	*It's cool.*
Il fait du vent.	*It's windy.*
Il fait du soleil.	*It's sunny.*

Sports expressions with *faire*:

Nous faisons du ski.	*We ski.*
Nous faisons du tennis.	*We play tennis.*

EXERCICE T

Exprimez ce que ces personnes font.

EXEMPLE: Michael / du golf
Michael **fait** du golf.

1. je / un voyage à moto

_____

2. nous / du foot

_____

3. les garçons / des achats en ville

_____

4. vous / une promenade à vélo

_____

5. Vassili / des courses au supermarché

_____

6. Lisa et Helga / la connaissance de Raoul

_____

7. tu / du volley-ball

_____

8. Lydia / attention à ses devoirs

_____

[6] OTHER COMMON VERBAL EXPRESSIONS

apprendre par cœur   *to memorize, to learn by heart*
Vous apprenez ce poème par cœur.   *You learn this poem by heart.*

mettre la table, le couvert   *to set the table*
Mon frère met la table.   *My brother sets the table.*

prendre au sérieux   *to take seriously*
Il prend son travail au sérieux.   *He takes his work seriously.*

venir de   *to have just*
Nous venons de manger.   *We just ate.*

vouloir dire   *to mean*
Que veut dire cela?   *What does that mean?*

M A S T E R Y   E X E R C I S E S

EXERCICE U

Vous écoutez des personnes parler, mais vous n'entendez pas tous les mots. Complétez les conversations avec la forme correcte du verbe de la première phrase.

EXEMPLE: **Pouvez**-vous nous accompagner au théâtre?
Non, nous **ne pouvons pas.**
Moi, je **peux** vous accompagner au théâtre.

1. **Savez**-vous jouer au golf?

   Oui, nous _____ bien jouer au golf.

   Moi, je _____ seulement jouer au tennis.

2. Quand est-ce que vous **devenez** nerveux?

   Je _____ nerveux quand je passe un examen.

   Jacques et Mark _____ nerveux quand ils prennent l'avion.

3. Qui **dit** toujours la vérité?

   Nous _____ toujours la vérité.

   Mais non, parfois vous _____ des mensonges.

4. Qu'**apprenez**-vous en classe de français?

   Moi, j'_____ des poèmes.

   Dans ma classe, les élèves _____ des chansons.

5. D'où **êtes**-vous?

   Nous _____ de Dakar.

   Je _____ de Marseille, mais mes cousins _____ de Casablanca.

6. Quel âge **as**-tu?

   J'_____ quinze ans. Quel âge _____-vous?

   Nous _____ seize ans.

7. Que **fais**-tu le samedi après-midi?

   Je _____ du basket. Que _____-vous?

   Nous _____ du foot.

8. Où **allez**-vous cet été?

   Nous _____ en Europe. Et toi?

   Je _____ chez mon correspondant martiniquais et mes parents

   _____ en Afrique.

9. Qu'est-ce que vous **voulez** comme dessert?

Nous _____ une mousse au chocolat. Et toi?

Je _____ de la tarte aux pommes.

10. Qu'est-ce que tu **dois** faire après les cours?

Moi, je _____ étudier pour mon examen. Qu'est-ce que Paul et Evan

_____ faire?

Evan _____ ranger sa chambre. Paul et moi, nous _____

aller travailler.

EXERCICE V

Exprimez ce qui arrive aujourd'hui à un camarade en écrivant la forme correcte des verbes donnés entre parenthèses.

J'_____ ma fenêtre. Il _____ . Je _____ que
    1. (ouvrir)   2. (pleuvoir)   3. (savoir)

je _____ faire attention. Aujourd'hui je _____ la voiture de mes
   4. (devoir)   5. (conduire)

parents seul pour la première fois. J'_____ un peu peur. Avant de quitter la maison
             6. (avoir)

je _____ mon petit déjeuner: des œufs et du pain grillé. Je _____
   7. (prendre)   8. (boire)

aussi du jus d'orange. Finalement je _____ prêt et je _____ .
             9. (être)   10. (partir)

Je _____ vers la voiture parce que je _____ éviter la pluie.
  11. (courir)   12. (vouloir)

Je _____ faire démarrer la voiture. Je _____ le contact.
  13. (savoir)   14. (mettre)

Enfin, je _____ en route. Je _____ bien le chemin. Il
    15. (être)   16. (connaître)

_____ rouler lentement. Je _____ à peine les autres voitures. Je
  17. (falloir)   18. (voir)

_____ tout pour éviter un accident. Je _____ les panneaux *(signs)*
  19. (faire)   20. (lire)

avec attention. Une demi-heure plus tard, j'arrive chez ma petite amie. Je _____ tout
                        21. (aller)

de suite téléphoner à mes parents. De cette façon, ils _____ être rassurés pour moi
                22. (pouvoir)

et leur voiture!

EXERCICE W

Exprimez les sentiments **(feelings)** *de cet étudiant qui part pour l'université.*

1. My friends and I, we're leaving for different colleges tomorrow.

   _____

2. Now we're packing our suitcases and putting our things *(affaires)* in the car.

   _____

   _____

3. John and Paul are going to school by car, but George and I are taking a plane.

   _____

   _____

4. It's necessary to bring a computer to school.

   _____

5. I have to call my parents once a week.

   _____

6. We're all very excited but sad.

   _____

7. I'm becoming nervous. Am I going to like my school?

   _____

8. Today we're all receiving a lot of phone calls.

   _____

9. I don't have time to chat. I have a lot to do.

   _____

10. Tonight I'm saying good-bye to all my friends.

    _____

    _____

Chapter 4
Imperative

The imperative is a verb form used to give commands.

[1] IMPERATIVE OF REGULAR VERBS

For regular verbs, the forms of the imperative are the same as the corresponding forms of the present tense, except for the omission of the subject pronouns *tu* and *vous*.

FAMILIAR		FORMAL / PLURAL	
Parle!	*Speak!*	**Parlez!**	*Speak!*
Obéis!	*Obey!*	**Obéissez!**	*Obey!*
Réponds!	*Answer!*	**Répondez!**	*Answer!*

NOTE:

1. To form the familiar imperative of *-er* verbs, drop the final *-s* of the present tense *tu* form.

    Tu parles français.   **Parle** français!   *Speak French!*

    Tu cherches le livre.   **Cherche** le livre!   *Look for the book!*

2. The first person plural of the present tense is used without the pronoun *nous* to express *Let us (Let's)*.

    Travaillons!   *Let's work!*

    Attendons Kerri!   *Let's wait for Kerri!*

3. In the negative imperative, *ne* and *pas* surround the verb.

    Ne chante pas si fort!   *Don't sing so loud!*

    N'attendez pas!   *Don't wait!*

    N'allons pas si loin!   *Let's not go so far!*

EXERCICE A

Vous donnez une boum chez vous ce soir, mais vous devez sortir. Vous laissez un message à votre sœur pour lui dire comment elle peut vous aider. Complétez ce message avec l'impératif du verbe approprié.

choisir	garnir	préparer	répondre
descendre	passer	ranger	rôtir

1. _____ de bonnes cassettes.

2. _____ les deux chaises de ta chambre.

3. _____ le salon.

4. _____ le gâteau.

5. _____ au téléphone.

6. _____ l'aspirateur.

7. _____ la mousse au chocolat.

8. _____ le poulet.

EXERCICE B

Vous avez une dispute avec vos amis. Exprimez ce que vous dites à ces amis.

EXEMPLE: *(changer)* **Changez** d'opinion.

1. *(défendre)* _____ vos arguments.

2. *(laisser)* _____-moi tranquille.

3. *(finir)* _____ la discussion.

4. *(coopérer)* _____ un peu.

5. *(rendre)* _____-moi mes affaires.

6. *(répondre)* _____ à mes questions.

7. *(peser)* _____ bien ce que vous dites.

8. *(saisir)* _____ cette occasion d'exprimer vos idées.

EXERCICE C

M. et Mme Krause sortent ce soir. Exprimez ce qu'ils disent à leurs enfants de ne pas faire.

EXEMPLE: pleurer
            Ne pleurez pas.

1. désobéir à la baby-sitter

   _____

2. répondre au téléphone

   _____

3. manger trop de bonbons

   _____

4. téléphoner à vos amis

   _____

5. descendre tous vos jouets

_____

6. regarder la télé après neuf heures

_____

7. casser ce vase

_____

8. nourrir le chien

_____

EXERCICE D

Vous aidez Russell à faire les préparatifs d'un voyage. Exprimez ce que vous lui dites en mettant les verbes de la liste à l'impératif.

> ne pas oublier ton passeport
> achever ton travail
> régler ton problème avec la banque
> promener le chien
> acheter des chèques de voyage
> nourrir les poissons rouges
> ne pas perdre ton portefeuille
> avertir le facteur de ton départ
> tondre la pelouse
> ne pas attendre la dernière minute

EXEMPLES: **N'oublie pas** ton passeport.
Achève ton travail.

1. _____

2. _____

3. _____

4. _____

5. _____

6. _____

7. _____

8. _____

EXERCICE E

Votre amie et vous avez rendez-vous avec Paul à midi. Il est maintenant une heure et Paul n'est pas là. Suggérez les actions suivantes à votre amie et exprimez ses réponses.

EXEMPLE: changer de projet
    VOUS: **Changeons** de projet!
    VOTRE AMIE: Non, **ne changeons pas** de projet.

1. téléphoner chez lui

VOUS: _____

VOTRE AMIE: _____

2. attendre plus longtemps

VOUS: _____

VOTRE AMIE: _____

3. avertir la police

VOUS: _____

VOTRE AMIE: _____

4. manger sans lui

VOUS: _____

VOTRE AMIE: _____

5. commencer notre promenade sans lui

VOUS: _____

VOTRE AMIE: _____

6. oublier Paul

VOUS: _____

VOTRE AMIE: _____

[2] IMPERATIVE OF IRREGULAR VERBS

The imperative of irregular verbs generally follows the same pattern as that of regular verbs.

| aller | *to go* | va, allons, allez | sortir | *to go out* | sors, sortons, sortez |
| faire | *to do* | fais, faisons, faites | venir | *to come* | viens, venons, venez |

NOTE:

1. Verbs conjugated like *-er* verbs in the present tense, and the verb *aller*, drop the final *-s* in the familiar command form.

Tu ouvres la porte.   **Ouvre** la porte!   *Open the door!*
Tu vas au marché.   **Va** au marché!   *Go to the market!*

2. The verbs *avoir*, *être*, and *savoir* have irregular command forms.

avoir *to have*	**aie, ayons, ayez**
être *to be*	**sois, soyons, soyez**
savoir *to know*	**sache, sachons, sachez**

EXERCICE F

Votre ami Pierre est toujours très anxieux. Vous lui donnez des conseils (advice) *pour l'aider à rester calme. Complétez les phrases avec la forme correcte du verbe à l'impératif.*

EXEMPLE: *(rester)* calme!
          Reste calme!

1. *(prendre)* _____ ton temps avant d'agir!

2. *(recevoir)* _____ calmement la critique des autres!

3. *(être)* _____ patient!

4. *(avoir)* _____ confiance!

5. *(dormir)* _____ au moins huit heures par nuit!

6. *(boire)* _____ de l'eau et non pas du coca!

7. *(faire)* _____ ton travail à l'avance.

8. *(croire)* _____ toujours en toi-même.

EXERCICE G

Vous donnez des conseils à vos amis qui veulent rester en forme. Exprimez ce que vous leur dites.

EXEMPLE: faire du sport
          Faites du sport.

1. aller au gymnase trois fois par semaine

_____

2. promettre de ne pas manger de bonbons

_____

3. faire attention à votre santé *(health)*

_____

4. avoir une attitude positive

_____

5. courir chaque après-midi

   _____

6. être sérieux

   _____

7. boire beaucoup d'eau

   _____

8. savoir vous relaxer

   _____

EXERCICE H

Vous êtes malade et vos parents ne vous permettent pas de faire certaines activités. Exprimez ce qu'ils vous disent.

EXEMPLE: Je peux jouer au tennis?
           Non, **ne joue pas** au tennis.

1. Je peux sortir?

   _____

2. Je peux ouvrir toutes les fenêtres?

   _____

3. Je peux prendre ce sirop?

   _____

4. Je peux regarder la télé toute la nuit?

   _____

5. Je peux aller au cinéma?

   _____

6. Je peux courir dans le parc?

   _____

7. Je peux faire ces exercices de gymnastique?

   _____

8. Je peux conduire?

   _____

EXERCICE I

Karen et Nicolas ont huit ans. Ils vont bientôt partir en colonie de vacances. Exprimez les recommandations de leur sœur Terry.

EXEMPLE: croire aux fantômes
Ne croyez pas aux fantômes.

1. aller dans les bois le soir

_____

2. faire les idiots

_____

3. être impolis

_____

4. avoir peur des moniteurs *(counselors)*

_____

5. nager dans le lac seuls

_____

6. prendre les affaires des autres

_____

7. lire les lettres de vos camarades

_____

8. dire que vous êtes malheureux

_____

EXERCICE J

Vous voulez faire quelque chose de différent cet été. Exprimez vos suggestions à votre frère ou à votre sœur en choisissant ce que vous préférez.

EXEMPLE: nager / dans la mer ou dans un lac?
Nageons dans la mer!

1. écrire / un roman ou des poèmes?

_____

2. faire / une croisière ou un voyage à bicyclette?

_____

3. voyager / à l'étranger ou aux États-Unis?

_____

4. apprendre / le piano ou le karaté?

_____

5. lire / l'encyclopédie ou des bandes dessinées?

_____

6. conduire / en Afrique ou en France?

_____

7. aller / à Euro Disney ou à Disneyland?

_____

8. ouvrir / une boutique de tee-shirts ou une boutique de disques compacts?

_____

9. commencer / des études de chant ou de ballet?

_____

EXERCICE K

Les téléphones publics sont différents en France. Pour savoir comment utiliser ces téléphones électroniques, complétez les instructions en mettant les verbes entre parenthèses à l'impératif.

1. _(lire)_ _____ le message écrit sur l'écran _(screen)._

2. _(décrocher)_ _____ le récepteur _(handset)._

3. _(introduire)_ _____ la télécarte dans la fente _(slot)._

4. _(faire)_ _____ attention. Regardez sur l'écran si vous avez du crédit.

5. _(patienter)_ _____ un peu.

6. _(composer)_ _____ le numéro.

7. _(attendre)_ _____ que la personne appelée parle.

8. _(répondre)_ _____ à la personne.

9. *(raccrocher)* _____ le récepteur.

10. *(voir)* _____ sur l'écran le crédit qui reste sur votre télécarte.

11. *(reprendre)* _____ votre télécarte.

M A S T E R Y   E X E R C I C E S

EXERCICE L

Exprimez vos conseils à des amis qui se plaignent (complain) *tout le temps.*

EXEMPLE: Nous avons faim.
         Mangez un sandwich.

1. Nous avons soif.

_____

2. Nous avons sommeil.

_____

3. Nous avons chaud.

_____

4. Nous avons froid.

_____

5. Nous n'avons pas de devoirs.

_____

6. Nous n'avons pas classe aujourd'hui.

_____

7. Nous ne comprenons pas le travail.

_____

8. Nous ne pouvons pas conduire en ville.

_____

EXERCICE M

Vous faites des suggestions à vos amis. Utilisez les expressions entre parenthèses pour exprimer ce que vous leur dites.

EXEMPLE: MARK: J'ai oublié de copier les devoirs.
         VOUS: *(téléphoner à Steven)* **Téléphone** à Steven.

1. SOPHIE: Le gâteau que tu as préparé est sensationnel.

   VOUS: *(prendre un autre morceau)* _____

2. ROBERT: J'ai enfin mon permis de conduire!

   VOUS: *(ne pas conduire trop vite)* _____

3. MARVIN: Je voudrais sortir avec Vanessa.

   VOUS: *(ne pas être trop optimiste)* _____

4. LYNN: J'ai envie de visiter Paris.

   VOUS: *(aller en France au printemps)* _____

5. ANA: Je ne sais pas où ranger ces papiers.

   VOUS: *(acheter un classeur)* _____

6. CHRISTOPHER: J'ai une entrevue pour un job cet après-midi.

   VOUS: *(avoir confiance)* _____

7. CLAIRE: Il gèle et j'ai peur de tomber.

   VOUS: *(ne pas courir)* _____

8. ROGER: J'ai la grippe.

   VOUS: *(ne pas venir chez moi ce soir)* _____

EXERCICE N

Exprimez en français les ordres de M. Bertrand, le professeur de français.

1. Don't drink and don't chew gum in class!

_____

2. Don't do your homework while *(pendant que)* I speak!

_____

3. Think before giving an answer!

_____

4. Have your French book in your bag!

_____

5. Don't forget to bring your notebook every day!

_____

6. Don't sleep in class!

_____

7. Wait for the bell at the end of the lesson!

_____

8. Write all the rules in your notebook!

_____

9. Don't be shy, but don't speak with your friends!

_____

10. Always tell the truth!

_____

Chapter 5
Passé composé of Verbs Conjugated With *avoir*

The *passé composé* is used to narrate an action or event completed in the past.

[1] REGULAR VERBS

The *passé composé* is formed by combining the present tense of the helping verb *avoir* (to have) and the past participle of the verb.

parler *to speak*	choisir *to choose*	attendre *to wait*
I spoke, I have spoken	*I chose, I have chosen*	*I waited, I have waited*
j' *ai* parlé	j' *ai* choisi	j' *ai* attendu
tu *as* parlé	tu *as* choisi	tu *as* attendu
il/elle *a* parlé	il/elle *a* choisi	il/elle *a* attendu
nous *avons* parlé	nous *avons* choisi	nous *avons* attendu
vous *avez* parlé	vous *avez* choisi	vous *avez* attendu
ils/elles *ont* parlé	ils/elles *ont* choisi	ils/elles *ont* attendu

NOTE:

1. The past participle of regular verbs is formed by dropping the infinitive endings and adding *-é* for *-er* verbs, *-i* for *-ir* verbs, and *-u* for *-re* verbs.

Il a commencé à pleurer.	*He began to cry.*
Tu as fini tes devoirs.	*You finished your homework.*
J'ai perdu ton livre.	*I lost your book.*

2. In a negative sentence in the *passé composé*, *ne* precedes and *pas* follows the helping verb.

| Il **n'a pas** encore **réussi**. | *He has not succeeded yet.* |
| Elle **n'a pas déménagé**. | *She hasn't moved.* |

3. In an interrogative sentence in the *passé composé*, the subject pronoun and the helping verb are inverted.

| **As-tu changé** d'opinion? | *Have you changed your mind?* |
| Le chien **a-t-il chassé** le chat? | *Did the dog chase the cat?* |

4. In a negative interrogative sentence in the *passé composé*, *ne* and *pas* surround the inverted helping verb and the subject pronoun.

| **N'avez-vous pas fini?** | *Haven't you finished?* |
| Claude **n'a-t-il pas répondu?** | *Didn't Claude answer?* |

5. Interrogative sentences can also be formed without inversion, using either *est-ce que* or simple intonation, especially in conversations.

Tu as changé d'opinion?	*Have you changed your mind?*
Tu n'as pas changé d'opinion?	*Haven't you changed your mind?*
Est-ce qu'il a bien travaillé?	*Has he worked well?*
Est-ce qu'il n'a pas bien travaillé?	*Hasn't he worked well?*

EXERCICE A

La boum de Gabrielle a lieu ce soir. Exprimez comment ces personnes ont aidé Gabrielle.

acheter les boissons	envoyer les invitations	préparer des sandwichs
arranger les fleurs	inviter des copains	ranger le salon
enregistrer des cassettes	organiser des jeux	téléphoner à des amis

EXEMPLE: Claire **a rangé** le salon.

1. Tu _____ .

2. Ron et moi _____ .

3. Je _____ .

4. Dennis _____ .

5. Vous _____ .

6. Charlotte _____ .

7. Vivian et Lucy _____ .

8. Keith et Paul _____ .

EXERCICE B

Exprimez ce que chaque personne a fait au mariage de Philip et de Brenda Bonner.

applaudir	finir	nourrir	rougir
choisir	garnir	remplir	

EXEMPLE: Madame Malon **a rougi.**

1. J'_____ l'orchestre.

2. Vous _____ les cygnes _(swans)._

3. Nous _____ des fleurs roses.

4. Ils _____ leurs cassettes en même temps.

5. Le pâtissier _____ le gâteau.

6. Tu _____ les coupes de glace à la vanille.

EXERCICE C

Exprimez ce qui est arrivé en classe hier.

EXEMPLE: le professeur / rompre sa promesse de ne pas donner d'exercices de grammaire
Le professeur **a rompu** sa promesse de ne pas donner d'exercices de grammaire.

1. vous / interrompre le professeur

_____

2. le professeur / rendre les devoirs

_____

3. les filles / répondre correctement à toutes les questions

_____

4. je / défendre mes idées

_____

5. tu / perdre ton cahier

_____

6. nous / entendre des chansons de Louisiane

_____

EXERCICE D

Hier, ces personnes ont perdu quelque chose d'important. Exprimez comment chaque personne a réagi.

1. *(réussir)* J'_____ à ne pas m'énerver *(to get annoyed)*.

2. *(téléphoner)* Les Goncourt _____ à la police.

3. *(perdre)* Nous _____ patience.

4. *(agir)* Nous _____ immédiatement.

5. *(pousser)* Tu _____ un cri de désespoir.

6. *(finir)* Daniel et Billy _____ tranquillement leur promenade.

7. *(commencer)* Kristen et moi, nous _____ à pleurer.

8. *(avertir)* Mme Fields _____ son mari.

9. *(attendre)* Suzanne et vous _____ la réponse de la police.

EXERCICE E

Regardez cette liste de choses que votre mère vous a demandé de faire. Exprimez ce que vous avez déjà fait et ce que vous n'avez pas encore fait.

> ✓ *ranger la chambre*
> *tondre la pelouse*
> ✓ *commencer à faire les devoirs*
> *répondre au courrier*
> *envoyer le paquet à la poste*
> *nettoyer le salon*
> ✓ *payer la note du magasin*
> ✓ *acheter le matériel scolaire*
> *remplir le questionnaire pour l'université*
> ✓ *pratiquer le piano*

EXEMPLES: **J'ai déjà rangé** la chambre.
Je n'ai pas encore tondu la pelouse.

1. _____

2. _____

3. _____

4. _____

5. _____

6. _____

7. _____

8. _____

EXERCICE F

Vos ami(e)s et vous avez participé à un débat, mais vous avez perdu. Répondez négativement aux questions de votre professeur.

EXEMPLE: Avez-vous gagné le débat?
Non, nous n'avons pas gagné le débat.

1. As-tu réfléchi avant de répondre?

   _____

2. Paul et Scott ont-ils bien entendu les questions?

   _____

3. Avez-vous défendu ces nouvelles idées?

_____

4. Est-ce que j'ai bien préparé l'équipe *(team)* pour cette compétition?

_____

5. Charles a-t-il organisé ses idées?

_____

6. Avez-vous saisi chaque occasion de répondre?

_____

7. Dana a-t-elle interrompu les autres?

_____

8. Avons-nous obéi à toutes les règles?

_____

9. Les filles ont-elles beaucoup participé?

_____

EXERCICE G

Votre famille est en train de déménager. Exprimez les questions de votre mère.

descendre tous les cartons   perdre les clefs de la grande valise
ficeler les boîtes   remarquer un problème
finir de vider les placards *(closets)* remplir le coffre *(trunk)* de la voiture
nettoyer la cuisine   vider tous les tiroirs
organiser le départ

EXEMPLE: *(vous)* **Avez-vous nettoyé** la cuisine?

1. *(je)* _____ ?

2. *(nous)* _____ ?

3. *(elles)* _____ ?

4. *(il)* _____ ?

5. *(vous)* _____ ?

6. *(elle)* _____ ?

7. *(tu)* _____ ?

8. *(ils)* _____ ?

EXERCICE H

Vos amis et vous parlez de ce qui est arrivé pendant l'été. Exécutez ce dialogue avec un(e) camarade de classe.

EXEMPLE: Kelly / jouer au golf *(oui) (non)*
            Est-ce que Kelly a joué au golf?
            Oui, elle a joué au golf.
        OU: **Non, elle n'a pas joué** au golf.

1. Paula et vous / perdre beaucoup de poids *(weight) (non)*

   _____

   _____

2. je / maigrir *(non)*

   _____

   _____

3. Thomas / correspondre avec son amie canadienne *(oui)*

   _____

   _____

4. Carly et moi / grandir *(oui)*

   _____

   _____

5. Lindsay et Simon / travailler au supermarché *(non)*

   _____

   _____

6. tu / camper dans les bois *(oui)*

   _____

   _____

EXERCICE I

Un étudiant français visite votre classe. Posez-lui des questions sur ces Français célèbres. Utilisez la forme négative.

EXEMPLE: Degas / dessiner les scènes de ballet
            Degas **n'a-t-il pas** dessiné les scènes de ballet?

1. Rodin / sculpter *Le Penseur*

   _____

2. Voltaire et Rousseau / attaquer l'injustice sociale

   _____

3. Pasteur / inventer la pasteurisation

_____

4. Richelieu / fonder l'Académie française

_____

5. Napoléon Bonaparte / vendre la Louisiane aux États-Unis

_____

6. Debussy et Berlioz / composer beaucoup d'opéras

_____

7. Jeanne d'Arc / réussir à chasser les Anglais d'Orléans

_____

8. Marquette et Joliet / descendre le Mississippi

_____

[2] IRREGULAR VERBS CONJUGATED WITH *AVOIR*

The following verbs and verbs conjugated like them have irregular past participles.

a. Past participles ending in *-u*

avoir *to have*	**eu**	**lire** *to read*	**lu**
boire *to drink*	**bu**	**pleuvoir** *to rain*	**plu**
connaître *to know*	**connu**	**pouvoir** *to be able to*	**pu**
courir *to run*	**couru**	**recevoir** *to receive*	**reçu**
croire *to believe*	**cru**	**savoir** *to know*	**su**
devoir *to have to, to owe*	**dû***	**voir** *to see*	**vu**
falloir *to be necessary*	**fallu**	**vouloir** *to want*	**voulu**

b. Past participles ending in *-is*

apprendre *to learn*	**appris**	**mettre** *to put*	**mis**
comprendre *to understand*	**compris**	**prendre** *to take*	**pris**

c. Past participles ending in *-it*

conduire *to drive*	**conduit**	**écrire** *to write*	**écrit**
dire *to say*	**dit**		

---

*The following past participle forms of *devoir* do not take a circumflex accent: *due, dues, dus.*

d. Irregular past participles

être *to be* été	ouvrir *to open* ouvert
faire *to do* fait	

EXERCICE J

Exprimez ce que ces personnes ont fait et n'ont pas fait hier.

EXEMPLE: elle *(regarder la télé / finir ses devoirs)*
Elle a regardé la télé. Elle n'a pas fini ses devoirs.

1. vous *(courir au lycée / prendre le bus)*

_____

2. elle *(boire une grande orangeade / avoir mal à l'estomac)*

_____

_____

3. nous *(conduire en ville / faire les courses)*

_____

4. il *(être anxieux / pouvoir dormir)*

_____

5. elles *(recevoir une mauvaise note / savoir les réponses au contrôle hier)*

_____

_____

6. je *(dire la vérité / écrire cette lettre)*

_____

7. tu *(voir un joli pantalon / vouloir dépenser tant d'argent)*

_____

_____

8. ils *(ouvrir leurs parapluies / mettre leurs imperméables)*

_____

9. je *(devoir étudier / lire mon magazine)*

_____

10. vous *(croire votre camarade de classe / apprendre le poème)*

_____

_____

EXERCICE K

Complétez l'histoire d'Albert avec le passé composé du verbe entre parenthèses.

Hier il _____ . À huit heures précises du matin j'_____
     1. (pleuvoir)   *2. (avoir)*

un coup de téléphone. J'_____ immédiatement la voix du directeur de
                              3. (reconnaître)

mon école. Il m'_____ de venir tout de suite. J'_____ un
               4. (dire)   *5. (boire)*

verre de jus d'orange et j'_____ du pain grillé en vitesse.
                            6. (prendre)

J'_____ mon imperméable et j'_____ vers ma voiture.
   7. (mettre)   *8. (courir)*

J'_____ à l'école. J'_____ la route en un quart d'heure.
   9. (conduire)   *10. (faire)*

Aussitôt arrivé, j'_____ le directeur dans le couloir. Il m'_____
              11. (voir)   *12. (donner)*

une lettre du doyen de l'université de Paris. J'_____ l'enveloppe
                                     13. (ouvrir)

et j'_____ la lettre. J'_____ une bourse *(grant)* de 10.000
   14. (lire)   *15. (recevoir)*

francs! Je ne l'_____ pas _____ . J'_____ sauter en l'air.
          16. (croire)   *17. (vouloir)*

Je n'_____ pas _____ contenir ma joie. J'_____ vraiment stupéfait.
   18. (pouvoir)   *19. (être)*

J'_____ tout de suite écrire une lettre d'acceptation.
   20. (devoir)

EXERCICE L

Posez les questions suivantes à un(e) camarade et notez ses réponses.

EXEMPLE: courir dans le marathon
               As-tu couru dans le marathon?
               Oui, j'ai couru dans le marathon.
    OU: **Non, je n'ai pas couru** dans le marathon.

1. être à la plage ce week-end

_____

_____

2. prendre l'autobus pour aller à l'école

_____

_____

3. faire les courses en ville

_____

_____

4. voir le nouveau film au cinéma Miramar

_____

_____

5. ouvrir le cadeau de ton frère

_____

_____

6. lire *L'Étranger* d'Albert Camus

_____

_____

[*3*] AGREEMENT OF PAST PARTICIPLES

Past participles of verbs conjugated with *avoir* agree in gender and number with a preceding direct object. This preceding direct object can be a noun or a pronoun.

Quelle voiture as-tu conduite?	*Which car did you drive?*
Combien de **films** avez-vous vus?	*How many films did you see?*
J'ai pris **cette photo** et je l'ai montrée à ma famille.	*I took this picture and I showed it to my family.*
Les chemises? Non, il ne **les** a pas essayées.	*The shirts? No, he didn't try them on.*
Il **nous** a vus, **Paul et moi.**	*He saw us, Paul and me.*
Regarde **les fleurs qu**'elle a reçues.	*Look at the flowers she received.*
Voici **les poèmes que** j'ai écrits.	*Here are the poems I wrote.*
Nous avons écouté deux **chansons.** **Laquelle** as-tu préférée?	*We have heard two songs. Which one did you prefer?*
Lequel as-tu choisi parmi tous ces livres?	*Which one did you choose among all those books?*

NOTE:

1. Past participles already ending in *-s* remain unchanged when preceded by a masculine plural direct object.

Il a pris **le livre.** Il l'a pris.	*He took the book. He took it.*
Il a pris **les livres.** Il **les** a pris.	*He took the books. He took them.*

2. There is no agreement of past participles with a preceding indirect object, or with any object placed after the verb, or with the pronoun *en.*

J'ai parlé à **Nancy.** Je **lui** ai parlé.	*I spoke to Nancy. I spoke to her.*

Il a téléphoné **aux filles.** Il **leur** a téléphoné.	*He called the girls. He called them.*
Elle a préparé **des sandwichs.** Elle **en** a préparé.	*She prepared some sandwiches.* *She prepared some.*

EXERCICE M

La famille Nalet a préparé un grand dîner pour célébrer Noël. Exprimez ce que chaque personne dit.

EXEMPLE: voici les cadeaux / le Père Noël / apporter
                Voici les cadeaux **que** le Père Noël **a apportés.**

1. voici les gâteaux / maman / faire

_____

2. montre-moi le poulet / tu / rôtir

_____

3. je n'ai pas vu les photos / Timothy / prendre

_____

4. regarde la boîte de chocolats / papa / ouvrir

_____

5. as-tu goûté les desserts / Louis / préparer

_____

6. je vous raconte les nouvelles / je / entendre

_____

7. on parle des vêtements / Jill / mettre

_____

8. où est la lettre / Arthur / écrire au Père Noël

_____

EXERCICE N

Vous quittez les États–Unis pour aller faire un stage en France. Répondez aux questions qu'un voisin curieux vous pose.

EXEMPLE: As–tu rangé tes affaires? *(oui) (non)*
              Oui, je les ai rangées.
    OU: **Non, je ne les ai pas rangées.**

1. As–tu vendu la maison? *(non)*

_____

2. As–tu averti les professeurs? *(oui)*

_____

3. As-tu acheté le billet d'avion? *(oui)*

_____

4. As-tu reçu les documents nécessaires? *(oui)*

_____

5. As-tu loué la villa de Mme Charpentier? *(non)*

_____

6. As-tu fait les réservations d'hôtel? *(non)*

_____

7. As-tu pris les adresses de tes amis? *(oui)*

_____

8. As-tu fini le livre de français? *(non)*

_____

EXERCICE O

Hier vous avez fait un grand effort pour aider tout le monde. Exprimez ce que vous avez fait.

EXEMPLE: Votre tante a oublié de préparer le dîner.
           (le cuisiner pour elle)
           Je l'ai cuisiné pour elle.

1. Votre cousine a fêté son anniversaire.

(lui envoyer une carte)

_____

2. Votre sœur a eu une entrevue pour un emploi.

(la conduire en ville)

_____

3. Vos parents ont dû faire le ménage.

(les aider)

_____

4. Vos amis n'ont pas compris la leçon de maths.

(leur expliquer comment faire les exercices)

_____

5. Votre amie a préparé son premier gâteau.

(en goûter un morceau)

_____

6. Votre cousin a perdu ses clefs dans le jardin.

(les chercher avec lui)

_____

7. Votre frère a cassé son baladeur.

(le réparer)

_____

8. Votre amie a oublié son portefeuille *(wallet)*.

(lui prêter de l'argent)

_____

EXERCICE P

Complétez le récit (story) *d'une aventure de nos amis parisiens en mettant les verbes au passé composé.*

1. Samedi dernier Delphine *(téléphoner)* _____ à son amie Sophie. Elle lui *(demander)*

_____ de venir tout de suite.

2. Elle lui *(dire)* _____ bonjour et elle l'*(embrasser)* _____

sur les deux joues.

3. «Écoute! J'*(parler)* _____ avec Catherine. Ses cousins américains lui font une

visite. Ils veulent rencontrer des étudiants français. Je les *(inviter)* _____ à une

boum demain. Mes parents m'*(permettre)* _____ de le faire. Aide-moi!»

4. Sophie l'*(aider)* _____ sans hésitation.

5. D'abord les filles *(appeler)* _____ six camarades de classe et leur *(demander)*

_____ d'inviter chacun un ou une autre camarade.

6. Ensuite elles *(préparer)* _____ leur fameux gâteau. Elles *(faire)*

_____ une salade de fruits et une crème à la vanille. Elles les *(goûter)*

_____ et les *(trouver)* _____ très bonnes.

7. Puis elles *(arranger)* _____ l'appartement. Le salon et la salle de séjour, elles les

(ranger) _____ . Les tapis, elles les *(rouler)* _____ . Les cassettes

qu'elles *(choisir)* _____ , elles les *(mettre)* _____ sur la table à

côté des disques compacts et de la stéréo. Les objets fragiles, elles les *(placer)* _____

dans une autre pièce.

8. Finalement elles *(acheter)* _____ du saucisson, du fromage et du pain. Elles

(préparer) _____ des petits sandwichs avec les produits qu'elles *(acheter)*

_____ et elles les *(arranger)* _____ sur un plat.

9. Enfin elles *(attendre)* _____ leurs invités.

M A S T E R Y   E X E R C I S E S

EXERCICE Q

Lisez les situations données et dites ce que ces personnes ont fait ou n'ont pas fait.

EXEMPLE: Randy a eu faim. *(faire ses devoirs / manger quelque chose)*
Il n'a pas fait ses devoirs. Il a mangé quelque chose.

1. M. Houston a eu mal à la tête. *(prendre de l'aspirine / pouvoir lire le journal)*

_____

2. Peter a été en retard. *(marcher lentement / conduire sa voiture)*

_____

3. J'ai remarqué qu'il faisait beau. *(ouvrir les fenêtres / mettre mon manteau d'hiver)*

_____

_____

4. Nous avons beaucoup étudié pour notre examen de science. *(recevoir de bonnes notes / rater l'examen)*

_____

5. Vous avez donné une mauvaise réponse à une question. *(réfléchir / faire une faute)*

_____

6. Les filles ont eu très sommeil. *(dormir / apprendre la leçon)*

_____

EXERCICE R

Demandez à un camarade de classe s'il a fait les choses suivantes la semaine dernière et notez ses réponses.

EXEMPLE: jouer au tennis
As-tu joué au tennis?
Oui, j'ai joué au tennis.
OU: **Non, je n'ai pas joué** au tennis.

1. correspondre avec un ami étranger

_____

_____

2. lire le nouveau roman de science-fiction

_____

_____

3. être malade

_____

_____

4. jouer avec l'ordinateur

_____

_____

5. recevoir la carte postale d'un ami en vacances

_____

_____

6. obéir aux parents

_____

_____

7. acheter de nouveaux vêtements

_____

_____

8. célébrer l'anniversaire d'une amie

_____

_____

EXERCICE S

Exprimez en français ce qui est arrivé à Mme Solage. Employez le passé composé.

1. Yesterday it rained and I could not go out.

_____

2. Then the mailman knocked *(frapper)* on my door and gave me a package.

_____

_____

3. I received a box of chocolates from my friends, Roger and Barbara.

_____

_____

4. They sent it by air mail *(par avion)*.

_____

5. I opened the box immediately and I put it on my night table.

_____

_____

6. I took one chocolate and I ate it. I found it delicious.

_____

7. I shared the chocolates with my family.

_____

8. Here is the card that they wrote me.

_____

9. I read it many times: they've been so kind.

_____

10. Yesterday I called Roger and Barbara and I thanked them.

_____

Chapter 6
Passé composé of Verbs Conjugated with être

[1] VERBS CONJUGATED WITH ÊTRE

Sixteen common verbs use the helping verb *être* instead of *avoir*. Their *passé composé* is formed by combining the present tense of *être* and the past participle of the verb. Most of these verbs express motion or a change of place, state, or condition.

INFINITIVE	PAST PARTICIPLE	INFINITIVE	PAST PARTICIPLE
aller *to go*	*allé*	**tomber** *to fall*	*tombé*
venir *to come*	*venu*		
		rester *to stay, remain*	*resté*
arriver *to arrive*	*arrivé*	**devenir** *to become*	*devenu*
partir *to leave, go away*	*parti*		
		revenir *to come back*	*revenu*
entrer *to enter*	*entré*	**retourner** *to go back*	*retourné*
sortir *to go out, leave*	*sorti*	**rentrer** *to go in again, return*	*rentré*
monter *to go up, come up*	*monté*	**naître** *to be born*	*né*
descendre *to go (come) down*	*descendu*	**mourir** *to die*	*mort*

[2] AGREEMENT

Past participles of verbs conjugated with *être* agree in gender (masculine or feminine) and number (singular or plural) with the subject.

MASCULINE SUBJECTS	FEMININE SUBJECTS	
je suis arrivé	**je suis arrivée**	*I arrived, have arrived*
tu es arrivé	**tu es arrivée**	*you arrived, have arrived*
il est arrivé	**elle est arrivée**	*he / she arrived, has arrived*
nous sommes arrivés	**nous sommes arrivées**	*we arrived, have arrived*
vous êtes arrivé(s)	**vous êtes arrivée(s)**	*you arrived, have arrived*
ils sont arrivés	**elles sont arrivées**	*they arrived, have arrived*

Elles sont sorties.	*They went out.*
Maria est née en avril.	*Maria was born in April.*
Jacques et Claudine sont arrivés.	*Jacques and Claudine have arrived.*

NOTE: The interrogative, negative, and negative interrogative forms of the *passé composé* of verbs conjugated with *être* follow the same rules as verbs conjugated with *avoir*.

Est-ce qu'elle est revenue?	
Elle est revenue?	*Did she come back?*
Est-elle revenue?	

Elle **n'est pas** revenue.   *She didn't come back.*

Est-ce qu'elle n'est pas revenue? ⎫

Elle n'est pas revenue?   ⎬   *Didn't she come back?*

N'est-elle pas revenue?   ⎭

EXERCICE A

Exprimez comment chaque personne est arrivée à Nice.

EXEMPLE: Claire **est arrivée en taxi.**

1. Gisèle et Anne _____.

2. Chantal _____.

3. Roland et vous _____.

4. Je _____ .

5. Carine et moi, nous _____ .

6. Hubert et Alain _____ .

7. Yves _____ .

8. Tu _____ .

EXERCICE B

Exprimez à quelle heure les personnes suivantes sont parties de la boum de Kathleen.

EXEMPLE: je / 11h
            Je **suis parti(e)** à onze heures.

1. vous / 11h30

_____

2. Lionel et Bernard / minuit

_____

3. tu / 11h25

_____

4. Amy et Sofia / 12h15

_____

5. je / 12h30

_____

6. nous / 1h

_____

7. Sherry / 1h15

_____

8. Christa et moi / 12h30

_____

EXERCICE C

Exprimez ce que ces anciens élèves du lycée Jean Bart sont devenus.

EXEMPLE: Raoul / artiste
            Raoul **est devenu** artiste.

1. Nicole / médecin

_____

2. Alice et moi / architectes

_____

3. tu / avocate

_____

4. Patrick et Régis / plombiers

_____

5. je / mécanicien(ne)

_____

6. Joséphine / programmeuse

_____

7. vous / électriciens

_____

8. Robert / professeur

_____

EXERCICE D

En vous servant des suggestions données, exprimez comment les personnes suivantes ont réagi quand elles se sont senties malades.

<table>
<tr><td>aller chez le docteur</td><td>rester à la maison</td></tr>
<tr><td>devenir anxieux (anxieuse)</td><td>revenir plus tôt</td></tr>
<tr><td>monter dans sa chambre</td><td>sortir prendre l'air</td></tr>
<tr><td>partir du bureau de bonne heure</td><td>venir à l'hôpital</td></tr>
<tr><td>rentrer à la maison</td><td></td></tr>
</table>

EXEMPLE: Mme Evans **est rentrée** à la maison.

1. Mme Quinn _____ .

2. Tu _____ .

3. Raymond et David _____ .

4. Vous _____ .

5. Je _____ .

6. Les filles Lascaux _____ .

7. Leslie et moi, nous _____ .

8. Roland _____ .

EXERCICE E

Les commérages (gossip) *au bureau intéressent tout le monde. Exprimez ce qui n'est pas arrivé dans ce bureau.*

EXEMPLE: M. Patrick / sortir avec Mlle Zeigler
              M. Patrick **n'est pas sorti** avec Mlle Zeigler.

1. Lori / arriver à l'heure hier

_____

2. Victor et vous / devenir copains

_____

3. tu / descendre parler au directeur

_____

4. Todd / tomber amoureux de Tina

_____

5. les filles / revenir de leur voyage d'affaires

_____

6. nous / partir avant cinq heures

_____

7. je / rester tard le soir

_____

8. les garçons / monter parler à la secrétaire du directeur

_____

EXERCICE F

Vous posez des questions à votre oncle sur son passé. Exprimez vos questions et ses réponses.

EXEMPLE: aller au Canada *(oui) (non)*
            VOUS: **Es-tu allé** au Canada?
            VOTRE ONCLE: **Oui, je suis allé** au Canada.
    OU: VOTRE ONCLE: **Non, je ne suis pas allé** au Canada.

1. naître en France *(oui)*

VOUS: _____

VOTRE ONCLE: _____

2. rester longtemps en France *(non)*

VOUS: _____

VOTRE ONCLE: _____

3. devenir ingénieur *(oui)*

VOUS: _____

VOTRE ONCLE: _____

4. tomber amoureux de Tante Mireille tout de suite *(non)*

VOUS: _____

VOTRE ONCLE: _____

5. partir pendant la guerre *(oui)*

VOUS: _____

VOTRE ONCLE: _____

6. venir au Canada avec toute la famille *(non)*

VOUS: _____

VOTRE ONCLE: _____

7. arriver en bateau *(non)*

VOUS: _____

VOTRE ONCLE: _____

8. rentrer en France *(oui)*

VOUS: _____

VOTRE ONCLE: _____

EXERCICE G

Vous discutez avec vos amis d'une excursion que la classe a faite. Vous n'êtes pas sûr(e) de certains détails. Exprimez vos questions en employant **est-ce que.**

EXEMPLE: tu / rester avec Sharif
Est-ce que tu n'es pas resté(e) avec Sharif?

1. nous / rester au restaurant pendant deux heures

_____

2. vous / arriver en retard

_____

3. Helen et Heather / partir avant les autres

_____

4. Ryan / sortir pour téléphoner à ses parents

_____

5. tu / tomber dans le couloir

_____

6. Jeremy et Paul / monter au deuxième étage

_____

7. Rhonda / venir avec ses cousins

_____

[3] SPECIAL VERBS

The following verbs are conjugated with *avoir* instead of *être* when these verbs have a direct object. Note the differences in meanings.

descendre *to bring down*	**sortir** *to take out*
monter *to bring up*	

Il est descendu de l'avion.	*He got off the plane.*
Il a descendu ses bagages.	*He took down his luggage.*
Il a descendu l'escalier.	*He went downstairs.*
Elle est montée chez elle.	*She went up to her place.*
Elle a monté ses paquets.	*She brought up her packages.*
Elle a monté l'escalier.	*She went upstairs.*
Je suis sorti(e) avec mon ami.	*I went out with my friend.*
J'ai sorti les clefs de ma voiture.	*I took out my car keys.*

EXERCICE H

Exprimez ce que Jacqueline et Danielle ont fait hier.

1. *(descendre)* Elles _____ de leur chambre à neuf heures.

2. *(monter)* Elles _____ les cartons au grenier *(attic)*.

3. *(sortir)* Elles _____ ensemble déjeuner.

4. *(descendre)* Elles _____ leur lessive *(laundry)* avant de partir.

5. *(monter)* Elles _____ rendre visite à la vieille dame.

6. *(sortir)* Elles _____ le chien.

7. *(monter)* Elles _____ les achats de Madame Paquin.

MASTERY EXERCISES

EXERCICE I

Complétez les phrases ci-dessous en écrivant ce que vous avez fait.

EXEMPLE: Le week-end passé, **je suis resté(e)** à la maison.

1. Le week-end passé, _____.

2. Hier soir, _____.

3. Lundi dernier, _____.

4. Ce matin à 7h30, _____ .

5. Hier après-midi, _____ .

6. Avant-hier, _____ .

7. La semaine passée, _____ .

8. L'été passé, _____ .

EXERCICE J

Exprimez ce que ces personnes ont fait ou n'ont pas fait hier.

EXEMPLES: nous / jouer au golf *(oui)*
            Nous avons joué au golf.

            vous / rester à la maison *(non)*
            Vous n'êtes pas resté(e)(s) à la maison.

1. vous / aller à la bibliothèque *(oui)*

   _____

2. Larry / faire la vaisselle *(non)*

   _____

3. Jim et moi / sortir avec des copains *(non)*

   _____

4. je / lire un livre *(oui)*

   _____

5. Tina et Eda / arriver en retard au travail *(non)*

   _____

6. Nazar / écrire un poème *(oui)*

   _____

7. Charlene et vous / être au cinéma *(non)*

   _____

8. nous / voir un film *(oui)*

   _____

9. Martin et Tony / rentrer de bonne heure *(non)*

   _____

10. Lauren / monter ranger sa chambre *(oui)*

   _____

EXERCICE K

Complétez les phrases en mettant les verbes entre parenthèses au passé composé.

Enfin, le jour de la boum _____ ! Delphine et Sophie _____ tous
　　　　　　　　　　　　　　1. (arriver)　　　　　　　　　　　　　　　　　　　2. (finir)

les préparatifs. On _____ à la porte. Delphine _____ ouvrir.
　　　　　　　　　　3. (sonner)　　　　　　　　　　　　　　4. (aller)

Elle _____ «Qui est là?» Puis ses amis _____ dans l'appartement.
　　　　5. (demander)　　　　　　　　　　　　　　　6. (entrer)

Isabelle _____ ses cousins américains. Delphine _____ le nom
　　　　　　7. (présenter)　　　　　　　　　　　　　　　8. (dire)

de ses amis. Les Américains et les Français _____ amis très vite.
　　　　　　　　　　　　　　　　　　　　　9. (devenir)

Ils _____ en mélangeant le français et l'anglais. Ils _____
　　10. (parler)　　　　　　　　　　　　　　　　　　　　　　11. (bavarder)

longtemps. Ils _____ leurs vies et ils _____ des différences qui
　　　　　　12. (comparer)　　　　　　　　　　　13. (trouver)

les _____ . Puis Delphine et Sophie _____ des boissons et des
　　14. (intéresser)　　　　　　　　　　　　　15. (servir)

sandwichs. Tout le monde en _____ . Enfin, Sophie _____
　　　　　　　　　　　　　16. (prendre)　　　　　　　　　　17. (mettre)

une cassette. Elle _____ avec son copain Éric.
　　　　　　　　18. (danser)

EXERCICE L

Écrivez ce qui est arrivé à cette fille.

1. Last night my girlfriends and I went out together.

_____

2. My parents told us to return before midnight.

_____

3. We went to a discotheque where we danced all evening.

_____

4. We drank soda, we ate sandwiches, and we listened to music.

_____

5. I met a handsome boy, Robert, and I didn't want to return home immediately.

_____

_____

6. We stayed at the disco until *(jusqu'à)* 2 A.M.

_____

7. When we left, Robert drove us home and took my phone number.

_____

_____

8. My friends and I, we went upstairs to my room without noise *(bruit),* but my parents heard us.

_____

_____

9. They became very angry because we disobeyed.

_____

10. I asked for forgiveness.

_____

11. I had to promise to wash the dishes every day for a month.

_____

12. I deserved this punishment *(punition).*

_____

PAYS-BAS
ANGLETERRE   ALLEMAGNE
BELGIQUE
LUXEMBOURG
• Brest   ○ Paris   Strasbourg •
AUTRICHE
• Nantes   FRANCE   SUISSE

Chapter 7
Imperfect Tense

[1] REGULAR VERBS

The imperfect tense *(l'imparfait)* of regular verbs is formed by dropping the *-ons* ending of the *nous* form of the present tense and adding the imperfect tense endings *-ais, -ais, -ait, ions, -iez, -aient.*

parler *to speak*	**choisir** *to choose*	**attendre** *to wait*
I spoke *I was speaking* *I used to speak*	*I chose* *I was choosing* *I used to choose*	*I waited* *I was waiting* *I used to wait*
nous parlons	**nous choisissons**	**nous attendons**
je parl*ais* tu parl*ais* il/elle parl*ait* nous parl*ions* vous parl*iez* ils/elles parl*aient*	je choisiss*ais* tu choisiss*ais* il/elle choisiss*ait* nous choisiss*ions* vous choisiss*iez* ils/elles choisiss*aient*	j' attend*ais* tu attend*ais* il/elle attend*ait* nous attend*ions* vous attend*iez* ils/elles attend*aient*

Quand il **faisait** beau, nous **marchions** dans les bois.	*When the weather was good, we used to walk in the woods.*

NOTE:

1. Verbs ending in *-ions* in the present indicative have forms ending in *-iions* and *-iiez* in the imperfect: *nous étudiions, vous étudiiez.*

2. Negative, interrogative, and negative interrogative constructions in the imperfect follow the same rules as for the present tense.

Il ne faisait pas beau.	*The weather wasn't nice.*
Vous marchiez vite?	*Were you walking fast?*
Faisait-il beau?	*Was the weather nice?*
Est-ce qu'il faisait beau?	*Was the weather nice?*
Ne faisait-il pas beau?	*Wasn't the weather nice?*
Est-ce qu'il ne faisait pas beau?	*Wasn't the weather nice?*
Il ne faisait pas beau?	*The weather wasn't nice?*

EXERCICE A

Exprimez ce que les personnes suivantes aimaient faire il y a plusieurs années.

camper au bord de la mer	jouer au basket	patiner
écouter de la musique	monter à cheval	piloter un avion
étudier l'informatique		

EXEMPLE: Alan **patinait.**

1. Dennis et moi _____ .

2. Pia et Melissa _____ .

3. Je _____ .

4. Vous _____ .

5. Tu _____ .

6. Beth _____ .

EXERCICE B

Exprimez ce que ces personnes avaient l'habitude de faire quand elles étaient plus jeunes.

EXEMPLE: Frédéric Sélat réussit à tous ses examens.
Frédéric Sélat **réussissait** à tous ses examens.

1. Brett et moi, nous bâtissons des châteaux de sable chaque été.

_____

2. Je rôtis des châtaignes *(chestnuts)* aux fêtes de fin d'année.

_____

3. Vous désobéissez tout le temps à vos parents.

_____

4. Suzanne saisit toujours l'occasion de faire une bonne action.

_____

5. Bob et Jenna choisissent de passer le week-end à la plage.

_____

6. Tu réfléchis longtemps avant d'agir.

_____

EXERCICE C

Exprimez ce que ces personnes étaient en train de faire au marché hier.

EXEMPLE: *(perdre)* M. Wolf **perdait** patience.

1. *(attendre)* Tu _____ les clients.

2. *(interrompre)* Clifton _____ son travail pour bavarder avec les clients.

3. *(vendre)* Je _____ des vêtements.

4. *(défendre)* Vous _____ vos prix.

5. *(répondre)* Alexis et moi, nous _____ à beaucoup de questions.

6. *(rendre)* Julia et Gabrielle _____ la monnaie à Mme Lee.

EXERCICE D

Exprimez les souvenirs de jeunesse des personnes suivantes.

EXEMPLE: Luke / marcher trois kilomètres pour aller à l'école.
Luke **marchait** trois kilomètres pour aller à l'école.

1. Sandra / raconter des histoires effrayantes

_____

2. je / perdre souvent mon calme

_____

3. Kim et moi / rougir facilement

_____

4. elles / rompre souvent leurs promesses

_____

5. vous / étudier tout le temps

_____

6. nous / obéir à tous les règlements

_____

7. Tori et Ian / attendre toujours le bon moment pour parler

_____

8. tu / réagir toujours avec calme aux problèmes

_____

9. il / écouter ses professeurs avec attention

_____

[2] SPELLING CHANGES IN CERTAIN *-ER* VERBS

a. Verbs ending in *-cer* change *c* to *ç* before *a* to keep the soft *c* sound.

commencer: je commençais, tu commençais, il/elle commençait
nous commencions, vous commenciez, ils/elles commençaient

b. Verbs ending in *-ger* insert mute *e* between *g* and *a* to keep the soft *g* sound.

nager: je nageais, tu nageais, il/elle nageait
nous nagions, vous nagiez, ils/elles nageaient

EXERCICE E

Vos amis et vous parlez de votre classe de latin et des farces (jokes) que vous aviez l'habitude de faire.
Exprimez vos souvenirs.

avancer	lancer	prononcer
commencer	menacer	remplacer
effacer	placer	renoncer

1. À neuf heures, la classe _____ et nous _____
   aussitôt des boules de papier dans la classe.

2. Le professeur _____ de nous envoyer chez le directeur.

3. Après, le professeur _____ nos dessins sur le tableau.

4. Nous _____ vers la porte avant la fin du cours.

5. Vous _____ la craie par un crayon.

6. Tu _____ les livres du professeur dans la corbeille à papiers.

7. Mais souvent, on _____ à plaisanter et on

   _____ les mots avec application pour faire plaisir au professeur.

EXERCICE F

Aidez-vous des suggestions pour exprimer ce que les personnes suivantes avaient l'habitude de faire.

EXEMPLE: Jonathan allait souvent à la plage. *(nager dans la mer)*
Il **nageait** dans la mer.

1. Je jouais chaque jour de la trompette. *(déranger mon frère)*

   _____

2. Vous quittiez souvent la France. *(voyager autour du monde)*

   _____

3. Denis avait un frère jumeau *(twin)*. *(changer de place avec lui)*

   _____

4. Tu étudiais la biologie. *(songer à devenir médecin)*

   _____

5. Hank et Louis apprenaient l'espagnol et l'italien. *(mélanger les deux langues)*

_____

6. Mme Dolan était directrice. *(diriger le lycée)*

_____

7. Nous étions très généreux. *(partager tout avec nos amis)*

_____

8. Les filles aimaient bien leur club. *(arranger des réunions chaque semaine)*

_____

[3] IMPERFECT OF IRREGULAR VERBS

The imperfect of irregular verbs, with few exceptions, is formed in the same way as the imperfect of regular verbs.

INFINITIVE	PRESENT **nous** FORM	IMPERFECT
aller *to go*	**allons**	**j'allais, tu allais, il/elle allait** **nous allions, vous alliez, ils/elles allaient**
avoir *to have*	**avons**	**j'avais, tu avais, il/elle avait** **nous avions, vous aviez, ils/elles avaient**
faire *to do, make*	**faisons**	**je faisais, tu faisais, il/elle faisait** **nous faisions, vous faisiez, ils/elles faisaient**
pouvoir *to be able to*	**pouvons**	**je pouvais, tu pouvais, il/elle pouvait** **nous pouvions, vous pouviez, ils/elles pouvaient**
venir *to come*	**venons**	**je venais, tu venais, il/elle venait** **nous venions, vous veniez, ils/elles venaient**
voir *to see*	**voyons**	**je voyais, tu voyais, il/elle voyait** **nous voyions, vous voyiez, ils/elles voyaient**

NOTE:

1. The imperfect forms of *être* (to be) are irregular.

   j'étais, tu étais, il/elle était

   nous étions, vous étiez, ils/elles étaient

2. The imperfect forms of *il faut* (it is necessary) and *il pleut* (it is raining) are:

   il fallait   il pleuvait

EXERCICE G

Exprimez ce que ces personnes étaient en train de faire à deux heures hier après-midi.

EXEMPLE: Ils **étaient en train de manger.**

1. Ils _____ .

2. Vous _____ .

3. J'_____ .

4. Nous _____ .

5. Elle _____ .

6. Tu _____ .

EXERCICE H

Exprimez ce que vos amis et vous faisiez quand vous étiez à Paris l'année dernière.

EXEMPLE: Paul / vouloir aller partout tous les jours
Paul **voulait aller** partout tous les jours.

1. je / dormir très peu

_____

2. Simon et Kevin / boire du café au lait au petit déjeuner

_____

3. vous / écrire des cartes postales tous les jours

_____

4. tu / conduire trop vite

_____

5. Rebecca et moi / lire des journaux français

_____

6. Gail / prendre le métro chaque jour

_____

7. Eric / faire la sieste chaque après-midi

_____

8. Luis et Marc / préférer aller en autobus

_____

[4] USES OF THE IMPERFECT

The imperfect tense expresses continuous, repeated, or habitual actions, events, or situations in the past. It is also used to describe circumstances surrounding a past action or event.

a. The imperfect is used to express what was happening, used to happen, or happened repeatedly in the past.

Les enfants pleuraient.	*The children were crying.*
Les enfants pleuraient tous les jours.	*The children used to cry every day.*
Je voyageais en Europe chaque été.	*I used to travel in Europe every summer.*
Elle cuisinait tous les jours.	*She used to cook every day.*

b. The imperfect is used to describe persons, things, or conditions in the past.

Il était gentil.	*He was nice.*
La porte était fermée.	*The door was closed.*
Il faisait du vent.	*It was windy.*

c. The imperfect expresses the day, the month, and the time of day in the past.

C'était samedi.	*It was Saturday.*
C'était le mois de juin.	*It was June.*
Il était neuf heures.	*It was nine o'clock.*

d. The imperfect expresses a physical or mental state or condition in progress in the past without indicating when it began or ended. The imperfect is often used with the verbs *aimer, croire, désirer, espérer, être, penser, pouvoir, préférer, regretter, savoir, vouloir,* and similar verbs.

Je croyais (pensais, savais) que c'était urgent.	*I believed (thought, knew) that it was urgent.*
Elle voulait partir.	*She wanted to leave.*
Tu espérais gagner.	*You hoped to win.*
Ils préféraient voir un film d'action.	*They preferred to see an action movie.*

e. The imperfect is used to describe a situation that was going on in the past when another action or event, expressed in the *passé composé*, occurred.

Je quittais la maison quand le téléphone a sonné.	*I was leaving the house when the telephone rang.*
Elle portait des paquets quand elle est tombée.	*She was carrying packages when she fell.*

f. The imperfect is used to express actions going on simultaneously in the past.

Je regardais la télévision pendant que je faisais mes devoirs.	*I was watching television while I was doing my homework.*

EXERCICE I

Exprimez ce que les membres de la famille Blanchet avaient l'habitude de faire le samedi.

aller chez des parents ou des amis
courir dans le parc
dormir jusqu'à midi
écrire des lettres

faire une promenade en voiture
mettre des vêtements de sport
sortir dîner au restaurant

EXEMPLE: Liliane **écrivait** des lettres.

1. M. et Mme Blanchet _____ .

2. Bernard _____ .

3. Colette et vous _____ .

4. Je _____ .

5. Georges et moi, nous _____ .

6. Tu _____ .

EXERCICE J

Caroline a photographié le pique-nique de la classe. Décrivez ce que vous voyez sur ses photos.

EXEMPLE: les oiseaux / voler
Les oiseaux **volaient.**

1. il / commencer à faire du soleil

_____

2. le ciel / être bleu

_____

3. les garçons / courir après le ballon

_____

4. je / faire une partie de tennis avec Cara

_____

5. nous / avoir chaud

_____

6. tu / manger un sandwich

_____

7. le professeur / finir de couper le gâteau

_____

8. Colin et vous / avoir l'air très sérieux

_____

EXERCICE K

Exprimez ce que chaque personne était en train de faire quand quelque chose est arrivé.

lire un bon roman	un orage / éclater
faire les devoirs	François / appeler
écrire une lettre	des amis / venir
préparer un sandwich	le téléphone / sonner
quitter la maison	mon frère / tomber
prendre un bain	Régine / arriver à la maison
faire le ménage	Pierre / téléphoner
nager	le bébé / crier
répondre à une question	la pluie / commencer à tomber

EXEMPLE: Il **écrivait une lettre quand Pierre a téléphoné.**

1. Ils _____ .

2. Je _____ .

3. Vous _____ .

4. Il _____ .

5. Elles _____ .

6. Tu _____ .

7. Elle _____ .

8. Nous _____ .

EXERCICE L

Exprimez les sentiments des personnes suivantes.

EXEMPLE: Ils ont étudié le français. *(aimer la beauté de cette langue)*
            Ils aimaient la beauté de cette langue.

1. Il parlait toujours sans réfléchir. *(être toujours impatient)*

_____

2. Nous étudiions sérieusement les maths. *(espérer devenir ingénieurs)*

_____

3. Tu cherchais un bon restaurant. *(vouloir goûter des spécialités françaises)*

_____

4. Vous aviez bien écouté le moniteur. *(désirer skier comme un pro)*

_____

5. J'ai dansé le rock avec mon ami. *(aimer bien danser)*

_____

6. Elles choisissaient toujours des livres d'Isaac Asimov. *(préférer les romans de science-fiction)*

_____

EXERCICE M

Exprimez ce que les personnes suivantes faisaient simultanément.

EXEMPLE: Il **parlait** au téléphone pendant que je **regardais** la télévision.

1. Je _____ le chien pendant que les garçons _____ la maison.

2. Vous _____ des disques compacts pendant que nous _____ .

3. Tu _____ au tableau pendant que le professeur _____ l'exercice.

4. Je _____ pendant que Grand-mère _____ du piano.

5. Elles _____ pendant que vous _____ .

M A S T E R Y   E X E R C I S E S

EXERCICE N

Mettez les verbes donnés entre parenthèses à l'imparfait.

À la boum, tous les jeunes gens _____ , _____ et
                                    1. (danser)   *2.* (parler)

_____ à la fois. Ils _____ très heureux et de très bonne
    3. (plaisanter)   *4.* (être)

humeur. Éric _____ qu'il _____ envie d'aller travailler aux
              5. (dire)   *6.* (avoir)

États-Unis et Laurent _____ que c' _____ une très bonne idée,
                        7. (croire)   8. (être)

mais il _____ nécessaire de bien savoir parler anglais. D'après lui, les employeurs
              9. (juger)

américains _____ les candidats qui _____ parler plusieurs
                10. (préférer)   11. (savoir)

langues étrangères. Pendant ce temps, les cousins américains d'Isabelle _____
                                                                              12. (expliquer)

qu'ils _____ près de New York et qu'ils _____ tout le monde
            13. (habiter)   14. (inviter)

à venir chez eux. Ils _____ leurs études dans un lycée qui _____
                          15. (faire)   16. (pouvoir)

recevoir plus de 1.000 élèves. Michael _____ seize ans et Lisa quinze ans. Il
                                             17. (avoir)

_____ au basket et Lisa _____ à l'équipe de gymnastique. Michael
      18. (jouer)   19. (appartenir)

_____ partie de l'orchestre de l'école. Il _____ de la trompette à
      20. (faire)   21. (jouer)

tous les matchs de l'école. Éric _____ que c' _____ formidable.
                                      22. (penser)   23. (être)

Au lycée à Paris, si les élèves _____ faire du sport, ils _____ aller
                                    24. (vouloir)   25. (devoir)

dans un club après l'école. Éric _____ le système américain.
                                      26. (préférer)

EXERCICE O

Employez les expressions données pour décrire ce que ces personnes faisaient pendant leurs vacances.

chaque matin	aller au cinéma
de temps en temps	dîner au restaurant
le samedi après-midi	faire de la planche à voile
rarement	lire de bons romans
souvent	marcher dans les bois
tout le temps	nager dans la piscine
une fois par semaine	prendre des bains de soleil

EXEMPLE: Janine **lisait de bons romans tout le temps.**

1. Je _____ .

2. Philippe _____ .

3. Paul et moi _____ .

4. Jennifer et MaryJo _____ .

5. Vous _____ .

6. Tu _____ .

EXERCICE P

Récrivez cette histoire à l'imparfait.

C'est le début de l'année scolaire. Il **est** deux heures de l'après-midi. Il **fait** du vent et les feuilles **tombent** des arbres. Je **cours** à ma classe de biologie et je **songe** à tout ce que je **dois** faire. Je **suis** un peu anxieuse. Je **veux** arriver à l'heure, mais je **sais** que c'**est** impossible. En même temps, un beau garçon **avance** vers moi. Il **porte** un jean et un gros pull rouge. Il **a** les cheveux noirs et les yeux bleus. Sa barbe me **rappelle** mon frère aîné. Il **pèse** à peu près quatre-vingts kilos et il **mesure** à peu près un mètre quatre-vingts. Je **crois** qu'il ne **va** pas me voir. Je **sais** que je **désire** sortir avec lui. J'**espère** qu'il **va** me proposer un rendez-vous. C'**est** le coup de foudre *(love at first sight)*! Ce jour-là, je **suis** en retard au cours!

_____

_____

_____

_____

_____

_____

_____

_____

_____

_____

_____

_____

_____

_____

_____

_____

EXERCICE Q

Exprimez ce que Laure raconte à une amie sur son enfance.

1. When I was young I always visited my grandparents during the summer.

   _____

   _____

2. They lived in the south of France. The weather was always nice and the birds were always singing.

   _____

   _____

3. They had a magnificent old villa that was near the port.

   _____

4. My grandfather went fishing every day and I wanted to go with him.

   _____

   _____

5. He often said that I could accompany him, but I had to be ready by five o'clock in the morning.

   _____

   _____

6. I would set my alarm clock but I always continued to sleep until eight o'clock.

   _____

   _____

7. My grandfather wasn't sad because he knew that I loved to go to the cafe for breakfast with my grandmother.

   _____

   _____

8. Every day we ate croissants and drank two big bowls of hot chocolate.

   _____

   _____

9. In the afternoon, while my grandfather watched television, my grandmother and I prepared the fish for dinner.

   _____

   _____

10. I was very happy during these vacations.

   _____

Chapter 8
Passé composé and Imperfect Tenses Compared

The basic uses of the *passé composé* and the imperfect tenses are summarized in the chart below.

PASSÉ COMPOSÉ	IMPERFECT
1. Expresses specific actions or events that were started and completed at a definite point in the past. Il a fait ses devoirs. *He did his homework.*	1. Describes ongoing or continuous actions or events in the past. Il faisait ses devoirs. *He was doing his homework.*
2. Expresses a specific action or event at a specific point in past time. Aujourd'hui il est arrivé à neuf heures. *Today he arrived at nine o'clock.* Elle a joué au tennis hier soir. *She played tennis last night.*	2. Describes habitual or repeated actions or events in the past. Il arrivait généralement à neuf heures. *He generally arrived at nine o'clock.* Elle jouait au tennis le matin. *She played tennis in the morning.*
	3. Describes persons, things, or a state of mind in the past. Elle était nerveuse. *She was nervous.* Les oiseaux chantaient. *The birds were singing.* Il savait danser. *He knew how to dance.*

NOTE:

1. The *passé composé* expresses an action or event repeated a specific number of times in the past.

Cet été je suis allé(e) à la plage douze fois.	*This summer I went to the beach twelve times.*
BUT	
J'allais à la plage le samedi.	*I used to go to the beach on Saturday.*

2. The *passé composé* is usually equivalent to an English simple past and the imperfect to the English *was (were) . . . -ing, used to,* and *would* (meaning *used to*).

Hier il a neigé pendant deux heures.	*Yesterday it snowed for two hours.*
Il neigeait pendant qu'ils marchaient.	*It was snowing while they were walking.*

3. The *passé composé* is often used with the following words and expressions:

l'année passée (dernière)	*last year*	ensuite	*then, next*
avant-hier	*the day before yesterday*	l'été (l'hiver) passé	*last summer (winter)*
d'abord	*at first*	finalement	*finally*
enfin	*finally*	une (deux...) fois	*once, one (two) time(s)*

hier *yesterday*	un jour *one day*
hier soir *last night*	le mois passé (dernier) *last month*
l'autre jour *the other day*	la semaine passée (dernière) *last week*
ce jour-là *that day*	soudain *suddenly*
plusieurs fois *several times*	tout à coup *suddenly, all of a sudden*

4. The imperfect is often used with the following adverbial expressions, when they imply repetition.

autrefois *formerly*	fréquemment *frequently*
chaque jour (semaine, mois, année) *each day (week, month, year)*	généralement *generally*
	habituellement *habitually*
de temps à autre *from time to time*	parfois *sometimes, every now and then*
de temps en temps *from time to time*	quelquefois *sometimes*
d'habitude *usually*	souvent *often*
d'ordinaire *usually, ordinarily*	toujours *always*
en ce temps-là *at that time*	tous les jours (mois) *every day (month)*
en général *generally*	tout le temps *all the time*

5. The imperfect tense is used to describe an action or event that was going on in the past when another action or event took place. The action or event that took place is in the *passé composé*.

Je sortais quand Luc a téléphoné.	*I was leaving when Luc called.*

6. The imperfect is often used with verbs that express a state of mind over a period of time in the past.

aimer *to like, love*	pouvoir *to be able, can*
croire *to believe*	préférer *to prefer*
désirer *to desire*	regretter *to regret, be sorry*
espérer *to hope*	savoir *to know (how)*
être *to be*	vouloir *to wish, want*
penser *to think*	

J'espérais qu'il savait le réparer.	*I hoped he knew how to fix it.*
Il aimait aller à la pêche.	*He liked to go fishing.*

EXERCICE A

*Choisissez la forme correcte du verbe entre parenthèses pour exprimer ce qui est arrivé à **Mme Dupin.***

C'*(a été, était)* _____ dimanche soir. Il *(a été, était)* _____ huit
                        1.   *2.*

heures du soir. La porte d'entrée *(a été, était)* _____ ouverte parce qu'il *(a fait,*
                                                        3.

faisait) _____ encore beau. Je / J' *(ai lu, lisais)* _____ un livre
              4.   *5.*

quand, tout à coup, ma famille et moi, nous *(avons entendu, entendions)* _____

un très grand bruit. Nous *(avons cru, croyions)* _____ que c'*(a été, était)*

_____ un accident de voiture. Michel, mon plus jeune fils, *(a couru, courait)*

_____ tout de suite à la porte. Éric *(l'a suivi, le suivait)* _____ .

Moi, je n'*(ai eu, avais)* _____ aucune envie de voir un accident. Cependant, Michel

(a crié, criait) _____ : «Maman, vite, viens à la porte.» Quand j'y *(suis arrivée, arrivais)*

_____ je / j' *(ai commencé, commençais)* _____ à

crier. Je *(n'ai pas pu, ne pouvais pas)* _____ en croire mes yeux. Ma belle

voiture neuve, qui *(a été, était)* _____ garée *(parked)* devant la maison, *(a ressemblé,*

ressemblait) _____ maintenant à un accordéon! Je / J' *(ai commencé, commençais)*

_____ à pleurer quand Michel *(m'a dit, me disait)* _____ :

«Tant pis, maman! En réalité, je n'*(ai aimé, aimais)* _____ ni la couleur ni le style

de cette voiture. Maintenant, nous pouvons en acheter une autre plus à mon goût.»

EXERCICE B

Complétez l'histoire de cette fille avec la forme correcte du verbe au passé composé ou à l'imparfait.

C'_____ l'été. Il _____ frais et mon ami et moi, nous
1. (être)   *2. (faire)*

n'_____ pas envie d'aller à la plage. Il _____ me prendre vers
3. (avoir)   *4. (venir)*

midi, mais nous ne (n') _____ pas décider ce que nous _____
5. (pouvoir)   *6. (vouloir)*

faire. Alors il _____ à conduire sans savoir où nous _____ .
7. (commencer)   *8. (aller)*

Tout à coup, il _____ la voiture devant un magasin où on _____
9. (arrêter)   *10. (vendre)*

des animaux domestiques. Nous _____ de la voiture et nous _____
11. (sortir)   *12. (entrer)*

dans le magasin, pleins de curiosité. Il y _____ toutes sortes d'animaux:
                                         13. (avoir)

des chiens, des chats, des lapins et des oiseaux. Nous _____ devant la cage d'un
                                                      14. (arriver)

jeune chien. Il _____ petit et il _____ de grands
                15. (être)   *16. (avoir)*

yeux noirs. Je l'_____ le moment où je le (l') _____ . Je (J')
                 17. (aimer)   *18. (voir)*

_____ le prix au vendeur. Il me (m') _____ : «Vingt-cinq
19. (demander)   *20. (répondre)*

dollars.» Je (J') _____ de l'argent à mon ami qui _____
                 21. (demander)   *22. (penser)*

que j'_____ trop impulsive. Il _____ que ma mère
        23. (être)   *24. (savoir)*

n'_____ pas aimer cette idée. Tant pis, j'_____ le chien
   25. (aller)   *26. (acheter)*

quand même.

EXERCICE C

Décrivez ce qui est arrivé aux Barbeau. Mettez les verbes en caractères gras (in bold type) au passé composé ou à l'imparfait.

C'**est** le matin de très bonne heure. Il **fait** noir. Les étoiles **brillent.** La lune **éclaire** le ciel. M. et Mme Barbeau **dorment.** Tout d'un coup, leurs deux chiens **commencent** à aboyer *(bark)*. M. Barbeau ne **voit** rien, mais il **vérifie** quand même que tout **est** normal. Puis il **retourne** au lit et il **dort.** À sept heures l'alarme du réveil **réveille** les Barbeau. Ils **regardent** autour d'eux. Ils **sont** très surpris. Il **est** évident que quelque chose **manque.** M. Barbeau **crie:** «Mon Dieu! Des voleurs **viennent** pendant que nous **dormons!»** Les voleurs **prennent** de l'argent et des bijoux. Mais Mme Barbeau n'**est** pas tellement triste. Pourquoi? D'abord parce qu'elle **a** une assurance contre le vol. Ensuite parce que les voleurs ne **trouvent** pas ses bijoux de grande valeur, cachés dans l'horloge. Les voleurs ne **savent** pas que tous les bijoux qu'ils **prennent sont** faux. Quelle mauvaise surprise pour eux!

_____

_____

_____

_____

_____

_____

_____

_____

_____

_____

_____

_____

_____

_____

_____

_____

EXERCICE D

Expliquez pourquoi chaque personne a fait les choses suivantes. Combinez les phrases en utilisant le passé composé et l'imparfait.

EXEMPLE: Je reste chez moi. J'ai beaucoup de travail à faire.
      Je suis resté(e) chez moi parce que **j'avais** beaucoup de travail à faire.

1. Jerôme téléphone à ses parents. Il va être en retard.

_____

2. Tu achètes une pâtisserie. Tu as faim.

_____

3. Nous allons en ville. Nous voulons faire des achats.

_____

4. Elles prennent le métro. Elles sont pressées.

_____

5. J'ouvre mon parapluie. Il pleut.

_____

6. Ils pleurent. Ils regrettent leurs paroles.

_____

7. Vous restez à la maison. Vous préférez être seul.

_____

8. Elle écrit à son petit ami. Elle pense à lui.

_____

EXERCICE E

Décrivez ce que Guy a fait. Mettez les verbes au passé composé ou à l'imparfait.

EXEMPLE: Guy / vouloir faire quelque chose
            Guy **voulait** faire quelque chose.

1. Guy / avoir les cheveux très longs

   _____

2. tous ses amis / plaisanter à propos de ses cheveux

   _____

3. il / ressembler à une star de rock

   _____

4. un jour il / décider d'aller chez le coiffeur

   _____

5. il / vouloir une coupe à la mode

   _____

6. le coiffeur / dire: «Ne vous inquiétez pas.»

   _____

7. la musique dans le salon / l'endormir

   _____

8. une demi-heure après le coiffeur le (l') / réveiller

   _____

9. Guy / regarder sa coiffure dans le miroir

   _____

10. il / pousser un cri

    _____

11. on / pouvoir maintenant voir son visage

    _____

12. il / être beau

    _____

13. Guy / être content

    _____

14. tous ses amis le (l') / féliciter

    _____

EXERCICE F

Décrivez ce qui est arrivé dans les cauchemars (nightmares) *des personnes suivantes. Utilisez le passé composé ou l'imparfait.*

EXEMPLE: *(faire / renverser)* Nous **faisions** du canoë quand une vague **a renversé** notre bateau.

1. *(embrasser / entrer)* J'_____ ma petite amie quand ses parents

   _____ .

2. *(aller / changer)* Marianne _____ épouser Jacques lorsqu'elle

   _____ d'avis.

3. *(atterrir / éclater)* Mon avion _____ quand un ouragan _____ .

4. *(poursuivre / tomber)* Un animal sauvage me _____ lorsque je

   _____ .

5. *(manger / devenir)* Tu _____ un délicieux gâteau au chocolat quand tu

   _____ malade.

6. *(descendre / entrer)* Les garçons _____ d'une montagne au moment où un volcan

   _____ en éruption.

7. *(marcher / attaquer)* Elles _____ sur la lune quand un extraterrestre

   _____ leur vaisseau spatial.

8. *(voyager / perdre)* Gregory _____ à l'étranger quand il _____
   tous ses papiers.

EXERCICE G

Répondez aux questions que vos parents vous ont posées quand vous êtes rentré(e) très tard hier soir.

1. Où étais-tu hier soir?

   _____

2. Avec qui es-tu sorti(e)?

   _____

3. Où êtes-vous allé(e)s?

   _____

4. Que faisiez-vous pendant toute la soirée?

   _____

5. Combien d'argent as-tu dépensé?

_____

6. À quelle heure es-tu revenu(e) à la maison?

_____

7. Pourquoi ne nous as-tu pas téléphoné?

_____

8. Pourquoi es-tu rentré(e) si tard?

_____

M A S T E R Y   E X E R C I S E S

EXERCICE H

Écrivez un paragraphe où vous parlez de votre enfance.

Quand j'étais petit(e), _____

_____

_____

_____

_____

_____

_____

EXERCICE I

Complétez l'histoire en mettant les verbes entre parenthèses au passé composé ou à l'imparfait.

1. La boum *(passer)* _____ très vite. Tous les invités *(être)* _____
   contents d'être venus.

2. Delphine et Sophie *(préparer)* _____ des sandwichs délicieux, et les invités les

   (manger) _____ avec du coca. De plus, le gâteau *(être)* _____ un

   succès et tout le monde *(prendre)* _____ des fruits et de la crème.

3. Les desserts *(être)* _____ vraiment délicieux. Après, la musique *(recommencer)*

   _____ et les danses *(continuer)* _____ .

4. Tout le monde *(danser)* _____ quand tout à coup le téléphone *(sonner)*

_____ . C'*(être)* _____ le voisin d'en dessous qui *(protester)*

_____ . Il y *(avoir)* _____ trop de bruit.

5. Le voisin du dessus *(appeler)* _____ aussi. Il ne *(pouvoir)* _____

plus supporter ce bruit.

6. Quelqu'un *(ouvrir)* _____ la porte pendant que Delphine *(répondre)*

_____ au téléphone. C'*(être)* _____ son père. Il *(être)*

_____ furieux.

7. Il *(expliquer)* _____ qu'ils *(ennuyer)* _____ tous les voisins.

8. Et poliment mais fermement, il *(mettre)* _____ un terme *(end)* à la fête.

9. Michael et Lisa *(dire)* _____ que les parents français *(être)* _____

sévères.

EXERCICE J

Qu'est-ce qui s'est passé à la montagne? Complétez l'histoire de Lucia avec la forme correcte du verbe, au passé composé ou à l'imparfait.

Cet été mes amies et moi _____ dans un hôtel à la montagne.
      1. (descendre)

C'_____ la première fois que nous _____ ensemble
   2. (être)   *3. (voyager)*

et nous _____ toutes très heureuses. Un jour nous _____
        4. (être)   *5. (décider)*

de monter à cheval, une activité qui _____ assez cher, mais qui
                                        6. (coûter)

_____ d'être très amusante. Mon amie Theresa _____
   7. (promettre)   *8. (avoir)*

un peu peur parce que c'_____ la première fois pour elle. Mais nous, nous
                          9. (être)

n'_____ pas peur. Nous _____ à l'écurie *(stable)* à trois heures
   10. (avoir)   *11. (arriver)*

de l'après-midi et un guide nous _____ . Il nous _____ sur la
                                    12. (parler)   *13. (accompagner)*

route. Tout _____ parfaitement bien lorsque les chevaux _____
             14. (aller)   *15. (marcher)*

et _____ lentement. Mais après un quart d'heure assez calme, quelque chose de très
   16. (trotter)

effrayant _____ . Un cerf *(deer)* _____ devant le cheval de
           17. (arriver)   *18. (courir)*

notre guide. Ce cheval _____ peur et _____ à ruer *(kick)*.
                         19. (prendre)   *20. (commencer)*

Nous _____ toutes très effrayées parce que les chevaux _____ et
     21. (être)   *22. (bouger)*

_____ des bruits étranges comme s'ils _____ partir
23. (faire)   *24. (aller)*

soudain à toute vitesse. Après ce qui _____ être une éternité, le calme
                                        25. (sembler)

_____ , mais nous _____ toutes d'accord. Nous ne
26. (revenir)   *27. (être)*

_____ plus continuer notre promenade. Nous _____ à l'écurie
28. (vouloir)   *29. (revenir)*

et nous _____ de cheval. Après dix minutes, nous _____ de
        30. (descendre)   *31. (éclater)*

rire parce que tout d'un coup nous _____ la situation assez comique.
                                   32. (trouver)

C'_____ curieux, n'est-ce pas?
  33. (être)

EXERCICE K

Votre professeur de français raconte comment célébrer un anniversaire. Exprimez en français ce qu'elle dit.

1. It was April 15 and my parents were going to celebrate their fortieth wedding anniversary.

_____

_____

2. My sister and I, we wanted to do something special but we didn't know what.

_____

_____

3. My sister suggested a big party but I didn't like that idea.

_____

4. We wanted to send them to Europe but it was too expensive.

_____

_____

5. Finally we decided to give them a special weekend in Manhattan.

_____

_____

6. We chose a magnificent room in a famous hotel.

_____

7. We reserved tables in elegant restaurants that had excellent reputations.

_____

_____

8. We also bought theater tickets.

_____

9. We even rented *(louer)* a limousine that took them where they wanted to go.

_____

_____

10. When they returned from that weekend, they couldn't stop thanking us.

_____

_____

Chapter 9
Future Tense

[1] FUTURE TENSE OF REGULAR VERBS

The future tense is formed by adding the following endings to the infinitive: *-ai, -as, -a, -ons, -ez, -ont.*

danser *to dance*	obéir *to obey*	attendre *to wait*
I will/shall dance	*I will/shall obey*	*I will/shall wait*
je dans**erai**	j' obé**irai**	j' attend**rai**
tu dans**eras**	tu obé**iras**	tu attend**ras**
il/elle dans**era**	il/elle obé**ira**	il/elle attend**ra**
nous dans**erons**	nous obé**irons**	nous attend**rons**
vous dans**erez**	vous obé**irez**	vous attend**rez**
ils/elles dans**eront**	ils/elles obé**iront**	ils/elles attend**ront**

NOTE:

1. *-re* verbs drop the final *e* before the future ending.

répondre   je répond**rai**

vendre   je vend**rai**

2. Negative, interrogative, and negative interrogative constructions in the future follow the same rules as in the present tense.

Nous n'attendrons pas davantage.   *We will wait no longer.*

Tu obéiras?   *Will you obey?*

Est-ce que tu obéiras?   *Will you obey?*

Ne répondrez-vous pas?   *Won't you answer?*

EXERCICE A

Exprimez ce que ces personnes feront pour la fête des mères.

EXEMPLE: *(organiser)* J'**organiserai** la fête.

1. *(rôtir)* Nous _____ un canard.

2. *(préparer)* Tu _____ les légumes.

3. *(garnir)* Ils _____ un grand gâteau.

4. *(tondre)* Je _____ la pelouse.

5. *(choisir)* Elles _____ un joli cadeau pour leur mère.

6. *(correspondre)* Tu _____ avec ta mère.

7. *(pendre)* Vous _____ les nouveaux rideaux.

8. *(décorer)* Elle _____ la maison.

EXERCICE B

Exprimez quand ces personnes accompliront ce qu'elles doivent faire.

bâtir une niche pour le chien	cet après-midi
rendre les affaires d'une amie	demain
emballer les paquets	dans une heure
descendre faire la lessive	la semaine prochaine
finir les courses	demain soir
vider les ordures	après-demain
déposer ces chèques à la banque	ce soir

EXEMPLE: Karissa **videra** les ordures demain.

1. Je _____ .

2. Nous _____ .

3. Avi et Theo _____ .

4. Tu _____ .

5. Vous _____ .

6. Roland _____ .

[2] SPELLING CHANGES IN CERTAIN *-ER* VERBS

a. Most verbs with infinitives ending in *-yer* change *y* to *i* in the future.

nettoyer *to clean:* je nettoierai, tu nettoieras, il/elle nettoiera
nous nettoierons, vous nettoierez, ils/elles nettoieront

NOTE:

1. Verbs with infinitives ending in *-ayer* may or may not change the *y* to *i* in all future-tense forms.

payer *to pay:* je paierai (payerai), tu paieras (payeras), il/elle paiera (payera)
nous paierons (payerons), vous paierez (payerez), ils/elles paieront (payeront)

2. The verbs *envoyer* (to send) and *renvoyer* (to dismiss, send back) are irregular in the future.

j'enverrai, tu enverras, il/elle enverra
nous enverrons, vous enverrez, ils/elles enverront

je renverrai, tu renverras, il/elle renverra
nous renverrons, vous renverrez, ils/elles renverront

EXERCICE C

Exprimez ce que chaque personne fera au bureau aujourd'hui.

EXEMPLE: tu / employer une calculette
           Tu **emploieras** une calculette.

1. le patron / payer les employés

_____

2. je / essuyer l'écran de l'ordinateur

_____

3. vous / ennuyer tout le monde

_____

4. tu / essayer de terminer ton travail

_____

5. nous / employer la photocopieuse

_____

6. les employés / nettoyer leurs bureaux

_____

b. Verbs with silent *e* in the syllable before the infinitive ending change silent *e* to *è* in the future.

lever   *to raise:* je lèverai, tu lèveras, il/elle lèvera
                     nous lèverons, vous lèverez, ils/elles lèveront

EXERCICE D

Exprimez ce que chaque personne fera ce soir après le travail.

1. *(enlever)* Elle _____ son maquillage.

2. *(peser)* Je _____ le pour et le contre d'un voyage au Mexique.

3. *(promener)* Vous _____ vos chiens.

4. *(acheter)* Nous _____ des fruits et du pain pour le dîner.

5. *(achever)* Ils _____ la lecture de leur journal.

6. *(amener)* Tu _____ un ami chez toi.

c. Verbs like *appeler* and *jeter*, which also have a silent *e*, double the consonant *l* or *t* in the future.

appeler *to call:* j'appellerai, tu appelleras, il/elle appellera
nous appellerons, vous appellerez, ils/elles appelleront

jeter *to throw:* je jetterai, tu jetteras, il/elle jettera
nous jetterons, vous jetterez, ils/elles jetteront

EXERCICE E

Exprimez comment ces personnes célébreront le Nouvel An.

acheter de nouveaux vêtements
amener son amie au bal
appeler beaucoup d'amis
célébrer la nouvelle année à la maison
jeter des confettis

lancer des bonbons aux invités
manger beaucoup
nettoyer la maison
payer le gardien de l'immeuble

EXEMPLE: Il **amènera** son amie au bal.

1. Stephen _____.

2. Tu _____.

3. Paul et Albert _____.

4. Vous _____.

5. Je _____.

6. Nous _____.

7. Martha _____.

8. Sharon et Tanya _____.

[3] VERBS IRREGULAR IN THE FUTURE

INFINITIVE	FUTURE	INFINITIVE	FUTURE
aller *to go*	**j'irai**	**mourir** *to die*	**je mourrai**
avoir *to have*	**j'aurai**	**pleuvoir** *to rain*	**il pleuvra**
courir *to run*	**je courrai**	**pouvoir** *to be able to*	**je pourrai**
devoir *to owe, have to*	**je devrai**	**recevoir** *to receive*	**je recevrai**
envoyer *to send*	**j'enverrai**	**savoir** *to know*	**je saurai**
être *to be*	**je serai**	**venir** *to come*	**je viendrai**
faire *to do*	**je ferai**	**voir** *to see*	**je verrai**
falloir *to be necessary*	**il faudra**	**vouloir** *to want*	**je voudrai**

EXERCICE F

Exprimez ce qui arrivera au mariage de Roland et de Viviane.

EXEMPLE: les invités / arriver en voiture
Les invités **arriveront** en voiture.

1. il / pleuvoir

   _____

2. tout le monde / aller à la réception

   _____

3. les jeunes mariés / devoir prendre une limousine

   _____

4. ils / courir pour éviter la pluie

   _____

5. nous / pouvoir voir la mariée de près

   _____

6. elle / être très belle

   _____

7. elle / avoir une jolie robe

   _____

8. tu leur / envoyer un télégramme

   _____

9. il / falloir les féliciter

   _____

10. vous / vouloir les embrasser

    _____

11. les jeunes mariés / recevoir beaucoup de cadeaux

    _____

12. les parents / être très heureux

    _____

13. tous leurs amis / venir à la fête

    _____

14. les jeunes mariés / savoir très bien danser

    _____

15. nous / voir leur départ

_____

16. ils / faire un voyage aux îles Caraïbes

_____

[4] USES OF THE FUTURE

a. The future tense is used in French, as in English, to express what will happen.

Je partirai demain soir.	*I will leave tomorrow evening.*
Où irez-vous?	*Where will you go?*

b. The future is used after *quand* (when) and *lorsque* (when), if the action refers to the future, even though the present tense may be used in English.

Je viendrai quand j'aurai le temps.	*I will come when I have the time.*
Je le saluerai lorsque je le verrai.	*I will greet him when I see him.*

EXERCICE G

Répondez aux questions qu'un ami vous pose.

EXEMPLE: Que feras-tu quand il pleuvra?
Quand il pleuvra, je regarderai la télé.

1. Que feras-tu quand tu auras vingt et un ans?

_____

_____

2. Que feras-tu quand tu seras en vacances cette année?

_____

_____

3. Que feras-tu quand tu gagneras beaucoup d'argent?

_____

_____

4. Que feras-tu quand tu finiras tes études au lycée?

_____

_____

5. Que feras-tu quand tu auras beaucoup de temps libre?

_____

_____

EXERCICE H

Complétez cette carte que Douglas écrit à son ami français avec la forme correcte des verbes au futur.

Cher Alain,

Cet automne, j' _____ à l'université de Paris. J'y _____ le
                    1. (aller)   *2.* (arriver)

premier septembre. Il _____ que j'apporte tous mes papiers et mes documents
                          3. (falloir)

américains. Je _____ la traversée en bateau. Je _____ tôt au
                    4. (faire)   *5.* (venir)

port parce que je _____ très anxieux de ne pas manquer le bateau. Quand
                      6. (être)

j' _____ le mal du pays, tu _____ me parler, d'accord? J'espère
       7. (avoir)   *8.* (venir)

que je _____ bientôt de tes nouvelles. _____ -tu me montrer
           9. (recevoir)   *10.* (pouvoir)

ce qu'il y a à voir à Paris? Quand il _____ , nous _____
                                            11. (pleuvoir)   *12.* (aller)

visiter les musées. Tu _____ sûrement où nous _____ aller.
                          13. (savoir)   *14.* (devoir)

Ton ami,
Douglas

[5] *ALLER* + INFINITIVE

An action that is going to happen in the near future can be expressed in French with
a form of the verb *aller* plus infinitive.

Qu'est-ce que tu **vas manger**?	*What are you going to eat?*
Je **vais manger** un sandwich.	*I'm going to eat a sandwich.*

EXERCICE I

Exprimez ce que chaque personne va faire pour la fête de l'école.

EXEMPLE: George / vendre des boissons
           George **va** vendre des boissons.

1. tu / préparer des plats traditionnels

_____

2. Caroline / apporter ses cassettes

_____

3. Lisa et moi / ranger la salle

_____

4. Patricia et Letitia / organiser des jeux

_____

5. vous / diriger les chants

_____

6. je / jouer de la guitare

_____

7. Richard / servir les invités

_____

8. Dennis et Dylan / garer les voitures

_____

EXERCICE J

Exprimez ce que ces personnes ne vont pas faire cet après-midi.

EXEMPLE: Il **ne va pas courir.**

1. Paula _____ .

2. Je _____ .

3. Nous _____.

4. Lisa et Anne _____.

5. Seth _____.

6. Vous _____.

7. Thomas et son frère _____.

8. Tu _____.

MASTERY EXERCISES

EXERCICE K

Exprimez ce que ces personnes vont faire et ne vont pas faire.

EXEMPLE: Julian veut maigrir. *(manger de la salade / manger beaucoup de glace)*
Il va manger de la salade. Il ne va pas manger beaucoup de glace.

1. Tara est fatiguée. *(jouer au tennis / dormir)*

_____

2. J'ai soif. *(boire / manger)*

_____

3. Tu as un examen. *(étudier / regarder la télévision)*

_____

_____

4. Vous avez mal à la tête. *(lire le journal / prendre de l'aspirine)*

_____

_____

5. Les garçons sont en retard. *(marcher lentement / courir)*

_____

6. Nous sommes contents. *(applaudir / pleurer)*

_____

EXERCICE L

*Combinez les éléments ci-dessous avec **quand** pour exprimer ce que chaque personne fera.*

EXEMPLE: Janine / téléphoner à ses parents / être en retard
Janine téléphonera à ses parents quand elle sera en retard.

1. tu / menacer tes frères / perdre patience

_____

2. mes frères / nettoyer la maison / avoir le temps

_____

3. je / faire une boum / célébrer mon anniversaire

_____

4. mon amie / venir chez moi / être libre

_____

5. vous / payer comptant *(cash)* / acheter votre nouvelle télévision

_____

6. nous / envoyer ce paquet / recevoir toutes les informations nécessaires

_____

7. elles / aller en ville / travailler

_____

8. Leo maigrir / manger moins

_____

EXERCICE M

Delphine, Sophie et quelques amis discutent de leurs projets d'avenir. Exprimez ce qu'ils disent en mettant les verbes au futur.

DELPHINE: Quand j'_____ mon bac *(high-school degree)*, j'_____
                         1. (avoir)   *2. (aller)*

        à l'université. Je ne sais pas encore ce que j'_____ .
                                                          3. (étudier)

        Il _____ me décider bientôt.
             4. (falloir)

SOPHIE: Moi, je vais étudier la médecine. J'espère que je _____ comme ma mère.
                                                             5. (faire)

        J'_____ mon cabinet à la maison et quand j'_____ des
              6. (installer)   *7. (avoir)*

        enfants, je _____ m'occuper d'eux facilement. Ma vie professionnelle ne
                        8. (pouvoir)

        _____ pas ma vie familiale. Je _____ combiner les deux.
           9. (gêner)   *10. (savoir)*

SYLVIE: Tu _____ de la chance si tu peux faire cela. Ce ne
             11. (avoir)

        _____ pas toujours facile.
           12. (être)

SOPHIE: Évidemment, mais je _____ réussir à tout prix.
                                  13. (vouloir)

        J'_____ en tout cas.
              14. (essayer)

ÉRIC: Eh bien moi, je _____ ne pas travailler à la maison.
                       15. (préférer)

        J'_____ mieux aller en ville dans un bureau. Je _____
              16. (aimer)   *17. (prendre)*

        mon déjeuner au restaurant et je _____ des amis plus souvent.
                                      18. (voir)

LAURENT: Moi, je _____ une profession où je _____
            19. (chercher)   *20. (voyager)*

tout le temps. Je _____ le monde entier.
                    21. (connaître)

EXERCICE N

Votre ami vous écrit une lettre au sujet de son anniversaire. Exprimez en français ce qu'il dit.

1. Next week I'll celebrate my eighteenth birthday.

_____

2. I'll have *(faire)* a party and I'll send invitations to all my friends.

_____

_____

3. Everyone will come and I'll be happy.

_____

4. When I receive gifts I'll say thank you.

_____

5. My parents and I, we'll prepare many dishes.

_____

6. We'll clean the house and we'll decorate the living room with eighteen balloons *(ballons)*.

_____

_____

7. There will be a DJ *(disc-jockey)* and he'll play the latest hits.

_____

8. My mother is going to serve a delicious cake.

_____

9. I hope that my parents will buy me a new car for my birthday.

_____

10. Two weeks after my eighteenth birthday, I'll vote for the next president of the United States.

_____

_____

Chapter 10
Conditional

[1] CONDITIONAL OF REGULAR VERBS

The conditional of regular verbs is formed with the same stem as the future tense (the infinitive of the verb), to which endings similar to those of the imperfect indicative are added: *-ais, -ais, -ait, -ions, -iez, -aient.*

danser *to dance*	obéir *to obey*	attendre *to wait*
I would dance	*I would obey*	*I would wait*
je danser*ais*	j' obéir*ais*	j' attendr*ais*
tu danser*ais*	tu obéir*ais*	tu attendr*ais*
il/elle danser*ait*	il/elle obéir*ait*	il/elle attendr*ait*
nous danser*ions*	nous obéir*ions*	nous attendr*ions*
vous danser*iez*	vous obéir*iez*	vous attendr*iez*
ils/elles danser*aient*	ils/elles obéir*aient*	ils/elles attendr*aient*

NOTE:

1. *-re* verbs drop the final *e* before the conditional ending.

    répondre   je répondrais

    vendre   je vendrais

2. Negative, interrogative, and negative interrogative constructions in the conditional follow the same rules as in the present tense.

    Nous n'attendrions pas davantage.   *We wouldn't wait any longer.*

    Tu obéirais?   *Would you obey?*

    Obéirais-tu?   *Would you obey?*

    Ne répondriez-vous pas?   *Wouldn't you answer?*

    Est-ce que vous ne répondriez pas?   *Wouldn't you answer?*

EXERCICE A

Exprimez ce que vos amis et vous feriez (would do) *si votre professeur de français était malade.*

EXEMPLE: je / participer à la classe
           Je **participerais** à la classe.

1. nous / aider le remplaçant *(substitute)*

   _____

2. les garçons / finir leur travail

   _____

3. Alice / distribuer les livres

   _____

4. je / répondre à toutes les questions

_____

5. vous / respecter les demandes du remplaçant

_____

6. Serge / rendre les devoirs

_____

7. tu / écouter attentivement

_____

8. Ming et Melanie / écrire au professeur

_____

EXERCICE B

Exprimez ce que ces personnes feraient et ne feraient pas dans les situations suivantes.

EXEMPLE: *(noter la date / oublier la date)* Si vous aviez un rendez-vous,
   vous noteriez la date,
   vous n'oublieriez pas la date.

1. *(choisir un film d'horreur / regarder une histoire d'amour)* Si Janine avait facilement peur,

_____

_____ .

2. *(rentrer à la maison / avertir* (notify) *la police)* Si elles voyaient un accident,

_____

_____ .

3. *(le frapper / lui parler)* Si vous aviez une dispute avec un ami,

_____

_____ .

4. *(réussir / rater ton examen)* Si tu étudiais beaucoup,

_____

_____ .

5. *(le rendre à son propriétaire / le garder)* Si nous trouvions un portefeuille,

_____

_____ .

6. *(écouter Madonna / jouer un concerto de Bach)* Si j'aimais la musique classique,

_____

_____ .

[2] SPELLING CHANGES IN CERTAIN -*ER* VERBS

Verbs ending in -*er* that have spelling changes in the future have similar spelling changes in the conditional.

a. Most verbs with infinitives ending in -*yer* change *y* to *i* in the conditional (except *envoyer,* which is irregular, and verbs ending in -*ayer*).

nettoyer   *to clean:*   je nettoierais, tu nettoierais, il/elle nettoierait
nous nettoierions, vous nettoieriez, ils/elles nettoieraient

NOTE: In verbs with infinitives ending in -*ayer,* the change from *y* to *i* is optional.

payer   *to pay:*   je paierais (payerais), tu paierais (payerais), il/elle paierait (payerait)
nous paierions (payerions), vous paieriez (payeriez), ils/elles paieraient (payeraient)

EXERCICE C

Exprimez ce que tout le monde ferait pour garder la maison propre.

employer	essayer	nettoyer
ennuyer	essuyer	payer

1. Mme Leclos n'_____ pas les domestiques.

2. Je _____ ma chambre tous les jours.

3. Les Dupont _____ bien le jardinier.

4. Nous _____ de ranger le salon chaque semaine.

5. Vous _____ la vaisselle tous les soirs.

6. Tu _____ l'aspirateur chaque jour.

b. Verbs with silent *e* in the syllable before the infinitive ending change silent *e* to *è* in the conditional.

acheter   *to buy:*   j'achèterais, tu achèterais, il/elle achèterait
nous achèterions, vous achèteriez, ils/elles achèteraient

c. Verbs like *appeler* and *jeter,* which also have a silent *e,* double the consonant *l* or *t* in the conditional.

appeler   *to call:*   j'appellerais, tu appellerais, il/elle appellerait
nous appellerions, vous appelleriez, ils/elles appelleraient

jeter   *to throw:*   je jetterais, tu jetterais, il/elle jetterait
nous jetterions, vous jetteriez, ils/elles jetteraient

EXERCICE D

Dites comment la vie pourrait être (could be) *en l'an 2100.*

EXEMPLE: *(achever)* Nous **achèverions** l'irrigation des déserts.

1. *(geler)* La Terre _____ .

2. *(élever)* Les familles _____ des enfants parfaits.

3. *(peser)* Nous _____ très peu.

4. *(mener)* On _____ une vie agréable.

5. *(acheter)* J'_____ des vêtements en plastique.

6. *(emmener)* Tu _____ tes enfants sur la lune.

7. *(appeler)* Nous _____ les Martiens au téléphone.

8. *(jeter)* On _____ tout après chaque usage.

EXERCICE E

Exprimez ce que feraient ces personnes si elles étaient capitaines de leur équipe de volley-ball.

amener des amis au match
appeler l'arbitre *(referee)* «monsieur»
avancer vite vers le filet *(net)*
changer de position
coopérer avec les arbitres

employer les bons joueurs
essayer de gagner
jeter la balle à Maxine
perfectionner la stratégie de l'équipe

EXEMPLE: Risa **changerait** de position.

1. Roland et moi _____ .

2. Tu _____ .

3. Lisa et Dawn _____ .

4. Je _____ .

5. Ted _____ .

6. Vous _____ .

7. Taryn _____ .

8. Roger et Bernard _____ .

[3] VERBS IRREGULAR IN THE CONDITIONAL

INFINITIVE		CONDITIONAL	INFINITIVE		CONDITIONAL
aller	to go	j'irais	**pleuvoir**	to rain	il pleuvrait
avoir	to have	j'aurais	**pouvoir**	to be able to	je pourrais
courir	to run	je courrais	**recevoir**	to receive	je recevrais
devoir	to owe, have to	je devrais	**savoir**	to know	je saurais
envoyer	to send	j'enverrais	**venir**	to come	je viendrais
être	to be	je serais	**voir**	to see	je verrais
faire	to do	je ferais	**vouloir**	to want	je voudrais
falloir	to be necessary	il faudrait			

EXERCICE F

Expliquez ce que vous feriez si vous héritiez (inherit) *une fortune. Employez les suggestions données ou vos propres idées.*

acheter une voiture de sport
aller à beaucoup de concerts
avoir un avion privé
envoyer des cadeaux à tous mes amis

être très heureux (heureuse)
faire une grande fête
pouvoir faire n'importe quoi
vouloir aider les pauvres

1. _____

2. _____

3. _____

4. _____

5. _____

6. _____

7. _____

8. _____

EXERCICE G

Exprimez ce que vos amis parisiens feraient si le lycée était fermé aujourd'hui.

EXEMPLE: ils / recevoir la nouvelle avec joie
            Ils recevraient la nouvelle avec joie.

1. Delphine / écrire à son amie américaine

_____

2. Sophie / faire du cheval au club

_____

3. Sylvie et Chantal / courir les magasins pour trouver une robe pour la soirée de Delphine

_____

_____

4. elles / avoir un sorbet chez Berthillon sur l'île Saint-Louis

_____

5. Laurent / voir un vieux film de René Clair à la Cinémathèque

_____

6. Éric / aller au parc jouer au tennis

_____

7. Bruno et Régis / acheter une pizza à la pizzeria près du lycée

_____

8. tous les élèves / être très content

_____

EXERCICE H

Exprimez ce que chaque personne ferait dans les cas suivants.

EXEMPLE: *(jouer au tennis / jouer aux échecs)* S'il faisait beau, je
jouerais au tennis,
je ne jouerais pas aux échecs.

1. *(avoir confiance / avoir peur)* Si Robert nous conduisait dans sa voiture, nous

_____

_____

2. *(aller au parc / aller au cinéma)* S'il pleuvait, je

_____

_____

3. *(devoir étudier / devoir jouer au tennis)* Si vous aviez un examen, vous

_____

_____

4. *(recevoir de jolies cartes postales / recevoir de jolis cadeaux)* Si elles célébraient leur anniversaire, elles

_____

_____

5. (*devenir avocats / devenir docteurs*) S'ils étudiaient le droit, ils

_____

_____

6. (*voir Big Ben / voir la tour Eiffel*) Si tu allais en France, tu

_____

_____

7. (*falloir aller chez le médecin / falloir aller à l'école*) Si elle était malade, il

_____

_____

8. (*être riche / être pauvre*) Si vous gagniez à la loterie, vous

_____

_____

9. (*vouloir manger quelque chose / vouloir boire un verre d'eau*) Si j'avais soif, je

_____

_____

10. (*savoir jouer au football / savoir jouer du piano*) Si nous étions sportifs, nous

_____

_____

[4] USES OF THE CONDITIONAL

a. The conditional expresses what would happen if certain conditions were fulfilled.

Je **dormirais** si j'avais le temps.   *I would sleep if I had the time.*

b. The conditional also expresses what will happen in the future from a point of view in the past.

Il a dit qu'il **viendrait** demain.   *He said he would come tomorrow.*

c. The conditional is also used to make a request or a demand more polite.

Je **voudrais** vous parler.   *I would like to speak to you.*

Il **aimerait** sortir.   *He would like to go out.*

Pourriez-vous le réparer?   *Could you fix it?*

NOTE: When *would* has the sense of *used to,* that is, when it indicates a repetitive action in the past, the imperfect is used in French.

Elle venait tous les soirs.   *She would (used to) come every evening.*

EXERCICE I

Vos camarades voudraient faire des projets avec vous pour le week-end. Exprimez les questions que vous aimeriez leur poser.

EXEMPLE: à quelle heure / partir
             À quelle heure **partiriez-vous?**

1. où / aller

   _____

2. que / vouloir faire

   _____

3. avec qui / sortir

   _____

4. à quelle heure / venir chez moi

   _____

5. combien de temps / pouvoir rester en ville

   _____

6. que / acheter à manger

   _____

7. qui / amener avec nous

   _____

8. quand / revenir

   _____

EXERCICE J

Vous êtes dans un grand magasin avec des amis. Exprimez ce que chacun voudrait.

EXEMPLE: *(vouloir)* Matthew **voudrait** voir les chemises.

1. *(vouloir)* Charlene et moi, nous _____ aller au rayon *(department)* des jouets.

2. *(pouvoir)* Le vendeur _____-il nous aider?

3. *(aller)* J'_____ au sous-sol voir les lampes.

4. *(désirer)* _____-vous aller au restaurant?

5. *(avoir)* Robin et Liz _____ envie de quitter le magasin.

6. *(devoir)* Colette _____-elle vite faire son choix?

7. *(aimer)* _____-tu essayer ce pantalon?

8. *(désirer)* Regina et Susan _____ parler au gérant *(manager)*.

M A S T E R Y   E X E R C I S E S

EXERCICE K

Chacun voudrait changer pour le mieux. Exprimez ce que vous feriez pour être une meilleure personne.

1. _____

2. _____

3. _____

4. _____

5. _____

EXERCICE L

Exprimez ce que les personnes suivantes feraient si elles pouvaient réaliser un de leurs rêves.

aller en Russie
établir un record mentionné dans le livre Guinness
faire du parachutisme
piloter un avion
pouvoir faire du ski nautique

recevoir le prix Nobel
savoir faire de la planche à voile
traverser la Manche à la nage
voir les sept merveilles du monde

EXEMPLE: Richard **traverserait** la Manche à la nage.

1. Mark _____ .

2. Wendy et Kathy _____ .

3. Nous _____ .

4. Tu _____ .

5. Vous _____ .

6. Paul et Perry _____ .

7. Andrea _____ .

8. Je _____ .

EXERCICE M

Complétez les phrases suivantes selon votre choix.

EXEMPLE: S'il faisait du vent, **je ferais de la voile.**

1. Si j'étais triste, _____ .

2. S'il faisait chaud, _____ .

3. Si je gagnais à la loterie, _____ .

4. Si j'avais 21 ans, _____ .

5. Si je n'avais rien à faire, _____ .

6. Si mes parents partaient en voyage, _____ .

EXERCICE N

Vous voudriez obtenir un poste de secrétaire à la Société Royale. Écrivez ce que vous diriez au directeur de la société.

1. I'd like to find an interesting job.

_____

2. I'd be able to work every day after school and during the summer.

_____

_____

3. I'd arrive at the office on time every day.

_____

4. I'd stay late in the evening if it were necessary.

_____

5. I'd complete all my work on time.

_____

6. I'd always cooperate with my boss.

_____

7. I wouldn't bother the other employees.

   _____

8. I'd share an office with the other workers.

   _____

9. I'd like to receive a good salary.

   _____

10. When could I start to work?

    _____

Chapter 11
Reflexive Verbs

[1] REFLEXIVE CONSTRUCTIONS IN SIMPLE TENSES

a. In a reflexive construction, the action is performed by the subject on itself. The reflexive verb has a reflexive pronoun as its object. Thus, the subject and the pronoun object refer to the same person(s) or thing(s): *I shave myself*. The reflexive pronouns *(me, te, se, nous, vous)* generally precede the verb.

PRESENT			
je	*me*	cache	*I hide (am hiding) myself*
tu	*te*	caches	*you hide (are hiding) yourself*
il/elle	*se*	cache	*he/she hides (is hiding) himself/herself*
nous	*nous*	cachons	*we hide (are hiding) ourselves*
vous	*vous*	cachez	*you hide (are hiding) yourself/yourselves*
ils/elles	*se*	cachent	*they hide (are hiding) themselves*

IMPERFECT			
je	*me*	cachais	*I hid (was hiding) myself*
tu	*te*	cachais	*you hid (were hiding) yourself*
il/elle	*se*	cachait	*he/she hid (was hiding) himself/herself*
nous	*nous*	cachions	*we hid (were hiding) ourselves*
vous	*vous*	cachiez	*you hid (were hiding) yourself/yourselves*
ils/elles	*se*	cachaient	*they hid (were hiding) themselves*

FUTURE			
je	*me*	cacherai	*I will hide myself*
tu	*te*	cacheras	*you will hide yourself*
il/elle	*se*	cachera	*he/she will hide himself/herself*
nous	*nous*	cacherons	*we will hide ourselves*
vous	*vous*	cacherez	*you will hide yourself/yourselves*
ils/elles	*se*	cacheront	*they will hide themselves*

CONDITIONAL			
je	*me*	cacherais	*I would hide myself*
tu	*te*	cacherais	*you would hide yourself*
il/elle	*se*	cacherait	*he/she would hide himself/herself*
nous	*nous*	cacherions	*we would hide ourselves*
vous	*vous*	cacheriez	*you would hide yourself/yourselves*
ils/elles	*se*	cacheraient	*they would hide themselves*

b. Negative, interrogative, and negative interrogative constructions follow the same rules as for nonreflexive verbs. Reflexive pronouns remain before the verb.

Ils ne se cachent pas.	*They aren't hiding.*
Se cachent-ils?	*Are they hiding?*

Est-ce qu'ils se cachent?	*Are they hiding?*
Tu te caches?	*Are you hiding?*
Ne se cachent-ils pas?	*Aren't they hiding?*
Ils ne se cachent pas?	*Aren't they hiding?*

c. Common reflexive verbs

s'acheter   *to buy for oneself*

s'améliorer   *to improve (oneself)*

s'amuser (à)   *to have a good time, enjoy oneself*

s'appeler   *to be called*

s'approcher (de)   *to approach, come near*

s'arrêter (de)   *to stop*

s'attendre à   *to expect*

se baigner   *to bathe*

se blesser   *to hurt oneself*

se bronzer   *to tan*

se brosser   *to brush oneself*

se brûler   *to burn oneself*

se cacher   *to hide (oneself)*

se casser   *to break*

se coucher   *to lie down, go to bed*

se déguiser (en)   *to disguise oneself (as)*

se demander   *to wonder*

se dépêcher   *to hurry*

se déshabiller   *to get undressed*

se disputer   *to quarrel*

s'échapper   *to escape*

s'éloigner (de)   *to move away (from)*

s'endormir   *to fall asleep*

s'ennuyer   *to get bored*

s'exprimer   *to express oneself*

se fâcher (contre)   *to become angry (at)*

s'habiller   *to get dressed*

s'habituer à   *to get used to*

s'inquiéter (de)   *to worry (about)*

s'installer   *to settle down, set up shop*

se laver   *to wash (oneself)*

se lever   *to get up, rise*

se maquiller   *to put on make up*

se marier (avec)   *to marry*

se mettre à   *to begin to*

se moquer (de)   *to laugh at*

se peigner   *to comb one's hair*

se préparer (à)   *to prepare (to)*

se présenter   *to introduce oneself*

se promener   *to take a walk*

se rappeler   *to remember*

se raser   *to shave (oneself)*

se regarder   *to look at oneself / each other*

se reposer   *to rest*

se réveiller   *to wake up*

se sauver   *to run away*

se sentir   *to feel*

se servir (de)   *to use*

se souvenir (de)   *to remember*

se spécialiser (en)   *to specialize (in)*

se tromper   *to make a mistake*

NOTE:

1. Remember the spelling changes in the following reflexive verbs.

   s'acheter (je m'achète)   **se lever** (je me lève)

   s'appeler (je m'appelle)   **se promener** (tu te promènes)

   s'ennuyer (il s'ennuie)

2. Some reflexive verbs may be used with an object in addition to the reflexive pronoun. In such constructions this object is the direct object of the verb and the reflexive pronoun is the indirect object.

   Claire se lave.   *Claire washes herself.*
   (*Se* is the direct object because Claire is washing herself.)

Claire **se** lave **les cheveux.**   *Claire washes her hair.*

(***Cheveux*** is the direct object, and *se* is the indirect object: Claire is washing her hair for herself.)

Elle s'achète **une robe.**   *She buys a dress for herself.*

(***Robe*** is the direct object, and *se* is the indirect object: she is buying a dress for herself.)

3. Most French verbs that take a direct object may be made reflexive by adding a personal pronoun object that refers back to the subject. Compare:

Papa réveille **David.**   *Dad wakes David.*

David **se** réveille.   *David awakens (wakes himself up).*

Je regarde **mon ami.**   *I look at my friend.*

Je **me** regarde dans le miroir.   *I look at myself in the mirror.*

d. Reflexive expressions

se brosser les cheveux, les dents   *to brush one's hair, teeth*

se casser le bras, la jambe   *to break one's arm, leg*

s'en aller   *to go away*

se faire des amis   *to make friends*

se faire mal (à la jambe)   *to hurt oneself (one's leg)*

se mettre en colère   *to get angry*

se mettre en rang   *to get in line*

se mettre en route   *to start out*

se rendre compte de / que   *to realize*

EXERCICE A

Exprimez ce que chaque personne fait en écoutant la radio.

EXEMPLE: Ming **se brosse les cheveux.**

1. Philip _____ .

2. Alison et Holly _____.

3. Je _____.

4. Denise _____.

5. Tu _____.

6. Vous _____.

7. Damien et Scott _____ .

8. Tu _____ .

EXERCICE B

Exprimez ce que les personnes suivantes n'avaient pas l'habitude de faire.

s'amuser	se laver	se raser
se dépêcher	se maquiller	se tromper
se fâcher	se peigner	s'inquiéter

EXEMPLE: Le petit enfant était toujours très sale.
Il ne se lavait pas.

1. Mariel n'avait jamais de soucis *(worry)*.

_____

2. J'étais toujours en retard.

_____

3. Brian et Tyler ne faisaient jamais de fautes.

_____

4. Lorene et moi, nous n'achetions jamais de mascara.

_____

5. Tu étais toujours trop sérieux.

_____

6. Vous aviez toujours les cheveux peu soignés.

_____

7. Sandi et Deanna restaient toujours calmes et ne se disputaient pas.

_____

8. Jonathan avait une moustache et une longue barbe.

_____

EXERCICE C

Vous faites un safari-photo en Afrique. Exprimez les questions que les touristes posent au guide.

EXEMPLE: où / nous / se déshabiller pour la nuit
             Où **nous déshabillons-nous** pour la nuit?

1. quand / nous / se promener dans la savane

_____

2. à quelle heure / nous / se mettre en route

_____

3. pourquoi / ils / se dépêcher de partir

_____

4. de quoi / vous / s'inquiéter

_____

5. pourquoi / il / se sentir en danger

_____

6. pourquoi / vous / se cacher derrière cet arbre

_____

7. comment / cet animal / s'appeler

_____

8. comment / nous / s'approcher des lions

_____

9. pourquoi / vous / se sauver en criant

_____

10. où / les singes / s'en aller

_____

11. où / les touristes / se baigner après le safari

_____

12. pourquoi / tu / se vanter *(to boast)* d'être un bon photographe

_____

EXERCICE D

Utilisez les verbes donnés pour poser des questions sur les situations suivantes.

s'amuser	se dépêcher	se mettre en route
se blesser	se fâcher	se peigner
se coucher	se marier	se regarder

EXEMPLE: *(vous)* Quand vous chantez et dansez, **ne vous amusez-vous pas?**

1. *(tu)* Pendant une dispute avec un ami, _____?

2. *(il)* Quand il est prêt à partir, _____ immédiatement?

3. *(vous)* Si vous tombez de cheval, _____?

4. *(nous)* S'il fait du vent dehors, _____quand nous entrons

dans la maison?

5. *(vous)* Quand vous êtes très fatigués, _____?

6. *(ils)* Avant de sortir _____ dans la glace?

7. *(elle)* Quand elle est en retard _____?

8. *(tu)* Paul t'a donné une bague de fiançailles *(engagement).* _____

_____ bientôt avec lui?

EXERCICE E

En utilisant le verbe approprié, exprimez ce que chaque personne fait.

1. *(cacher / se cacher)* Le criminel _____ l'argent volé, puis il

_____ .

2. *(arrêter / s'arrêter)* Il _____ de conduire trop vite quand un agent

de police _____ sa voiture.

3. *(acheter / s'acheter)* Je (j') _____ une montre à ma mère, puis je

_____ un bracelet en or.

4. *(tromper / se tromper)* Vous _____ quand vous

_____ vos amis.

5. *(regarder / se regarder)* Elle _____ dans le miroir, puis elle

_____ son petit ami.

6. *(sentir / se sentir)* Tu _____ le pollen et tout de suite après tu

_____ malade.

7. *(habiller / s'habiller)* Les mères _____ leurs enfants et après elles

_____ .

8. *(demander / se demander)* Ils _____ pourquoi ils

_____ toutes ces informations.

[2] REFLEXIVE CONSTRUCTIONS IN COMPOUND TENSES

Compound tenses of reflexive verbs are formed with the helping verb *être*.

PASSÉ COMPOSÉ				
je	*me*	*suis*	caché(e)	*I hid myself*
tu	*t'*	es	caché(e)	*you hid yourself*
il/elle	*s'*	est	caché(e)	*he/she hid himself/herself*
nous	*nous*	sommes	caché(e)s	*we hid ourselves*
vous	*vous*	êtes	caché(e)(s)	*you hid yourself/yourselves*
ils/elles	*se*	sont	caché(e)s	*they hid themselves*

NOTE:

1. In compound tenses, the reflexive pronoun precedes the helping verb. In the negative, *ne* precedes the reflexive pronoun, and *pas* follows the helping verb.

   Je **ne** me suis **pas** habillé(e).   *I didn't get dressed.*

2. In interrogative constructions with inversion, the subject pronoun and the helping verb are inverted and the reflexive pronoun remains before the helping verb.

   T'es-tu habillé(e)?   *Did you get dressed?*

   S'est-elle levée tôt?   *Did she get up early?*

   Ne **vous êtes-vous** pas lavés?   *Didn't you wash yourselves?*

   Ne **se sont-ils** pas trompés?   *Didn't they make a mistake?*

3. Questions can also be asked without inversion, by using *est-ce que* at the beginning of the sentence or by using simple intonation.

   Vous vous êtes promené(e)s?   *Did you take a walk?*

   Est-ce que vous vous êtes promené(e)s?   *Did you take a walk?*

Est-ce que tu ne t'es pas souvenu(e)?   *Didn't you remember?*
Tu ne t'es pas souvenu(e)?   *You didn't remember?*

4. The reflexive pronoun may be either a direct or an indirect object of the verb. When the reflexive pronoun is a direct object, as in *elle s'est lavée* (she washed herself), where *se* stands for "herself," the past participle agrees with the reflexive pronoun, therefore also agreeing with the subject.

Elle s'est brûlée.   *She burned herself.*
Ils **se** sont amusés hier.   *They enjoyed themselves yesterday.*

When the reflexive pronoun is an indirect object, as in *elle s'est lavé les mains,* where *se* stands for "for herself" or "of herself," and *les mains* is the direct object, the past participle remains unchanged.

Elle s'est brossé **les dents.**   *She brushed her teeth.*
Ils se sont acheté **les vidéocassettes.**   *They bought the videotapes (for themselves).*

EXERCICE F

Exprimez ce qui est arrivé à ces personnes pendant une très mauvaise journée.

EXEMPLE: je / se mettre en route très tard
   Je **me suis mis(e)** en route très tard.

1. Emily / se couper

2. Jean et Louis / se blesser

3. nous / se sentir malade

4. je / se fâcher contre mon meilleur ami

5. Roland / s'inquiéter de tout

6. Samantha et Amy / se tromper

7. vous / se brûler

8. tu / s'exprimer incorrectement dans une composition

EXERCICE G

Posez les questions qui correspondent aux situations données en utilisant les verbes suggérés au passé composé.

s'amuser	s'endormir	se préparer à l'avance
se blesser le genou	s'inquiéter	se présenter à elle
se brosser les cheveux	se laver les dents	se tromper de date
se dépêcher		

EXEMPLES:　Tu étais en retard.
T'es-tu inquiété(e)?

Il n'est pas venu à la réunion.
S'est-il trompé de date?

1. Le petit enfant avait très sommeil.

_____ ?

2. Tu as mangé des oignons.

_____ ?

3. Vous êtes tombés dans la rue.

_____ ?

4. Les garçons avaient un examen.

_____ ?

5. Corinne et Michelle sont allées à la boum.

_____ ?

6. Nous étions en retard à notre rendez-vous.

_____ ?

7. Paul voulait faire la connaissance de Claude.

_____ ?

8. Luisa voulait changer de coiffure.

_____ ?

EXERCICE H

Exprimez ce qui est arrivé dans les situations suivantes en donnant une réponse négative.

EXEMPLE:　*(se reposer)* J'étais fatigué(e), mais je ne me suis pas reposé(e).

1. *(se préparer à sortir)* Tabitha était malade, alors elle _____

_____ .

2. *(se déguiser)* Je suis allé à un bal costumé, mais je _____

_____ .

3. *(se présenter)* Vous aviez déjà rencontré cette personne auparavant, alors vous _____

_____ .

4. *(se casser la jambe)* Les filles ont eu un accident, mais heureusement elles _____

_____ .

5. *(se demander pourquoi)* Tu avais tort, mais tu _____

_____ .

6. *(se bronzer)* Il pleuvait quand nous sommes arrivés à la plage, alors nous _____

_____ .

7. *(se brosser les cheveux)* Les garçons étaient en retard, alors ils _____

_____ .

8. *(s'endormir tout de suite)* Lucien était inquiet et il _____

_____ .

EXERCICE I

Posez des questions selon l'exemple pour demander ce que les personnes suivantes ont fait avant de partir ce matin.

EXEMPLE: *(tu)* **Ne t'es-tu pas brossé les cheveux?**

1. *(elles)* _____

2. *(il)* _____

3. *(vous)* _____

4. *(elle)* _____

5. *(tu)* _____

6. *(je)* _____

[3] REFLEXIVE COMMANDS

In affirmative commands, reflexive pronouns follow the verb. After the verb, *toi* is used instead of *te*. In negative commands, reflexive pronouns precede the verb.

AFFIRMATIVE IMPERATIVE	
Cache-toi!	*Hide!*
Cachons-nous!	*Let's hide!*
Cachez-vous!	*Hide!*
NEGATIVE IMPERATIVE	
Ne te cache pas!	*Don't hide!*
Ne nous cachons pas!	*Let's not hide!*
Ne vous cachez pas!	*Don't hide!*

EXERCICE J

La mère et la petite amie de Georges ne sont pas d'accord. Exprimez ce qu'elles lui disent.

EXEMPLE: MÈRE: Tu es sale! **Baigne-toi.**
JOLINE: Tu es propre! **Ne te baigne pas.**

1. MÈRE: Je déteste ta barbe! _____

JOLINE: J'adore ta barbe! _____

2. MÈRE: Tu es décoiffé! _____

JOLINE: Tu es très bien peigné! _____

3. MÈRE: Il est très tard! _____

JOLINE: Il n'est pas tard! _____

4. MÈRE: Tes mains sont sales! _____

JOLINE: Tes mains sont propres! _____

5. MÈRE: Tu es toujours en retard! _____

JOLINE: Tu es toujours en avance! _____

6. MÈRE: Tu es trop fatigué! _____

JOLINE: Tu es en pleine forme! _____

EXERCICE K

Vous entrez à l'université. Exprimez les recommandations de votre conseiller.

EXEMPLE: se lever / tôt / tard
Levez-vous tôt. Ne vous levez pas tard.

1. s'inquiéter / de vos examens / de vos passe-temps

_____

_____

2. se reposer / après vos classes / avant vos classes

_____

_____

3. se coucher / de bonne heure / tard

_____

_____

4. s'amuser / pendant le week-end / pendant la semaine

_____

_____

5. s'habituer / à travailler dur / à perdre votre temps

_____

_____

6. se préparer à / étudier le soir / danser toute la nuit

_____

_____

7. s'endormir / dans votre chambre / en classe

_____

_____

EXERCICE L

Vos amis et vous êtes en vacances, mais vous n'êtes pas d'accord sur ce que vous voulez faire. Écrivez vos suggestions et les réponses de vos amis.

EXEMPLE: se promener dans ce parc
    VOUS: **Promenons-nous** dans ce parc.
    VOS AMIS: Non, **ne nous promenons pas** dans ce parc.

1. se mettre en route tôt le matin

  VOUS: _____

  VOS AMIS: _____

2. se baigner dans la mer

  VOUS: _____

  VOS AMIS: _____

3. s'approcher du bord de l'eau

  VOUS: _____

  VOS AMIS: _____

4. se présenter à ces filles

VOUS: _____

VOS AMIS: _____

5. s'éloigner de ces rochers

VOUS: _____

VOS AMIS: _____

6. s'installer sur cette plage-là

VOUS: _____

VOS AMIS: _____

[4] REFLEXIVE CONSTRUCTIONS WITH INFINITIVES

When used as object of an infinitive, the reflexive pronoun precedes the infinitive.

Je vais **me coucher** maintenant.   *I'm going to go to bed now.*

Il ne pouvait pas **se lever**.   *He couldn't get up.*

Voudriez-vous **vous marier**?   *Would you like to get married?*

EXERCICE M

Exprimez ce que ces personnes voudraient faire pendant leurs vacances.

EXEMPLE: elle / se réveiller tard
            Elle **voudrait se réveiller** tard.

1. je / se bronzer

_____

2. elles / s'installer dans leur nouvel appartement

_____

3. tu / s'amuser

_____

4. il / se reposer

_____

5. nous / se promener

_____

6. elle / se baigner tous les jours

_____

7. vous / se présenter aux parents de votre amie

_____

8. ils / se faire des amis

_____

EXERCICE N

Exprimez ce que ces personnes ne pouvaient pas faire ce matin parce qu'elles étaient trop pressées.

s'acheter le journal	se rappeler la date
s'amuser avec le chat	se regarder dans la glace
se baigner	se réveiller
se mettre en route de bonne heure	s'habiller avec soin
se peigner	

EXEMPLE: Sandi **ne pouvait pas se baigner.**

1. Cassandra _____

2. Vous _____

3. Je _____

4. Cody _____

5. Tu _____

6. Terri et Melissa _____

7. Nous _____

8. Gabriel et Daniel _____

[5] SUMMARY OF THE POSITION OF REFLEXIVE PRONOUNS

SIMPLE TENSES	**Tu te lèves.**	_You get up._
	Elles se levaient.	_They were getting up._
COMPOUND TENSES	**Tu t'es levé(e).**	_You got up._
COMMANDS	**Lève-toi.**	_Get up._
	Levez-vous.	_Get up._
	Ne te lève pas.	_Don't get up._
	Ne vous levez pas.	_Don't get up._
INFINITIVE	**Tu veux te lever.**	_You want to get up._
	Il a décidé de se lever.	_He decided to get up._

MASTERY EXERCISES

EXERCICE O

Amy, une amie américaine, pose des questions à Delphine et à Sophie sur la vie quotidienne des jeunes Françaises. Complétez la conversation en mettant au présent les verbes entre parenthèses.

AMY: À quelle heure vous _____ , Delphine et Sophie?
1. (se réveiller)

SOPHIE: Nous _____ à sept heures et nous
2. (se réveiller)

_____ tout de suite. Ensuite, nous
3. (se lever)

_____ rapidement.
4. (se laver)

AMY: Comment vous _____ ?
5. (s'habiller)

DELPHINE: Moi, je _____ en jean avec une chemise et Sophie
6. (s'habiller)

_____ souvent en robe.
7. (se mettre)

AMY: Vous _____ ?
8. (se maquiller)

SOPHIE: Non, juste du rouge à lèvres.

AMY: Prenez-vous le petit déjeuner en famille?

DELPHINE: Oui, on _____ des toasts et du chocolat chaud.
9. (se préparer)

AMY: À quelle heure vous _____ pour le lycée?
10. (se mettre en route)

DELPHINE: À huit heures. Le lycée _____ de l'autre côté de la rue.
11. (se trouver)

C'est tout près, mais nous _____ quand même!
12. (se dépêcher)

AMY: Comment _____ votre lycée?
13. (s'appeler)

SOPHIE: Le lycée Janson de Sailly.

AMY: Vous _____ en classe?
14. (s'ennuyer)

DELPHINE: Non! On ne _____ jamais!

15. (s'ennuyer)

On _____ même souvent.

16. (s'amuser)

AMY: À quelle heure les classes _____ -elles?

17. (se terminer)

DELPHINE: Nous _____ à cinq heures et demie. C'est une longue journée!

18. (s'en aller)

EXERCICE P

Complétez les phrases avec le verbe approprié au temps correct.

s'amuser	se coucher	s'habiller
se baigner	se demander	se mettre en route
se cacher	se dépêcher	se servir de
se casser	se fâcher avec	se spécialiser en

EXEMPLES: J'étais en retard et je **me dépêchais.**

Il fera une faute et il **se demandera** pourquoi.

1. Elle est montée à sa chambre à minuit et elle _____ .

2. Il a eu une dispute avec un ami et il _____ lui.

3. Nous irons à la fête et nous _____ .

4. Vous êtes tombé et vous _____ la jambe.

5. Tu choisissais tes vêtements parce que tu allais _____ .

6. Je jouais au tennis et je _____ une nouvelle raquette.

7. Elles ont quitté la maison et elles _____ .

8. Ils étudient le latin parce qu'ils _____ langues étrangères.

9. Ils n'ont pas voulu voir ces personnes alors ils _____ .

10. Éric et Stacey pensaient qu'ils iraient à la plage cet été et qu'ils _____ tous les jours.

EXERCICE Q

Paul raconte ses plans pour la soirée. Aidez-le à s'exprimer en français.

1. My friends and I, we are preparing ourselves for a costume party tonight.

_____

_____

2. Yesterday I bought myself an extraordinary costume.

_____

3. I am disguising myself as a wild animal.

_____

4. At six o'clock, I wasn't getting dressed. My mother wondered why I was putting on makeup.

_____

_____

5. I am not going to brush my hair in order to appear wild.

_____

6. I am not going to shave either *(non plus)*.

_____

7. I told my mother: "Don't worry! Get used to my costume!"

_____

8. I look like an animal that escaped from the jungle.

_____

9. My friends and I, we are going to start out for the party at nine o'clock.

_____

_____

10. We will have fun at this party.

_____

Chapter 12
Subjunctive

PAYS-BAS
ANGLETERRE   ALLEMAGNE
BELGIQUE
LUXEMBOURG
Brest   Paris   Strasbourg
AUTRICHE
Nantes   FRANCE
SUISSE

[1] SUBJUNCTIVE IN FRENCH

Chapters 1 to 11 in this book deal with verb constructions in the indicative mood. In this and the next chapter, you will see how the subjunctive mood enables speakers of French to express a variety of attitudes and feelings through the use of different verb forms.

The indicative mood states facts and expresses certainty or reality. The subjunctive mood expresses uncertainty and doubt, necessity, need, commands, desires, fears, and suppositions or conditions that are uncertain or contrary to fact. The subjunctive occurs much more frequently in French than in English.

[2] PRESENT SUBJUNCTIVE OF REGULAR VERBS

The present subjunctive of most verbs is formed by dropping the -ent ending of the third person plural (ils form) of the present indicative and adding -e, -es, -e, -ions, -iez, -ent.

travailler	choisir	attendre
je travaille	je choisisse	j' attende
tu travailles	tu choisisses	tu attendes
il/elle travaille	il/elle choisisse	il/elle attende
nous travaillions	nous choisissions	nous attendions
vous travailliez	vous choisissiez	vous attendiez
ils/elles travaillent	ils/elles choisissent	ils/elles attendent

NOTE:

1. The *nous* and *vous* forms of the present subjunctive are identical to the *nous* and *vous* forms of the imperfect indicative.

2. The present subjunctive may express actions that occur in the present or will occur in the future. Verbs in the subjunctive are generally used in dependent clauses introduced by *que*.

Il est possible **qu'**il aime Cécile.   { *It's possible that he likes Cécile.*
                                          { *It's possible that he will like Cécile.*

3. Negative constructions in the present subjunctive follow the same rules as in the present indicative.

Il est possible qu'il **ne** finisse **pas.**   *It is possible he won't finish.*

EXERCICE A

Exprimez ce qu'il est nécessaire de faire pour être bon citoyen.

EXEMPLE: on / écouter les propositions du gouvernement
            Il est nécessaire qu'on écoute les propositions du gouvernement.

1. les citoyens / respecter les lois du pays

   Il est nécessaire que les citoyens respectent les lois du pays.

2. nous / contrôler toutes nos dépenses

   Il est nécessaire que nous contrôlions toutes nos dépenses.

3. je / voter aux élections

   Il est nécessaire que je vote aux élections.

4. vous / accepter d'être membre d'un jury

   Il est nécessaire que vous acceptiez d'être membre d'un jury.

5. tu / éviter de commettre des infractions

   Il est nécessaire que tu évites de commettre des infractions.

6. les parents / donner de bons conseils aux enfants

   Il est nécessaire que les parents donnent de bons conseils aux enfants.

EXERCICE B

Exprimez ce qui aiderait les élèves à éviter les problèmes. Commencez chaque phrase par **il vaut mieux** *(it would be better).*

EXEMPLE: choisir les réponses correctes *(je)*
   Il vaut mieux que je choisisse les réponses correctes.

1. réfléchir avant de parler *(je)*

   Il vaut mieux que je réfléchisse avant de parler.

2. réussir à l'école *(nous)*

   Il vaut mieux que nous réussissions à l'école.

3. saisir chaque occasion d'apprendre *(les élèves)*

   Il vaut mieux que les élèves saisissent chaque occasion d'apprendre.

4. finir toujours ton travail *(tu)*

   Il vaut mieux que tu finisses toujours ton travail.

5. obéir à ses parents et à ses professeurs *(l'étudiante)*

   Il vaut mieux que l'étudiante obéisse à ses parents et à ses professeurs.

6. agir toujours calmement *(vous)*

   Il vaut mieux que vous agissiez toujours calmement.

7. choisir de bons amis *(les étudiants)*

   Il vaut mieux que les étudiants choisissent de bons amis.

EXERCICE C

Exprimez ce qu'il est bon de faire pour que chaque membre de la famille soit (be) *heureux.*

EXEMPLES: Tu n'interromps pas les conversations.
    Il est bon que tu n'interrompes pas les conversations.

    Tu défends tes idées.
    Il est bon que tu défendes tes idées.

1. Nous ne perdons pas les affaires des autres.

Il est bon que nous ne perdions pas les affaires des autres.

2. Vous attendez le dîner pour manger.

Il est bon que vous attendiez le dîner pour manger.

3. Tu réponds quand on te parle.

Il est bon que tu répondes quand on te parle.

4. J'entends ce qu'on me dit.

Il est bon que j'entende ce qu'on me dit.

5. Les parents ne défendent pas aux enfants de sortir.

Il est bon que les parents ne défendent pas aux enfants de sortir.

6. On rend à chacun ce qui lui appartient.

Il est bon qu'on rende à chacun ce qui lui appartient.

EXERCICE D

Exprimez ce que vous devez faire aujourd'hui.

> *préparer un discours*
> *correspondre avec mes amis*
> *écouter les informations*
> *organiser mon travail*
> *choisir le sujet de ma composition*
> *remplir cette demande d'emploi*
> *finir mes devoirs*
> *répondre à cette lettre*
> *descendre en ville*

EXEMPLE: **Il faut que je prépare** un discours.

1. _Il faut que je corresponde avec mes amis._

2. _Il faut que je écoute les informations._

3. _Il faut que j'organise mon travail_

4. Il faut que je choisisse le sujet de mon composition.

5. Il faut que je remplisse cette demande d'emploi.

6. Il faut que je finisisse mes devoirs.

7. Il faut que je réponde a cette lettre.

8. Il faut que je descende en ville.

EXERCICE E

Exprimez ce que le professeur conseille aux élèves de faire pour réussir.

EXEMPLE: écouter en classe
             Il est essentiel que vous écoutiez en classe.

1. choisir des activités éducatives

   Il est essentiel que vous choisissiez des activités éducatives.

2. répondre correctement aux questions

   Il est essentiel que vous répondiez correctement aux questions.

3. agir de façon raisonnable

   Il est essentiel que vous agisissiez de façon raisonnable.

4. respecter vos camarades

   Il est essentiel que vous respectiez vos camarades.

5. étudier chaque soir

   Il est essentiel que vous étudiez chaque soir.

6. défendre toujours vos idées

   Il est essentiel que vous défendiez toujours vos idées.

[3] PRESENT SUBJUNCTIVE OF VERBS WITH TWO STEMS

Some verbs have two different stems to form the present subjunctive: the third person plural (*ils / elles* form) of the present indicative for the *je, tu, il / elle,* and *ils / elles* forms, and the first person plural (*nous* form) for the *nous* and *vous* forms.

devoir   *to owe; must*
present indicative: ils doivent, nous devons
subjunctive: je doive, tu doives, il/elle doive
                        nous devions, vous deviez, ils/elles doivent

prendre   *to take*
present indicative: ils prennent, nous prenons
subjunctive: je prenne, tu prennes, il/elle prenne
                        nous prenions, vous preniez, ils/elles prennent

voir   *to see*
present indicative: ils voient, nous voyons
subjunctive: je voie, tu voies, il/elle voie
nous voyions, vous voyiez, ils/elles voient

Other verbs with two stems:

boire *to drink*	je boive, nous buvions
croire *to believe*	je croie, nous croyions
recevoir *to receive*	je reçoive, nous recevions
venir *to come*	je vienne, nous venions

[4]   PRESENT SUBJUNCTIVE OF VERBS WITH SPELLING CHANGES

Verbs with spelling changes follow the same rules for the formation of the subjunctive as other verbs with two stems.

envoyer *to send*	j'envoie, nous envoyions
ennuyer *to bother*	j'ennuie, nous ennuyions
payer *to pay*	je paye (paie), nous payions
acheter *to buy*	j'achète, nous achetions
appeler *to call*	j'appelle, nous appelions
jeter *to throw*	je jette, nous jetions
préférer *to prefer*	je préfère, nous préférions

EXERCICE F

Exprimez ce que ces personnes doivent faire avant de partir en voyage.

EXEMPLE: il est urgent / vous / envoyer ces lettres
Il est urgent que vous envoyiez ces lettres.

1. il est essentiel / tu / voir tes grands-parents avant de partir

Il est essentiel que tu voies tes grand-parents avant de partir.

2. il est impératif / les garçons / acheter leurs billets à l'avance

Il est impératif que les garçons achètent leurs billets à l'avance.

3. il est normal / je / recevoir une confirmation de l'hôtel

Il est normal que je reçoive une confirmation de l'hôtel.

4. il vaut mieux / je / amener ma valise rouge

Il vaut mieux que j'amène ma valise rouge.

5. il est bon / Adrienne / jeter ses tickets de l'année dernière

Il est bon que Adrienne jette ses tickets de l'amée dernière.

6. il est nécessaire / vous / répéter votre itinéraire

Il est nécessaire que vous répétiez votre itinéraire.

7. il faut / nous / prendre un taxi pour aller à l'aéroport

Il faut que nous prendions un taxi pour aller à l'aéroport.

8. il est temps / elles / venir me dire au revoir

Il est temps qu'elles viennent me dire au revoir.

9. il est important / on / appeler un taxi maintenant

Il est important qu'on appelle un taxi maintenant.

10. il est regrettable / tu / devoir annuler ton voyage

Il est regrettable que tu doives annuler ton voyager.

EXERCICE G

Vous interviewez un athlète célèbre pour le journal de l'école. Complétez vos questions et ses réponses avec la forme correcte du verbe au subjonctif.

1. *(mener)*

VOUS: Quelle sorte de vie faut-il que vous _meniez_ ?

ATHLÈTE: Il faut que je _mène_ une vie active.

2. *(prendre)*

VOUS: De qui est-il nécessaire que vous _preniez_ conseil?

ATHLÈTE: Il est nécessaire que je _prenne_ conseil de mon entraîneur.

3. *(essayer)*

VOUS: Est-il important que vous _essayiez_ de vous améliorer?

ATHLÈTE: Il est toujours important que j'_essaye_ de m'améliorer.

4. *(peser)*

VOUS: Combien faut-il que vous _pesiez_ ?

ATHLÈTE: Il faut que je _pèse_ moins de cent kilos.

5. *(coopérer)*

VOUS: Est-il préférable que vous _coopériez_ avec l'équipe?

ATHLÈTE: Il est essentiel que je _coopère_ avec l'équipe.

6. *(croire)*

VOUS: Est-il impératif que vous _croyiez_ le capitaine de l'équipe?

ATHLÈTE: Oui, il est impératif que je le _croie_ .

7. *(venir)*

VOUS: Est-il possible que vous _veniez_ bientôt à Chicago?

ATHLÈTE: Il est possible que j'y _vienne_ bientôt.

[5] PRESENT SUBJUNCTIVE OF IRREGULAR VERBS

a. Verbs with one stem

faire *to do:* je fasse, tu fasses, il/elle fasse
nous fassions, vous fassiez, ils/elles fassent

falloir *it is necessary:* il faille

pleuvoir *to rain:* il pleuve

pouvoir *to be able to:* je puisse, tu puisses, il/elle puisse
nous puissions, vous puissiez, ils/elles puissent

savoir *to know:* je sache, tu saches, il/elle sache
nous sachions, vous sachiez, ils/elles sachent

b. Verbs with two stems

aller *to go:* j'aille, tu ailles, il/elle aille
nous allions, vous alliez, ils / elles aillent

avoir *to have:* j'aie, tu aies, il/elle ait
nous ayons, vous ayez, ils / elles aient

être *to be:* je sois, tu sois, il/elle soit
nous soyons, vous soyez, ils/elles soient

vouloir *to want:* je veuille, tu veuilles, il/elle veuille
nous voulions, vous vouliez, ils/elles veuillent

EXERCICE H

Le temps est incertain. Exprimez ce que vous aimeriez.

EXEMPLE: il / faire beau
J'aimerais qu'il fasse beau.

1. le météorologue / savoir quel temps il fera demain

J'aimerais que la météorologue sache quel temps il fera demain.

2. il / ne pas pleuvoir demain

J'aimerais qu'il ne pleuve pas demain.

3. mon frère / vouloir bien me conduire en ville

J'aimerais que mon frère veuille bien me conduire en ville.

4. il / ne pas falloir apporter de parapluie

J'aimerais qu'il ne faille pas apporter de parapluie.

5. tu / aller à la plage

J'aimerais que tu ailles à la plage.

6. les filles / faire du ski nautique cet après-midi

J'aimerais que les filles fassent du ski nautique cet après-midi.

7. nous / avoir un match de base-ball

J'aimerais que nous ~~allons~~ *ayez* un match de base-ball.

8. vous / pouvoir jouer au tennis

J'aimerais que vous *puissiez* jouer au tennis.

9. Rafael et Raymond / être contents   J'aimerais que

Rafael et Raymond soient contents

EXERCICE I

Delphine téléphone à Sophie. Complétez leur conversation avec la forme correcte des verbes au subjonctif.

DELPHINE: Salut, Sophie. Ça va? Écoute! Il faut que je *fasse*
1. (faire) des courses. Il faut que

j' *aille*
2. (aller) au Printemps. Il est nécessaire que j' *achète*
3. (acheter)

une chemise rose qui *soit*
4. (être) de la même couleur que ma jupe.

SOPHIE: Si tu veux que je *vienne*
5. (venir) avec toi, il vaut mieux que tu

puisses
6. (pouvoir) partir tout de suite. J'ai peur qu'il *pleuve*
7. (pleuvoir) bientôt.

DELPHINE: C'est bête que le temps *soit*
8. (être) si mauvais et qu'il n'y

ait
9. (avoir) pas de soleil! C'est triste que nous ne *puissions*
10. (pouvoir)

jamais sortir sans parapluie! Mais, j'apprécie que tu *veuilles*
11. (vouloir) bien venir

avec moi. Merci!

SOPHIE: Alors vite. Il faut que je *revienne*
12. (revenir) tôt et qu'on *fasse*
13. (faire)

attention. Autrement mon père ne sera pas content. Il est un peu en colère contre moi

en ce moment, je ne sais pas pourquoi.

EXERCICE J

Maintenant vous interviewez une étudiante en médecine pour la rubrique «Futures Carrières» de votre journal. Complétez vos questions et ses réponses avec la forme correcte du verbe au subjonctif.

1. *(savoir)*

VOUS: Est-il important que vous *sachiez* ce qui est nouveau en médecine?

ÉTUDIANTE: Oui, il est important que je *sache* guérir toutes les maladies.

2. *(aller)*

VOUS: Faudra-t-il que vous _alliez,_ toujours chez vos clients?

ÉTUDIANTE: Il faudra que j' _aille_ de temps en temps chez mes clients.

3. *(faire)*

VOUS: Qu'est-ce qu'il est bon que vous _fassiez_ ?

ÉTUDIANTE: Il est bon que je _fasse_ toujours de mon mieux.

4. *(pouvoir)*

VOUS: Est-il possible que vous _puissiez_ vous reposer un peu au travail?

ÉTUDIANTE: Il est impossible que je _puisse_ me reposer un peu quand je travaille.

5. *(avoir)*

VOUS: Est-il surprenant que vous _ayez_ du temps libre?

ÉTUDIANTE: Oui, il est très surprenant que j' _aie_ du temps libre.

6. *(vouloir)*

VOUS: Est-il étonnant que vous ~~veuill~~ _vouliez_ continuer vos études?

ÉTUDIANTE: Non, il n'est pas étonnant que je _veuille_ continuer mes études.

7. *(être)*

VOUS: Est-il normal que vous _soyez_ contente?

ÉTUDIANTE: Oui, il est normal que je _sois_ contente.

MASTERY EXERCISES

EXERCICE K

Exprimez ce que les parents de Lori et de Marc doivent faire pour préparer leur mariage.

EXEMPLE: il est essentiel / nous / prendre une décision
Il est essentiel **que nous prenions** une décision.

1. il est important / nous / choisir le traiteur *(caterer)*

Il est important que nous choisissions le traiteur.

2. il est nécessaire / on / réserver une tente pour le jardin

Il est necessaire qu'on réserve la tente pour le jardin.

3. il faut / les jeunes gens / avertir la mairie *(mayor's office)*

Il faut que les jeunes gens avertisissent la mairie.

4. il est naturel / Lori / dire ce qu'elle désire

Il est naturel que Lori dise ce qu'elle désire.

5. il est normal / vous / faire décorer la maison

Il est normal que vous fassiez décorer la maison.

6. il est temps / Lori et Marc / écrire les invitations

Il est temps que Lori et Marc ecrivent les invitations.

7. il vaut mieux / tu / envoyer les invitations six semaines à l'avance

Il vaut mieux que tu ~~envoyes~~ envoies les invitations six semaines à l'avance.

8. il est urgent / je / chercher un bon orchestre

Il est urgent que je cherche un bon orchestre.

9. il est essentiel / nous / savoir bientôt où organiser la réception

Il est essentiel que nous sachions

10. il est préférable / nous / payer le photographe après la cérémonie

Il est préférable que nous payiez le photographe après la cérémonie.

EXERCICE L

Exprimez cinq choses que vous estimez nécessaires pour améliorer les conditions dans votre école.

EXEMPLES: **Il est nécessaire qu'on nettoie les salles de classe.**
             Il faut qu'on achète de meilleurs livres.

1. _____

2. _____

3. _____

4. _____

5. _____

EXERCICE M

En employant les expressions données, composez huit phrases où les personnes expliquent pourquoi elles refusent une invitation.

1. Il faut que nous *etudions.* _____ .

2. Il est urgent que ma sœur _____ .

3. Il est nécessaire que mes parents _____ .

4. Il est important que je *visite mon grand père à l'hôpital.* .

5. Il est regrettable que nous *ayons une fête chez nous.*

6. Il est impossible que mes frères _____ .

7. Il vaut mieux que je _____ .

8. Il est possible que mon père _____ .

EXERCICE N

Votre professeur est malade depuis longtemps. Écrivez ce que vous faites en son absence.

1. It's normal that the principal telephones our teacher every day.

   _____

2. It's preferable that the boys buy her flowers.

   _____

3. It's good that the class is sending her a card.

   _____

4. It's possible that we will go see her tomorrow.

   _____

5. It's natural that the students think about her.

   _____

6. It's important that we wish her a speedy recovery *(guérison)*.

   _____

7. It's imperative that we do our homework as usual.

   _____

8. It's time that the doctor cured her.

   _____

9. It's necessary that we wait for her return with patience.

   _____

10. It's possible that she will be back soon.

    _____

Chapter 13
Uses of the Subjunctive

The subjunctive is used after impersonal expressions *(il est possible que... , il faut que...)* or in certain dependent clauses when the subject of the dependent clause is different from the subject of the main clause.

Il est possible qu'elle vienne.	*It's possible she will come.*
Elle est heureuse que **tu** sois là.	*She is happy that you are here.*

[1] SUBJUNCTIVE AFTER IMPERSONAL EXPRESSIONS

The subjunctive is used in the dependent clause introduced by *que* after an impersonal construction expressing an opinion, a doubt, or an emotion.

il est absurde *it is absurd*	**il est naturel** *it is natural*
il est amusant *it is amusing*	**il est nécessaire** *it is necessary*
il est bon *it is good*	**il est normal** *it is normal*
il est curieux *it is curious*	**il est possible** *it is possible*
il est dommage *it is a pity, it is too bad*	**il est préférable** *it is preferable*
il est douteux *it is doubtful*	**il est regrettable** *it is regrettable*
il est essentiel *it is essential*	**il est surprenant** *it is astonishing*
il est étonnant *it is amazing*	**il est temps** *it is time*
il est étrange *it is strange*	**il est urgent** *it is urgent*
il est impératif *it is imperative*	**il est utile** *it is useful*
il est important *it is important*	**il faut** *it is necessary*
il est impossible *it is impossible*	**il semble** *it seems*
il est injuste *it is unfair*	**il vaut mieux** *it is better*
il est juste *it is fair*	**(c'est** may be used in place of **il est)**

Il est préférable que tu viennes le plus tôt possible.	*It is preferable that you come as soon as possible.*

NOTE:

1. The subjunctive is not used after impersonal expressions that show certainty or probability. See Section 2, page 182.

2. The subjunctive in French is often equivalent to an infinitive in English.

Il faut que **vous finissiez** ce travail.	*You have to finish this work.*

EXERCICE A

Une amie et vous parlez des activités de votre club de français. Exprimez vos opinions.

EXEMPLE: il est possible / nous / regarder une émission française
Il est possible **que nous regardions** une émission française.

1. il est douteux / on / recruter de nombreux membres

2. il faut / les programmes / être intéressants

_____

3. il est urgent / tu / choisir de bonnes cassettes

_____

4. il est important / Krista / voir le film avant de le louer

_____

5. il est nécessaire / je / régler notre compte au magasin

_____

6. il est juste / les filles / organiser une soirée

_____

7. il est préférable / nous / correspondre avec de jeunes Canadiens

_____

8. il est impératif / vous / prendre part à toutes les activités

_____

9. il est possible / Scott et John / venir en retard

_____

10. il est impossible / nous / prendre l'avion pour Paris demain

_____

EXERCICE B

Imaginez que vous êtes un guide à l'étranger. Que dites-vous aux touristes? Employez les expressions suggérées.

Alice	coopérer avec les organisateurs
nous	dîner dans un restaurant célèbre
M. Dupont	préférer marcher beaucoup
tu	acheter des souvenirs
je	se promener dans ce parc
vous	employer un bon appareil photo
les Legrand	se mettre en route tout de suite

EXEMPLE: Il est naturel **qu'Alice se promène dans ce parc.**

1. Il est normal _____ .

2. Il faut _____ .

3. Il est essentiel _____ .

4. Il est important _____ .

5. Il est possible _____ .

6. Il est nécessaire _____ .

EXERCICE C

Donnez votre opinion en utilisant les expressions impersonnelles suggérées.

EXEMPLE: travailler dur *(important)*
     Il est important que je travaille dur.
  ou: **Il n'est pas important que je travaille dur.**

1. devoir faire de mon mieux *(normal)*

_____

2. envoyer des cartes d'anniversaire à mes amis *(naturel)*

_____

3. coopérer avec tous mes professeurs *(essentiel)*

_____

4. ranger ma chambre *(urgent)*

_____

5. mener une vie heureuse *(important)*

_____

6. gagner à la loterie *(douteux)*

_____

7. payer mes dettes *(juste)*

_____

8. préférer voir des films étrangers *(curieux)*

_____

9. rougir facilement *(étonnant)*

_____

10. recevoir un bon salaire *(possible)*

_____

[2] SUBJUNCTIVE AFTER VERBS AND EXPRESSIONS OF DOUBT, DENIAL, AND DISBELIEF

The subjunctive is used after verbs and expressions of doubt, disbelief, and denial. The indicative is used after verbs and expressions of certainty or probability. However, when these verbs or expressions are used negatively or interrogatively, they imply uncertainty or doubt and are therefore followed by the subjunctive.

INDICATIVE (certainty)	SUBJUNCTIVE (uncertainty)
je sais *I know*	**je doute** *I doubt*
je suis sûr(e) *I am sure*	**je ne suis pas sûr(e)** *I am not sure*
je suis certain(e) *I am certain*	**je ne suis pas certain(e)** *I am not certain*
il est certain *it is certain*	**il n'est pas certain** *it is not certain*
il est clair *it is clear*	**il n'est pas clair** *it is not clear*
il est évident *it is obvious*	**il n'est pas évident** *it is not obvious*
il est exact *it is exact*	**il n'est pas exact** *it is not exact*
il est vrai *it is true*	**il n'est pas vrai** *it is not true*
il est sûr *it is sure*	**il n'est pas sûr** *it is not sure*
il est probable *it is probable*	**il est possible** *it is possible*
	il est impossible *it is impossible*
	il se peut *it is possible*
il paraît *it appears*	**il semble** *it seems*
je crois *I believe*	**je ne crois pas** *I don't believe*
	crois-tu? *do you believe?*
je pense *I think*	**penses-tu?** *do you think?*
	je ne pense pas *I don't think*
j'espère *I hope*	**espères-tu?** *do you hope?*
	je n'espère pas *I don't hope*

Il est évident que l'hiver **sera** dur.	*It is obvious winter will be hard.*
Il n'est pas évident que l'hiver **soit** dur.	*It is not obvious winter will be hard.*
J'espère que vous **viendrez**.	*I hope you will come.*
Je ne pense pas que nous **puissions** arriver avant midi.	*I don't think we can get there before noon.*

EXERCICE D

La situation à votre bureau est instable. Exprimez les doutes des personnes suivantes face aux problèmes qui se posent.

EXEMPLE: il est possible / le directeur / avoir des problèmes
            Il est possible que le directeur **ait** des problèmes.

1. elle doute / on / pouvoir arranger la situation

_____

2. il n'est pas vrai / nous / être irresponsable

_____

3. je ne suis pas sûr / tu / devoir accepter l'offre du directeur

_____

4. il n'est pas certain / ils / aller en Europe

_____

5. il est douteux / les employés / peser le pour et le contre

_____

6. le directeur / ne croit pas / nous / être responsables des problèmes

_____

7. il se peut / vous / recevoir une réprimande aujourd'hui

_____

8. il n'est pas évident / les secrétaires / vouloir partager leur travail

_____

EXERCICE E

En doutez-vous? Exprimez quatre choses dont vous doutez.

EXEMPLE: Je doute **qu'il fasse chaud dimanche.**

1. Je doute _____ .

2. Je doute _____ .

3. Je doute _____ .

4. Je doute _____ .

5. Je doute _____ .

EXERCICE F

Que pensez-vous? Exprimez quatre choses que vous pensez.

EXEMPLE: Je pense **que j'ai réussi mon examen.**

1. Je pense _____ .

2. Je pense _____ .

3. Je pense _____ .

4. Je pense _____ .

5. Je pense _____ .

EXERCICE G

Quelle est votre opinion? Aidez-vous des suggestions données pour compléter les phrases selon votre opinion.

croire	être probable
douter	ne pas être certain
être certain	ne pas être évident
être possible	penser

EXEMPLES: **Il est certain que** le français **est** une langue musicale.
Je doute que les nations **soient** jamais en paix.

1. _____ que la France est un beau pays.

2. _____ qu'on fasse assez attention à l'environnement.

3. _____ qu'il n'y ait plus jamais de guerre *(war)*.

4. _____ que les études puissent préparer à une bonne carrière.

5. _____ que les voyages sont bons pour les jeunes.

6. _____ que la nuit tous les chats soient gris.

EXERCICE H

Laura ne donne jamais clairement son avis. Exprimez ce qu'elle dit en regardant la répétition d'une pièce à l'école. Employez l'indicatif ou le subjonctif selon les cas en accord avec le sens de la phrase.

EXEMPLES: Vous jouez bien ce rôle. *(je doute)*
Je doute que vous jouiez bien ce rôle.

Vous avez du talent. *(il est certain)*
Il est certain que vous avez du talent.

1. Raul a beaucoup de confiance en lui-même. *(il semble)*

_____

2. Je suis parfaite pour ce rôle. *(il est évident)*

_____

3. Nous chantons bien. *(je sais)*

_____

4. Cette fille apprend bien son rôle. *(il est vrai)*

_____

5. Tu peux danser cette danse. *(il n'est pas certain)*

_____

6. Nous aimons ce personnage. *(il est impossible)*

_____

7. Les garçons sont attentifs. *(je suis sûre)*

_____

8. Marie trahit ses émotions. *(je ne crois pas)*

_____

9. Vous prenez cette audition au sérieux. *(il est douteux)*

_____

10. Tu vois l'importance de mes remarques. *(je ne pense pas)*

_____

[3] SUBJUNCTIVE AFTER A WISH OR A COMMAND

The subjunctive is used after verbs expressing command and request, permission or prohibition, preference or desire, and wishing.

aimer mieux *to prefer*	**insister** *to insist*
commander *to order*	**interdire** *to prohibit*
consentir *to consent*	**ordonner** *to order*
défendre *to forbid*	**permettre** *to permit*
demander *to ask*	**préférer** *to prefer*
désirer *to desire*	**souhaiter** *to wish*
empêcher *to prevent*	**vouloir** *to wish, want*
exiger *to demand*	

Il **aime mieux** que tu **fasses** les courses.	*He prefers that you do the shopping.*
Ses parents **défendent** qu'il **sorte**.	*His parents forbid him to go out.*
Il **exige** que je **réponde** à la question.	*He demands that I answer the question.*
Veux-tu que nous **partions?**	*Do you want us to leave?*
J'**insiste** qu'il **vienne** demain.	*I insist that he come tomorrow.*

NOTE: In the examples above, the verb in the main clause and the verb in the dependent clause have different subjects. If both clauses have the same subject, the infinitive is generally used in French instead of *que* and the subjunctive.

Il aime mieux que **tu fasses** les courses.	*He prefers that you do the shopping.*
Il aime mieux **faire** les courses.	*He prefers to do the shopping (himself).*
Veux-tu que **nous partions?**	*Do you want us to leave?*
Veux-tu **partir?**	*Do you want to leave?*

EXERCICE I

Exprimez ce que les parents demandent à leurs enfants de faire.

EXEMPLE: mes parents / commander / je / finir toujours mes devoirs
Mes parents commandent que je finisse toujours mes devoirs.

1. maman / exiger / les enfants / faire la vaisselle

_____

2. papa / demander / Shaquille / rentrer tôt le soir

_____

3. mes parents / interdire / Kimberly et moi / sortir pendant la semaine

_____

4. maman / préférer / tu / aller dormir de bonne heure

_____

5. papa / vouloir / vous / recevoir de bonnes notes

_____

6. leurs parents / insister / ils / payer leurs sorties eux-mêmes

_____

7. papa / aimer mieux / je / avoir des amis sympathiques

_____

8. nos parents / défendre / nous / aller trop souvent au cinéma

_____

EXERCICE J

Exprimez les demandes faites par les personnes suivantes en utilisant les suggestions données.

agir loyalement   prendre le bus
boire du vin   rentrer tôt le soir
dire des bêtises   savoir se protéger
être raisonnable   se servir de la voiture
être respectueux (respectueuse)   sortir avec des copains
faire de son mieux

EXEMPLE: Mon père souhaite que je **rentre** tôt le soir.

1. Mes parents interdisent que je _____ .

2. Mon prof exige que nous _____ .

3. Sa mère préfère que Lucien _____ .

4. Vous défendez qu'elles _____ .

5. Je désire que tu _____ .

6. Vos amis souhaitent que vous _____ .

7. Tu empêches que les garçons _____ .

8. Il veut que Marie _____ .

9. Elles ordonnent que nous _____ .

10. Il aime mieux que je _____ .

[4] SUBJUNCTIVE AFTER VERBS AND EXPRESSIONS OF EMOTION AND FEELING

The subjunctive is used after verbs and expressions of feeling or emotion, such as joy, sorrow, regret, and surprise.

être content(e) *to be happy*	**être gêné(e)** *to be bothered*
être désolé(e) *to be sorry*	**être heureux (heureuse)** *to be happy*
être embarrassé(e) *to be embarrassed*	**être irrité(e)** *to be irritated*
être enchanté(e) *to be delighted*	**être malheureux (-euse)** *to be unhappy*
être ennuyé(e) *to be annoyed*	**être ravi(e)** *to be delighted*
être étonné(e) *to be astonished*	**être surpris(e)** *to be surprised*
être fâché(e) *to be angry*	**être triste** *to be sad*
être fier (fière) *to be proud*	**avoir honte** *to be ashamed*
être flatté(e) *to be flattered*	**avoir peur** *to be afraid*
être furieux (furieuse) *to be furious,*	**s'étonner** *to be astonished*
angry	**regretter** *to be sorry*

Il **est fâché** que je **parte**.　　　　*He is angry that I am leaving.*

Je **regrette** que tu ne **puisses** pas venir.　　*I am sorry that you can't come.*

Elle **a peur** qu'il **soit** malade.　　　　*She is afraid that he is sick.*

EXERCICE K

Exprimez les sentiments des personnes suivantes dans les circonstances indiquées.

EXEMPLE:　　Je suis fâché parce qu'il reçoit une mauvaise note.
　　　　　　Je suis fâché **qu'il reçoive** une mauvaise note.

1. Je suis ennuyé parce qu'il vient en retard.

_____

2. Nous sommes contents parce que vous finissez le travail à l'heure.

_____

3. Vous êtes embarrassé parce que vos amis jettent des avions en papier.

_____

4. Elles sont ravies parce que tu veux bien les voir.

_____

5. Il s'étonne parce qu'elle reçoit le prix.

_____

6. Vous êtes surpris parce que nous participons au match.

_____

7. Ils sont heureux parce que nous achetons une nouvelle voiture.

_____

8. Je suis désolée parce qu'elle ne sait pas chanter.

_____

EXERCICE L

Exprimez ce que la candidate dit pendant la réunion électorale.

EXEMPLES: je suis heureuse / vous / m'écouter
            Je suis heureuse **que vous m'écoutiez.**

            avez-vous peur / je / faire des erreurs
            Avez-vous peur **que je fasse** des erreurs?

1. êtes-vous surpris / je / être si jeune

_____

2. vous étonnez-vous / je / comprendre vos problèmes

_____

3. mes amis, je suis contente / vous / s'intéresser à la politique

_____

4. nous sommes tous furieux / mon adversaire / dire des mensonges _(lies)_ sur moi

_____

5. je suis enchantée / les gens / me défendre

_____

6. je suis fière / ma campagne électorale / être honnête et transparente

_____

7. êtes-vous fâchés / le gouvernement / faire si peu attention aux électeurs

_____

8. je suis flattée / vous / vouloir voter pour moi

_____

[5] SUBJUNCTIVE AFTER CERTAIN CONJUNCTIONS

The subjunctive is used after certain conjunctions expressing time, purpose, or condition.

avant que *before* **bien que** *although* **jusqu'à ce que** *until*	**pour que** *so that* **sans que** *without*

Il est parti sans que je le sache.	*He left without my knowing it.*
J'ouvre la porte pour qu'il puisse entrer.	*I open the door so he may come in.*

NOTE: If the verbs in the main clause and in the dependent clause have the same subject, the infinitive is generally used instead of the subjunctive after *pour, sans,* and *avant de.*

J'ouvre la porte pour pouvoir entrer.	*I open the door so I may come in.*

EXERCISE M

Complétez les phrases en employant une des conjonctions ci-dessus.

1. Je prends des photos _____ nous nous souvenions de nos voyages.

2. Elle est entrée _____ on l'entende.

3. Mme Dupont a expliqué la leçon _____ les élèves comprennent.

4. Il faut qu'on parte _____ il neige.

5. David viendra dimanche _____ il ait beaucoup de travail.

6. Le dîner attendra _____ tous les invités soient là.

MASTERY EXERCISES

EXERCICE N

Complétez les phrases en donnant votre opinion.

1. J'aime mieux que mes parents _____ .

2. Je suis sûr(e) que mes amis _____ .

3. Il est important que je _____ .

4. Il faut que le président _____ .

5. Je suis content(e) que mon (ma) meilleur(e) ami(e) _____

_____ .

6. Je préfère que mes amis et moi, nous _____ .

7. Il est évident que je _____ .

8. Il est impossible que les États–Unis _____ .

EXERCICE O

Complétez les paragraphes suivants avec la forme correcte des verbes entre parenthèses.

A. Emily va à une entrevue pour un poste de secrétaire. Il faut qu'elle _____ le bus
      1. (prendre)

pour y aller. Il est important qu'elle _____ ses lunettes dans son sac avant de partir.
      2. (mettre)

Le directeur veut qu'elle _____ une lettre sous la dictée. Il est nécessaire qu'Emily
      3. (écrire)

_____ confiance en elle-même. Le directeur croit qu'elle _____
      4. (avoir)   *5. (être)*

sérieuse. Il est sûr qu'elle _____ chaque occasion de bien travailler. Il voudrait,
      6. (saisir)

cependant, qu'elle _____ le français.
      7. (apprendre)

B. C'est une journée difficile pour Mme Peretti. Il faut qu'elle _____ à l'hôpital.
      1. (aller)

Il est impératif qu'elle _____ une opération. Auparavant, il est nécessaire que les
      2. (avoir)

infirmières _____ tous les renseignements nécessaires. Elles demandent que Mme
      3. (prendre)

Peretti _____ la vérité et qu'elle _____ avec elles. Mme Peretti
      4. (dire)   *5. (coopérer)*

a un peu peur. L'infirmière lui dit qu'il est douteux qu'elle _____ très mal après
      6. (avoir)

l'opération. Quand tout est prêt, le docteur exige que Mme Peretti _____ ces
      7. (prendre)

cachets *(tablets)* parce qu'il souhaite qu'elle _____ calme.
      8. (être)

C. Les jeunes gens espèrent que le soleil _____ de derrière les nuages parce qu'ils
      1. (sortir)

veulent _____ dans la rivière et, pour cela, il faut qu'il y _____
      2. (nager)   *3. (avoir)*

du soleil. Brian demande que ses parents lui _____ leur voiture pour faire
      4. (prêter)

l'excursion. Son père ne pense pas que Brian _____ trop vite et il veut que son
      5. (conduire)

fils _____ avec ses amis. Il exige seulement que Brian _____
      6. (s'amuser)   *7.* (faire)

attention et qu'il ne _____ pas les limites de vitesse. Son père est sûr que les agents
                                 8. (dépasser)

de police _____ sur la route. Il demande que Brian _____
               9. (être)   *10.* (ramener)

la voiture avant sept heures parce qu'il faut qu'il _____ en ville.
                                                       11. (aller)

EXERCICE P

Les personnes suivantes vont prendre leur retraite. Exprimez en français ce qu'elles disent.

1. I hope you'll all come to my party.

_____

2. It's doubtful that my wife and I will become bored.

_____

3. We're happy that the boss wants to make a speech *(discours)*.

_____

4. I'm sure I'll have a good time.

_____

5. I want you to come see me.

_____

6. It's probable that we'll travel a lot.

_____

7. We like to travel though we are not very rich.

_____

8. I forbid you to buy me a gift.

_____

9. We prefer to play tennis in our spare time.

_____

10. I'm delighted that we'll be able to rest.

_____

11. I'm sure that you wish me to be happy.

_____

Chapter 14
Negation

[1] NEGATIVE FORMS

a. The most common negatives are:

ne... pas	*not*	**ne... personne**	*no one, nobody*
ne... jamais	*never*	**ne... que**	*only*
ne... ni... ni	*neither . . . nor*	**ne... rien**	*nothing*
ne... plus	*no longer, no more*		

b. Position of negatives

In simple and compound tenses, *ne* comes before the conjugated verb and pronoun objects, if any. The second part of the negative generally follows the conjugated verb (or the subject pronoun in inverted questions).

Il **n'**est **pas** en retard.	*He isn't late.*
Nous **n'**avons **jamais** mangé ici.	*We have never eaten here.*
Vous **ne** vous disputez **plus**.	*You no longer quarrel.*
Elle **n'**y peut **rien**.	*She can't do anything about it.*
Je **n'**attendais **personne**.	*I wasn't waiting for anyone.*
Tu **n'**auras **plus** besoin de ce livre.	*You won't need this book any more.*
N'avez-vous **rien** vu?	*Didn't you see anything?*
Tu **n'**as **rien** vu?	*Didn't you see anything?*

NOTE:

1. *Personne* follows the infinitive and the past participle.

Il **ne** peut voir **personne**.	*He can't see anyone.*
Il **n'**a vu **personne**.	*He didn't see anyone.*

2. *Que* directly precedes the word or words stressed.

Je **n'**ai vu **qu'**un film.	*I saw only one film.*
Je **ne** vais le dire **qu'**une fois.	*I'm going to say it only once.*

3. Each part of the *ni... ni* construction precedes the word or words stressed.

Le film **n'**était **ni** bon **ni** mauvais.	*The film was neither good nor bad.*
Elle **n'**a **ni** rangé sa chambre **ni** fait son lit.	*She neither straightened her room nor made her bed.*
Il **n'**étudie **ni** le piano **ni** le violon.	*He studies neither the piano nor the violin.*

EXERCICE A

Exprimez ce que ces étudiants ont promis de ne pas faire.

EXEMPLE: Sergei / regarder la télé toute la nuit
Sergei **ne regarde pas** la télé toute la nuit.

1. je / interrompre mon frère

_____

2. Nick et moi / désobéir

_____

3. Serena / se maquiller trop

_____

4. vous / faire l'idiot en classe

_____

5. tu / rentrer après minuit

_____

6. Luke et Adam / se disputer

_____

EXERCICE B

Exprimez ce que ces personnes ne feraient jamais à une fête.

EXEMPLE: Albert / danser
           Albert **ne danserait jamais.**

1. Marise / fumer

_____

2. Lisa et Claire / manger trop

_____

3. tu / s'ennuyer

_____

4. Larry / boire d'alcool

_____

5. je / se tenir mal

_____

6. Jackie et Ed / chanter

_____

7. vous / faire de farces

_____

8. Thad et moi / crier

_____

EXERCICE C

Exprimez ce que les personnes suivantes n'aiment pas.

EXEMPLE: Je **n'aime ni le stylo ni le crayon.**

1. Je _____ .

2. Vous _____ .

3. Ils _____ .

4. Tu _____.

5. Nous _____.

6. Elle _____.

EXERCICE D

Exprimez ce que ces personnes ne feraient plus si elles devenaient soudain très raisonnables.

EXEMPLE: dépenser tout son argent *(il)*
             Il ne dépenserait plus tout son argent.

1. agir sans réfléchir *(je)*

_____

2. se moquer de leurs amis *(ils)*

_____

3. perdre patience *(nous)*

_____

4. téléphoner trop tard *(Lisa et Maria)*

_____

5. s'inquiéter pour rien *(Kevin)*

_____

6. se fâcher avec son frère *(Katrina)*

_____

7. amener votre chien à l'école *(vous)*

_____

8. s'endormir en classe *(je)*

_____

EXERCICE E

M. Robert voulait rester seul hier. Exprimez ce qu'il n'a pas fait.

EXEMPLE: attendre
            Il n'a attendu personne.

1. écouter

_____

2. interrompre

_____

3. menacer

_____

4. appeler

_____

5. ennuyer

_____

6. voir

_____

EXERCICE F

Exprimez ce que ces personnes faisaient quand elles étaient plus jeunes.

boire du soda   se baigner le matin
écouter de la musique rock   travailler le week-end
jouer au base-ball   voir des films de science-fiction
lire des bandes dessinées   voyager avec ses parents
manger des sandwichs

EXEMPLE: Phil **ne jouait qu'au base-ball.**

1. Je ———————————————————————————————— .

2. Alan et moi ————————————————————————— .

3. Alexandra ——————————————————————————— .

4. Tu ——————————————————————————————— .

5. Nicole et Alison ——————————————————————— .

6. Vous ————————————————————————————— .

7. Les garçons ————————————————————————— .

8. Paul ——————————————————————————————— .

EXERCICE G

Quel ennui d'être malade! Toute la famille Mansard a la grippe. Exprimez comment ces personnes se sentent.

EXEMPLE: Céline / pouvoir / faire
            Céline ne peut rien faire.

1. Cécile / pouvoir / apprendre

———————————————————————————————————

2. M. Mansard / vouloir / manger

———————————————————————————————————

3. les filles / aller / faire aujourd'hui

———————————————————————————————————

4. vous / souhaiter / écouter à la radio

———————————————————————————————————

5. nous / désirer / regarder à la télévision

———————————————————————————————————

6. tu / oser / leur dire

———————————————————————————————————

EXERCICE H

Exprimez ce que ces personnes ne feront pas.

EXEMPLE: Il sera intimidé. *(oser danser et chanter / ni… ni)*
            Il n'osera ni danser ni chanter.

1. Il sera toujours content. *(pleurer / jamais)*

———————————————————————————————————

2. Je deviendrai végétarien. *(prendre le bifteck et le rosbif / ni... ni)*

_____

3. Elles seront fatiguées. *(faire / rien)*

_____

4. Nous voudrons maigrir. *(manger / pas)*

_____

5. Tu seras aimable. *(menacer / personne)*

_____

6. Vous prendrez votre retraite. *(travailler / plus)*

_____

7. Elles n'auront pas faim. *(commander une salade / que)*

_____

8. Elle aura peur. *(dormir / pas)*

_____

c. *Rien* and *personne* may be used as subjects, preceding the verb. *Ne* remains before the conjugated verb.

Rien ne m'ennuie.   *Nothing bothers me.*
Personne ne parlait.   *Nobody was speaking.*

EXERCICE I

M. Joseph est très optimiste. Exprimez ses sentiments.

EXEMPLE: *(horrible)* **Rien n'est horrible.**

1. *(impossible)* _____

2. *(menaçant)* _____

3. *(laid)* _____

4. *(désespéré)* _____

5. *(ennuyeux)* _____

6. *(ridicule)* _____

EXERCICE J

Expliquez ce que personne n'a fait après la boum de Michel.

EXEMPLE: ranger les disques compacts
Personne n'a rangé les disques compacts.

1. vider les ordures

_____

2. sortir la poubelle *(garbage can)*

_____

3. ramasser les papiers

_____

4. nettoyer la cuisine

_____

5. ranger le salon

_____

6. enlever les décorations

d. Both *ne... jamais* used with a verb and *jamais* used alone without a verb mean "never." *Jamais* with a verb and without *ne* means "ever."

As-tu **jamais** visité Montréal?	*Have you ever visited Montreal?*
Non, je **n'**ai **jamais** visité Montréal.	*No, I've never visited Montreal.*
Jamais?	*Never?*

e. *Ne* is always used with a verb. However, the second part of a negative may be used without a verb. (*Pas* and *plus* need a modifier).

Avec qui sors-tu samedi?	*With whom are you going out on Saturday?*
Personne.	*No one.*
Qu'est-ce que tu fais?	*What are you doing?*
Rien.	*Nothing.*
Es-tu déjà allé en France?	*Have you ever been to France?*
Jamais.	*Never.*
Tu joues du piano?	*Do you play the piano?*
Pas très bien.	*Not very well.*

EXERCICE K

Vous êtes curieux. Formulez les questions que vous posez à vos amis et exprimez leurs réponses.

EXEMPLE: grimper *(climb)* au sommet d'une montagne
            As-tu jamais grimpé au sommet d'une montagne?
            Non, jamais.
     OU: **Oui, une fois (parfois, souvent).**

1. sauter en parachute

_____

_____

2. visiter le Canada

_____

_____

3. jouer à un jeu vidéo

_____

_____

4. être témoin *(witness)* d'un crime

_____

_____

5. participer à une compétition sportive

_____

_____

6. travailler l'été

_____

_____

EXERCICE L

Utilisez un seul mot négatif pour répondre aux questions que votre mère vous pose.

EXEMPLE: Qui t'attend?
            Personne.

1. Qui t'a aidé à écrire cette composition?

_____

2. Qu'est-ce que tu veux manger?

_____

3. Quand rangeras-tu ta chambre?

_____

4. Qu'est-ce que tu as envie de faire ce soir?

_____

5. Quand deviendras-tu raisonnable?

_____

6. Qui va t'accompagner en ville?

_____

f. In the negative, the partitive and indefinite articles *du, de la, de l', un, une,* and *des* become *de* (see Chapter 16).

Elle a un oncle, mais elle n'a pas **de** tante.	*She has an uncle but she doesn't have an aunt.*

NOTE: **The article is kept after *ne... que.***

Il ne mange que **des** légumes.	*He eats only vegetables.*

EXERCICE M

Exprimez ce que ces personnes ne font pas.

EXEMPLE: Elle fait des fautes. *(pas)*
          Elle ne fait pas de fautes.

1. Elle prend des risques. *(jamais)*

_____

2. Nous avons de la chance. *(plus)*

_____

3. Tu fais du kayak. *(pas)*

_____

4. Vous empruntez de l'argent. *(plus)*

_____

5. Ils boivent de l'eau minérale. *(jamais)*

_____

6. Je fais une bouillabaisse. *(pas)*

_____

g. *Si* or *mais si* (yes) is used to contradict a negative statement or question.

Elle n'est pas blonde.	*She isn't blond.*
Si, elle est blonde.	*Yes, she is blond.*

Ne danse-t-elle pas bien?	*Doesn't she dance well?*
Mais si!	*Why, yes!*

EXERCICE N

Daniel pose des questions à son grand-père sur sa jeunesse. Formulez ses réponses.

EXEMPLE: N'habitais-tu pas en France?
Mais si, j'habitais en France.

1. N'allais-tu jamais en vacances?

_____

2. Ne jouais-tu pas au base-ball?

_____

3. N'aimais-tu pas le jazz?

_____

4. N'allais-tu pas au cinéma?

_____

5. N'écoutais-tu pas la radio?

_____

[2] NEGATIVE EXPRESSIONS

ça ne fait rien   *it doesn't matter*

Elle est en retard.	*She is late.*
Ça ne fait rien.	*It doesn't matter.*

de rien / il n'y a pas de quoi   *you're welcome*

Merci.	*Thank you.*
Il n'y a pas de quoi.	*You're welcome.*
Merci beaucoup.	*Thanks a lot.*
De rien.	*You're welcome.*

jamais de la vie!   *never! out of the question! not on your life!*

Veux-tu faire du saut en chute libre?	*Do you want to go skydiving?*
Jamais de la vie!	*Never!*

pas du tout   *not at all*

Vous vous ennuyez?	*Are you bored?*
Pas du tout.	*Not at all.*

pas encore   *not yet*
Est-il arrivé?   *Has he arrived?*
Pas encore.   *Not yet.*

pas maintenant   *not now*
Veux-tu manger?   *Do you want to eat?*
Pas maintenant.   *Not now.*

EXERCICE O

Répondez aux personnes suivantes avec une des expressions négatives de la liste ci-dessus.

1. Votre voisin vous remercie d'avoir réparé sa voiture.

Vous répondez: _____ .

2. Votre mère vous demande si vous aimez sa robe. Vous la trouvez laide.

Vous répondez: _____ .

3. Un ami vous demande si vous voulez traverser l'Atlantique à la nage.

Vous répondez: _____ .

4. Votre amie dit qu'elle ne peut pas trouver son stylo.

Vous répondez: _____ . Je te prêterai un de mes stylos.

5. Votre sœur vous demande si vous avez terminé votre conversation au téléphone.

Vous répondez: _____ .

6. Votre ami vous demande si vous voulez aller en ville maintenant. Vous avez des devoirs à finir.

Vous répondez: _____ .

M A S T E R Y   E X E R C I S E S

EXERCICE P

Répondez négativement aux questions de votre camarade.

1. Aimes-tu les films de science-fiction ou les histoires d'amour?

_____

2. Es-tu sorti(e) avec quelqu'un hier soir?

_____

3. Travailles-tu après l'école?

_____

4. As-tu promis quelque chose à tes amis?

_____

5. Quelqu'un t'ennuie?

_____

6. Es-tu jamais allé(e) en France?

_____

7. Écoutes-tu des cassettes de musique classique?

_____

8. Qu'est-ce que tu prêtes à ton amie?

_____

9. Viendras-tu pour le déjeuner ou pour le dîner?

_____

10. Y a-t-il quelqu'un qui te menace?

_____

EXERCICE Q

Complétez l'histoire de Mme Martin avec un mot négatif dans chaque espace blanc.

Mme Martin travaille dans un grand bureau où _____ ne s'intéresse aux autres.
                                                    1.

Naturellement, Mme Martin n'aime _____ beaucoup son poste,
                                          2.

_____ du tout. Ça n'est _____ grave, elle va chaque jour au
      3.   *4.*

bureau quand même. _____ ne lui dit bonjour. _____ ne l'aide
                            5.   *6.*

à faire son travail. Sa collègue, Mme Duval, ne fait _____ parce qu'elle parle
                                                              7.

toujours à ses amis au téléphone. Et M. Bonnet, un autre collègue, fait si peu qu'il ne travaille

_____ beaucoup. Il est trop occupé à lire son journal. De plus, le patron est très
      8.

mal élevé, il ne dit _____ «merci» ni «il n'y a _____ de quoi».
                          9.   *10.*

Ça ne fait _____ , si Mme Martin n'aime _____ les autres
                11.   *12.*

employés _____ son patron. Tout le monde pense qu'elle ne quittera
              13.

_____ ce bureau, _____ de la vie. Quelle erreur! Car après-
　　　　　14.　　　　　　　　　　　　　　15.

demain, elle quittera son poste et elle ne travaillera _____ jamais. Pourquoi? Parce
　　　　　　　　　　　　　　　　　　　　　　　　　　　　16.

qu'elle vient de gagner à la loterie et elle n'a _____ besoin de travailler.
　　　　　　　　　　　　　　　　　　　　　17.

EXERCICE R

Exprimez en français ce que Mme Duby dit au sujet de son anniversaire.

1. My birthday comes only once a year.

   _____

2. Nothing is more important than that day.

   _____

3. Will I tell you my age? Never! Out of the question!

   _____

4. Nobody knows my age. I don't tell my age to anyone.

   _____

5. I'll receive only two or three presents. It doesn't matter.

   _____

6. I'm going to neither clean the house nor cook that day.

   _____

7. I won't eat a lot of cake because I don't want to get fat.

   _____

8. I no longer have the desire to celebrate my birthday with a big party.

   _____

9. I don't want to receive any expensive gifts.

   _____

10. What do I ask for? I want only health, happiness, and peace.

    _____

Part two
Noun and Pronoun Structures; Prepositions

Chapter 15
Definite Article and Nouns

[1] FORMS OF THE DEFINITE ARTICLE

a. The definite article, "the" in English, has four forms in French, *le, la, l'*, and *les*.

	MASCULINE	FEMININE
SINGULAR	*le* cousin *l'*ami	*la* cousine *l'*amie
PLURAL	*les* cousins *les* amis	*les* cousines *les* amies

NOTE:

1. The article *l'* is used before a singular noun of either gender beginning with a vowel or silent *h*.

l'oiseau	*the bird*
l'homme	*the man*

2. The article is expressed in French before each noun, even though it may be omitted in English.

les garçons et les filles	*boys and girls*

b. The prepositions *à* and *de* contract with *le* and *les*.

à + le père = **au** père	*to the father*
à + les amis = **aux** amis	*to the friends*
de + le père = **du** père	*of the father*
de + les amies = **des** amies	*of the friends*

NOTE: There is no contraction with *la* or *l'*.

à la mère *to the mother*	de la mère *of the mother*
à l'élève *to the student*	de l'élève *of the student*
Il parle **aux** élèves.	*He speaks to the students.*
C'est la mère **du** garçon.	*She is the mother of the boy.*

EXERCICE A

Exprimez ce que vous voyez dans le salon des Sarlande.

EXEMPLE: glace *(f.)* **Je vois la glace.**

1. télévision *(f.)* _____

2. étagère *(f.)* _____

3. peintures *(f.)* _____

4. tapis *(m.)* _____

5. lampe *(f.)* _____

6. radio *(f.)* _____

7. tables *(f.)* _____

8. magnétoscope *(m.) (VCR)* _____

9. fauteuil *(m.)* _____

10. armoire *(f.)* _____

11. livres *(m.)* _____

12. horloge *(f.)* _____

13. coussins *(m.)* _____

14. sofa *(m.)* _____

15. rideaux *(m.)* _____

[2] USES OF THE DEFINITE ARTICLE

The definite article is used in French to indicate a specific being or thing, as "the" is used in English ("the table," *la table*). In addition, in French the definite article is used:

a. with nouns used in a general or abstract sense.

L'or est un métal précieux.	*Gold is a precious metal.*
Il aime **le** football.	*He likes soccer.*

b. with names of languages and subjects, except immediately after *parler,* after *en,* and in an adjective phrase with *de.*

La psychologie explique tout.	*Psychology explains everything.*
Apprenez-vous **l'**italien?	*Are you learning Italian?*
Le chinois est difficile.	*Chinese is difficult.*
Il parle bien **l'**espagnol.	*He speaks Spanish well.*

BUT

Je **parle français.**	*I speak French.*
Le poème est écrit **en grec.**	*The poem is written in Greek.*
Voici mon livre **d'allemand.**	*Here is my German book.*

c. with parts of the body, instead of the possessive adjective, when the possessor is clearly indicated.

Ne tire pas **la** langue!	*Don't stick out your tongue!*
Il a mal à **la** tête.	*He has a headache.*

d. with titles of rank and profession followed by a name, except when addressing the person.

le président Washington	*President Washington*
le roi Louis XV	*King Louis XV*
le professeur Caron	*Professor Caron*

BUT

«Bonjour, docteur Brun.»	*"Hello, Doctor Brun."*

e. with days of the week in a plural sense.

Le samedi, je ne travaille pas.	*On Saturday(s) I don't work.*
La banque est fermée **le** dimanche.	*The bank is closed on Sunday(s).*

NOTE: **If the day mentioned is a specific day, the article is omitted.**

Je te verrai **lundi.**	*I'll see you (on) Monday.*
Il a été absent **jeudi.**	*He was absent (on) Thursday.*

f. with names of seasons and colors except after the preposition *en.*

Je n'aime pas **l'**hiver.	*I don't like winter.*
J'adore **le** rouge.	*I love red.*
Je peins ma chambre **en jaune.**	*I am painting my room (in) yellow.*

g. in certain common expressions of time or place.

à l'école	*to (in) school*	le soir	*in the evening*
à l'église	*to (in) church*	le mois prochain	*next month*
à la maison	*at home, home*	la semaine dernière	*last week*
le matin	*in the morning*	l'année passée	*last year*
l'après-midi	*in the afternoon*	l'été prochain	*next summer*

h. with dates.

C'est aujourd'hui **le 12 juin.**	*Today is June 12.*
On est **le 22 avril.**	*It's April 22.*

i. with names of most countries, states, mountains, and rivers except after the preposition *en.*

Les Alpes séparent la France et l'Italie.	*The Alps separate France and Italy.*
La Floride est belle.	*Florida is beautiful.*
J'irai **en Floride** cet hiver.	*I will go to Florida this winter.*

EXERCICE B

Complétez ce dialogue entre deux étudiantes avec la forme correcte de l'article défini, si besoin est.

MARIE: _____ politique me passionne.
         1.

JULIE: Moi aussi. Ce semestre _____ lundi et _____ mercredi, j'ai un cours de science
                               2.   *3.*

politique _____ matin à dix heures avec _____ professeur Junot.
4.   5.

MARIE: C'est un professeur de _____ université de _____ Montréal. _____ Canada
6.   7.   8.

est son pays natal. Il parle _____ français ou _____ anglais?
9.   10.

JULIE: Il parle _____ français, mais il écrit ses notes en _____ anglais. C'est très bizarre.
11.   12.

MARIE: _____ automne me fait penser à _____ politique parce qu'il faut voter. _____
13.   14.   15.

droit de vote est un droit très important. C'est aujourd'hui _____ trente et un octobre.
16.

_____ élections de _____ semaine prochaine vont être très intéressantes.
17.   18.

JULIE: M. Junot dit qu'il faut bien considérer _____ économie de notre pays. Mais
19.

personnellement, ce qui m'intéresse encore plus, ce sont _____ droits des femmes.
20.

MARIE: _____ affaires internationales m'inquiètent.
21.

JULIE: Vite. Tourne _____ tête. Voilà _____ professeur Junot qui approche.
22.   23.

JUNOT: Bonjour, Julie.

JULIE: Bonjour, _____ professeur Junot. Je vous verrai _____ lundi prochain.
24.   25.

JUNOT: À _____ semaine prochaine, Julie.
26.

MARIE: Il est très gentil. Je vais peut-être aller à ta classe _____ lundi prochain.
27.

JULIE: Quelle bonne idée!

EXERCICE C

Répondez aux questions qu'un ami vous pose.

1. Quelle est la date de ton anniversaire?

_____

2. En quelle saison t'amuses-tu le plus?

_____

3. Comment s'appelle ton docteur?

_____

4. Quand étudies-tu d'habitude?

_____

5. Quelle langue parles-tu à la maison?

_____

6. Quel sport préfères-tu?

_____

7. Que fais-tu le samedi après-midi?

_____

8. Quelle est ta couleur préférée?

_____

[3]   GENDER OF NOUNS

French nouns are either masculine or feminine. Although there are no rules by which the gender of all nouns can be determined, the gender of many nouns can be determined by their meaning or ending. The gender of other nouns must be learned individually.

a. Nouns that refer to males are masculine. Nouns that refer to females are feminine.

MASCULINE		FEMININE	
le garçon	*boy*	la fille	*girl*
l'oncle	*uncle*	la tante	*aunt*
le roi	*king*	la reine	*queen*
le vendeur	*salesman*	la vendeuse	*saleswoman*

b. The gender of some nouns may be determined by their ending.

MASCULINE		FEMININE	
–acle	réceptacle	–ade	citronnade
–age*	mariage	–ale	cathédrale
–al	hôpital	–ance	enfance
–eau*	gâteau	–ence	expérience
–et	bracelet	–ette	omelette
–ier	métier	–ie	bougie
–isme	classicisme	–ique	informatique
–ment	jugement	–oire	gloire
		–sion	évasion
		–tion	conversation
		–ure	confiture

*Note these exceptions: *la page, la plage; l'eau* (f.), *la peau.*

c. Some feminine nouns are formed by adding *e* to the masculine.

MASCULINE	FEMININE	
l'ami	l'amie	*friend*
l'avocat	l'avocate	*lawyer*
le client	la cliente	*client, customer*
le cousin	la cousine	*cousin*
l'employé	l'employée	*employee*
l'étudiant	l'étudiante	*student*
le voisin	la voisine	*neighbor*

NOTE: **Nouns of nationality are capitalized.**

Cet **Américain** parle français.   *That American speaks French.*

d. Some feminine nouns are formed by changing the masculine ending to a feminine ending.

	MASCULINE		FEMININE	
-an	paysan	-anne	paysanne	*peasant*
-ien	musicien	-ienne	musicienne	*musician*
-on	patron	-onne	patronne	*boss*
-er	boulanger	-ère	boulangère	*baker*
-ier	épicier	-ière	épicière	*grocer*
-eur	programmeur	-euse	programmeuse	*programmer*
-teur	acteur	-trice	actrice	*actress*

e. Other masculine nouns and their feminine counterparts are:

	MASCULINE		FEMININE	
le bœuf	*ox*	la vache	*cow*
le chat	*cat*	la chatte	*cat*
le chien	*dog*	la chienne	*dog*
le comte	*count*	la comtesse	*countess*
l'hôte	*host*	l'hôtesse	*hostess*
le maître	*master*	la maîtresse	*mistress*
le neveu	*nephew*	la nièce	*niece*
l'oncle	*uncle*	la tante	*aunt*
le roi	*king*	la reine	*queen*
le vieux	*old man*	la vieille	*old woman*

f. Some nouns have the same form in the masculine and the feminine.

l'artiste	*artist*	l'enfant	*child*
le (la) camarade	*friend*	la (la) malade	*patient*
le (la) collègue	*colleague*	le (la) secrétaire	*secretary*
le (la) concierge	*superintendent*	le (la) touriste	*tourist*
l'élève	*student*		

g. Some nouns are always masculine or feminine regardless of the gender of the person referred to.

ALWAYS MASCULINE

l'agent de police	police officer	l'écrivain	writer
le bébé	baby	l'ingénieur	engineer
le chef	chef, cook, chief, head	le mannequin	fashion model
le dentiste	dentist	le médecin	doctor
le docteur	doctor	le professeur	professor, teacher

ALWAYS FEMININE

la personne	person	la victime	victim

EXERCICE D

Exprimez qui est l'autre personne dans chacun des couples suivants.

EXEMPLE: la mère: **C'est le père.**

1. le comte: _____

2. la cliente: _____

3. le roi: _____

4. le paysan: _____

5. la touriste: _____

6. le neveu: _____

7. la vache: _____

8. le professeur: _____

9. le chien: _____

10. le vieux: _____

EXERCICE E

Complétez les phrases suivantes avec le nom masculin ou féminin qui convient.

1. Si Brian est le frère de Catherine, Catherine est _____ de Brian.

2. Si Nicole est l'amie de Brian, Brian est _____ de Nicole.

3. Si Mme Ryan est l'employée de M. Forin, M. Forin est _____ de Mme Ryan.

4. Si Mme Gilberti est le professeur de Catherine, Catherine est _____ de Mme Gilberti.

5. Si Mlle Williams est l'avocate des Ryan, alors Nicole Ryan est _____ de Mlle
Williams.

6. Si le docteur Blume est l'hôte, Mme Blume est l'_____ .

7. Si Delphine est la cousine de Catherine, le père de Delphine est _____ de
Catherine.

8. Si le boulanger de Bellevue est marié, sa femme est _____ de Bellevue.

EXERCICE F

Claudine cherche les mots qui correspondent aux définitions suivantes. Exprimez ce qu'elle trouve avec l'article défini qui convient.

EXEMPLE: la femme du père: **la mère**

1. l'enfant de sexe masculin: _____

2. la femme de l'oncle: _____

3. la femme qui vend dans un magasin: _____

4. le bijou qui orne le bras: _____

5. la source de lumière quand il y a une panne d'électricité *(power failure)*: _____

6. la boisson *(drink)* au citron: _____

7. on l'achète chez le pâtissier: _____

8. on la fait avec des fruits et on la met sur du pain: _____

9. elle défend l'accusé: _____

10. elle fait de la musique: _____

11. elle travaille dans un salon de coiffure: _____

12. c'est la femelle du chien: _____

13. elle dirige la cuisine dans un restaurant: _____

[4] PLURAL OF NOUNS

a. The plural of most French nouns is formed by adding *s* to the singular.

SINGULAR	PLURAL
le lit *bed*	les lits *beds*
l'oncle *(m.)* *uncle*	les oncles *uncles*
la carte *card, map*	les cartes *cards, maps*

b. Nouns ending in *-s, -x, or -z* remain unchanged in the plural.

SINGULAR	PLURAL
le repas *meal*	les repas *meals*
le prix *price, prize*	les prix *prices, prizes*
le nez *nose*	les nez *noses*

Other nouns ending in *-s:*

l'ananas *(m.)* *pineapple*	le colis *package*	le jus *juice*
l'autobus *(m.)* *bus*	le corps *body*	le mois *month*
l'avis *(m.)* *opinion*	le dos *back*	le palais *palace*
le bas *stocking*	le fils *son*	le pardessus *overcoat*
le bois *wood*	la fois *time*	le pays *country*
le bras *arm*	le héros *hero*	le tapis *carpet*

Other nouns ending in *-x:*

la croix *cross*	la voix *voice*

c. Nouns ending in *-eau* and *-eu* add *x* in the plural.

SINGULAR	PLURAL
le bateau *boat*	les bateaux *boats*
le drapeau *flag*	les drapeaux *flags*
le neveu *nephew*	les neveux *nephews*

NOTE: **There is one exception:**

le pneu *tire*	les pneus *tires*

Other nouns ending in *-eau:*

le bureau *desk*	le couteau *knife*	le morceau *piece*
le cadeau *gift, present*	l'eau *(f.)* *water*	l'oiseau *(m.)* *bird*
le chapeau *hat*	le gâteau *cake*	le rideau *curtain*
le château *castle*	le manteau *coat*	le tableau *painting, board*

Other nouns ending in *-eu:*

le cheveu* *hair*   le feu *fire*   le jeu *game*   le lieu *place*

d. Nouns ending in *-al* change *-al* to *-aux* in the plural.

SINGULAR	PLURAL
l'animal *(m.)* *animal*	les animaux *animals*
le cheval *horse*	les chevaux *horses*
le général *general*	les généraux *generals*
le journal *newspaper*	les journaux *newspapers*
l'hôpital *hospital*	les hôpitaux *hospitals*
le mal *ache, harm*	les maux *aches, harms*

---

*Since *cheveu* refers to a single hair, the plural *les cheveux* is more common.

e. Seven nouns ending in *-ou* add *x* in the plural:

le bijou *jewel*	les bijoux
le caillou *pebble*	les cailloux
le chou *cabbage*	les choux
le genou *knee*	les genoux
le hibou *owl*	les hiboux
le joujou *toy*	les joujoux
le pou *louse*	les poux

NOTE: **All other nouns in *-ou* add *s* in the plural.**

le clou *nail*	les clous
le trou *hole*	les trous

f. **Some nouns have irregular plurals.**

SINGULAR	PLURAL
le ciel *sky*	les cieux
l'œil *(m.)* *eye*	les yeux
le travail *work*	les travaux
madame *Madam, Mrs.*	mesdames
mademoiselle *Miss*	mesdemoiselles
monsieur *gentleman, Mr.*	messieurs

g. **Plurals of common compound nouns.**

SINGULAR	PLURAL
l'après-midi *(m.)* *afternoon*	les après-midi
le chef-d'œuvre *masterpiece*	les chefs-d'œuvre
la grand-mère *grandmother*	les grands-mères
le grand-père *grandfather*	les grands-pères
le gratte-ciel *skyscraper*	les gratte-ciel
le hors-d'œuvre *appetizer*	les hors-d'œuvre
le rendez-vous *appointment*	les rendez-vous
le réveille-matin *alarm clock*	les réveille-matin

h. **A few nouns are used mainly in the plural.**

les ciseaux *(m.)* *scissors*	les mathématiques *(f.)* *mathematics*
les gens *(m. or f.)* *people*	les vacances *(f.)* *vacation*
les lunettes *(f.)* *eyeglasses*	

Family names are unchanged in the plural.

les Kennedy	les Dupont

EXERCICE G

Éric va chez l'opticien parce qu'il voit double de temps en temps. Exprimez ses réponses quand le docteur lui montre des images.

EXEMPLE: **Je vois deux tapis.**

1. _____

2. _____

3. _____

4. _____

5. _____

6. _____

7. _____

8. _____

9. _____

10. _____

11. _____

12. _____

EXERCICE H

Vos parents vous envoient faire des courses. Exprimez ce qu'ils veulent.

EXEMPLE: Un clou?
Non, achète deux clous.

1. Un gâteau?

   _____

2. Un ananas?

   _____

3. Un jeu de cartes?

   _____

4. Un chou?

   _____

5. Un journal?

_____

6. Un morceau de fromage?

_____

7. Un réveille-matin?

_____

8. Un chapeau?

_____

9. Un joujou pour le bébé?

_____

MASTERY EXERCISES

EXERCICE I

Complétez ce monologue en ajoutant l'article défini s'il est nécessaire.

Je m'appelle Claudine Morpeau. Je suis étudiante à l'école Marcel Proust. C'est aujourd'hui lundi

_____ vingt-sept mai, mais je ne suis pas à _____ école. Au contraire, je reste à _____
　　1.　　　　　　　　　　　　　　　　　　　　　　　2.　　　　　　　　　　　　　　　　3.

maison. En général, _____ lundi je vais en classe. Mais aujourd'hui je me prépare à partir en
　　　　　　　　　　4.

voyage pour _____ Russie. _____ russe est mon sujet préféré. J'arrive à penser en _____
　　　　　　　　5.　　　　　　　6.　　　　　　　　　　　　　　　　　　　　　　　　　　　7.

russe et à parler _____ russe avec mon oncle qui est né dans _____ ville de Moscou. J'ai écrit
　　　　　　　　　　8.　　　　　　　　　　　　　　　　　　　　　　　9.

une composition de 500 mots intitulée:« _____ Russie du vingtième siècle» pour un concours.
　　　　　　　　　　　　　　　　　　　　　　10.

Comme j'ai écrit _____ meilleure composition, j'ai gagné _____ grand prix qui était ce
　　　　　　　　　11.　　　　　　　　　　　　　　　　　　　　12.

voyage. _____ avion part pour _____ Moscou demain à six heures. Il paraît que _____
　　　　　　13.　　　　　　　　　　　14.　　　　　　　　　　　　　　　　　　　　　　　15.

printemps est _____ saison idéale pour aller en Russie. Tous mes amis m'ont souhaité bon
　　　　　　　　16.

voyage. Comme _____ culture russe me passionne, je suis impatiente d'aller découvrir
　　　　　　　　　17.

_____ chefs-d'œuvre des musées de Moscou.
　　18.

EXERCICE J

Exprimez ce que Mme Poiret demande à ses enfants de faire.

EXEMPLE: nettoyer / bureau
Nettoyez les bureaux, s'il vous plaît.

1. fermer / rideau

   _____

2. nourrir / animal

   _____

3. préparer / hors-d'œuvre

   _____

4. ranger / joujou

   _____

5. ramasser / journal

   _____

6. ouvrir / œil

   _____

7. finir / jeu

   _____

8. cacher / bijou

   _____

9. regarder / ciel

   _____

10. faire / travail

    _____

EXERCICE K

Exprimez ce que ce garçon vous dit de ses vacances d'été.

1. In the summer I go to the camp in the mountains where my brother went.

   _____

   _____

2. The director is English. He lives in the United States with his wife and his children.

   _____

   _____

3. His wife does the cooking during the summer and teaches *(enseigner)* in the school during the winter.

    _____

    _____

4. In the morning and in the afternoon we always go swimming in the clear waters of Lake Wentworth.

    _____

    _____

5. On Tuesday afternoon we take the boats and we go fishing.

    _____

6. On Wednesday we feed the horses and then we go horseback riding.

    _____

    _____

7. On July 4 we celebrate the holiday.

    _____

8. Next week we are going to take the camp buses to go to Mount Washington.

    _____

    _____

9. I love life in the camp!

    _____

10. I prefer the summer to all the other seasons.

    _____

Chapter 16
Indefinite and Partitive Articles

The indefinite article refers to beings and things not specifically identified (*a cake, any* cake, not *the* chocolate cake on the table). The partitive article expresses an indefinite quantity or part of a whole (*some cake, a piece of* cake, *a few* cakes).

[1] FORMS

a. The indefinite singular article in French has two forms, *un* and *une,* both corresponding to English "a (an)."

ARTICLE	USED BEFORE	EXAMPLE	MEANING
un	masculine singular nouns	**un livre**	*a book*
une	feminine singular nouns	**une règle**	*a ruler*

Nicole a acheté **une** jolie robe
et **un** sac rouge.

*Nicole bought a pretty dress
and a red bag.*

EXERCICE A

Les Driscoll arrivent au nouveau centre commercial de leur ville. Exprimez ce qu'il y a à voir.

EXEMPLE: garage *(m.)*
             Il y a un garage.

1. parfumerie *(f.)* _____

2. grand magasin *(m.)* _____

3. fleuriste *(m.)* _____

4. bureau de poste *(m.)* _____

5. pharmacie *(f.)* _____

6. librairie *(f.)* _____

7. banque *(f.)* _____

8. boulangerie *(f.)* _____

9. cinéma *(m.)* _____

10. pâtisserie *(f.)* _____

11. bijouterie *(f.)* _____

12. café-restaurant *(m.)* _____

EXERCICE B

Exprimez avec l'article indéfini qui convient ce que M. Hernan met sur la table pour son petit déjeuner.

M. Hernan met sur la table _____

_____

_____

_____

b. The partitive is expressed by *de* + definite article.

NOTE: *de + le = du*

ARTICLE	USED BEFORE	EXAMPLE	MEANING
du	masculine singular nouns beginning with a consonant	**du fromage**	*some cheese*
de la	feminine singular nouns beginning with a consonant	**de la glace**	*some ice cream*
de l'	any singular noun beginning with a vowel	**de l'argent** **de l'eau**	*some money* *some water*

Il achète **de la** viande.   *He is buying some meat.*

Prête-moi **de** l'argent.   *Lend me some money.*

Elle a **du** travail à faire.   *She has some work to do.*

NOTE: **The partitive may not be omitted in French (as is *some* or *any* in English) and is repeated before each noun.**

Veux-tu **du** rosbif et **de la** purée de pommes de terre?   *Do you want roast beef and mashed potatoes?*

Non, je veux **du** bifteck et **de la** salade.   *No, I want some steak and salad.*

EXERCICE C

Robert a une faim de loup. Exprimez ce qu'il prend.

Robert prend _____

_____

_____

_____

_____

EXERCICE D

Mme Bonnard prépare son sac avant de partir. Exprimez ce qu'elle choisit de prendre.

EXEMPLE: Elle choisit du rouge à lèvres.

1. _____

2. _____

3. _____

4. _____

5. _____

6. _____

c. The plural form for both the indefinite and the partitive articles is *des. Des* expresses an unspecified amount or quantity, more than one item, and has no direct English equivalent.

ARTICLE	USED BEFORE	EXAMPLE	MEANING
des	all plural nouns, masculine or feminine	**des fruits** **des confitures** **des enfants** **des idées**	*(some) fruits* *(some) jams* *(some) children* *(some) ideas*

Les enfants ont **des** jouets.	*The children have toys.*
Donnez-moi **des** légumes.	*Give me some vegetables.*
Elle a écrit **des** poèmes.	*She wrote some poems.*
As-tu **des** projets?	*Do you have any plans?*

EXERCICE E

Exprimez ce que les personnes suivantes vont acheter.

EXEMPLE: Troy va décorer sa chambre.
Il va acheter des rideaux et des coussins.

1. Delphine va étudier l'art.

_____

2. Tu vas préparer le petit déjeuner.

_____

3. Nous allons avoir besoin de matériel scolaire pour l'école.

_____

4. Vous allez célébrer Halloween.

_____

5. Les Ricardo vont aller en Europe.

_____

6. Je vais aller à l'hôpital visiter mon ami.

_____

NOTE: When an adjective precedes a plural noun, *des* is replaced by *de* (*de* becomes *d'* before a vowel or silent *h*).

Je cherche **de** vieux disques.	*I'm looking for old records.*
Tu portes **de** jolies bagues.	*You're wearing nice rings.*
Je voudrais **d'**agréables vacances.	*I would like a pleasant vacation.*

EXERCICE F

Exprimez ce qu'on vend dans ce centre commercial.

EXEMPLE: bons chocolats
On vend **de** bons chocolats.

1. jolis vêtements

_____

2. excellentes chaussures

_____

3. beaux articles de luxe

_____

4. nouvelles cassettes

_____

5. vieux livres

_____

6. beaux verres en cristal

_____

d. In a negative sentence, all forms of the indefinite article and of the partitive become *de* without the article.

Claude a **un** frère?	*Claude has a brother?*
Il n'a pas **de** frère.	*He doesn't have a brother.*
Tu as **des** cousins?	*Do you have any cousins?*
Non, je n'ai pas **de** cousins.	*No, I don't have any cousins.*
Je n'ai pas mangé **de** glace.	*I didn't eat any ice cream.*
Il n'a jamais **de** problèmes.	*He never has any problems.*
Il n'y avait plus **d'**eau.	*There was no water left.*

EXERCICE G

Exprimez ce qu'on vend et ce qu'on ne vend pas dans ces magasins.

EXEMPLE: à la parfumerie *(glaces / parfum)*
On ne vend pas de glaces, mais on vend du parfum.

1. à la charcuterie *(saucisson / romans)*

_____

2. à la librairie *(coca / livres)*

_____

3. à la boulangerie *(bœuf / pain)*

_____

4. à la station-service *(essence / œufs)*

_____

5. au grand magasin *(vêtements / essence)*

_____

6. à la fruiterie *(bijoux / pommes)*

_____

7. à la boucherie *(viande / croissants)*

_____

8. à la pharmacie *(fleurs / aspirine)*

_____

9. à la crémerie *(lait / jouets)*

_____

10. cafétéria *(purée de pommes de terre / bijoux)*

_____

EXERCICE H

Exprimez ce que ces personnes font dans les situations suivantes. Utilisez l'article indéfini ou le partitif approprié.

EXEMPLE: Claire prend son petit déjeuner. *(manger: bol de céréales, toasts, bifteck)*
            Elle mange un bol de céréales. Elle mange des toasts. Elle ne mange pas de bifteck.

1. Maria veut faire bonne impression à une interview pour un poste. *(mettre: robe, jean, laque* (hairspray*)*

_____

_____

2. Nous allons à une soirée. *(donner: cassette, bonbons, matériel scolaire)*

_____

_____

3. Gérard fait du camping. *(emporter: sac de couchage, tente, piano)*

_____

_____

4. Vous allez dîner chez des amis. *(apporter: fleurs, stylos, vin)*

_____

_____

5. Tu as très soif. *(boire: verre d'orangeade, parfum, eau)*

_____

_____

6. Elles veulent être aventureuses. *(faire: parachutisme, planche à voile, golf)*

_____

_____

[2] OMISSION OF THE INDEFINITE ARTICLE

a. The indefinite article is omitted after *être* and *devenir* when they are followed by unmodified nouns of nationality, occupation, or profession.

Nous **sommes** espagnols.　　　　*We are Spanish.*

Sa mère **est** dentiste.　　　　*Her mother is a dentist.*

NOTE: **The article is kept if the noun is modified or if the noun follows** *c'est.*

Luc est **un** bon mécanicien.　　　　*Luc is a good mechanic.*

C'est un programmeur.　　　　*He is a computer programmer.*

b. The indefinite article is omitted after the exclamatory adjectives *quel, quelle, quels, quelles.*

Quels chocolats délicieux!　　　　*What delicious chocolates!*

c. The indefinite article is omitted before the numbers *cent* and *mille.*

Ce livre a **cent** pages.　　　　*This book has one hundred pages.*

J'ai couru **mille** mètres.　　　　*I ran a thousand meters.*

EXERCICE 1

Dites quel est le métier des personnes suivantes.

EXEMPLE:　　Mme Carter est **docteur.**

1. M. Lanval est _____ .

2. Mme Chabert _____ .

3. M. Miller _____ .

4. Mlle Klein _____ .

5. Mme Prescott _____ .

6. Mme Rollins _____ .

EXERCICE J

Le professeur explique le vocabulaire à la classe. Donnez le mot français.

EXEMPLE: **C'est un bateau.**

1. _____

2. _____

3. _____

4. _____

5. _____

6. _____

7. _____   8. _____

9. _____   10. _____

EXERCICE K

Vous voulez obtenir un passeport. Répondez aux questions que l'employé vous pose en employant les mots indiqués.

1. Quelle est votre nationalité? *(américain)*

_____

2. Quelle est votre profession? *(étudiant)*

_____

3. Combien d'argent gagnez-vous par semaine? *(cent dollars)*

_____

4. Quelle est la profession de votre père? *(avocat très connu)*

_____

5. Quelle est la profession de votre mère? *(actrice célèbre)*

_____

[3] PARTITIVE AND THE DEFINITE ARTICLE

While the partitive is used to express *some* or *part* of something, the definite article is used with nouns in a general sense.

Le thé se fait dans une théière.   *Tea is made in a teapot.* (in general)

Donnez-moi **du** thé, s'il vous plaît.   *Give me some tea, please.*

EXERCICE L

Une amie de Montréal vous rend visite et vous allez au supermarché ensemble. Exprimez ce que votre amie déclare aimer et suggérez-lui d'en acheter.

EXAMPLE: J'aime **le** poulet.
Achète **du** poulet, si tu veux.

1. _____

_____

2. _____

_____

3. _____

_____

4. _____

_____

5. _____

_____

6. _____

_____

7. _____

_____

8. _____

_____

EXERCICE M

Exprimez quelle sorte de nourriture vous préférez. Utilisez l'article défini ou le partitif.

1. Au restaurant, je choisis généralement _____.

2. Je ne choisirais jamais _____.

3. Le légume que je déteste est _____.

4. Le fruit que je préfère est _____.

5. Le dimanche, je prends _____ au petit déjeuner.

6. Un déjeuner typique comprend _____ .

7. Au dîner, ma mère sert _____ .

8. _____ est mon dessert préféré.

9. Quand je veux grossir, je prends _____ .

10. Je déteste manger _____ .

[4] ADVERBS AND NOUNS OF QUANTITY

Nouns and adverbs that express quantity or measure are followed by *de* without the article before another noun. Some common nouns of quantity are:

une boîte	*a box, a can*	un morceau	*a piece*
une bouteille	*a bottle*	une paire	*a pair*
une douzaine	*a dozen*	un paquet	*a package*
un gramme	*a gram*	un sac	*a bag*
un litre	*a liter*	une tasse	*a cup*
une livre	*a pound*	une tranche	*a slice*
un kilogramme	*a kilogram*	un verre	*a glass*

Some common adverbs of quantity are:

assez de	*enough*	peu de	*little, few*
autant de	*as much, as many*	plus de	*more*
beaucoup de	*much, many*	tant de	*so much, so many*
combien de	*how much, how many*	trop de	*too much, too many*
moins de	*less, fewer*		

Il me faut **une douzaine** d'œufs.	*I need a dozen eggs.*
Elle boit **un verre** d'eau.	*She drinks a glass of water.*
J'achèterai **une bouteille de** soda.	*I'll buy a bottle of soda.*
Il a **beaucoup de** devoirs.	*He has a lot of homework.*

NOTE:

1. Some expressions use *de* alone.

avoir besoin de	*to need*	avoir envie de	*to desire*
plein de	*full of*	libre de	*free to*

J'ai besoin d'argent.	*I need money.*
Ce bas est **plein de** trous.	*This stocking is full of holes.*

2. *La plupart* (most), *bien* (a good many, a good deal), and related expressions of quantity, such as *la plus grande partie, la majorité* (most), are followed by *de* + article.

J'aime **la plupart de** ses chansons.	*I like most of his songs.*
Bien des gens arrivent.	*Many people are arriving.*

3. *Plusieurs* (several) and *quelques* (some) are adjectives and modify the noun directly.

J'ai **plusieurs** amis.   *I have several friends.*

Restez **quelques** minutes.   *Stay a few minutes.*

EXERCICE N

Exprimez ce dont vous avez besoin pour préparer votre dîner.

Il me faut _____

_____

_____

_____

EXERCICE O

Aidez-vous des expressions données pour exprimer ce que chaque personne fait dans les situations suivantes.

assez	boîte
beaucoup	bouteille
moins	paquet
peu	sac
tant	tasse
trop	tranche

EXEMPLE: Elle a / argent, mais elle s'achète / bonbons
           Elle a peu d'argent, mais elle s'achète un sac de bonbons.

1. Mme Lawrence fait / fautes qu'elle utilise / gommes

_____

2. Joe mange / légumes, alors il achète / vitamines

_____

3. J'ai / argent, alors j'achète / biscuits de plus

_____

4. Vous avez / travail, donc vous buvez / café

_____

5. Ils ont mangé / gâteau, mais ils ont quand même pris / tarte

_____

M A S T E R Y   E X E R C I S E S

EXERCICE P

Décrivez le dîner d'hier soir chez les Harris.

1. La plupart _____ invités ont apporté des cadeaux.

2. J'ai goûté une douzaine _____ plats différents.

3. M. Harris n'a pas préparé _____ poulet, mais il a servi _____ jambon.

4. Plusieurs _____ plats ont été servis froids.

5. On a servi quelques _____ tranches de tartes.

6. J'ai mangé beaucoup _____ spécialités excellentes.

EXERCICE Q

Vous travaillez dans un grand supermarché près de Paris. Combinez les éléments avec l'article qui convient pour exprimer ce que disent les employés.

EXEMPLE: nous avons beaucoup / clients
           Nous avons **beaucoup de** clients.

1. Mme Rivera achète toujours / poulet

_____

2. bien / clients choisissent / fromages variés

_____

3. Alexandra Jonel a laissé tomber une douzaine / œufs

_____

4. il y a tant / travail à faire

_____

5. le pâtissier prépare / pain / croissants et / bons gâteaux

_____

6. la spécialité du boucher est / bœuf

_____

7. nous ne vendons que / légumes frais

_____

8. M. Richard range / eau minérale sur les rayons

_____

9. Michel préfère / fruits

_____

10. la plupart / clients font les courses le samedi

_____

EXERCICE R

La classe de français va faire un pique-nique. Racontez en français les préparatifs de cet événement.

1. Most of the students in my class are going to go on the picnic.

_____

2. A good deal of the students will prepare specialties.

_____

3. Many students will bring fresh fruits and vegetables.

_____

4. Some students are going to bring drinks.

_____

5. Anne's father knows how to prepare good lemonade.

_____

6. Christopher doesn't eat meat because he's a vegetarian.

_____

7. He eats a lot of vegetables, a little cheese and salad.

_____

8. Claire is going to bring some big, delicious pies.

_____

9. If you want to bring something, we all love chocolate cake.

_____

10. I am sure that there will be enough food at this picnic.

_____

Chapter 17
Subject Pronouns

A pronoun is a word used in place of a noun. A subject pronoun is used instead of a subject noun.

[1] FORMS

SINGULAR		PLURAL	
je (j')	*I*	**nous**	*we*
tu	*you (familiar)*	**vous**	*you* (plural / formal)
il	*he, it*	**ils**	*they* (masculine)
elle	*she, it*	**elles**	*they* (feminine)
on	*one, you, we, they, people*		

NOTE:

1. In questions with inversion, the subject pronoun follows the verb in simple tenses and the auxiliary (helping) verb in compound tenses.

Tu vas à l'école.	*You go to school.*
Vas-tu à l'école?	*Do you go to school?*
Est-il allé à l'école?	*Has he gone to school?*
N'as-tu rien dit?	*Didn't you say anything?*

    When the question is formed with *Est-ce que,* there is no inversion of the verb and pronoun.

Est-ce que **tu vas** à l'école?	*Do you go to school?*
Est-ce qu'**elle est** allée dehors?	*Has she gone out?*

    Inversion with *je* is rarely used and occurs only with a few verbs: *avoir, être, pouvoir,* and *savoir.*

Puis-je vous voir?	*May I see you?*

2. Subject pronouns are omitted in the imperative.

Regarde ce programme!	*Watch that program!*
Prenons le bus!	*Let's take the bus!*
Lisez cet article!	*Read this article!*

3. The familiar subject pronoun *tu* is used to address a friend, a relative, a child, and a pet, while the formal *vous* is used in the singular to show respect, to address older people and people one does not know well.

4. The third person pronoun *on* means "one" or "someone." It may also refer to an indefinite "you," "we," "they," or "people" in general.

On doit travailler.	*One has to (People have to / We have to) work.*
On dit qu'il va neiger.	*They say it's going to snow.*

On a trouvé mon livre.   *Someone found my book.*

In spoken French, *on* is often used in place of *nous*.

On va au cinéma ce soir. Tu viens?   *We're going to the movies tonight. Are you coming?*

EXERCICE A

Exprimez ce que ces personnes ont fait après avoir fini leurs études universitaires.

EXEMPLE: **Nous** avons travaillé dans une grande maison de commerce.

1. _____ s'est mariée avec Douglas Konsky.

2. _____ as voyagé en Europe.

3. _____ sont devenues avocates.

4. _____ sommes restés en Floride.

5. _____ ai cherché un poste de programmeuse.

6. _____ est allé en Californie.

7. _____ avez déménagé.

8. _____ se sont installés dans un joli atelier.

EXERCICE B

Complétez les phrases avec le pronom sujet approprié pour exprimer les activités de ces personnes pendant leurs vacances.

1. Julio et Raul sont frères. _____ voyagent toujours ensemble.

2. Nages-_____ bien? Moi, _____ suis maître-nageur.

3. Voulez-_____ faire de la planche à voile? _____ pouvons louer des planches là-bas.

4. Susan désire aller en ville. _____ veut acheter beaucoup de souvenirs.

5. Annie et Victoria cherchent de bons restaurants parce qu'_____ ont toujours faim.

6. Brian aime l'eau. _____ fait souvent du kayak.

7. Nous allons à la plage. _____ nageons tous les jours.

8. En général, _____ va tous camper ensemble.

9. On va danser à la disco. Venez- _____ avec nous?

10. _____ dit qu' _____ va pleuvoir. _____ rentrons.

EXERCICE C

Exprimez les règles de conduite de la famille Dupont.

EXEMPLES: ne pas frapper les autres
Ne frappez pas les autres.

écouter vos parents
Écoutez vos parents.

1. ne pas manger avec les doigts

_____

2. parler toujours avec respect

_____

3. ne rien exagérer

_____

4. être consciencieux

_____

5. ne jamais éviter les responsabilités

_____

6. arriver toujours à l'heure

_____

[2] *CE + ÊTRE*

The pronoun *ce (c')* (it, this, they, these) is used most frequently with the verb *être*. *Ce* is used to introduce someone or something and can replace *il, elle, ils,* and *elles* in the following constructions:

a. Before a modified noun.

C'est un problème.	*It's a problem.*
C'est une idée géniale.	*That's a great idea.*
C'est un bon dentiste.	*He's a good dentist.*
Ce sont de bons amis.	*They're good friends.*

BUT (unmodified)

Il est dentiste.	*He's a dentist.*

EXERCICE D

Exprimez la philosophie de Mme Chase.

EXEMPLES: la démocratie *(institution nécessaire)*
C'est une institution nécessaire.

les journaux *(instruments éducatifs)*
Ce sont des instruments éducatifs.

1. la vie *(cadeau précieux)*

_____

2. la mort *(chose inévitable)*

_____

3. l'amour *(émotion merveilleuse)*

_____

4. les politiciens *(personnes actives)*

_____

5. la tristesse et la joie *(sentiments naturels)*

_____

6. le vote et la parole *(droits importants)*

_____

b. Before a proper noun.

Qui parle?	*Who is speaking?*
C'est Paul.	*It's Paul.*
Quel fleuve traverse Paris?	*Which river crosses Paris?*
C'est la Seine.	*It's the Seine.*

EXERCICE E

Répondez aux questions que votre correspondant français vous pose en employant **c'est** *ou* **ce sont**.

1. Qui est ton (ta) meilleur(e) ami(e)?

_____

2. Quelle est la capitale de ton état?

_____

3. Qui est ton acteur préféré?

_____

4. Quels sont deux monuments importants de ta ville?

_____

5. Quels sont tes cours favoris?

_____

6. Quel film as-tu préféré récemment?

_____

    c. **Before a superlative.**

        C'est le plus intelligent de la famille.   *He's the most intelligent of the family.*
        Ce sont les moins célèbres.   *They are the least famous.*

EXERCICE F

Exprimez ce que vous lisez dans le livre Guinness des records.

EXEMPLE: Il y a une girafe qui mesure 20 pieds de haut. *(l'animal / grand)*
             C'est le plus grand animal.

1. Il y a une femme qui mesure 23 pouces. *(la personne / petite)*

_____

2. Il y a un homme qui est mort à 120 ans. *(l'être humain / vieil)*

_____

3. Il y a un éléphant qui pèse 26.328 livres. *(l'animal / lourd)*

_____

4. Il y a des pins qui ont 4.900 ans. *(les arbres / vieux)*

_____

5. Il y a une pizza qui mesure 80 pieds de diamètre. *(la pizza / grande)*

_____

    d. **In dates.**

        C'est aujourd'hui mardi.   *Today is Tuesday.*
        Demain **ce sera** le 10 août.   *Tomorrow will be August 10.*

        NOTE: *Il est* **is used to express the hour of the day.**
        Il est cinq heures.   *It's five o'clock.*

EXERCICE G

Exprimez ces dates importantes.

1. Quand est ton anniversaire?

_____

2. Quand est le prochain jour de congé?

_____

3. Quand est le dernier jour de classe?

_____

4. Quand est la fête de Noël?

_____

    e. **Before a pronoun. (See Chapter 19, Stress Pronouns.)**

Je pense que **c'est** à vous.	*I think it's yours.*
C'est celui-ci?	*Is it this one?*

    f. **Before a masculine singular adjective to refer to an idea or action previously mentioned.**

Elle est en retard. **C'est** étrange.	*She is late. That's strange.*
Il téléphone à midi. **C'est** normal.	*He calls at noon. That's normal.*

NOTE:

1. To refer to a preceding noun and not to an entire phrase, *il* and *elle* are used.

J'adore ce manteau. **Il** est si élégant.	*I love this coat. It's so elegant.*
Regardes-tu ce programme? **Il** est intéressant.	*Do you watch this program? It's interesting.*

2. *Ceci* and *cela* (*ça*) may replace *ce* for emphasis or contrast. They are also used with verbs other than *être*.

Ceci est important!	*This is important!*
Ceci est sérieux et **cela** ne l'est pas.	*This is serious and that isn't.*
Cela (**Ça**) ne se fait pas.	*That isn't done.*

EXERCICE H

Exprimez ce que M. Becker dit de ses enfants.

1. *(ce, cela)* Jennifer reçoit toujours de bonnes notes. _____ est formidable.

2. *(ce, ceci)* Paul a obtenu un bon poste. _____ me rend heureux.

3. *(ce, ça)* Candace a une bourse. _____ prouve qu'elle travaille dur.

4. *(ce, cela)* Qui est fier de ses enfants? _____ est moi.

5. *(ce, ceci)* Jennifer et Candace font tout ensemble. _____ sont de vraies amies.

6. *(ça, ce)* _____ va bien, mes enfants sont en bonne santé.

M A S T E R Y   E X E R C I S E S

EXERCICE I

Vous êtes à une boum. Complétez les remarques faites par les invités avec ce (c') *,* il(s) *ou* elle(s) *.*

1. Qui danse ensemble? _____ sont Mark et Emily. _____ sont amoureux.

2. Rosemary fête son prochain voyage. _____ va en France. Quelle est la date de son départ?

_____ est le 7 juillet.

3. Qui vient de sonner à la porte? _____ est lui. _____ s'appelle Luke.

4. Regarde ce garçon qui joue de la guitare. _____ est un chanteur. _____ est mon frère Thad.

5. _____ est le meilleur gâteau. Goûte-le. M. Morris l'a préparé. _____ est pâtissier.

6. Regardez ces cassettes. _____ sont formidables. _____ est drôlement bien, à mon avis.

EXERCICE J

Complétez l'histoire suivante en utilisant ce (c') *ou le pronom sujet approprié.*

_____ est vendredi après-midi. _____ est quatre heures. Quelqu'un sonne à la porte.
     1.   2.

Qui est-_____? _____ est peut-être mon ami Paul. _____ a promis de me rendre
            3.   4.   5.

visite. _____ cours à la porte et _____ l'ouvre. _____ n'est pas Paul. _____ est
        6.   7.   8.   9.

M. Marco. _____ est le facteur. _____ a un petit colis dans les mains. _____ dit que
          10.   11.   12.

_____ dois signer son registre. _____ est obligatoire. Finalement _____ rentre dans la
   13.   14.   15.

maison avec le paquet. De qui est-_____? _____ est de Paul, peut-être. Non, _____
                                    16.   17.   18.

doute que _____ soit lui qui m'ait envoyé cette boîte. _____ l'ouvre. _____ est une
           19.   20.   21.

boîte de chocolats suisses. _____ sont les meilleurs chocolats au monde. _____ est un cadeau
                                    22.   23.

de mon ami Jack. _____ vient de rentrer d'Europe. _____ est vraiment gentil de sa part.
                     24.   25.

EXERCICE K

Un jeune garçon parle de ses vacances. Exprimez en français ce qu'il dit.

1. What's my favorite season? It's spring.

   _____

2. I always go camping in the mountains with my friends.

   _____

3. The animals? They aren't too dangerous.

   _____

4. Tom Graywolf is our guide. He's the best guide that I know.

   _____

   _____

5. Tom's brother Jake? He's our friend too.

   _____

6. We love to go in the woods; it's a great pleasure.

   _____

7. We look at the trees and we observe the birds. It's interesting.

   _____

   _____

8. In the evening, Tom and his brother prepare dinner. They're good cooks.

   _____

   _____

9. Then we play games together and they tell stories.

   _____

10. At night, we sleep under the tent. It's pleasant.

    _____

Chapter 18
Object Pronouns

[1] DIRECT AND INDIRECT OBJECT PRONOUNS

a. Forms

DIRECT OBJECT PRONOUNS		INDIRECT OBJECT PRONOUNS	
me (m')	*me*	**me (m')**	*(to) me*
te (t')	*you* (familiar)	**te (t')**	*(to) you* (familiar)
le (l')	*him, it* (masculine)	**lui**	*(to) him*
la (l')	*her, it* (feminine)	**lui**	*(to) her*
se (s')	*himself, herself, oneself*	**se (s')**	*(to) himself, (to) herself*
nous	*us, ourselves*	**nous**	*(to) us*
vous	*you* (formal, plural), *yourself*	**vous**	*(to) you* (formal, plural)
les	*them*	**leur**	*(to) them*
se (s')	*themselves*	**se (s')**	*(to) themselves*

NOTE: The forms *me, te, se, nous,* and *vous* are both direct and indirect object pronouns. They are also reflexive pronouns (see Chapter 11).

b. Uses of object pronouns

A direct object pronoun replaces a direct object noun and answers the questions *whom?* or *what?*

Je regarde Jean.	*I look at Jean.*
Je **le** regarde.	*I look at him.*
Nous préparons la soupe.	*We prepare the soup.*
Nous **la** préparons.	*We prepare it.*
Elle voit ses amis.	*She sees her friends.*
Elle **les** voit.	*She sees them.*

An indirect object pronoun replaces an indirect object noun and answers the question *to whom?*

Il parle à ses parents.	*He speaks to his parents.*
Il **leur** parle.	*He speaks to them.*
J'écris à Melissa.	*I write to Melissa.*
Je **lui** écris.	*I write to her.*

NOTE:

1. Some verbs, such as *attendre* (to wait for), *écouter* (to listen to), *chercher* (to look for), *payer* (to pay for), and *regarder* (to look at), take a direct object in French.

Je **l'**attends.	*I'm waiting for him (her, it).*
Il **les** cherche.	*He's looking for them.*

2. Some verbs, such as *obéir à* (to obey), *désobéir à* (to disobey), *répondre à* (to answer), *ressembler à* (to resemble), and *téléphoner à* (to telephone), take an indirect object in French.

Je **leur** obéis.	*I obey them.*
Elle **lui** téléphone.	*She calls him (her).*

c. Position of object pronouns

(1) Object pronouns, direct or indirect, including reflexive pronouns, normally precede the verb.

Il **le** mange.	*He eats it.*
Lui obéissais-tu?	*Did you obey him?*
Les enfants **se** lèvent-ils?	*Are the children getting up?*
Nous **l'**avons fini.	*We finished it.*
Je ne **leur** écrirai pas.	*I won't write to them.*

NOTE: In compound tenses, past participles agree in gender and number with a preceding direct object.

Ma chambre? Je **l'**ai déjà rangé**e**.	*My room? I've already straightened it.*
Tes frères? Je ne **les** ai pas vu**s**.	*Your brothers? I didn't see them.*
Ils **se** sont rasé**s**.	*They shaved.*

BUT

Anne? Il ne lui a pas parlé.	*Anne? He didn't speak to her.*
Sa mère? Elle ne lui a pas obéi.	*Her mother? She didn't obey her.*
Elle s'est brossé les dents.	*She brushed her teeth.*

(2) When a direct or indirect object or reflexive pronoun is used with an infinitive construction, the pronoun precedes the verb of which it is the object, normally the infinitive.

Je voudrais **te** voir.	*I would like to see you.*
Vas-tu **leur** écrire?	*Are you going to write to them?*
Il ne pouvait pas **le** faire.	*He couldn't do it.*
Ne comptes-tu pas **lui** parler?	*Don't you intend to speak to him?*
Elle sait **s'**amuser.	*She knows how to have fun.*

(3) In an affirmative command only, the object pronoun follows the verb and is attached to it by a hyphen. The pronouns *me* and *te* change to *moi* and *toi* after the verb.

AFFIRMATIVE COMMAND	NEGATIVE COMMAND
Finis-**le**. *Finish it.*	Ne **le** finis pas. *Don't finish it.*
Parlez-**moi**. *Speak to me.*	Ne **me** parlez pas. *Don't speak to me.*
Habille-**toi**. *Get dressed.*	Ne **t'**habille pas. *Don't get dressed.*

(4) Object pronouns precede *voici* and *voilà.*

Les voici.	*Here they are.*
Te voilà.	*There you are.*

EXERCICE A

Vous discutez de vos habitudes avec une amie. Exprimez ses questions et vos réponses.

EXEMPLE: faire la vaisselle chaque soir
          L'AMIE: La fais-tu chaque soir?
          VOUS: Oui, je la fais chaque soir.
   OU: VOUS: Non, je ne la fais pas chaque soir.

1. finir les devoirs avant le dîner

    L'AMIE: _____

    VOUS: _____

2. tondre la pelouse le dimanche

    L'AMIE: _____

    VOUS: _____

3. promener le chien trois fois par jour

    L'AMIE: _____

    VOUS: _____

4. écouter les informations chaque jour

    L'AMIE: _____

    VOUS: _____

5. dire toujours la vérité

    L'AMIE: _____

    VOUS: _____

6. faire le lit chaque matin

    L'AMIE: _____

    VOUS: _____

EXERCICE B

Vous préparez un repas au barbecue avec un ami qui voudrait savoir ce que vous pouvez faire. Exprimez ses questions et vos réponses.

EXEMPLE: aller chercher le couteau *(oui) (non)*
          Peux-tu aller le chercher?
          Oui, je peux aller le chercher.
   OU: **Non, je ne peux pas aller le chercher.**

1. allumer le feu *(non)*

    _____

    _____

2. couper les légumes *(non)*

_____

_____

3. assaisonner *(season)* la viande *(oui)*

_____

_____

4. garnir les plats *(non)*

_____

_____

5. mettre la table *(oui)*

_____

_____

6. cuire la viande *(oui)*

_____

_____

EXERCICE C

Ces personnes sont très changeantes. Exprimez ce qu'elles font aujourd'hui et ne feront pas demain.

EXEMPLE: Brett parle à son oncle.
           Aujourd'hui, il **lui** parle.
           Demain, il ne **lui** parlera pas.

1. Stephanie obéit à sa mère.

_____

_____

2. Max téléphone à ses parents.

_____

_____

3. Joellen écrit à son grand-père.

_____

_____

4. Julio lit à sa sœur cadette.

_____

_____

5. Christopher répond à ses frères.

_____

_____

6. Julia désobéit à ses grands-parents.

_____

_____

7. Les parents parlent gentiment aux enfants.

_____

_____

EXERCICE D

Marina essaie de réconcilier ses amis avec Lucy. Exprimez ce que Marina dit à Lucy de faire et les réponses de Lucy.

EXEMPLE: écrire une note à Sharon
            Tu peux **lui** écrire une note.
            Je ne veux pas **lui** écrire de note.

1. demander pardon à Amy et à Susana

_____

_____

2. parler sincèrement à Brad

_____

_____

3. offrir un cadeau à ta copine

_____

_____

4. téléphoner à Lisa et à Diana

_____

_____

5. acheter une cassette à ton copain

_____

_____

6. expliquer à tes amies pourquoi tu étais en colère

_____

_____

EXERCICE E

Olivia et ses amies sont à une grande soirée. Elles voudraient tout goûter, mais elles ont peur de trop manger. Exprimez ce qu'elles disent.

EXEMPLE: Quels desserts délicieux! *(goûter)*
            Goûtons-les.
            Ne les goûtons pas.

1. Quelles tartes splendides! *(manger)*

_____

_____

2. Quel bon pain! *(savourer)*

_____

_____

3. Quelle bouillabaisse odorante! *(sentir)*

_____

_____

4. Quel poisson délicat! *(essayer)*

_____

_____

5. Quels fruits merveilleux! *(regarder)*

_____

_____

6. Quelle mousse fragile! *(goûter)*

_____

_____

EXERCICE F

Vous vous préparez à aller à une fête avec vos amis. Exprimez ce que vous dites.

EXEMPLE: prête cette robe / à Mariel
            Prête-lui cette robe.

1. montre la robe / à Lori et à moi

_____

2. donne des bracelets / à Carly

_____

3. prête ce pull / à moi

_____

4. offre ces colliers / à Jackie et à Roxanne

_____

5. emprunte cette veste / à Christos

_____

6. achète ces maillots / à Scott et à Jim

_____

EXERCICE G

Vous partez en colonie de vacances. Exprimez ce que votre mère vous dit.

EXEMPLE: se reposer un peu, pas tout le temps
           Repose-toi un peu, **ne te repose pas** tout le temps.

1. s'amuser à faire du sport, pas à faire des farces

_____

_____

2. se coucher de bonne heure, pas tard

_____

3. se laver tous les jours, pas une fois par semaine

_____

_____

4. se lever rapidement, pas en retard

_____

_____

5. se bronzer un peu, pas trop

_____

EXERCICE H

La chambre de votre frère est en désordre et vous l'aidez à la ranger. Répondez à ses questions.

EXEMPLE: VOTRE FRÈRE: Où est mon cahier?
           VOUS: Le voilà.

1. VOTRE FRÈRE: Où est mon portefeuille?

   VOUS: _____

2. VOTRE FRÈRE: Où sont mes nouvelles cassettes?

   VOUS: _____

3. VOTRE FRÈRE: Où est ma chaîne en or?

VOUS: _____

4. VOTRE FRÈRE: Où sont mes affiches?

VOUS: _____

5. VOTRE FRÈRE: Où est ma carte d'identité?

VOUS: _____

6. VOTRE FRÈRE: Où est mon baladeur?

VOUS: _____

EXERCICE I

*Un camarade de classe fait un sondage (**survey**) sur l'amitié. Exprimez ses questions et vos réponses.*

EXEMPLE: pardonner toujours
           Tes amis **te** pardonnent toujours?
           Oui, mes amis **me** pardonnent toujours.

1. donner des cadeaux

_____

_____

2. embrasser

_____

_____

3. prêter de l'argent

_____

_____

4. écouter avec patience

_____

_____

EXERCICE J

Une camarade de classe vous pose des questions pour un sondage sur les relations entre vos parents et leurs enfants. Exprimez ses questions et vos réponses.

EXEMPLE: parler sévèrement
           Vos parents **vous** parlent sévèrement?
           Non, nos parents ne **nous** parlent pas sévèrement.

1. critiquer fréquemment

_____

_____

2. dire des mensonges

_____

_____

3. gronder souvent

_____

_____

4. emprunter de l'argent

_____

_____

EXERCICE K

Vous venez de passer une semaine chez un ami. Répondez aux questions que vos parents vous posent en utilisant **le, la, les, lui** *ou* **leur**. *Faites attention à l'accord du participe passé, si nécessaire.*

EXEMPLES: As-tu fait la lessive?
Oui, je **l'**ai fait**e**.

As-tu parlé gentiment aux enfants?
Oui, je **leur** ai parlé gentiment.

1. As-tu écrit une lettre à tes amis?

_____

2. As-tu offert un cadeau à Mme Fisher?

_____

3. As-tu remercié les membres de la famille?

_____

4. As-tu envoyé les photos?

_____

5. As-tu répondu sincèrement aux Fisher?

_____

6. As-tu fait la vaisselle?

_____

7. As-tu aidé les enfants?

_____

8. As-tu téléphoné à Carl et à Aileen?

_____

9. As-tu rangé tes affaires?

_____

10. As-tu invité Carl chez nous?

_____

[2] PRONOUN Y

The adverbial pronoun *y* always refers to previously mentioned things or places. It generally replaces *à (au, aux)* + noun but may also replace other prepositions of position or location such as *chez, dans, en, sous,* or *sur* + noun.

Je vais au parc.	*I'm going to the park.*
J'y vais.	*I'm going there.*
Tu réponds à la note.	*You answer the note.*
Tu y réponds.	*You answer it.*
Elle travaille dans le bureau.	*She works in the office.*
Elle y travaille.	*She works there.*

NOTE:

1. The pronoun *y* most commonly means "to it / them," "in it / them," "on it / them," or "there." Sometimes the meaning of *y* is not expressed in English.

Le papier est dans le livre?	*Is the paper in the book?*
Oui, il y est.	*Yes, it is.*
Tu vas chez Eric ce soir?	*Are you going to Eric's tonight?*
Oui, j'y vais.	*Yes, I am.*

2. The pronoun *y* follows the same rules of position in the sentence as direct and indirect object pronouns.

Je voulais y rester.	*I wanted to stay there.*
Je n'y reste pas.	*I am not staying there.*
(N')y restes-tu (pas)?	*Are(n't) you staying there?*
Est-ce que tu y restes?	*Are you staying there?*
Veux-tu y aller?	*Do you want to go there?*
Je ne compte pas y habiter.	*I don't intend to live there.*

Ne veut-il pas y répondre?	*Doesn't he want to answer it?*
Est-ce qu'il ne veut pas y répondre?	*Doesn't he want to answer it?*
N'y va pas.	*Don't go there.*

3. Affirmative familiar commands (*tu* form) of *-er* verbs retain the final *s* before *y*.

Vas-y!	*Go there!*
Restes-y.	*Stay there.*
BUT	
N'y **va** pas!	*Don't go there!*

EXERCICE L

Vous téléphonez d'Europe à votre ami et il vous demande ce que vous faites pendant votre séjour. Exprimez ses questions et vos réponses.

EXEMPLE: aller à Paris *(oui) (non)*
  Y vas-tu?
  Oui, j'**y** vais.
  OU: Non, je n'**y** vais pas.

1. dormir à la belle étoile *(non)*

_____

_____

2. entrer gratuitement au Louvre *(non)*

_____

_____

3. penser à acheter des livres *(oui)*

_____

_____

4. jouer au tennis *(oui)*

_____

_____

5. courir dans les cathédrales *(non)*

_____

_____

6. voyager en Grèce *(oui)*

_____

_____

7. dîner dans les grands restaurants *(non)*

_____

_____

8. aller à un carnaval *(oui)*

_____

_____

EXERCICE M

Votre ami voudrait savoir ce que vous ferez pendant les vacances d'hiver. Répondez à ses questions selon le modèle.

EXEMPLE: Feras-tu du ski en France? *(oui) (non)*
              Oui, j'**y** ferai du ski.
    OU: Non, je n'**y** ferai pas de ski.

1. Partiras-tu à la montagne? *(oui)*

_____

2. Iras-tu dans les Alpes? *(oui)*

_____

3. Loueras-tu un chalet à Chamonix? *(non)*

_____

4. Passeras-tu toutes les vacances dans les Alpes? *(oui)*

_____

5. Logeras-tu en ville? *(non)*

_____

6. Resteras-tu chez des amis? *(oui)*

_____

7. Feras-tu attention aux risques d'avalanche? *(oui)*

_____

8. Assisteras-tu à la compétition? *(non)*

_____

9. Loueras-tu un scooter des neiges à la station de ski? *(non)*

_____

10. Rencontreras-tu des amis aux sports d'hiver? *(oui)*

_____

EXERCICE N

Vous êtes indécis(e) et vos amis ne sont d'aucune aide. Exprimez ce qu'ils vous disent de faire.

EXEMPLE: Je voudrais faire un pique-nique au parc.
Fais-y un pique-nique.
N'y fais pas de pique-nique.

1. Je voudrais aller faire une randonnée dans la forêt.

_____

_____

2. Je voudrais jouer du violon sous le balcon de mon prof de français.

_____

_____

3. Je voudrais passer la journée à la campagne.

_____

_____

4. Je voudrais lire un livre sous un arbre.

_____

_____

5. Je voudrais prendre un bain de soleil sur la terrasse.

_____

_____

6. Je voudrais organiser un dîner à la plage.

_____

_____

[3] PRONOUN *EN*

The adverbial pronoun *en* refers to previously mentioned places or things. It generally replaces *de* + noun. It usually means "some" or "any (of it, of them)" when it replaces the partitive article, and "about it / them," "from it / them," or "from there" when it replaces the preposition *de* in an expression.

Il mange de la viande.	*He eats meat.*
Il **en** mange.	*He eats some.*
Je ne prends pas de fruits.	*I don't take any fruit.*
Je n'**en** prends pas.	*I don't take any.*
Tu parles de ton travail.	*You speak about your work.*
Tu **en** parles.	*You speak about it.*

Vous sortez du théâtre.	*You leave the theater.*
Vous **en** sortez.	*You leave it.*
Elle joue de la batterie.	*She plays the drums.*
Elle **en** joue.	*She plays them.*

NOTE:

1. *En* is used when the noun to which it refers is omitted after a number, an adverb or noun of quantity, or an expression requiring *de*.

Elles ont trois livres.	*They have three books.*
Elles **en** ont **trois**.	*They have three (of them).*
Avez-vous assez de pain?	*Do you have enough bread?*
Oui, j'**en** ai **assez**.	*Yes, I have enough.*
Venez-vous de Paris?	*Do you come from Paris?*
Oui, nous **en** venons.	*Yes, we do.*

2. *En* is always expressed in French even though it has no English equivalent.

Avez-vous du sel?	*Do you have any salt?*
Oui, j'**en** ai.	*Yes, I do (have some).*

3. *En* follows the same rules of position in the sentence as other object pronouns.

Je voulais **en** emprunter.	*I wanted to borrow some.*
Tu n'**en** veux pas.	*You don't want any.*
(N')**en** prend-il (pas)?	*Does(n't) he take some (any)?*
Est-ce que tu (n')**en** achètes (pas)?	*Are(n't) you buying some (any)?*
Peut-elle **en** voir?	*Can she see some?*
Nous n'allons pas **en** goûter.	*We aren't going to taste any.*
Ne savez-vous pas **en** jouer?	*Don't you know how to play any?*
Je compte **en** préparer.	*I intend to prepare some.*

En precedes *voici* and *voilà*:

En voici cinq.	*Here are five of them.*
En voilà.	*Here are some.*

4. Affirmative familiar commands (*tu* form) of -*er* verbs retain the *s* before *en*.

Prépares-**en**!	*Prepare some!*

BUT

N'**en** prépare pas!	*Don't prepare any!*

5. There is no agreement of the past participle when the object of the verb is *en*.

J'ai acheté des vêtements.	*I bought some clothes.*
J'**en** ai acheté.	*I bought some.*

EXERCICE O

Rebecca s'intéresse beaucoup à la cuisine. Exprimez les questions qu'elle pose à tous ses amis et leurs réponses.

EXEMPLE: manger des desserts au chocolat *(oui) (non)*
En mangez-vous?
Oui, j'**en** mange.
OU: Non, je n'**en** mange pas.

1. rechercher des produits très frais *(oui)*

_____

_____

2. utiliser des boîtes de conserve *(non)*

_____

_____

3. échanger des recettes de cuisine *(oui)*

_____

_____

4. goûter des spécialités étrangères *(oui)*

_____

_____

5. préparer des sauces compliquées *(oui)*

_____

_____

6. acheter des épices exotiques *(oui)*

_____

_____

7. mettre du sel dans tout *(non)*

_____

_____

8. collectionner des livres de cuisine *(oui)*

_____

_____

9. pouvoir recommander un livre de cuisine *(oui)*

_____

_____

EXERCICE P

Exprimez ce qui est arrivé à Mme Sawyer au bureau hier.

EXEMPLE: Elle a écrit beaucoup de lettres.
Elle **en** a écrit beaucoup.

1. Elle a envoyé une douzaine de cartes postales.

_____

2. Elle a reçu cinq commandes.

_____

3. Elle a influencé plusieurs décisions.

_____

4. Elle a trouvé un problème.

_____

5. Elle a eu tant de coups de téléphone!

_____

6. Elle a fait peu de fautes.

_____

EXERCICE Q

Vous êtes invité(e) à dîner chez les Drake. Répondez aux questions qu'on vous pose en utilisant **en.**

EXEMPLES: As-tu pris de la soupe? *(oui) (non)*
Oui, j'**en** ai pris.
OU: Non, je n'**en** ai pas pris.

Veux-tu manger de la viande? *(oui) (non)*
Oui, je veux **en** manger.
OU: Non, je ne veux pas **en** manger.

1. A-t-on servi assez de salade? *(oui)*

_____

2. Veux-tu goûter du pain aux raisins? *(oui)*

_____

3. Aimerais-tu des légumes verts? *(non)*

_____

4. As-tu essayé des hors-d'œuvre? *(oui)*

_____

5. Prendras-tu un peu de purée? *(oui)*

_____

6. Vas-tu mettre du poivre dans la soupe? *(non)*

_____

7. As-tu choisi de l'agneau? *(non)*

_____

8. Bois-tu du vin? *(non)*

_____

9. Mangeras-tu une crêpe? *(oui)*

_____

10. Aimes-tu beaucoup de desserts? *(oui)*

_____

EXERCICE R

Il fait mauvais temps aujourd'hui. Que suggérez-vous à votre ami de faire pour moins s'ennuyer?

EXEMPLE: Écrire des histoires drôles? *(oui) (non)*
            Écris-en.
    OU: **N'en écris pas.**

1. Acheter des vêtements? *(non)*

_____

2. Jouer de la guitare? *(oui)*

_____

3. Voir un film? *(oui)*

_____

4. Faire du bowling? *(non)*

_____

5. Discuter de politique? *(non)*

_____

6. Préparer des gâteaux? *(oui)*

_____

7. Regarder un bon film à la télévision? *(oui)*

_____

[4] DOUBLE OBJECT PRONOUNS

a. Order of pronouns before the verb

me					
te	le (l')				
se	la (l')	lui	y	en + verb	
nous	les	leur			
vous					
se					

Tu **me** l'achètes?	*Are you buying it for me?*
Tu ne **me** l'achètes pas?	*Aren't you buying it for me?*
Il va **le lui** donner.	*He's going to give it to him (her).*
Est-ce qu'il va **le lui** donner?	*Is he going to give it to him (her)?*
Leur en as-tu emprunté un?	*Did you borrow one from them?*
Vous **les y** avez vus.	*You saw them there.*
Les y avez-vous vus?	*Did you see them there?*
Il **y en** a beaucoup.	*There are a lot (of them).*
Je ne **te** l'ai pas montré.	*I didn't show it to you.*

The following are the most frequent combinations:

me le, me la, me les

te le, te la, te les

nous le, nous la, nous les

vous le, vous la, vous les

BUT

le lui, la lui, les lui

le leur, la leur, les leur

EXERCICE S

Utilisez trois pronoms dans chaque phrase et faites les accords nécessaires pour exprimer comment les personnes suivantes rendent service.

EXEMPLES: Le cuisinier nous prépare les repas.
Il nous les prépare.

Le mécanicien va réparer la voiture dans le garage.
Il va **l'y** réparer.

1. Le joueur de base-ball s'est entraîné au stade.

_____

2. Le programmeur veut montrer les ordinateurs à son ami.

_____

3. Le boucher va nous couper de la viande.

_____

4. Le pâtissier vous préparera deux gâteaux.

_____

5. Le chef m'a fait du ragoût.

_____

6. Le coiffeur a coupé les cheveux aux garçons.

_____

7. Le commerçant dit le prix au client.

_____

8. L'écrivain lira son poème à sa fille.

_____

9. Le tailleur *(tailor)* répare les vêtements dans son magasin.

_____

10. Le fermier veut vendre ses produits au public.

_____

11. L'infirmière a donné des pilules au malade.

_____

12. Le juge expliquera le cas aux avocats.

_____

b. Order of pronouns after the verb

verb +	-le -la -les	-moi -toi -lui -nous -vous -leur	-y	-en

Prête-**la-moi.**   *Lend it to me.*
Rends-**le-nous.**   *Give it back to us.*
Envoyons-**les-lui.**   *Let's send them to him (her).*

NOTE: *Moi + en* and *toi + en* become *m'en* and *t'en*.
Donnez-**m'en** assez.   *Give me enough (of them).*
Va-**t'en.**   *Go away.*

EXERCICE T

Vous commencez vos cours à l'université et vous demandez des conseils à vos camarades. Exprimez comment ils répondent.

EXEMPLE: Je lis mon poème au prof d'anglais? *(oui) (non)*
              Oui, lis-**le-lui.**
    OU: Non, ne **le lui** lis pas.

1. Je montre mes dessins au prof d'art? *(oui)*

_____

2. Je m'achète deux classeurs? *(oui)*

_____

3. J'explique mes problèmes à mon conseiller? *(non)*

_____

4. Je m'occupe de ces projets? *(non)*

_____

5. Je parle de mes idées aux étudiants? *(non)*

_____

MASTERY EXERCISES

EXERCICE U

Répondez aux questions qu'une amie vous pose en employant deux pronoms.

1. Te souviens-tu de la date de l'anniversaire de tes amis?

_____

2. Vas-tu envoyer une carte à ton correspondant français?

_____

3. T'amuses-tu aux concerts de rock?

_____

4. T'es-tu acheté de nouveaux vêtements?

_____

5. T'inquiètes-tu de tes notes?

_____

6. Prêterais-tu de l'argent à tes amis?

_____

7. Parles–tu de ton amie Jennifer à tes parents?

_____

8. Vas–tu envoyer une carte de Noël à ton prof de français?

_____

EXERCICE V

Pour chaque situation ci-dessous, exprimez une question et votre opinion en utilisant deux pronoms dans chaque phrase.

EXEMPLE: mettre son argent sous le matelas
                Doit-on **l'y** mettre?
                On ne doit pas **l'y** mettre.

1. offrir des cadeaux à ses professeurs

_____

_____

2. servir du vin aux étudiants

_____

_____

3. prêter ses vêtements à un ami

_____

_____

4. emprunter de l'argent à ses parents

_____

_____

5. rencontrer ses amis à une boum

_____

_____

EXERCICE W

Un ami vient d'acheter une nouvelle voiture. Exprimez en français ce que vous lui dites.

1. You bought a new car? Show it to me.

_____

2. You're going downtown? Can you drive me there?

_____

3. You need gas. Buy some at the service station.

_____

4. The car? Don't leave it there. Someone could steal *(voler)* it.

_____

_____

5. It's a good car. I like it. I wish you good luck.

_____

_____

6. Your old car? Can I buy it?

_____

7. Will you give it to me tomorrow?

_____

8. The money? I can borrow some from my parents.

_____

9. I promise to give it back to them soon.

_____

10. The money that I owe you? Don't worry! I will give it to you tomorrow.

_____

_____

Chapter 19
Stress Pronouns

[1] FORMS

SINGULAR			PLURAL		
(je)	moi	*I, me*	(nous)	nous	*we, us*
(tu)	toi	*you (familiar)*	(vous)	vous	*you (plural, formal)*
(il)	lui	*he, him*	(ils)	eux	*they, them*
(elle)	elle	*she, her*	(elles)	elles	*they, them*
(on)	soi	*oneself*			

[2] USES OF STRESS PRONOUNS

A stress pronoun can be used to replace a noun used as subject or object of a verb, or as object of a preposition, or to emphasize a noun, a pronoun subject or object.

a. Stress pronouns are used in a compound subject or object.

Simon et **lui** parlent beaucoup.	*He and Simon speak a lot.*
Je vous aime bien, **toi** et **elle**.	*I do like you, you and her.*

NOTE: If one of the stress pronouns is *moi,* the pronoun *nous* is used to summarize the compound (the verb is put in the first person plural whether or not *nous* is expressed). If *toi* is one of the stress pronouns, *vous* summarizes the compound.

Anne et moi **(, nous)** sommes tristes.	*Anne and I are sad.*
Guy et toi **(, vous)** êtes à l'heure.	*Guy and you are on time.*

EXERCICE A

Exprimez ce que les élèves ont fait pour aider Mme Bernard à préparer la fête internationale à l'école.

acheter des boissons	envoyer les invitations
acheter les provisions	mettre le couvert
apprendre une danse folklorique	organiser le buffet
choisir les cassettes	préparer des spécialités françaises
décorer la salle	

EXEMPLES: Charlie et **vous,** vous avez acheté les provisions.
Jeanne et **lui** ont choisi les cassettes.

1. Josh et moi _____ .

2. Courtney et nous _____ .

3. Kevin et eux _____ .

4. Peter et elle _____ .

271

5. Dennis et toi _____ .

6. Elle et moi _____ .

7. Alison et lui _____ .

> **b.** Stress pronouns are used when a personal pronoun is not followed by a verb.
>
> | | |
> |---|---|
> | Qui est là? | *Who's there?* |
> | **Nous.** | *We (are.)* |
> | Je pars. | *I'm leaving.* |
> | **Eux** aussi. | *They are too.* |
> | Il est plus malin que moi. | *He is more clever than I am.* |
> | Elle n'aime que **lui.** | *She loves only him.* |

EXERCICE B

On a choisi les nouveaux membres de l'équipe de football. Vos amis vous demandent qui a été choisi. Exprimez vos réponses.

EXEMPLE: Mon frère et moi?
            Oui, **vous** aussi.

1. Eric?

_____

2. Andrew et Gerry?

_____

3. Toi?

_____

4. Michael et moi?

_____

5. Frank et toi?

_____

6. Moi?

_____

EXERCICE C

M. Blin, le professeur de français, regarde ses élèves pendant un contrôle. Exprimez ses pensées en ajoutant le pronom accentué qui convient.

1. Aaron parle beaucoup. Il est plus bavard que *(Paul)* _____ .

2. Celia et Andrea sont sœurs, mais Celia travaille mieux que / qu' *(Andrea)* _____ .

3. Michael est un garçon sérieux, plus sérieux que / qu' *(Gary et Robert)* _____ .

4. Son père est professeur. Comme *(M. Blin)* _____ .

5. Chers élèves! Vous êtes quelquefois difficiles, mais personne ne me donne autant de plaisir que

(les élèves) _____ .

---

c. **Stress pronouns are used for emphasis of a noun or another pronoun.**

Moi, je vais faire une randonnée.	*I'm going to go on a hike.*
Le garçon, lui, est très malin.	*The boy is very clever.*
Je les aime bien, **eux.**	*I do like them.*

EXERCICE D

Exprimez ce que chaque personne aime faire le week-end.

EXEMPLE: tu / aller au cinéma
Toi, tu aimes aller au cinéma.

1. il / regarder la télé

_____

2. elles / faire des achats

_____

3. nous / sortir avec des copains

_____

4. je / jouer avec l'ordinateur

_____

5. ils / jouer au rugby

_____

6. vous / conduire votre voiture

_____

7. tu / faire du patin en ligne *(in-line skating)*

_____

---

d. **Stress pronouns are used after *ce + être*.**

Qui est-ce?	*Who is it?*
C'est **moi.**	*It's me.*
C'est **toi** qui as gagné.	*You won. (It is you who won.)*
Ce sont **eux** qui viennent.	*It is they who are coming.*

NOTE:

1. When *ce* + *être* is followed by *moi, toi, nous,* or *vous,* the third person singular is always used for the verb *être.*

Qui a mangé la tarte?	*Who ate the pie?*
C'est nous!	*It's us!*

2. Before the stress pronouns *eux* and *elles,* the verb *être* may be either in the singular (*c'est eux*) or in the plural (*ce sont elles*), although the singular is more commonly used.

EXERCICE E

Vous venez de déménager et vous êtes maintenant dans votre nouvelle maison. Vos parents demandent comment partager le travail. Exprimez qui va faire les choses suivantes.

EXEMPLE: Qui va nettoyer la cuisine? *(John)*
             C'est lui.

1. Qui va ouvrir les boîtes? *(tu)*

   _____

2. Qui va acheter des provisions en ville? *(Sam et vous)*

   _____

3. Qui va monter ces colis? *(Alan et papa)*

   _____

4. Qui va ranger le salon? *(Bruce)*

   _____

5. Qui va nettoyer les salles de bains? *(je)*

   _____

6. Qui va vider la voiture? *(Marissa)*

   _____

7. Qui va aider papa? *(les filles)*

   _____

8. Qui va préparer quelque chose à manger? *(Tonya et moi)*

   _____

   e. Stress pronouns are used after a preposition* when referring to people.

Il part **sans moi.**	*He is leaving without me.*
Je suis allé **chez eux.**	*I went to their house.*

---

* For a list of common prepositions, see the Appendix, page 578.

NOTE:

1. In place of the preposition *à* + pronoun, the indirect object pronoun is usually used.

   donner quelque chose à quelqu'un   *to give something to someone*
   Nicole **me** donne un livre.   *Nicole gives me a book.*

2. Stress pronouns are used after reflexive verbs and some verbal expressions taking the preposition *à,* such as:

   se confier à   *to confide in*   être à   *to belong to*
   se fier à   *to trust*   penser à   *to think about*
   s'intéresser à   *to be interested in*   songer à   *to think of*

   Ce disque **est à moi.**   *This record belongs to me.*
   Elle **songe à lui.**   *She thinks about him.*

EXERCICE F

Répondez aux questions que votre mère vous pose.

EXEMPLE: Vas-tu tondre la pelouse avec Matt? *(oui) (non)*
           Oui, je vais tondre la pelouse **avec lui.**
     OU: Non, je ne vais pas tondre la pelouse **avec lui.**

1. Vas-tu aller en ville avec papa et moi? *(oui)*

   _____

2. Est-ce que tu t'es fâché(e) avec Paul? *(oui)*

   _____

3. Vas-tu faire du baby-sitting samedi soir pour les Kashian? *(non)*

   _____

4. Peux-tu faire les courses sans moi? *(oui)*

   _____

5. Vas-tu aller chez Michelle et Lisa cet après-midi? *(non)*

   _____

6. Est-ce que tu te moques de tes parents? *(non)*

   _____

7. Est-ce que je peux aller à la pharmacie avec toi? *(oui)*

   _____

8. Vas-tu partir avant Jessica? *(oui)*

   _____

EXERCICE G

Répondez aux questions indiscrètes qu'un ami vous pose.

EXEMPLE: À qui penses-tu souvent? *(Megan)*
Je pense souvent **à elle.**

1. À qui est ton cœur? *(Toby)*

_____

2. À qui penses-tu tout le temps? *(Jon et Larry)*

_____

3. À qui songes-tu? *(tu)*

_____

4. À qui t'intéresses-tu? *(Clay et toi)*

_____

5. À qui te fies-tu? *(mes parents)*

_____

MASTERY EXERCISES

EXERCICE H

Complétez cette histoire avec les pronoms qui conviennent.

Shaquille et Paul sont mes deux meilleurs amis. Je pense à _____ tout le temps. Shaquille n'est
                                                              1.

pas très sportif. Paul, _____, aime faire du foot et du basket. Nous sortons souvent tous les trois
                        2.

ensemble. Je vais avec _____ à tous les matchs de l'école. Après, Shaquille et _____,
                        3.   *4.*

nous félicitons Paul. Parce que, _____, il gagne tout le temps. Nous avons aussi des amies et,
                                  5.

naturellement, nous nous intéressons beaucoup à _____. Amber est la fille de mes rêves.
                                                  6.

Je songe à _____ tout le temps. Et _____, est-ce que tu as de bons amis aussi?
            7.   *8.*

EXERCICE I

Répondez aux questions ci-dessous en employant un pronom accentué.

1. Habitez-vous loin de chez votre meilleur(e) ami(e)?

   _____

2. Vous entendez-vous bien avec vos parents?

   _____

3. Allez-vous en vacances avec vos ami(e)s?

   _____

4. Vous, est-ce que vous aimez aller au cinéma?

   _____

5. Vos amis et vous, est-ce que vous allez à des boums le samedi ou le dimanche?

   _____

6. Qui d'entre vous est un(e) très bon(ne) élève?

   _____

EXERCICE J

Cody raconte une excursion en forêt. Exprimez en français ce qu'il dit.

1. Peter, Catherine, and Makiko go to school with me.

   _____

2. We three, we sometimes go for a walk in the woods.

   _____

3. Justin, Catherine's brother, comes with us.

   _____

4. We're happy to go there with him.

   _____

5. Justin is older and taller than I.

   _____

6. But I'm a better cook than he.

   _____

7. So it's I who cook dinner when we camp.

_____

8. My friends and I, we never go camping without him.

_____

9. We confide in him a lot.

_____

10. Who doesn't like to go with us? My brother Bruce. He thinks only about computers. He is interested only in them!

_____

_____

Chapter 20
Relative Pronouns

A relative pronoun introduces a clause that refers to someone or something mentioned in the main clause. The person or thing the pronoun refers to is called the antecedent. A relative pronoun may serve as subject, direct object, or object of a preposition. The most common relative pronouns are *qui* and *que*.

[1] QUI

Qui (who, which, that) serves as the subject of the verb in the relative clause that it introduces. It is used for both persons and things.

Où est le garçon qui joue si bien de la guitare?
    [antecedent] [subject] [verb]

Where is the boy who plays the guitar so well?

Voilà un film vidéo qui n'est pas triste.
      [antecedent] [subject] [verb]

Here is a video that isn't sad.

NOTE: The verb of a relative clause introduced by *qui* agrees with its antecedent.

C'est elle qui a fait la tarte.
[antecedent] [subject] [verb]

She is the one who made the pie.

C'est vous qui êtes arrivés tôt.
[antecedent] [subject] [verb]

You are the ones who arrived early.

EXERCICE A

Vous êtes à un pique-nique. Décrivez ce qui se passe.

EXEMPLE: J'observe des filles. Elles servent du poulet.
             J'observe des filles **qui** servent du poulet.

1. Il y a deux garçons. Ils jouent au Frisbee.

_____

2. Je vois un enfant. Il cherche ses parents.

_____

3. Une femme ramasse des fourchettes. Elles sont tombées.

_____

4. Regarde cette femme. Elle allume le barbecue.

_____

5. Nous mangeons des hamburgers. Ils sont délicieux.

_____

6. David parle à une fille. Elle est très intelligente.

_____

7. Voilà un marchand. Il vend des glaces.

_____

8. J'ai peur des abeilles _(bees)_. Elles veulent nous piquer.

_____

EXERCICE B

Votre professeur a été absent et les élèves ne se sont pas bien conduits. Exprimez ce que chacun admet avoir fait. Employez **c'est** _et le pronom accentué qui convient._

EXEMPLE: tu / lancer des avions en papier
            C'est toi qui as lancé des avions en papier.

1. je / faire des dessins sur le tableau

_____

2. il / faire l'école buissonnière _(to play hooky)_

_____

3. elles / se maquiller en classe

_____

4. nous / jeter des papiers partout

_____

5. ils / crier si fort

_____

6. elle / sortir sans permission

_____

7. tu / s'endormir en classe

_____

8. vous / désobéir au remplaçant

_____

[2] _QUE_

Que (whom, which, that) serves as the direct object of the verb in a relative clause and is usually followed by a subject noun or pronoun. It is used for both persons and things.

C'est le disque que nous voulons.   _It's the record (that) we want._
    [antecedent] [object] [subject] [verb]

Voici la robe qu'Anne va porter.	*Here is the dress Anne is going to wear.*
[antecedent] [object] [subject] [verb]	

NOTE:

1. **The relative pronoun is always expressed in French although is it frequently omitted in English.**

C'est la classe **que** je préfère.	*That's the class (that) I prefer.*

2. *Que* becomes *qu'* **before a vowel.**

Je veux essayer le plat **qu'**il recommande.	*I want to try the dish (that) he recommends.*

3. **Since** *que* **functions as a direct object and precedes the verb, the past participle of a compound verb agrees with the antecedent of** *que.*

Voici les chansons qu'elle a écrites.	*Here are the songs she wrote.*
[direct object] [p. participle]	

EXERCICE C

Exprimez vos opinions en combinant les éléments ci-dessous.

les enfants	acheter rarement
les étudiants	aimer sentir
les filles	attendre avec impatience
les touristes	choisir fréquemment
je	préférer
nous	prendre souvent
on	respecter
tu	trouver amusant
vous	trouver important
tout le monde	visiter

EXEMPLE: La médecine est une profession **que tout le monde respecte.**

1. Le football est un sport _____.

2. Une Rolls Royce est une voiture _____.

3. La France est un pays _____.

4. La glace est un dessert _____.

5. Les maths sont une matière _____.

6. L'avion est un moyen de transport _____.

7. L'été est la saison _____.

8. La rose est une fleur _____.

9. Noël est une fête _____.

EXERCICE D

Tout le monde se vante de ses succès. Exprimez ce que chacun dit.

EXEMPLE: examens / je / passer
Ce sont les examens que j'ai passés.

1. voiture / elle / réparer

   _____

2. plats / nous / préparer

   _____

3. cartes de base-ball / il / collectionner

   _____

4. cassettes / tu / enregistrer

   _____

5. le prix / ils / gagner

   _____

6. poèmes / je / écrire

   _____

7. boutique / vous / ouvrir

   _____

8. maison de poupées / elles / bâtir

   _____

EXERCICE E

*Vous travaillez à McDonald's à Paris. Complétez les phrases de vos collègues en utilisant **qui** ou **que**.*

1. Où sont les frites _____ tu as préparées?

2. Répondez au téléphone _____ sonne.

3. Où est le couteau _____ j'utilisais?

4. M. Norman est un patron _____ nous admirons.

5. Où est le client _____ m'appelait?

6. Regarde ce garçon _____ mange deux portions de frites.

7. Je vous donne une salade _____ est vraiment délicieuse.

8. Voici la fourchette _____ tu demandais.

9. Écoutez ce monsieur _____ vous parle.

10. Je vous donne les hamburgers _____ vous servirez à la table près de la fenêtre.

[3] *QUI* AND *LEQUEL* AS OBJECTS OF A PREPOSITION

a. *Qui* may also serve as the object of a preposition in a relative clause referring to persons.

Paul est le garçon **avec qui** je sors.	*Paul is the boy with whom I go out.*
La femme **chez qui** je travaille est très gentille.	*The woman at whose home I work is very nice.*

EXERCICE F

Vous assistez à la fête de fin d'année au bureau avec votre ami. Vous lui donnez les renseignements suivants.

EXEMPLE: J'apporte le courrier à cet homme.
            Voici l'homme **à qui** j'apporte le courrier.

1. Je travaille pour ce vice-président.

_____

2. Je déjeune avec ces filles.

_____

3. Je peux compter sur cette secrétaire.

_____

4. Je me fâche toujours contre cette dame.

_____

5. Je parle quelquefois de cet homme.

_____

6. Je vais souvent chez cette fille.

_____

b. *Lequel* (which) and its forms may serve as objects of a preposition in a relative clause referring primarily to things. *Lequel* agrees in gender and number with its antecedent.

	SINGULAR	PLURAL
MASCULINE	lequel	lesquels
FEMININE	laquelle	lesquelles

Voici le journal **dans lequel** j'écris mes pensées intimes.	*Here is the journal in which I write my personal thoughts.*
C'est la porte **par laquelle** nous sommes entrés.	*That's the door through which we entered.*

NOTE:

1. Although *qui* is generally preferred for people, *lequel* and its forms may also be used. With the prepositions *entre* (between) and *parmi* (among), a form of *lequel* is always used when referring to people.

C'est la fille **de qui** je parlais. ⎫
C'est la fille **de laquelle** je parlais. ⎬   *That's the girl about whom I was speaking.*

Voici les filles **parmi lesquelles** elle se cachait.   *Here are the girls among whom she was hiding.*

Ce sont les enfants **entre lesquels** on partagera les bonbons.   *These are the children between whom we will share the candy.*

2. After the prepositions *à* and *de*, *lequel* and its forms contract as follows.

SINGULAR		PLURAL	
MASCULINE	FEMININE	MASCULINE	FEMININE
auquel **duquel**	**à laquelle** **de laquelle**	**auxquels** **desquels**	**auxquelles** **desquelles**

EXERCICE G

Vous regardez des photos dans votre album avec une amie. Décrivez ce que vous voyez.

EXEMPLE: J'ai fait du foot dans ce parc.
Voilà le parc **dans lequel** j'ai fait du foot.

1. Je suis allé(e) à ce lycée.

_____

2. Je suis tombé(e) de ce mur.

_____

3. J'ai travaillé dans cette boutique.

_____

4. J'ai joué devant ce monument.

_____

5. J'ai écrit des contes pour ces enfants.

_____

6. J'ai manifesté contre cette usine.

_____

7. J'ai campé dans ces bois.

_____

[4] *CE QUI, CE QUE*

RELATIVE PRONOUN	MEANING	USE
ce qui	*what (= that which)*	subject of verb
ce que (ce qu')	*what (= that which)*	object of verb

Ce qui and *ce que* are used as relative pronouns when there is no specific noun or pronoun antecedent. They refer to things or ideas.

Je déteste **ce qui** est violent.	*I hate what's violent.*
J'adore **ce que** tu as lu.	*I love what you read.*

EXERCICE H

Dites quels sont vos goûts.

EXEMPLE: amusant
              J'aime **ce qui** est amusant.
    OU: Je n'aime pas **ce qui** est amusant.

1. difficile

_____

2. facile

_____

3. dangereux

_____

4. excitant

_____

5. traditionnel

_____

6. élégant

_____

EXERCICE I

Exprimez ce qui vous plaît, selon l'exemple.

EXEMPLE: lire
              Ce que j'aime lire, c'est le journal.

1. manger

_____

2. faire

_____

3. regarder

_____

4. acheter

_____

5. écouter

_____

M A S T E R Y   E X E R C I S E S

EXERCICE J

Exprimez vos opinions en combinant les phrases avec **qui** *ou* **que**.

EXEMPLES: Le français est une langue. Je parle bien cette langue.
Le français est une langue **que** je parle bien.

Les lions sont des animaux. Ils sont féroces.
Les lions sont des animaux **qui** sont féroces.

1. La Vénus de Milo est une sculpture. Elle est très renommée.

_____

2. L'histoire est une matière. Nous devons étudier l'histoire avec soin.

_____

_____

3. L'Afrique est un continent. Je voudrais voir ce continent.

_____

4. Les présidents sont des hommes. Ils jouent un rôle important dans le monde.

_____

_____

5. Le parachutisme est un sport. Il est assez dangereux.

_____

6. Le japonais est une langue. Il vaut la peine d'étudier cette langue.

_____

_____

7. La bouillabaisse et la quiche sont des spécialités françaises. Elles sont délicieuses.

_____

_____

8. Les savants sont des hommes. On doit respecter ces hommes.

_____

9. La pollution est un problème. Il faut éliminer ce problème.

_____

10. L'économie est une question. Elle préoccupe tout le monde.

_____

EXERCICE K

Richard parle de son équipe de football. Combinez ses pensées en une seule phrase.

EXEMPLE: M. Dupont est un entraîneur. Je parle avec cet entraîneur tous les jours.
M. Dupont est un entraîneur **avec qui** je parle tous les jours.

1. Voici le stade. Nous allons à ce stade tous les jours.

_____

2. Je vous présente le héros. Nous pensons à ce héros tout le temps.

_____

3. Regarde cette équipe. Nous jouons rarement contre cette équipe.

_____

4. Je parle souvent de cet arbitre. J'ai beaucoup d'admiration pour lui.

_____

5. Observe les résultats. Nous parlons toujours de ces résultats.

_____

6. Voilà les parcs. Nous nous entraînons dans ces parcs.

_____

7. Je garde ce ballon. Je joue uniquement avec ce ballon.

_____

8. Viens sur le terrain. Nous courons à travers ce terrain.

_____

9. Voici un excellent joueur. Je ne voudrais pas jouer contre lui.

_____

10. Tu te rappelles le match fantastique. Je parle souvent de ce match.

_____

EXERCICE L

Exprimez votre opinion sur les sujets suivants en formant une proposition relative.

1. Paris est une ville qui _____.

2. C'est une ville que _____.

3. L'hiver est une saison qui _____.

4. C'est une saison que _____.

5. La physique est un sujet qui _____.

6. C'est un sujet que _____.

EXERCICE M

Terri parle de son père. Exprimez ses pensées en français.

1. This is the house that my father built.

_____

2. He's a man who loves his family.

_____

3. I'm someone for whom he has made many sacrifices.

_____

4. I often visit the office in which he works.

_____

5. I attended the party at which he announced his promotion.

_____

6. I saw the computer with which he works.

_____

7. He's a man whom I always obey.

_____

8. He talks about the president for whom he has worked.

_____

9. He has many memories from his youth about which he talks a lot.

_____

_____

10. I love this man whom I resemble.

_____

Chapter 21
Prepositions

Prepositions relate two elements of a sentence: noun to noun, verb to verb, or verb to noun or pronoun.

la couleur **du** ciel	*the color of the sky*
Il a décidé **de** venir **chez** moi.	*He decided to come to my house.*
Il va **au** parc.	*He is going to the park.*
Je travaille **avec** lui.	*I work with him.*

[1] PREPOSITIONAL MODIFIERS

A preposition + noun modifying another noun is equivalent to an adjective.

l'huile **d'olive** *olive oil*	une montre **en or** *a gold watch*
une voiture **de sport** *a sports car*	une brosse **à dents** *a toothbrush*

a. Nouns describing the source, nature, or content of an object are usually introduced by the preposition *de*. The preposition *en* is also used sometimes.

une chemise **de** soie *a silk shirt*	une bouteille **de** lait *a bottle of milk*
un manteau **de** fourrure *a fur coat*	un maillot **de** bain *a bathing suit*
du fromage **de** chèvre *goat cheese*	un marchand **de** fruits *a fruit vendor*
un bracelet **en** or *a gold bracelet*	une maison **de** bois *a wooden house*

NOTE: When referring to something made of gold, the French prefer to use the expression *en or* to the expression *d'or.*

b. Generally *à* + noun is used to express use, function, or a characteristic of an object or a person.

une boîte **aux** lettres *a mailbox*	un bateau à voiles *a sailboat*
une tasse à café *a teacup*	une cuillère à café *a teaspoon*
une robe à volants *a dress with ruffles*	la fille **aux** cheveux blonds *the girl with blond hair*

c. The preposition *à* + verb may be used to describe the purpose of an object.

une machine à écrire *a typewriter*	une crème à bronzer *a tanning cream*

d. The preposition *de* + noun is used to express possession or relationship.

C'est la voiture **de** Justin.	*It is Justin's car.*
Jacqueline est la sœur **de** Marlie.	*Jacqueline is Marlie's sister.*

NOTE:

1. The preposition *à* contracts with *le* and *les* to express "to the" or "at the." There is no contraction with *la* and *l'*.

J'aime le théâtre, alors je vais **au** théâtre.	*I love theater, so I go to the theater.*

Je vois les hommes. Je vais parler **aux** hommes.	*I see the men. I am going to speak to the men.*
Il adore la fille. Il donne des cadeaux **à la** fille.	*He loves the girl. He gives presents to the girl.*

2. The preposition *de* contracts with *le* and *les* to express "of" or "from." There is no contraction with *la* and *l'*.

Regarde le musée. Nous parlons **du** musée.	*Look at the museum. We're talking about the museum.*
C'est le jouet **de l'**enfant.	*It's the child's toy.*
Où sont les livres **des** étudiants?	*Where are the students' books?*
Voici le manteau **de la** fille.	*Here is the girl's coat.*

EXERCICE A

Exprimez ce que Louise rêve d'acheter.

EXEMPLE: **Une montre en or.**

1. _____

2. _____

3. _____

4. _____

5. _____

6. _____

7. _____

8. _____

EXERCICE B

Exprimez à qui sont les objets suivants.

EXEMPLE: le cartable / garçon
            C'est le cartable **du** garçon.

1. le stéthoscope / docteur

_____

2. le dessin / artiste

_____

3. l'ordinateur / programmeuse

_____

4. la chanson / musiciens

_____

5. le carnet / agent de police

_____

6. le fauteuil / dentiste

_____

7. le livre / professeur

_____

8. le plateau / serveuse

_____

[2]   INDIRECT OBJECT OF A VERB

Verbs constructed with an indirect object require the use of a preposition before the object. The preposition cannot be omitted in French, though it often is in English.

aller à *to go to*	donner à *to give*
appartenir à *to belong to*	parler de *to speak of*
couvrir de *to cover with*	penser à *to think of*
demander à *to ask*	répondre à *to answer*
Réponds **à** ma question!	*Answer my question!*
Elle pense **à** son examen.	*She thinks of her exam.*

EXERCICE C

Exprimez où vont ces personnes.

EXEMPLE: M. Caron **va à la bibliothèque.**

1. Elles _____ .

2. Il _____ .

3. Je _____.

4. Nous _____.

5. Tu _____.

6. Vous _____.

7. Ils _____.

EXERCICE D

Exprimez de quoi parlent les personnes suivantes.

EXEMPLE: Simon / la mer
Simon **parle de** la mer.

1. les enfants / le spectacle de marionnettes *(puppets)*

_____

2. le président / le gouvernement

_____

3. tu / la classe se de maths

_____

4. nous / l'été

_____

5. vous / les vacances

_____

6. je / la compétition sportive

_____

[3] PREPOSITIONS USED BEFORE AN INFINITIVE

In French, the infinitive is the verb form that normally follows a preposition.

J'ai commencé **à pleurer**.	*I began to cry.*
Tu rêves **de devenir** riche.	*You dream about becoming wealthy.*

a. Verbs requiring *à* before an infinitive:

aider à *to help to*	enseigner à *to teach to*
s'amuser à *to have fun*	s'habituer à *to get used to*
apprendre à *to learn (teach) to*	se mettre à *to begin to*
commencer à *to begin to*	penser à *to think about*
consentir à *to consent to*	persister à *to persist in*
consister à *to consist of*	se préparer à *to prepare to*
continuer à *to continue to*	renoncer à *to renounce, give up*
se décider à *to decide to*	réussir à *to succeed in*
demander à *to ask to*	servir à *to serve to*
encourager à *to encourage to*	songer à *to think about*

J'apprends **à jouer** du piano.   *I am learning to play the piano.*
Mon père m'encourage **à réussir.**   *My father encourages me to succeed.*

b. Verbs requiring *de* before an infinitive:

s'arrêter de *to stop*	persuader de *to persuade, convince to*
choisir de *to choose to*	promettre de *to promise to*
décider de *to decide to*	refuser de *to refuse to*
se dépêcher de *to hurry to*	regretter de *to regret to*
empêcher de *to prevent from*	rêver de *to dream about*
essayer de *to try to*	risquer de *to risk*
mériter de *to deserve to*	se souvenir de *to remember*
s'occuper de *to take care of*	se vanter de *to boast of*
oublier de *to forget to*	venir de *to have just*
parler de *to speak about*	

Il essaie de tout faire.   *He tries to do everything.*
Tu te dépêches de partir.   *You hurry to leave.*

c. Verbs requiring the pattern *à quelqu'un* + *de* before the infinitive:

commander (à quelqu'un) de   *to order (someone) to (do something)*
conseiller (à quelqu'un) de   *to advise (someone) to (do something)*
défendre (à quelqu'un) de   *to forbid (someone) to (do something)*
demander (à quelqu'un) de   *to ask (someone) to (do something)*
dire (à quelqu'un) de   *to tell (someone) to (do something)*
interdire (à quelqu'un) de   *to forbid (someone) to (do something)*
ordonner (à quelqu'un) de   *to order (someone) to (do something)*
permettre (à quelqu'un) de   *to allow (someone) to (do something)*
promettre (à quelqu'un) de   *to promise (someone) to (do something)*

EXERCICE E

Complétez avec les prépositions correctes l'histoire que le père de Laurent raconte.

J'ai décidé _____ enseigner la conduite _____ mon fils Laurent. Il veut essayer
        1.   *2.*

_____ passer son permis de conduire très vite. Depuis longtemps, il demandait _____
  3.   *4.*

faire une promenade en voiture. Pendant la première leçon, j'ai dit _____ Laurent _____
                                                  5.   *6.*

s'habituer _____ utiliser les commandes *(controls)* et les pédales. Je lui ai appris _____
        7.   *8.*

faire démarrer *(start)* la voiture et je l'ai encouragé _____ être prudent. Naturellement, j'ai
                                                 9.

défendu _____ mon fils _____ aller trop vite et j'ai ordonné _____ ce
　　　　　　10.　　　　　　　　11.　　　　　　　　　　　　　　　　　12.

nouveau chauffeur _____ arrêter la voiture à tous les stops. J'ai essayé _____ l'aider
　　　　　　　　　　13.　　　　　　　　　　　　　　　　　　　　　　　　　14.

_____ avoir confiance en lui-même. J'ai défendu _____ Laurent _____ écouter
　15.　　　　　　　　　　　　　　　　　　　　　　　16.　　　　　　　17.

la radio pour ne pas risquer _____ avoir un accident. Après une demi-heure, j'ai commencé
　　　　　　　　　　　　　　18.

_____ m'ennuyer et je me suis décidé _____ demander _____ Laurent
　19.　　　　　　　　　　　　　　　　　　　20.　　　　　　　　21.

_____ retourner à la maison. J'ai promis _____ l'aider _____ passer son examen.
　22.　　　　　　　　　　　　　　　　　　　　23.　　　　　　　24.

Il a finalement consenti _____ garer la voiture dans le garage.
　　　　　　　　　　　　25.

EXERCICE F

Vous venez d'interviewer un célèbre artiste français afin d'écrire un article pour le journal de l'école.
Exprimez ce qu'il vous a dit en utilisant les prépositions nécessaires.

EXEMPLE:　il / décider / raconter des histoires personnelles
　　　　　　Il a décidé **de** raconter des histoires personnelles.

1. il / se mettre / peindre des tableaux très jeune

_____

2. il / rêver / visiter tous les grands musées des États-Unis

_____

3. il / s'amuser / faire des sculptures de bronze

_____

4. il / renoncer / copier les thèmes populaires

_____

5. il / promettre / envoyer un dessin pour le journal

_____

6. il / essayer / capturer l'essence de son sujet

_____

7. il / consentir / parler en public

_____

8. il / se vanter / être très sérieux

_____

9. il / refuser / vendre son premier tableau

_____

10. il / encourager les jeunes / devenir artistes aussi

_____

EXERCICE G

Exprimez comment ces parents élèvent leurs enfants en complétant les phrases avec **à** _ou_ **de** _si nécessaire._

EXEMPLE: M. Blake défend **à** sa fille **de** parler trois heures au téléphone.

1. Les Webster interdisent _____ leurs enfants _____ sortir le soir.

2. Mme Marecki consent _____ emmener _____ Barbara au restaurant une fois par semaine.

3. M. Martin persiste _____ gronder _____ son fils.

4. Les Clayburgh permettent _____ leurs filles _____ prendre la voiture.

5. M. Singh refuse _____ aider ses enfants _____ faire leurs devoirs.

6. Mme Harrison choisit _____ ne pas défendre _____ ses fils de sortir.

7. Les David commande _____ leur fille _____ ranger sa chambre.

8. Mme Rousseau regrette _____ punir _____ sa fille.

EXERCICE H

Exprimez vos sentiments en complétant les phrases avec un infinitif et les prépositions nécessaires.

EXEMPLES: Je demande **à mon ami de m'aider à préparer mon projet de science.**
         Je réussis **à préparer un repas entier.**

1. Je renonce _____

2. Je me dépêche _____

3. Je m'arrête _____

4. Je promets _____

5. Je songe _____

6. Je me vante _____

7. Je conseille _____

8. Je me prépare _____

> **d.** Other prepositions commonly used before an infinitive:
>
> afin de   *in order to*   pour   *to, in order to, for the purpose of*
> au lieu de   *instead of*   sans   *without*
> avant de   *before*
>
> Tu te dépêches **afin d'**être à l'heure.   *You hurry in order to be on time.*
> Ils jouent **au lieu de** faire leur travail.   *They play instead of doing their work.*
> Je me lave **avant de** m'habiller.   *I wash myself before getting dressed.*
> Il s'entraîne **pour** gagner le concours.   *He practices in order to win the contest.*
> Vous agissez **sans** réfléchir.   *You act without thinking.*

EXERCICE 1

Combinez les phrases avec la préposition entre parenthèses pour exprimer ce que ces personnes font.

EXEMPLE: Je me couche tard. Je regarde ce film à la télé. *(afin de)*
Je me couche tard afin de regarder ce film à la télé.

1. M. Fernandez va à la gare. Il ne regarde pas l'horaire des trains. *(sans)*

_____

_____

2. Jeremy joue avec l'ordinateur. Il ne range pas sa chambre. *(au lieu de)*

_____

_____

3. Les petites filles regardent le feu *(traffic light)*. Elles traversent la rue. *(avant de)*

_____

_____

4. Kerri court vite. Elle gagne le prix. *(afin de)*

_____

5. Claire et Lucie se maquillent. Elles sortent ce soir. *(pour)*

_____

6. Les garçons mettent des vêtements élégants. Ils vont à la fête. *(avant de)*

_____

_____

7. Mme Perrin quitte la maison. Elle ne prend pas ses clefs. *(sans)*

_____

8. Les Poussin vont en France. Ils rendent visite à leur famille. *(pour)*

_____

9. Lisa regarde une sitcom. Elle ne passe pas l'aspirateur. *(au lieu)*

_____

10. Stephen et Michael se lèvent de bonne heure. Ils aident leurs parents. *(afin de)*

_____

_____

EXERCICE J

Complétez les phrases selon votre choix.

1. Je réfléchis avant de _____ .

2. Je sors avec mes copains au lieu de _____ .

3. Je me couche sans _____ .

4. Je vais à la bibliothèque pour _____ .

5. Je m'entraîne afin de _____ .

e. Verbs used without a preposition before an infinitive:

aimer *to like, love*	détester *to hate*	préférer *to prefer*
aimer mieux *to prefer*	devoir *to have to*	savoir *to know how*
aller *to go*	espérer *to hope*	venir *to come*
compter *to intend*	falloir *to be necessary*	vouloir *to wish, want*
désirer *to wish, want*	pouvoir *to be able*	

Je **déteste** faire le ménage. *I hate to do housework.*

Il ne **peut** pas sortir. *He can't go out.*

Préfères-tu partir tôt? *Do you prefer to leave early?*

EXERCICE K

Employez une expression de chaque colonne pour exprimer les projets des personnes suivantes pour les vacances de fin d'année.

aimer mieux	aller aux sports d'hiver
compter	dîner au restaurant
désirer	faire un voyage
devoir	partir dans un pays chaud
espérer	préparer un grand dîner
pouvoir	rendre visite à des cousins
préférer	rester en famille
venir	sortir avec des amis
vouloir	travailler

EXEMPLE: Alexandra **doit travailler.**

1. David et Joseph _____ .

2. Il _____ .

3. Je _____ .

4. Maria et Petra _____ .

5. Matthew _____ .

6. Nous _____ .

7. Tu _____ .

8. Vous _____ .

EXERCICE L

Complétez les phrases avec votre opinion en employant un verbe à l'infinitif.

1. Je sais _____ .

2. Il faut _____ .

3. J'aime _____ .

4. Je dois _____ .

5. Je déteste _____ .

6. Je vais _____ .

[4] NOUNS AND ADJECTIVES FOLLOWED BY PREPOSITIONS

Most nouns and adjectives are followed by *de* before an infinitive.

C'est une bonne idée **de** partir.	*It's a good idea to leave.*
Elle est triste **de** déménager.	*She is sad about moving.*
Défense **de** fumer.	*No smoking.*

NOTE: The adjective *prêt* (ready) is followed by the preposition *à*.

Nous sommes **prêts à** commencer.   *We are ready to begin.*

EXERCICE M

Complétez les phrases selon votre choix.

1. Je suis fier (fière) _____ .

2. Je suis prêt(e) _____ .

3. Je suis curieux (curieuse) _____ .

4. J'ai peur _____ .

5. J'ai le temps _____ .

6. J'ai l'habitude _____ .

[5] PREPOSITIONS WITH GEOGRAPHICAL EXPRESSIONS

a. To express "to" or "in" with names of places:

en	• feminine countries
	  continents
	  provinces
	  islands
	• masculine countries
	  beginning with a vowel
		en France *to (in) France*
		en Amérique *to (in) America*
		en Bretagne *to (in) Brittany*
		en Corse *to (in) Corsica*
		en Israël *to (in) Israel*

au	• masculine countries	**au Canada** *to (in) Canada* **au Honduras** *to (in) Honduras*
aux	• plural countries	**aux États-Unis** *to (in) the United States*
à	• cities	**à Paris** *to (in) Paris*

Elle va aller **en Italie** cet été.	*She is going to Italy this summer.*
Il a de la famille **au Japon**.	*He has relatives in Japan.*
Es-tu jamais allé à **Paris**?	*Have you ever gone to Paris?*

b. To express "from" with names of places:

de	• feminine countries
	  continents
	  provinces
	  islands
	• masculine countries
	  beginning with a vowel
	• cities
		de France *from France*
		d'Amérique *from America*
		de Bretagne *from Brittany*
		de Corse *from Corsica*
		d'Israël *from Israel*
		
		de Paris *from Paris*

du	• masculine countries	**du Canada** *from Canada* **du Honduras** *from Honduras*
des	• plural countries	**des États-Unis** *from the United States*

Dieter vient **d'Allemagne**.	*Dieter comes from Germany.*
Le bateau partira **du Portugal**.	*The ship will leave from Portugal.*
Le train est arrivé **de New York**.	*The train has arrived from New York.*

NOTES:

1. Generally, geographical names are feminine if they end in -*e,* with the exception of *le Mexique, le Cambodge* (Cambodia), and *le Zaïre.*

2. The definite article is not used with *Israël* and *Haïti.*

   d'Israël   d'Haïti

3. Before most modified geographical names in which the modifier is an integral part of the name, "in" or "to" is expressed by *en* without the article, and "from" is expressed by *de* without the article.

   en Afrique du Nord   *in North Africa*
   d'Amérique du Sud   *from South America*

Feminine countries, continents, provinces:

l'Allemagne *Germany*	Haïti *Haiti*
l'Angleterre *England*	la Hongrie *Hungary*
l'Autriche *Austria*	l'Irlande *Ireland*
la Belgique *Belgium*	l'Italie *Italy*
la Chine *China*	la Norvège *Norway*
l'Écosse *Scotland*	la Pologne *Poland*
l'Égypte *Egypt*	la Roumanie *Rumania*
l'Espagne *Spain*	la Russie *Russia*
la France *France*	la Suède *Sweden*
la Grèce *Greece*	la Suisse *Switzerland*

l'Afrique   *Africa*
l'Amérique du Nord   *North America*
l'Amérique du Sud   *South America*

l'Asie   *Asia*
l'Australie   *Australia*
l'Europe   *Europe*

l'Alsace   *Alsace*
la Bourgogne   *Burgundy*
la Bretagne   *Brittany*
la Champagne   *Champagne*

la Flandre   *Flanders*
la Lorraine   *Lorraine*
la Normandie   *Normandy*
la Provence   *Provence*

Masculine countries:

le Brésil   *Brazil*
le Canada   *Canada*
le Cambodge   *Cambodia*
le Danemark   *Denmark*
les États-Unis   *the United States*
Israël   *Israel*
le Japon   *Japan*

le Maroc   *Morocco*
le Mexique   *Mexico*
le Népal   *Nepal*
les Pays-Bas   *the Netherlands*
le Portugal   *Portugal*
le Viêt-nam   *Vietnam*
le Zaïre   *Zaire*

Mountains and waterways:

les Alpes *(f.)*   *the Alps*
le Jura   *the Jura Mountains*
les Pyrénées *(f.)*   *the Pyrenees*
les Vosges *(f.)*   *the Vosges*
la Manche   *the English Channel*
la Méditerranée   *the Mediterranean*

la Loire   *the Loire*
le Rhin   *the Rhine*
la Seine   *the Seine*
le Rhône   *the Rhone*
la Garonne   *the Garonne*

EXERCICE N

Dites quel pays vous avez visité si vous avez vu les choses suivantes.

EXEMPLE: Je suis allé(e) **au** Mexique.

1. _____

2. _____

3. _____

4. _____

5. _____

6. _____

7. _____

8. _____

9. _____

10. _____

EXERCICE O

Exprimez de quels pays les membres du club international de votre école viennent.

EXEMPLE: Maria / Mexique
                   Maria est **du** Mexique.

1. Victoria / Angleterre

2. Sven / Norvège

_____

3. Tamar / Israël

_____

4. Ahmed / Maroc

_____

5. Katie / Hongrie

_____

6. Nabuko / Japon

_____

7. Helmut / Autriche

_____

8. Maryann / Australie

_____

9. Carla / Espagne

_____

10. Brian / États-Unis

_____

[6] COMMON PREPOSITIONS

à *to, at*
Il va au restaurant.   *He is going to the restaurant.*
Je le verrai à deux heures.   *I will see him at two.*

après *after*
Après les cours, j'irai chez moi.   *After class, I'll go home.*

autour de *around*
Je marche autour du jardin.   *I walk around the garden.*

avant *before*
Elle est arrivée avant nous.   *She arrived before we did.*

avant de (+ infinitive) *before*
Réfléchissez avant de parler.   *Think before you speak.*

avec *with*
Il sort avec moi.   *He is going out with me.*

chez (+ person)   *to (at) the house (place) of (the person)*
Restes-tu chez Marie?   *Are you staying at Marie's house?*
Nous allons chez le dentiste.   *We're going to the dentist.*

contre   *against*
Je me suis appuyé contre le mur.   *I leaned against the wall.*

dans   *in, within*
Ton livre est dans le salon.   *Your book is in the living room.*
Je serai prêt dans cinq minutes.   *I'll be ready in five minutes.*

derrière   *behind*
Cherche derrière le divan.   *Look behind the sofa.*

devant   *in front of*
Attends devant ta maison.   *Wait in front of your house.*

en   *in* (time)
Il a fini son travail en une heure.   *He finished his work in an hour.*

entre   *between, among*
Il y a un mur entre les salles.   *There is a wall between the rooms.*

loin de   *far from*
Le magasin est loin d'ici.   *The store is far from here.*

par   *by, through*
Sortez par cette porte.   *Leave through that door.*

près de   *near*
L'école est près de chez moi.   *The school is near my house.*

sans   *without*
Je suis parti sans mes clefs.   *I left without my keys.*
Elle est sans doute arrivée.   *No doubt she has arrived.*

sous   *under*
Regarde sous la table.   *Look under the table.*

sur   *on, upon*
Le document est sur votre bureau.   *The document in on your desk.*

vers   *towards*
Il marche vers la gare.   *He's walking toward the station.*

EXERCICE P

Complétez l'histoire de ce garçon avec les prépositions appropriées.

1. Je monte _____ ma voiture.

2. Je vais aller _____ mon ami Richard.

3. Il n'habite pas _____ _____ moi.

4. Je vais arriver _____ sa maison _____ difficulté.

5. Nous allons parler _____ nous.

6. Nous espérons finir notre travail _____ une heure.

7. Ensuite nous jouerons au foot dans la rue, _____ sa maison.

8. Nous jouerons _____ un groupe de jeunes gens.

9. _____ de repartir _____ moi, je le remercierai.

[7] EXPRESSIONS INTRODUCED BY À

The preposition *à* is used in the following expressions.

(1) Before a mode of travel, to mean "on" or "by." (Compare *en* with a means of transportation. See page 312.)

à bicyclette   *on a bicycle, by bicycle*   à pied   *on foot*
à cheval   *on horseback*

Il va à l'école à bicyclette.   *He goes to school by bicycle.*

(2) Time expressions

à bientôt   *see you soon, so long*   à l'heure   *on time*
à demain   *see you tomorrow*   à tout à l'heure   *see you later*
à samedi   *good bye until Saturday*   au revoir   *good-bye, see you again*
à ce soir   *see you tonight*

Je m'en vais. **À ce soir.**   *I'm leaving. See you tonight.*

(3) Expressions of position and direction

à côté de   *next to, beside*
Je travaille à côté de Luc.   *I work next to Luc.*

à droite de   *on (to) the right*
Le marché est à droite.   *The market is on the right.*

à gauche   *on (to) the left*
Va à gauche.   *Go to the left.*

à travers   *through, across*
Marchons à travers la forêt.   *Let's walk through the forest.*

au bas de   *at the bottom of*
Nous l'avons rencontrée au bas   *We met her at the bottom*
de l'escalier.   *of the stairs.*

au fond de   *in (at) the bottom (back) of*
Mon cahier est au fond de mon sac.   *My notebook is at the bottom of my bag.*

au milieu de   *in the middle of*
Il est tombé au milieu de la rue.   *He fell in the middle of the street.*

(4) Other expressions

à la campagne   *in (to) the country*
Hier je suis allée à la campagne.   *Yesterday I went to the country.*

à l'école   *in (to) school*
Elle n'est pas allée à l'école.   *She didn't go to school.*

à la maison   *at home, home*
Ne reste pas à la maison.   *Don't stay home.*

au contraire   *on the contrary*
Ne sais-tu pas danser?   *Don't you know how to dance?*
Au contraire, je danse très bien.   *On the contrary, I dance very well.*

à mon avis   *in my opinion*
À mon avis, le président a raison.   *In my opinion, the president is right.*

au moins   *at least*
Elle a au moins cent dollars à   *She has at least a hundred dollars*
la banque.   *in the bank.*

à peu près   *nearly, about, approximately*
Il a à peu près trois ans.   *He's about three years old.*

à haute voix, à voix haute   *aloud, out loud, in a loud voice*
Parle à haute voix.   *Speak out loud.*

à voix basse   *in a low voice*
Tu parles toujours à voix basse.   *You always speak in a low voice.*

EXERCICE Q

Complétez l'aventure bizarre qui est arrivée à Josh.

Hier après-midi, une jeune fille *(with)* _____ cheveux roux se promenait *(across)*

_____ la ville *(on horseback)* _____ . Elle avait *(about)*
    2.   3.

_____ quinze ans et elle était très jolie. J'étais *(at home)* _____
    4.   5.

en train de faire mes devoirs quand je l'ai vue passer *(in the middle of)* _____
    6.

la rue. J'étais fort étonné et j'ai couru *(to the bottom)* _____ de l'escalier vers la porte
    7.

de la maison. Je lui ai crié *(aloud)* _____ : *(see you later)*
    8.

«_____ ». Elle a répondu *(in a low voice)* _____ :
  9.   10.

(good bye) «_____ ». Puis elle a disparu *(to the left)* _____ .
         11.   12.

Était-elle réelle ou, *(on the contrary)* _____ , était-elle un rêve? *(In my opinion)*
                                          13.

_____ , c'était un fantôme.
  14.

EXERCICE R

Complétez l'histoire de Timothy en utilisant l'expression qui convient.

à la maison	à travers
à l'heure	à voix basse
à mon avis	au contraire
à peu près	au fond
à pied	au moins

1. Samedi soir je ne suis pas resté _____ .

2. _____ , je suis sorti avec des amis.

3. Je suis arrivé à mon rendez-vous _____ , mais personne n'était là.

4. _____ dix minutes plus tard, tous mes amis sont arrivés.

5. Il y avait _____ dix personnes dans notre groupe.

6. Nous avons décidé d'aller au cinéma et nous sommes partis _____ .

7. Nous avons couru _____ le parc pour arriver plus vite.

8. Comme nous étions un peu en retard, nous n'avons trouvé des places

   qu'_____ de la salle.

9. Nous avons commenté tout le film _____ .

10. _____ , le film était mauvais, mais nous nous sommes bien amusés quand même.

[8] EXPRESSIONS INTRODUCED BY *DE, EN,* AND *PAR*

d'abord   *first, at first*
D'abord, efface ton erreur.   *First, erase your mistake.*

d'accord   *agreed, OK*
On part. D'accord?   *We're leaving. OK?*

de bonne heure   *early*
Elle se lève de bonne heure.   *She gets up early.*

de l'autre côté (de)   *on the other side (of)*
J'habite de l'autre côté de la rue.   *I live on the other side of the street.*

de quelle couleur... ?   *What color . . . ?*
De quelle couleur sont tes yeux?   *What color are your eyes?*

de rien, pas de quoi   *you're welcome*
De rien.   *You're welcome.*
Il n'y a pas de quoi.   *Don't mention it.*

de temps en temps   *from time to time*
Je me fâche de temps en temps.   *I get angry from time to time.*

en (when one is inside the means of transportation)   *by*
en voiture (automobile, auto)   *by car*
en avion   *by plane*
en train   *by train*
Vas-tu à Paris en avion?   *Are you going to Paris by plane?*

en (with the name of a language)   *in*
Le poème est écrit en anglais.   *The poem is written in English.*

en bas   *downstairs*
Je vais en bas.   *I'm going downstairs.*

en face de   *opposite*
La banque est en face du café.   *The bank is opposite the cafe.*

en haut   *at the top of, upstairs*
Écris ton nom en haut de la page.   *Write your name at the top of the page.*
Ma chambre est en haut.   *My room is upstairs.*

en retard   *late*
Je n'arrive jamais en retard.   *I never arrive late.*

en ville   *downtown, in (to, into) town*
Nous allons en ville ce matin.   *We are going downtown this morning.*

par exemple   *for example*
Je veux voir un bon film, une comédie,   *I want to see a good film, a comedy,*
par exemple.   *for example.*

par jour (semaine, mois, etc.)   *a (per) day (week, month, etc.)*
Il reçoit vingt dollars par jour.   *He receives twenty dollars a day.*

EXERCICE S

Exprimez ce que ces personnes font aujourd'hui en utilisant une expression appropriée.

d'abord	en français
de bonne heure	en haut
de temps en temps	en retard
en bus	en ville

1. M. Papand habite à la campagne, mais aujourd'hui il descend _____ pour aller visiter le nouveau musée.

2. Maman va _____ pour nettoyer les chambres.

3. Jacques se réveille _____ pour aller à son interview.

4. Suzanne va à l'école _____ parce qu'elle n'aime pas marcher.

5. Simon écrit un poème _____ .

6. Alan va _____ au café déjeuner, puis il va travailler.

7. Sarah arrive à son rendez-vous _____ . Elle doit s'excuser.

8. Mme Miller s'endort _____ pendant la journée.

M A S T E R Y   E X E R C I S E S

EXERCICE T

Complétez les phrases selon votre choix.

1. Je refuse _____ .

2. Je préfère _____ .

3. Je me souviens _____ .

4. Je compte _____ .

5. Je ne veux pas _____ .

6. Je m'habitue _____ .

7. Je ne sais pas _____ .

8. Je mérite _____ .

EXERCICE U

Complétez cette histoire avec les prépositions nécessaires.

Tim a téléphoné _____ ses parents _____ bonne heure pour leur parler_____ sa vie
                   1.   2.   3.

_____ l'université. Il a mentionné qu'il avait mal _____ la gorge, ce qui l'empêchait
      4.   5.

_____ parler correctement. Ses parents ont dit qu'ils voulaient _____ le voir immédiatement.
      6.   7.

Ils étaient très inquiets et ils sont vite partis _____ voiture. Ils sont arrivés _____ la porte
                                                   8.   9.

de leur fils. Ils ont frappé et Tim les a invités _____ entrer. Il a persisté _____ dire que
                                                    10.   11.

ce n'était rien et il a essayé en vain _____ changer le sujet de conversation. Enfin papa a persuadé
                                       12.

Tim _____ rentrer _____ la maison et _____ aller consulter un médecin. Tim s'est mis
  13.   14.   15.

_____ protester mais, _____ une longue discussion, le garçon a consenti _____ partir. Il
  16.   17.   18.

n'habitait pas _____ l'école et il savait qu'il pouvait _____ revenir le jour même. Ses parents
               19.   20.

ont choisi _____ l'emmener _____ un médecin _____ quartier. Ce médecin a dit
           21.   22.   23.

_____ parents _____ Tim que c'était assez grave et que Tim devait rester _____ lit
  24.   25.   26.

pendant _____ moins une semaine. Il fallait aussi prendre des médicaments trois fois _____
        27.   28.

jour. Le docteur a conseillé _____ Tim _____ s'habituer _____ un régime strict.
                              29.   30.   31.

Ce pauvre garçon studieux regrettait _____ ne pas pouvoir retourner _____ classe tout de
                                     32.   33.

suite. Il espérait qu'il allait vite se rétablir.

EXERCICE V

Exprimez en français les espoirs de cette fille.

1. I'd like to ask my mother to allow me to begin taking guitar lessons.

_____

_____

2. I know that I can succeed in persuading my father to give me the money for the lessons.

_____

_____

3. If I promise my parents to do the shopping, I'm sure they'll say yes.

_____

_____

4. If I persist in practicing at home every day, I'll succeed in becoming a good musician.

_____

_____

5. In my opinion, my mother wants to advise me to study the piano.

_____

6. No doubt she thinks that the guitar will bother her.

_____

7. On the contrary, I intend to rehearse when she's shopping downtown.

_____

8. I want to practice a lot in order to become a member of a band.

_____

9. I have to prepare myself to spend my own money for the guitar and the lessons, if it is necessary.

_____

_____

10. When I'm famous, I'll travel across Europe: in France, in Italy, and in England.

_____

_____

Part three
Adjective/Adverb and Related Structures

Chapter 22
Adjectives

[1] AGREEMENT OF ADJECTIVES

a. Gender of adjectives
Adjectives agree in gender (masculine or feminine) with the nouns they modify.

(1) Most adjectives form the feminine by adding *-e* to the masculine.

MASCULINE	FEMININE	
allemand	allemande	*German*
américain	américaine	*American*
bleu	bleue	*blue*
brun	brune	*brown*
content	contente	*glad*
espagnol	espagnole	*Spanish*
français	française	*French*
lourd	lourde	*heavy*
noir	noire	*black*
vrai	vraie	*true*

NOTE: Adjectives ending in *-é* also form the feminine by adding *-e*.

MASCULINE	FEMININE	
âgé	âgée	*old*
fatigué	fatiguée	*tired*
passé	passée	*past*

(2) Adjectives ending in silent *-e* do not change in the feminine.

MASCULINE	FEMININE	
aimable	aimable	*kind, pleasant*
confortable	confortable	*comfortable*
drôle	drôle	*funny, strange*
facile	facile	*easy*
honnête	honnête	*honest*
jaune	jaune	*yellow*
magnifique	magnifique	*magnificent*
pauvre	pauvre	*poor*
rouge	rouge	*red*
triste	triste	*sad*

EXERCICE A

Exprimez comment sont les objets et les personnes illustrés.

EXEMPLE: brun

La maison est brune.

1. brillant

_____

2. triste

_____

3. jaune

_____

4. lourd

_____

5. fermé

_____

6. bleu

_____

7. confortable

_____

8. âgé

_____

9. rouge

_____

10. espagnol

_____

11. noir

_____

12. content

_____

(3) Adjectives ending in _-x_ form the feminine by changing _-x_ to _-se_.

MASCULINE	FEMININE	
ambitieux	ambitieuse	_ambitious_
chanceux	chanceuse	_lucky_
consciencieux	consciencieuse	_conscientious_
courageux	courageuse	_courageous_
dangereux	dangereuse	_dangerous_
furieux	furieuse	_furious_
généreux	généreuse	_generous_
heureux	heureuse	_happy_
malheureux	malheureuse	_unhappy, sad_
paresseux	paresseuse	_lazy_
peureux	peureuse	_fearful_
sérieux	sérieuse	_serious_

EXERCICE B

Utilisez des adjectifs de la liste précédente pour décrire les personnes illustrées.

EXEMPLE: Mme Parker **est courageuse.**

1. M. Wilson _____ .

2. Lucie et Catherine _____ .

3. Evan et Douglas _____ .

4. Deanna _____ .

5. Mme Dorland et Mme Martinelli _____ .

6. Jacques Paul et Martin _____ .

7. Patricia et Rosa _____ .

8. Nadia _____ .

---

(4) Adjectives ending in -*f* form the feminine by changing -*f* to -*ve*.

MASCULINE	FEMININE	
actif	active	*active*
attentif	attentive	*attentive*
imaginatif	imaginative	*imaginative*
impulsif	impulsive	*impulsive*
naïf	naïve	*naive*
neuf	neuve	*new*
sportif	sportive	*athletic*
vif	vive	*lively*

EXERCICE C

Exprimez comment sont ces personnes en complétant chaque phrase avec un de ces adjectifs mis à la forme appropriée.

actif	imaginatif	intuitif	sportif
attentif	impulsif	naïf	vif

1. Marla fait attention aux moindres détails. Elle est _____ .

2. Brad croit tout ce qu'on lui dit. Il est _____ .

3. Tara et Nicole participent à toutes les compétitions d'athlétisme. Elles sont _____ .

4. Paul et Lewis agissent généralement sur le moment. Ils sont _____ .

5. Mme Russell sait à l'avance ce que les personnes feront et diront. Elle est _____ .

6. Eric a beaucoup de créativité. Il est _____ .

7. Clara participe à beaucoup d'activités. Elle est _____ .

8. Natasha et Clarisse sont très alertes. Elles sont _____ .

---

(5) Adjectives ending in *-er* form the feminine by changing *-er* to *-ère*.

MASCULINE	FEMININE	
cher	chère	*dear; expensive*
dernier	dernière	*last*
entier	entière	*entire, whole*
étranger	étrangère	*foreign*
fier	fière	*proud*
léger	légère	*light*
premier	première	*first*

(6) Some adjectives form the feminine by doubling the final consonant before adding *-e*.

MASCULINE	FEMININE	
ancien	ancienne	*old, ancient; former*
bas	basse	*low*
bon	bonne	*good*
cruel	cruelle	*cruel*
européen	européenne	*European*
gentil	gentille	*nice, kind*

(7) Some adjectives have irregular feminine forms.

MASCULINE	FEMININE	
blanc	blanche	*white*
complet	complète	*complete*

doux	douce	*sweet, mild, gentle*
faux	fausse	*false*
favori	favorite	*favorite*
frais	fraîche	*fresh, cool*
franc	franche	*frank*
inquiet	inquiète	*worried, uneasy*
long	longue	*long*
sec	sèche	*dry*
secret	secrète	*secret*
beau (bel)	belle	*beautiful*
nouveau (nouvel)	nouvelle	*new*
vieux (vieil)	vieille	*old*

NOTE: **The adjectives** *beau, nouveau,* **and** *vieux* **change to** *bel, nouvel,* **and** *vieil* **before a masculine singular noun beginning with a vowel or silent** *h.*

Cet hôtel est **beau**.   Regarde ce **bel** hôtel.

Cet hôpital est **nouveau**.   Regarde ce **nouvel** hôpital.

Cet édifice est **vieux**.   Regarde ce **vieil** édifice.

EXERCICE D

Votre ami et vous êtes rarement du même avis. Écrivez ce qu'il vous dit.

EXEMPLE: La physique est difficile.
            Pas du tout. La physique est facile.

1. Mme Deville est cruelle.

_____

2. Cette idée est vieille.

_____

3. La lumière du soleil est dure aujourd'hui.

_____

4. La chemise est humide.

_____

5. Son histoire est vraie.

_____

6. Il parle à voix haute.

_____

7. Cet édifice est neuf.

_____

8. La chatte est noire.

_____

9. On fait une courte promenade. _____

_____

10. Cette table est bon marché.

_____

EXERCICE E

Complétez les phrases avec la forme correcte de l'adjectif entre parenthèses.

1. *(nouveau)* J'ai un _____ appartement pour lequel j'ai acheté un

_____ divan, une _____ table et une _____

armoire. Cet appartement est _____ parce qu'on vient de le rénover.

2. *(beau)* J'ai fait la connaissance d'un _____ homme qui a une

_____ apparence. Trouves-tu que cet homme soit _____ ?

3. *(vieux)* Ce _____ docteur travaille dans un _____ hôpital. Il a

un _____ ordinateur et une _____ machine à écrire dans son

bureau. Ce docteur est _____ parce qu'il a quatre-vingts ans.

b. Plural of adjectives

Adjectives agree in number (singular or plural) with the nouns they modify.

(1) **The plural of adjectives is formed by adding -*s* to the masculine or feminine singular form.**

SINGULAR	PLURAL	
âgé	âgés	*old*
blond	blonds	*blond*
gentille	gentilles	*kind*
sèche	sèches	*dry*
impulsive	impulsives	*impulsive*

(2) **Adjectives ending in -*s* or -*x* do not change in the masculine plural.**

SINGULAR	PLURAL	
gris	gris	*gray*
heureux	heureux	*happy*
malheureux	malheureux	*unhappy*
anglais	anglais	*English*
français	français	*French*

frais	frais	*fresh*
mauvais	mauvais	*bad*

(3) Most adjectives ending in *-al* change *-al* to *-aux* in the masculine plural.

SINGULAR	PLURAL	
égal	égaux	*equal*
général	généraux	*general*
loyal	loyaux	*loyal*
national	nationaux	*national*
principal	principaux	*principal*
social	sociaux	*social*
spécial	spéciaux	*special*

(4) The adjective *tout* is irregular in the masculine plural.

tout	tous	*all*

(5) Both masculine forms of *beau (bel)*, *nouveau (nouvel)*, and *vieux (vieil)* have the same plural forms.

un **bel** hôtel	de **beaux** hôtels
un **beau** jardin	de **beaux** jardins
un **nouvel** hôpital	de **nouveaux** hôpitaux
un **nouveau** docteur	de **nouveaux** docteurs
un **vieil** édifice	de **vieux** édifices
un **vieux** toit	de **vieux** toits

NOTE: **An adjective modifying two or more nouns of different genders is always masculine plural.**

L'homme et la femme sont **charmants.**   *The man and the woman are charming.*

EXERCICE F

Utilisez les adjectifs suggérés pour décrire ces personnes que vous connaissez.

actif	beau	fier	imaginatif	loyal
âgé	bon	généreux	intelligent	sérieux
aimable	drôle	gentil	intéressant	

1. Mes professeurs sont _____ , _____ , _____ ,

   _____ , _____ , _____ ,

   _____ , _____ .

2. Mes amies sont _____ , _____ , _____ ,

   _____ , _____ , _____ ,

   _____ , _____ .

3. Mes parents sont _____ , _____ , _____ ,

_____ , _____ , _____ ,

_____ , _____ .

EXERCICE G

Vous rendez visite à une amie. Décrivez les choses que vous voyez dans sa chambre.

EXEMPLE: Ces lits sont bas. Ces tables *(f.)* sont basses.

1. Ces photos sont grises. Ces tableaux *(m.)* sont _____ .

2. Ces disquettes d'ordinateur sont spéciales. Ces jeux vidéo *(m.)* sont _____ .

3. Ces rideaux sont blancs. Ces fenêtres *(f.)* sont _____ .

4. Ces cassettes sont bonnes. Ces disques compacts *(m.)* sont _____ .

5. Ces tapis sont épais. Ces couvertures *(blankets)* *(f.)* sont _____ .

6. Ces produits sont dangereux. Ces installations *(f.)* électriques sont _____ .

7. Ces coussins sont neufs. Ces décorations *(f.)* sont _____ .

8. Ces dessins sont anciens. Ces images *(f.)* sont _____ .

9. Ces fleurs sont artificielles. Ces fruits *(m.)* sont _____ .

10. Ces affiches sont belles. Ces posters *(m.)* sont _____ .

[2] POSITION OF ADJECTIVES

a. Descriptive adjectives normally follow the noun they modify.

une maison blanche   *a white house*
un enfant actif   *an active child*

b. Some short descriptive adjectives usually precede the noun.

beau	gentil	joli
bon / mauvais	gros	nouveau
court / long	jeune / vieux	petit / grand

un **court** poème   *a short poem*
une **belle** voiture   *a beautiful car*

NOTE: *Des* becomes *de* when the adjective precedes the noun.

de petites filles   *young girls*

c. Following are some other common adjectives that precede the noun.

autre	*other*	quelque	*some*
chaque	*each*	quelques (pl.)	*a few*
dernier	*last*	tel	*such*
plusieurs	*several*	tout	*all, whole, every*
premier	*first*		

une autre histoire	*another story*
plusieurs occasions	*several opportunities*

d. The adjective *tout* precedes both the noun and the definite article.

tous les gens	*all the people*
toutes les filles	*every girl*

e. When more than one adjective describes a noun, each adjective is placed in its normal position. Two adjectives in the same position are joined by *et*.

une jeune fille charmante	*a charming young girl*
un garçon sportif et intelligent	*an athletic, intelligent boy*
une grande et nouvelle maison	*a big new house*

EXERCICE H

M. Price visite son pays natal. Suivez l'exemple pour dire ce qu'il observe.

EXEMPLE: vignes
Il cherche de **vieilles** vignes.
Mais il trouve de **nouvelles** vignes.
Ce sont de **belles** vignes.

1. pont

_____

_____

_____

2. église

_____

_____

_____

3. villages

_____

_____

_____

4. arbre

_____

_____

_____

5. maisons

_____

_____

_____

6. rue

_____

_____

_____

7. statue

_____

_____

_____

8. monuments

_____

_____

_____

EXERCICE I

Exprimez comment sont les choses suivantes.

EXEMPLE: une bouteille *(petit)*
             une petite bouteille

1. un bracelet *(joli)*

_____

2. des jouets *(magnifique)*

_____

3. une robe *(blanc)*

_____

4. un ordinateur *(gros)*

_____

5. des livres *(bon)*

_____

6. un film *(français)*

_____

7. des poèmes *(court)*

_____

8. des disques compacts *(spécial)*

_____

EXERCICE J

Vous êtes allé(e) sur une île tropicale. Exprimez ce que vous y avez vu.

EXEMPLE: des maisons *(joli / typique)*
            J'ai vu **de jolies maisons typiques.**

1. une plage *(grand / blanc)*

_____

2. des fleurs *(joli / exotique)*

_____

3. des animaux *(petit / sauvage)*

_____

4. un pont *(vieux / magnifique)*

_____

5. des plantes *(gros / rouge)*

_____

6. des femmes *(gentil / français)*

_____

7. un oiseau *(beau / orange)*

_____

EXERCICE K

Exprimez ce que ces personnes ont lu pendant leur temps libre en formant des phrases avec **tout.**

la revue	les bandes dessinées	les magazines
le poème	les cartes postales	les pièces de théâtre
le roman	les journaux	l'histoire

EXEMPLE: Jack **a lu toutes les cartes postales.**

1. Vous _____ .

2. Scott _____ .

3. Tu _____ .

4. Alicia _____ .

5. Mes cousins et moi _____ .

6. Fatima et André _____ .

7. Sébastien _____ .

8. Je _____ .

M A S T E R Y   E X E R C I S E S

EXERCICE L

Exprimez votre opinion en utilisant au moins trois adjectifs pour décrire les personnes et les choses suivantes.

1. Je suis _____ .

2. La musique rock est _____ .

3. Mon (Ma) meilleur(e) ami(e) est _____ .

4. Le français est _____ .

5. Ma chambre est _____ .

6. Mes opinions sont _____ .

7. Mes vêtements sont _____ .

8. Mes héros sont _____ .

EXERCICE M

Exprimez votre opinion en employant deux adjectifs à chaque fois.

EXEMPLE: la France *(un pays)*
             La France est un pays magnifique et célèbre.

1. le basket *(un sport)*

_____

2. la Porsche *(une voiture)*

_____

3. les cerises et les raisins *(des fruits)*

_____

4. le français et l'anglais *(des langues)*

_____

5. une montre *(un cadeau)*

_____

6. la médecine et le droit *(des métiers)*

_____

7. l'été *(une saison)*

_____

EXERCICE N

Exprimez ce que Mme Stendhal dit de sa famille.

1. I have two handsome, smart sons, Eric and Michael.

_____

2. Eric is tall and thin. He has long blond hair and blue eyes.

_____

_____

3. He attends a large old American university that has modern ideas.

_____

_____

4. He receives good grades because he is conscientious, serious, attentive, and imaginative.

_____

_____

5. His secret ambition is to become a rich and famous computer engineer *(ingénieur en informatique)*.

_____

_____

6. My other son, Michael, is short, with big black eyes and brown hair.

_____

_____

7. He's young and athletic and always very kind.

   _____

8. Like me, he loves foreign languages and the study of ancient civilizations.

   _____

   _____

9. He's always funny and he has a charming, likeable personality.

   _____

10. I am very proud of my two sons because they are ambitious and generous, and they are never selfish.

    _____

    _____

Chapter 23
Adverbs

An adverb is a word that modifies a verb, an adjective, or another adverb.

[1] FORMATION OF ADVERBS

Most French adverbs are formed by adding *-ment* to an adjective. This corresponds to adding *-ly* in English.

a. When a masculine singular adjective ends in a vowel, *-ment* is added to the masculine singular form.

ADJECTIVE		ADVERB	
facile	*easy*	**facilement**	*easily*
poli	*polite*	**poliment**	*politely*
possible	*possible*	**possiblement**	*possibly*
probable	*probable*	**probablement**	*probably*
rapide	*quick*	**rapidement**	*rapidly, quickly*
triste	*sad*	**tristement**	*sadly*
vrai	*true*	**vraiment**	*truly*

EXERCICE A

Combinez les phrases pour exprimer comment Alice agit.

EXEMPLE: Elle pleure. C'est stupide.
Elle pleure **stupidement.**

1. Elle répond. C'est honnête.

_____

2. Elle chante. C'est magnifique.

_____

3. Elle s'exprime. C'est facile.

_____

4. Elle soupire *(sighs)*. C'est triste.

_____

5. Elle s'habille. C'est joli.

_____

6. Elle se présente. C'est poli.

_____

b. When a masculine singular adjective ends in a consonant, *-ment* is added to the feminine singular.

ADJECTIVE		ADVERB	
MASCULINE	FEMININE		
actif	active	activement	*actively*
certain	certaine	certainement	*certainly*
correct	correcte	correctement	*correctly*
cruel	cruelle	cruellement	*cruelly*
doux	douce	doucement	*softly, gently*
fier	fière	fièrement	*proudly*
franc	franche	franchement	*frankly*
heureux	heureuse	heureusement	*happily, fortunately*
tel	telle	tellement	*so*
seul	seule	seulement	*only*
Exceptions:			
gentil		gentiment	*nicely*
bref		brièvement	*briefly*

EXERCICE B

Stephen apprend à jouer au golf. Remplacez les adjectifs par les adverbes correspondants pour exprimer comment sa leçon se passe.

EXEMPLE: Stephen écoute les instructions. Il est attentif.
Stephen écoute **attentivement** les instructions.

1. Stephen comprend. Il est rapide.

_____

2. Stephen réfléchit. Il est consciencieux.

_____

3. L'instructeur lui parle. Il est gentil.

_____

4. Stephen agit. Il est impulsif.

_____

5. Il s'applique. Il est sérieux.

_____

6. Il réussit. Il est fier.

_____

7. Il parle à l'instructeur. Il est poli.

_____

8. Stephen joue. Il est énergique.

_____

9. Le jeu s'arrête. Il est bref.

_____

10. Son père l'encourage. Il est sincère.

_____

   c. A few adjectives change mute *-e* to *-é* before adding *-ment.*

ADJECTIVE	ADVERB	
aveugle	**aveuglément**	*blindly*
énorme	**énormément**	*enormously*
précis	**précisément**	*precisely*
profond	**profondément**	*profoundly*

   d. Adjectives ending in *-ant* and *-ent* have adverbs ending in *-amment* and *-emment.*

ADJECTIVE	ADVERB	
constant	**constamment**	*constantly*
courant	**couramment**	*fluently*
différent	**différemment**	*differently*
évident	**évidemment**	*evidently*
récent	**récemment**	*recently*
Exception:		
lent	**lentement**	*slowly*

EXERCICE C

Votre correspondant français vient d'arriver chez vous. Exprimez ce qu'il fait en répondant aux questions avec des adverbes.

EXEMPLE: Quand parle-t-il français? *(constant)*
            Il parle **constamment** français.

1. Quand est-il arrivé? *(récent)*

_____

2. Est-ce qu'il parle français? *(évident)*

_____

3. Comment trouve-t-il son chemin? *(aveugle)*

_____

4. Comment s'explique-t-il? *(différent)*

_____

5. Comment répond-il? *(précis)*

_____

6. Comment parle-t-il anglais? *(courant)*

_____

7. Comment pense-t-il? *(profond)*

_____

8. Comment mange-t-il? *(énorme)*

_____

e. Some adverbs have forms distinct from the adjective forms.

ADJECTIVE		ADVERB	
bon	*good*	**bien**	*well*
mauvais	*bad*	**mal**	*badly*
meilleur	*better*	**mieux**	*better*
petit	*little*	**peu**	*little*

Luke a de **bonnes** notes parce qu'il travaille **bien**.

Luke has good grades because he works well.

Anne chante **mieux** parce qu'elle a une **meilleure** voix.

Anne sings better because she has a better voice.

EXERCICE D

Exprimez comment sont les étudiants dans la classe de Louise en utilisant l'adverbe et la forme correcte de l'adjectif entre parenthèses.

1. *(petit, peu)* Carl est un _____ garçon qui écoute _____ le prof.

2. *(mauvais, mal)* Rachel apprend _____ parce qu'elle est _____ élève.

3. *(bon, bien)* Annie et Jane sont _____ mathématiciennes parce qu'elles comprennent _____ les leçons.

4. *(meilleur, mieux)* Lisa a de _____ notes que sa sœur parce qu'elle étudie

_____ .

5. *(petit, peu)* Daniel écrit _____ avec son _____ stylo.

6. *(bon, bien)* Roger traite _____ les autres parce qu'il est un

_____ ami.

7. *(mauvais, mal)* Frank et Nick sont de _____ garçons qui se comportent

_____ .

8. *(meilleur, mieux)* Jonathan joue _____ du piano parce qu'il a un

_____ professeur.

f. Other common adverbs and adverbial expressions:

alors *then*	hier *yesterday*	puis *then*
après *afterward*	ici *here*	quelquefois *sometimes*
assez *enough, quite*	là *there*	si *so*
aujourd'hui *today*	loin *far*	souvent *often*
aussi *also, too*	longtemps *a long time*	surtout *especially*
beaucoup *much*	maintenant *now*	tard *late*
bien *well, very*	mal *badly*	tôt *soon*
bientôt *soon*	même *even*	toujours *always, still*
comme *as*	moins *less*	tout *quite, entirely*
déjà *already*	parfois *sometimes*	tout à coup *suddenly*
demain *tomorrow*	partout *everywhere*	tout à fait *entirely*
encore *still, yet, again*	peut-être *perhaps, maybe*	tout de suite *immediately*
enfin *at last*	plus *more*	très *very*
ensemble *together*	près de *near*	trop *too much*
ensuite *then, afterwards*	presque *almost*	vite *quickly*

EXERCICE E

Récrivez l'histoire de Mme Rivers en utilisant des adverbes qui ont le même sens que les mots en caractères gras.

1. Mme Rivers conduit **rapidement** parce qu'elle est en retard.

_____

2. Elle est **tellement** nerveuse qu'elle ne fait pas attention.

_____

3. Elle veut arriver **immédiatement.**

_____

4. **Soudainement,** elle entend la sirène de la police.

_____

5. Elle est **complètement** bouleversée *(upset).*

---

6. **À présent,** elle arrête sa voiture.

---

7. L'agent lui donne une contravention *(ticket).* Ils discutent **tous les deux** de la sécurité routière.

---

8. **Ensuite** l'agent lui ordonne de conduire moins vite.

---

9. **De temps en temps,** la vie est injuste.

---

10. **Ce jour-ci,** Mme Rivers n'a pas de chance.

---

g. Some adverbial expressions are formed by combining prepositions with other words.

(1) **Preposition + noun or noun phrase**

à droite (gauche) *to the right (left)*	d'habitude *generally, usually*
à la fin *finally*	du matin au soir *from morning to night*
à la fois *at the same time*	en retard *late*
à l'heure *on time*	par hasard *by chance*
à peine *hardly, scarcely*	par jour (semaine, mois, etc.) *per / a day*
à présent *now, at present*	*(week, month, etc.)*
d'avance *in advance, beforehand*	sans doute *without a doubt, undoubtedly*
de jour en jour *from day to day*	
de temps en temps (de temps à autre) *from time to time*	

L'église est **à gauche** et le café **à droite.**	*The church is on the left and the cafe on the right.*
Il est **à la fois** gentil et aimable.	*He is nice and friendly at the same time.*
Elle peut **à peine** parler.	*She can hardly speak.*
À présent, je ne travaille pas.	*Presently I am not working.*
Tu changes **de jour en jour.**	*You change from day to day.*
Il a plu **du matin au soir.**	*It rained from morning to night.*

(2) **Preposition + adjective**

d'ordinaire *usually*	en général *in general, generally*
de nouveau *again*	par conséquent *therefore, consequently*

D'ordinaire elle est là à l'heure.	*Usually she is there on time.*
En général je suis content.	*I am generally happy.*

(3) Preposition + adverb

à jamais *forever*	au moins *at least*
du moins *at least, in any case*	

Il m'aimera **à jamais**.	*He will love me forever.*
Je vois **au moins** deux erreurs.	*I see at least two mistakes.*
Du moins il est très heureux.	*In any case he is very happy.*

(4) Preposition + adjective + noun

à tout prix *at any cost*	de bon cœur *willingly, gladly*
de bon appétit *heartily, with a good appetite*	de bonne heure *early*
	en même temps *at the same time*

Je dois te voir **à tout prix**.	*I have to see you at any cost.*
Mange **de bon appétit**.	*Eat with a hearty appetite.*
Je t'aiderai **de bon cœur**.	*I'll help you gladly.*

h. The following are other common adverbial expressions formed with several words.

encore une fois *again*	tant mieux *so much the better*
peu à peu *little by little, gradually*	tant pis *too bad, so much the worse*
peut-être *perhaps*	tout à l'heure *presently*

Répétez **encore une fois**, s'il vous plaît.	*Please repeat it again.*
Il neige. Tant mieux.	*It's snowing. So much the better.*
Lise est sortie; elle reviendra tout à l'heure.	*Lise went out; she'll be back presently.*

EXERCICE F

Complétez l'histoire de cet homme avec l'expression française correcte qui correspond au mot donné entre parenthèses.

_____ , M. Drake mange dans notre restaurant trois fois _____ .
    1. (In general)   *2. (per week)*

_____ il nous téléphone _____ parce que nous sommes ici tous
    3. (Usually)   *4. (In advance)*

les jours _____ . _____ , quand il arrive chez
    5. (from morning to evening)   *6. (Consequently)*

nous, son dîner est prêt. _____ , il vient _____ pour
                          7. (From time to time)   *8. (early)*

profiter _____ du silence et du calme. _____ il mange
    9. (without a doubt)   *10. (At present)*

_____ . Il mange _____ ses légumes, mais il mange
    11. (with a good appetite)   *12. (hardly)*

_____ la viande. _____ de chaque repas, _____
    13. (at least)   *14. (At the end)*   *15. (very quickly)*

il a envie de partir; il laisse _____ un pourboire généreux _____
16. (gladly)   17. (to the right)

de son assiette. Il aime _____ le service plus que la nourriture.
18. (perhaps)

_____ pour nous! Nous espérons le revoir _____ cette semaine.
19. (So much the better)   20. (again)

[2] ADVERBS OF QUANTITY

Certain adverbs expressing quantity are followed by *de,* without an article, before a noun.

assez de	*enough*	peu de	*little, few*
beaucoup de	*much, many*	plus de	*more*
combien de	*how much, how many*	tant de	*so much, so many*
moins de	*less, fewer*	trop de	*too much, too many*

As-tu **beaucoup de** problèmes?   *Do you have a lot of problems?*

J'ai **moins de** travail que toi.   *I have less work than you.*

EXERCICE G

Exprimez ce que les jeunes gens apportent au pique-nique.

EXEMPLE: assez

Ils apportent assez d'assiettes.

1. beaucoup

_____

2. assez

_____

3. tant

_____

4. trop

_____

5. peu

_____

[3] POSITION OF ADVERBS

a. An adverb modifying a verb in a simple tense is usually placed directly after the verb.

Il **boit rarement** du jus de citron.   _He rarely drinks lemon juice._

Vas-tu **travailler sérieusement?**   _Are you going to work seriously?_

b. In the _passé composé_ the position of the adverb varies. Most adverbs generally follow the _past participle._ A few common ones, such as _bien, mal, souvent, toujours, déjà,_ and _encore,_ as well as adverbs of quantity, usually precede the past participle.

Hier, John est venu **tôt.**   _Yesterday, John came early._

Il a **beaucoup** travaillé en classe.   _He worked a lot in class._

EXERCICE H

Greg est allé voir une amie malade. Exprimez ce qu'il a fait en mettant l'adverbe à sa place.

1. Il lui a téléphoné. _(souvent)_

_____

2. Il est allé chez elle. *(immédiatement)*

_____

3. Il lui a parlé. *(doucement)*

_____

4. Il lui a envoyé trois cartes. *(déjà)*

_____

5. Il l'a écoutée. *(attentivement)*

_____

6. Il a compris ses problèmes. *(mal)*

_____

7. Il l'a aidée. *(sérieusement)*

_____

8. Il est parti de sa maison. *(lentement)*

_____

M A S T E R Y   E X E R C I S E S

EXERCICE 1

Répondez aux questions qu'un ami vous pose en utilisant des adverbes dans vos réponses.

1. Que fais-tu d'habitude le dimanche?

_____

2. Comment travailles-tu?

_____

3. Qui aimeras-tu à jamais?

_____

4. Que manges-tu de bon appétit?

_____

5. Qu'est-ce que tu apprends peu à peu?

_____

6. Quand parles-tu franchement?

_____

7. Comment agis-tu?

   _____

8. Quand parles-tu sévèrement?

   _____

EXERCICE J

Complétez les phrases avec un adverbe qui convient.

1. Claudette ne va pas toujours à la bibliothèque. Elle y va _____ .

2. Terri n'aime pas du tout cuisiner. Alors elle prépare _____ le dîner.

3. Mme Bonot ne savait pas quels numéros on allait choisir. Elle a gagné _____
   à la loterie.

4. Je ne sais pas quel jour je viendrai, mais ne vous inquiétez pas, je vous téléphonerai

   _____ .

5. Mark voudrait aller à une bonne université. Pour cette raison il travaille _____ .

6. Si Dana recevait le trophée après le match de tennis, elle le montrerait _____
   à ses amis.

7. Sam a _____ de devoirs qu'il ne peut pas regarder la télé ce soir.

8. La première fois, Raymond n'a pas pu trouver la réponse correcte. Alors il a dû essayer

   _____ .

9. Mme Gray marche _____ parce qu'elle a très mal à la jambe.

10. Christopher ne peut pas trouver ses clefs. Elles sont _____ dans sa poche.

EXERCICE K

Exprimez en français ce que Pauline fait.

1. At present I work from morning to night in a pastry shop.

   _____

2. I always arrive on time and I work slowly but conscientiously.

   _____

3. I always speak politely to the customers.

   _____

4. Fortunately I like my job a lot because a friend and I work together.

_____

_____

5. We often eat some very delicious pastries which are always quite rich.

_____

_____

6. I especially like the chocolate eclairs which we sell from time to time.

_____

_____

7. I always eat with a hearty appetite, which explains why I'm gaining weight so quickly.

_____

_____

8. Perhaps I'll go on a diet again.

_____

9. Unfortunately there are still so many different pastries that I'd like to taste.

_____

_____

10. Maybe tomorrow my friend and I will eat only one little pastry.

_____

_____

Chapter 24
Comparison

[1] COMPARISON OF INEQUALITY

a. Adjectives are compared as follows.

POSITIVE	**intelligent (-e, -s, -es)** *intelligent*
COMPARATIVE	**plus intelligent (-e, -s, -es) que** *more intelligent than* **moins intelligent (-e, -s, -es) que** *less intelligent than*
SUPERLATIVE	**le (la, les) plus intelligent (-e, -s, -es) de** *the most intelligent in (of)* **le (la, les) moins intelligent (-e, -s, -es) de** *the least intelligent in (of)*

Shari est **intelligente**.	*Shari is intelligent.*
Shari est **plus (moins)** intelligente **que** Beth.	*Shari is more (less) intelligent than Beth.*
Shari est la **plus (moins)** intelligente **de** la classe.	*Shari is the most (least) intelligent in the class.*

NOTE:

1. *Que* (than) introduces the second element in the comparative construction.

2. The second element of a comparison may be a noun, a stress pronoun, an adjective, an adverb, or a clause.

Je suis plus petite **que ma sœur**.	*I am shorter than my sister.*
Tu es plus sérieux **que moi**.	*You are more serious than I.*
Elle est plus gênée **que fâchée**.	*She is more annoyed than angry.*
Il a travaillé plus **qu'avant**.	*He worked more than before.*
C'est le plus grand édifice **que nous ayons jamais vu**.	*It's the tallest building (that) we ever saw.*

3. Comparative and superlative forms of adjectives agree in number and gender with the nouns they modify.

La souris est plus petite que le chat.	*The mouse is smaller than the cat.*
Ces garçons sont plus forts que ces filles.	*Those boys are stronger than those girls.*

4. The preposition *de* + article *(du, de l', de la)* may follow the superlative to express "in" or "of."

La France est-elle le plus beau pays **du** monde?	*Is France the most beautiful country in the world?*
Je cherche la plus grande chambre **de l'hôtel**.	*I'm looking for the biggest room in the hotel.*

5. In the superlative, the adjective generally retains its normal position.

C'est une belle voiture.	*It's a beautiful car.*
C'est **la plus belle** voiture.	*It's the most beautiful car.*

6. When a superlative adjective follows the noun, the article is repeated.

C'est l'homme **le** plus charmant.   *He's the most charming man.*

EXERCICE A

Vos amis ont des personnalités différentes. Exprimez ce que vous pouvez dire d'eux en utilisant les suggestions entre parenthèses.

EXEMPLES: Margarita est égoïste. (+ / *Paul*)
Margarita est **plus égoïste que** Paul.

Robert est paresseux. (− / *Gerry*)
Robert est **moins paresseux que** Gerry.

1. Gabrielle est polie. (− / *Della*)

_____

2. Max est honnête. (− / *Christian*)

_____

3. Anne est ambitieuse. (+ / *Maria*)

_____

4. John est intuitif. (− / *Mark*)

_____

5. Julia est gentille. (− / *Jeff*)

_____

6. Brian est fier. (+ / *Danielle*)

_____

7. Kavita est belle. (− / *Fran*)

_____

8. Tasha est impulsive. (+ / *Roger*)

_____

EXERCICE B

Exprimez votre opinion sur les articles suivants en comparant le premier élément avec le second.

EXEMPLE: un livre de contes / un dictionnaire
Un livre de contes est **moins (plus) utile qu'**un dictionnaire.

1. une radio / un lecteur de disques compacts

_____

2. une télévision / une radio

_____

3. une bicyclette / une voiture

_____

4. une machine à écrire / un ordinateur

_____

5. un four à micro-ondes / un barbecue électrique

_____

6. un magnétoscope / un baladeur

_____

7. un fax / un téléphone

_____

8. un bateau / un avion

_____

EXERCICE C

Faites la comparaison des personnes que vous connaissez en utilisant les adjectifs donnés.

actif	drôle	franc	intéressant	sympathique
âgé	égoïste	gentil	populaire	vieux
aimable	fort	honnête	sérieux	

EXEMPLE: ma mère / mon père
Ma mère est **plus gentille que** mon père.
Mon père est **moins drôle que** ma mère.

1. mon docteur / mon dentiste

_____

_____

2. mon prof de science / mon prof de français

_____

_____

3. mon ami(e) / mon (ma) voisin(e)

_____

_____

4. mon cousin / ma cousine

_____

_____

5. mon oncle / ma tante

_____

_____

6. mes parents / mes grands-parents

_____

_____

EXERCICE D

Exprimez votre opinion la plus positive et la plus négative pour chaque catégorie.

EXEMPLE: la langue / facile
La langue la plus facile est le français.
La langue la moins facile est le russe.

1. l'acteur / comique

_____

_____

2. le film / effrayant

_____

_____

3. la chanson / populaire

_____

_____

4. les plats / délicieux

_____

_____

5. la voiture / rapide

_____

_____

6. les matières / intéressantes

_____

_____

7. le sport / dangereux

_____

_____

8. l'animal / beau

_____

_____

EXERCICE E

Exprimez quel est, à votre avis, l'ordre d'importance des éléments de chaque catégorie.

EXEMPLE: un sport populaire _(le tennis, le golf, le basket)_
            Le golf est un sport populaire.
            Le tennis est un sport plus populaire.
            Le basket est le sport le plus populaire.

1. un métier important _(être savant, être docteur, être président)_

_____

_____

_____

2. une langue utile _(l'anglais, le français, l'espagnol)_

_____

_____

_____

3. un trait indésirable _(être malhonnête, être égoïste, être paresseux)_

_____

_____

_____

4. un rêve réalisable _(devenir astronaute, hériter beaucoup d'argent, aller à Paris)_

_____

_____

_____

5. un espoir général _(éliminer la violence, éliminer la guerre, éliminer le racisme)_

_____

_____

_____

b. A few adjectives have irregular comparatives and superlatives.

POSITIVE	COMPARATIVE	SUPERLATIVE
bon (-ne, -s, -nes) *good*	**meilleur (-e, -s, -es)** *better*	**le (la) meilleur(e)** *best* **les meilleur(e)s** *best*
mauvais (-e, -es) *bad*	**plus mauvais (-e, -es)** *worse* **pire(s)** *worse*	**le (la) plus mauvais(e)** *(the) worst* **les plus mauvais(es)** *(the) worst* **le (la) pire** *(the) worst* **les pires** *(the) worst*

Tu as **la meilleure** attitude.	*You have the best attitude.*
Ses problèmes sont **les pires**.	*His (Her) problems are the worst.*

EXERCICE F

Exprimez quel choix est, à votre avis, le meilleur et le pire de chaque catégorie.

EXEMPLE: acteur
Joe Pesci est le meilleur acteur.
Mon cousin Hector est le pire.

1. pays à visiter

_____

_____

2. spécialité française

_____

_____

3. restaurant

_____

_____

4. sport

_____

_____

5. divertissement

_____

_____

6. instrument de musique

_____

_____

7. langue à étudier

_____

_____

> **c.** Adverbs are compared as follows.

POSITIVE	**rapidement**	_rapidly_
COMPARATIVE	**plus (moins) rapidement**	_more (less) rapidly_
SUPERLATIVE	**le plus (moins) rapidement**	_the most (least) rapidly_

Je conduis **moins lentement** que lui. _I drive less slowly than he._
Il travaille **plus sérieusement** que toi. _He works more seriously than you._
Luke joue **le plus consciencieusement.** _Luke plays the most conscientiously._

NOTE:

1. The preposition _de,_ or any of its forms, may follow the superlative adverb to mean "in" or "of."

Il parle le plus couramment **du** groupe. _He speaks the most fluently of the group._

2. Since there is no agreement of adverbs, the article in the superlative is always _le._

Mes cousines courent **le** plus vite. _My cousins run the fastest._
Marie agit **le** plus méthodiquement de toutes. _Marie acts the most methodically of all._

> **d.** A few adverbs have irregular comparatives and superlatives.

POSITIVE	COMPARATIVE	SUPERLATIVE
bien _well_	**mieux** _better_	**le mieux** _(the) best_
mal _badly_	**plus mal** _worse_	**le plus mal** _(the) worst_
	pis _worse_	**le pis** _(the) worst_
beaucoup _much_	**plus** _more_	**le plus** _(the) most_
peu _little_	**moins** _less_	**le moins** _(the) least_

Je travaille **mieux** que toi. _I work better than you._
Ann chantait **le mieux** de sa classe. _Ann sang the best in her class._
Malheureusement, il se sentait **plus mal.** _Unfortunately, he felt worse._
Malheureusement, il se sentait **pis.** _Unfortunately, he felt worse._

NOTE: **The expressions _plus mal_ and _le plus mal_ are generally preferred to _pis_ and _le pis._**

EXERCICE G

Les membres de l'équipe de foot s'entraînent. Exprimez les observations de leur entraîneur.

EXEMPLE: Richard apprend d'une façon facile. (+ / *Robert*)
Richard apprend **plus facilement que** Robert.

1. Tony court d'une façon lente. (− / *Roger*)

_____

2. Helga s'entraîne d'une façon consciencieuse. (+ / *Aisha*)

_____

3. Manuel s'explique d'une façon précise. (+ / *Jorge*)

_____

4. Kimberly joue d'une façon sérieuse. (− / *Mei*)

_____

5. Daniel critique les autres d'une façon intelligente. (+ / *Paul*)

_____

6. Stacy réfléchit d'une façon profonde. (− / *Kate*)

_____

7. Amy s'exprime d'une façon franche. (+ / *Lori*)

_____

8. Alvin parle d'une façon rapide. (− / *Alan*)

_____

EXERCICE H

Des professeurs se souviennent de leurs anciens élèves. Exprimez ce qu'ils disent en utilisant les verbes entre parenthèses.

EXEMPLE: Joseph était plus lent que Jeffrey. *(écrire)*
Il écrivait plus lentement que Jeffrey.

1. Elizabeth était plus discrète que sa meilleure amie. *(parler)*

_____

2. Mark était plus élégant que Gregory. *(s'exprimer)*

_____

3. Annette était moins attentive que Vicki. *(écouter)*

_____

4. George était moins soigneux que son frère. *(travailler)*

_____

5. Charlene était plus gentille que Lisa. *(se comporter)*

_____

6. Claudette était moins agressive que Patricia. *(se disputer)*

_____

EXERCICE I

Exprimez en quoi les membres de l'orchestre se distinguent.

EXEMPLE: Lorena / se comporter / d'une façon respectueuse (+)
           Lorena se comporte le plus respectueusement de l'orchestre.

1. Lili / s'exercer / d'une façon sérieuse (+)

_____

2. Michelle / apprendre / d'une façon rapide (−)

_____

3. Ron / jouer / d'une façon facile (−)

_____

4. Claire / écouter / d'une façon attentive (+)

_____

5. Arthur / travailler / d'une façon consciencieuse (+)

_____

6. Alan / s'appliquer / d'une façon constante (−)

_____

EXERCICE J

Exprimez ce que vous pensez des acteurs de votre école.

EXEMPLE: Qui joue bien? *(Georges / Paul / Raul)*
           Georges joue bien.
           Paul joue mieux.
           Raul joue le mieux.

1. Qui répète peu? *(Al / Eric / Roy)*

_____

_____

_____

2. Qui se dispute beaucoup? *(Susana / Jessica / Annette)*

_____

_____

_____

3. Qui chante mal? *(Pierre / Louis / Frantz)*

_____

_____

_____

4. Qui danse bien? *(Lisa / Kristin / Karen)*

_____

_____

_____

    e. Comparison of Nouns

COMPARATIVE	SUPERLATIVE
plus (moins) de *more (less)*	**le plus (moins) de** *the most (the least)*

Elle mange **plus de** légumes **que** de fruits.   *She eats more vegetables than fruits.*
Je lis **plus de** romans **que** de poèmes.   *I read more novels than poems.*
Tu fais **le plus de** travail **des** ouvriers.   *You do the most work of the workers.*

EXERCICE K

Joseph et Douglas sont deux amis qui comparent toujours ce qu'ils ont. Exprimez ce qu'ils disent.

EXEMPLE: je / − / problèmes / toi
              J'ai moins de problèmes que toi.

1. je / + / vêtements / toi

_____

2. tu / − / temps libre / moi

_____

3. tu / + / mauvaises habitudes / moi

_____

4. il / + / ennemis / moi

_____

5. nous / − / disputes / nos amis

_____

6. je / + / chance / toi

_____

7. il / − / dettes / moi

_____

8. nous / − / travail / elles

_____

[2] COMPARISON OF EQUALITY

a. _Aussi_ + adjective or adverb + _que_ (as . . . as)

Il est **aussi** poli **que** toi.   _He is as polite as you._

Elles sont **aussi** heureuses **que** moi.   _They are as happy as I._

Tu joues **aussi** bien **qu'**elle.   _You play as well as she._

NOTE: _Si_ usually replaces _aussi_ in negative comparisons.

Nous ne sommes pas **si** malheureux qu'eux.   _We aren't as unhappy as they._

EXERCICE L

Vos amis ont des points communs entre eux et avec vous. Exprimez lesquels.

EXEMPLE: Lucy est sérieuse. Tu es sérieux aussi.
             Lucy est **aussi sérieuse que** toi.

1. Marcel est gentil. Je suis gentil(le) aussi.

_____

2. Danielle est intuitive. Il est intuitif aussi.

_____

3. Kevin est poli. Tu es poli aussi.

_____

4. Claire est ambitieuse. Les garçons sont ambitieux aussi.

_____

5. Robert est franc. Nous sommes francs aussi.

_____

6. Jessica est fière. Vous êtes fiers aussi.

_____

b. *Autant de* + noun + *que* (as much / as many . . . as)

J'ai **autant de** chance **que** toi.	*I have as much luck as you.*
Elle a **autant de** cassettes **que** Luc.	*She has as many tapes as Luc.*

Autant que + pronoun or noun (as much / as many . . . as)

Il travaille **autant que** Marie et moi.	*He works as much as Marie and I.*

EXERCICE M

Tout le monde est égal. Exprimez que vous avez autant de choses que vos amis.

EXEMPLE: J'ai des problèmes. Jake a des problèmes.
          J'ai **autant de problèmes que** lui.

1. J'ai de l'argent. Emily a de l'argent.

_____

2. J'ai des cassettes. Tu as des cassettes.

_____

3. J'ai des amis. Andrew et Justin ont des amis.

_____

4. J'ai de bonnes notes. Tyler a de bonnes notes.

_____

5. J'ai de l'expérience. Les filles ont de l'expérience.

_____

6. J'ai de la chance. Vous avez de la chance.

_____

[3] COMPARATIVE AND SUPERLATIVE EXPRESSIONS

faire de son mieux   *to do one's best*
Je fais toujours de mon mieux.   *I always do my best.*

le plus (moins) possible   *as much (little) as possible*
Il travaille le plus possible.   *He works as much as possible.*

le plus (moins)... possible   *as . . . as possible*
Je cours le plus vite possible.   *I run as quickly as possible.*

de plus en plus   *more and more*
Elle se repose de plus en plus.   *She rests more and more.*

de moins en moins   *less and less*
Nous mangeons de moins en moins.   *We eat less and less.*

de mieux en mieux   *better and better*
Vous parlez français de mieux en mieux.   *You are speaking French better and better.*

tant mieux (pis) *so much the better (worse)*

Elle part tout de suite. Tant mieux.	*She's leaving right now. So much the better.*
Tu ne peux pas venir? Tant pis.	*You can't come? Too bad.*

EXERCICE N

Répondez aux questions qu'une amie vous pose.

1. Quel sport fais-tu de mieux en mieux?

_____

2. Quel programme de télévision regardes-tu de moins en moins souvent?

_____

3. Qu'est-ce que tu manges de plus en plus souvent?

_____

4. En quelle classe fais-tu de ton mieux?

_____

5. Que fais-tu le plus vite possible?

_____

6. Quel genre de films regardes-tu le plus possible?

_____

MASTERY EXERCISES

EXERCICE O

Exprimez votre opinion en comparant le premier élément avec le second.

EXEMPLE: *(important)* **Un docteur est aussi important qu'un dentiste.**

EXEMPLE: *(difficile)* **Marcher est moins difficile que courir.**

1. *(grand)* _____ .

2. *(cher)* _____ .

3. *(intéressant)* _____ .

4. (amusant) _____.

5. (délicieux) _____.

6. (ennuyeux) _____.

EXERCICE P

Vous travaillez dans une agence de voyages. Composez deux listes où vous décrivez les avantages et les inconvénients de chaque séjour en le comparant à l'autre. Utilisez autant de formes de comparaisons que vous pouvez.

EXEMPLE: **Aller sur une île tropicale est plus relaxant qu'aller en ville.**

1. _____   *1.* _____

_____   _____

2. _____   2. _____

_____   _____

3. _____   3. _____

_____   _____

4. _____   4. _____

_____   _____

5. _____   5. _____

_____   _____

6. _____   6. _____

_____   _____

EXERCICE Q

Viviane vient d'être engagée comme vendeuse dans un grand magasin. Exprimez en français ce que les autres vendeurs lui disent.

1. If you are the most ambitious salesgirl, you will earn almost as much money as I do.

_____

_____

2. If you work as conscientiously as possible you will succeed more and more.

_____

_____

3. When you do your best, the work will be less and less difficult.

_____

_____

4. You are as intelligent as all the other salespeople.

_____

5. Talk as much as possible to the most serious customers.

_____

6. You learn more quickly than the others. So much the better.

_____

7. There are fewer customers here on Tuesdays than on Fridays.

   _____

8. In a very short time, if you are the most hardworking *(travailleuse)* in the department, you can be the best salesperson.

   _____

   _____

9. You are the youngest salesgirl in the store.

   _____

10. Remember to sell as much as possible.

   _____

Chapter 25
Numbers

[1] CARDINAL NUMBERS

0	zéro	20	vingt	88	quatre-vingt-huit
1	un(e)	21	vingt et un	90	quatre-vingt-dix
2	deux	22	vingt-deux	95	quatre-vingt-quinze
3	trois	30	trente	100	cent
4	quatre	31	trente et un	101	cent un
5	cinq	33	trente-trois	200	deux cents
6	six	40	quarante	316	trois cent seize
7	sept	45	quarante-cinq	500	cinq cents
8	huit	48	quarante-huit	527	cinq cent vingt-sept
9	neuf	50	cinquante	580	cinq cent quatre-vingts
10	dix	51	cinquante et un	1.000	mille
11	onze	57	cinquante-sept	1.001	mille un
12	douze	60	soixante	1.100	mille cent/onze cents
13	treize	61	soixante et un	1.200	mille deux cents/douze cents
14	quatorze	70	soixante-dix	3.000	trois mille
15	quinze	71	soixante et onze	3.210	trois mille deux cent dix
16	seize	75	soixante-quinze	10.000	dix mille
17	dix-sept	77	soixante-dix-sept	100.000	cent mille
18	dix-huit	80	quatre-vingts	1.000.000	un million
19	dix-neuf	81	quatre-vingt-un	*one billion*	un milliard

NOTE:

1. The conjunction *et* is used in 21, 31, 41, 51, 61, and 71. In all other compound numbers through 99, the hyphen is used. *Un* becomes *une* before a feminine noun.

   vingt et un garçons, **vingt et une** filles   *twenty-one boys, twenty-one girls*

2. *Quatre-vingts* and the plural of *cent* drop the *-s* before another number.

   quatre-vingts francs   *eighty francs*
   quatre-vingt-deux francs   *eighty-two francs*
   quatre cents francs   *four hundred francs*
   quatre **cent cinquante** francs   *four hundred fifty francs*

3. *Cent* and *mille* are not preceded by the indefinite article.

   cent ans   *a (one) hundred years*
   mille personnes   *a (one) thousand people*

4. *Mille* does not change in the plural.

   sept **mille** dollars   *seven thousand dollars*

5. *Mille* becomes *mil* in dates.

   Je suis né en **mil** neuf cent soixante-trois.   *I was born in 1963.*

6. *Million* is a noun. It adds an *-s* in the plural, and must be followed by *de* if another noun follows it.

un million **de** gens	*a (one) million people*
deux millions **de** fleurs	*two million flowers*

7. In numerals and decimals, where English uses periods, French uses commas and vice versa.

FRENCH	ENGLISH
10.000 dix mille	*10,000 ten thousand*
0,5 zéro virgule cinq	*0.5 (zero) point five*
2,80F deux francs quatre-vingts	*2.80F two francs and eighty centimes*

EXERCICE A

Exprimez combien coûtent (en francs) ces boissons au café.

Orangina	5F
Coca	4F
Eau minérale	1F
Café français	7F
Limonade	3F
Thé	2F
Café crème	6F

EXEMPLE: Un Orangina **coûte cinq francs.**

1. Un café français _____ .

2. Un coca _____ .

3. Un café crème _____ .

4. Un thé _____ .

5. Une eau minérale _____ .

6. Une limonade _____ .

EXERCICE B

Exprimez les notes que Régine a reçues dans chaque matière.

Physique	10
Mathématiques	15
Espagnol	17
Art	11
Histoire	16
Musique	19
Science	14
Français	12
Anglais	20
Latin	18
Éducation physique	13

EXEMPLE: **Elle a reçu dix en physique.**

1. _____

2. _____

3. _____

4. _____

5. _____

6. _____

7. _____

8. _____

9. _____

10. _____

EXERCICE C

Exprimez combien coûtent (en francs) ces spécialités du menu.

Chez Pauline

~

Nos Viandes Garnies

T'Bon Steak Royal	*95,00*
Contrefilet à l'Os	*78,00*
Entrecôte Grillée	*60,00*
Brochette de Merguez	*38,00*
Filet au Poivre	*94,00*
Escalope à la Crème	*82,00*
Bavette à l'Échalotte	*65,00*
Escalope Milanaise	*52,00*
Volaille Rôtie aux Herbes	*35,00*
Steak Tartare	*58,00*
Hamburger Œuf à Cheval	*43,00*
Frites	*17,00*
Salade de Saison	*17,00*
Fromage	*21,00*

Service 15% compris

EXEMPLE: volaille rôtie aux herbes
Ça coûte trente-cinq francs.

1. escalope milanaise *(veal scallop)*

_____

2. filet au poivre *(beef tenderloin)*

_____

3. fromage

_____

4. brochette de merguez *(sausage)*

_____

5. bavette à l'échalotte *(steak with shallots)*

_____

6. hamburger œuf à cheval *(with a fried egg)*

_____

7. frites

_____

8. contrefilet à l'os *(sirloin)*

_____

9. escalope à la crème

_____

10. T'bon steak royal

_____

EXERCICE D

Écrivez en français les numéros des autobus qui donnent accès aux bateaux-mouches et les numéros de téléphone qu'il faut appeler.

BATEAUX-MOUCHES
GRANDE TRAVERSÉE DE PARIS

Commentée en 5 Langues
Concerts
Déjeuners
Dîners
Parkings • Bars • Attente • Toilettes

Traversée **30F**
Métro . . . . **Alma-Marceau, Ligne 9**
RER . . . . **Ligne C, Versailles Rive Gauche**
Autobus **42, 92, 63, 72, 80, 83, 28, 40**
Tél. . . . . **42.25.96.10 - 43.59.30.30 - 42.25.22.55**

Autobus:

_____

Numéros de téléphone:

_____

_____

_____

EXERCICE E

Exprimez pendant combien de minutes chaque employé a parlé au téléphone hier.

EXEMPLE: Mme Krenitsky / 32
   Mme Krenitsky a parlé pendant trente-deux minutes.

1. M. Nelson / 67

   _____

2. Mme Cousins / 93

   _____

3. Mlle Galetti / 84

   _____

4. M. Jackson / 72

   _____

5. Mme Rosen / 15

   _____

6. Mlle Chade / 41

   _____

7. M. Masters / 56

   _____

8. Mme Lane / 39

   _____

9. M. Berger / 28

   _____

10. Mlle Singer / 16

   _____

EXERCICE F

Exprimez pour quelle chambre d'hôtel vous avez la clef.

EXEMPLE: Pour la chambre **trois cent seize.**

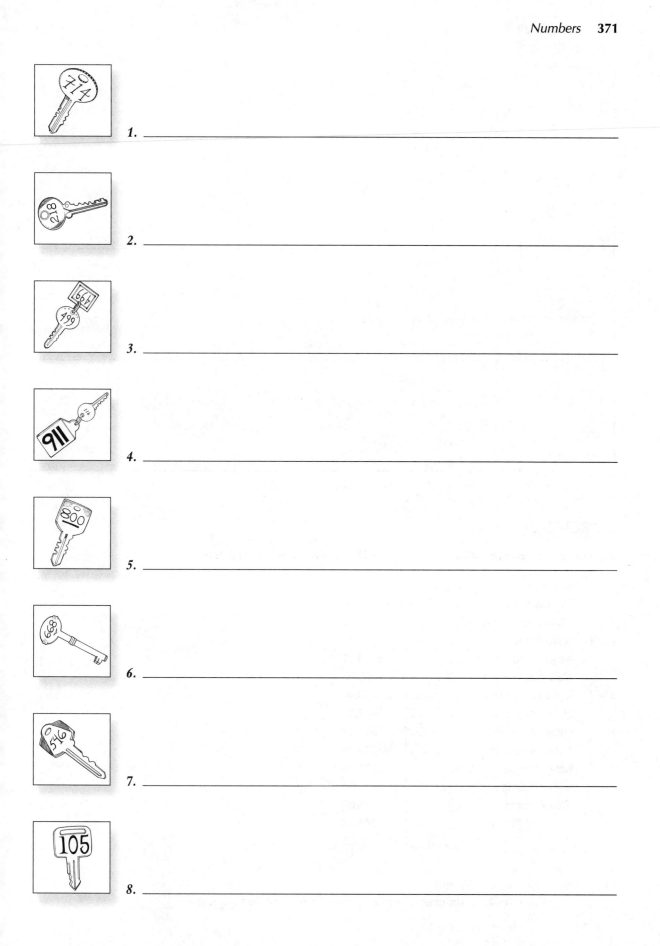

1. _____

2. _____

3. _____

4. _____

5. _____

6. _____

7. _____

8. _____

9. _____

10. _____

11. _____

12. _____

EXERCICE G

Exprimez le prix de ces valeurs (stocks) *à la Bourse* (stock market) *à Paris.*

Mut.Maris	
Mut.Unies Select	156,19
Natio Court Terme	2258,75
Natio-Epargne	14244,28
Natio Eparg.Trésor	6363,51
Natio-Inter	1200,83
Natio Monétaire	20439,40
Natio Obligations	547,33
Natio-Patrimoine	1514,47
Natio-Placements	66579,26
Natio Revenus	1021,23
Natio Sécurité	11365,80
Natio-Valeurs	884,04
. . . Dévelop	1244,13
. . . . .	118,05

EXEMPLE: Natio Court Terme
        deux mille deux cent cinquante huit francs soixante-quinze

1. Natio-Épargne

_____

2. Natio-Éparg. Trésor

_____

3. Natio-Inter

_____

4. Natio Monétaire

_____

5. Natio Obligations

_____

6. Natio-Patrimoine

_____

7. Natio-Placements

_____

8. Natio Revenus

_____

9. Natio Sécurité

_____

10. Natio-Valeurs

_____

[2] ARITHMETIC

The following expressions are used in arithmetic problems in French.

et *plus*	moins *minus*
fois *multiplied by, times*	divisé par *divided by (in French :)*
font *equals*	

Cinq et quatre font neuf.	$5 + 4 = 9$
Trois fois cinq font quinze.	$3 \times 5 = 15$
Six moins deux font quatre.	$6 - 2 = 4$
Vingt divisé par deux font dix.	$20 \div 2 = 10$

EXERCICE H

Vous travaillez dans un bureau de change en France. Exprimez les opérations que vous devez faire aujourd'hui.

1. $192 + 475 = 667$

_____

2. $5.586 - 2.351 = 3.235$

_____

3. $914 \times 5 = 4.570$

_____

4. $4.400 \div 5 = 880$

_____

5. $634 + 468 = 1.102$

_____

6. $10.008 - 4.103 = 5.905$

_____

7. $221 \times 13 = 2.873$

_____

8. $25.000 \div 10 = 2.500$

_____

[3] ORDINAL NUMBERS

1st	premier (première)	7th	septième	17th	dix-septième
2nd	deuxième, second(e)	8th	huitième	20th	vingtième
3rd	troisième	9th	neuvième	21st	vingt et unième
4th	quatrième	10th	dixième	34th	trente-quatrième
5th	cinquième	11th	onzième	100th	centième
6th	sixième	16th	seizième	103rd	cent-troisième

NOTE:

1. Ordinal numbers agree in gender and number with the noun they modify. *Premier* and *second* are the only ordinal numbers to have a feminine form different from the masculine form.

   Elle était la **première** à arriver et   *She was the first one to come*
   la **seconde** à partir.   *and the second one to leave.*

2. Except for *premier* and *second,* ordinal numbers are formed by adding *-ième* to the cardinal numbers. Silent *e* is dropped before *-ième.*

3. Note the *u* in *cinquième* and the *v* in *neuvième.*

4. *Second(e)* generally replaces *deuxième* in a series which does not go beyond two items.

   C'est sa **seconde** voiture.   *It's his second car.*

5. The final *-a* or *-e* of the preceding word or article is not dropped before *huit, huitième, onze,* and *onzième.*

   le huit juin   *the eighth of June*
   la onzième année   *the eleventh year*

6. Ordinal numbers are abbreviated as follows in French.

premier 1er (première 1re)	dixième 10^e	seizième 16^e
deuxième 2^e	cinquantième 50^e	centième 100^e

7. Cardinal numbers precede ordinal numbers in French.

   les **deux premiers** rangs   *the first two rows*

EXERCICE 1

Exprimez quel anniversaire de mariage chaque couple célèbre.

EXEMPLE: Les Johnson / 8e
            Ils célèbrent leur **huitième** anniversaire de mariage.

1. Les Richards / 5^e

_____

2. Les Whitworth / 21^e

_____

3. Les Torres / 1er

_____

4. Les O'Hara / 15^e

_____

5. Les Jordan / 50^e

_____

6. Les Castelli / 4^e

_____

7. Les Rukeyser / 36^e

_____

8. Les Lacombe / 9^e

_____

9. Les Danton / 16^e

_____

10. Les Meisner / 47^e

_____

EXERCICE J

Exprimez le rang de chaque élève de la classe.

EXEMPLE: Irene / 2^e
            Irene est la **deuxième** de la classe.

1. Bridget / 1re

_____

2. Xavier / 11^e

_____

3. Maura / 35^e

_____

4. Caroline / 13^e

_____

5. Greg / 24^e

_____

6. Nathalie / 46^e

_____

7. Raymond / 17^e

_____

8. Marco / 12^e

_____

EXERCICE K

Exprimez à quel étage de la tour de la Défense à Paris se trouvent les bureaux que vous cherchez.

BUREAU DES AFFAIRES INTERNATIONALES	17
BUREAU D'AIDE SOCIALE	61
BUREAU DES CONCERTS	52
BUREAU DU TOURISME	91
BUREAU DE CHANGE	74
BUREAU D'AIDE FINANCIÈRE	96
BUREAU D'ÉTUDES TECHNIQUES	89
BUREAU D'EXPORTATION	101

EXEMPLE: Où est le bureau des affaires internationales?
             Il est au **dix-septième** étage.

1. Où est le bureau du tourisme?

_____

2. Où est le bureau d'exportation?

_____

3. Où est le bureau de change?

_____

4. Où est le bureau d'aide sociale?

_____

5. Où est le bureau d'aide financière?

_____

6. Où est le bureau des concerts?

_____

7. Où est le bureau d'études techniques?

_____

[4]   MULTIPLES

French multiple numerals are used in the same manner as their English equivalents.

une fois   *once*

deux fois   *twice*

trois fois   *three times*

Je l'ai répété **une fois.**   *I repeated it once (one time).*

Il a été en retard **deux fois.**   *He was late twice.*

EXERCICE L

Exprimez combien de fois vous avez fait les activités suivantes.

EXEMPLE: Combien de fois as-tu joué aux dames *(checkers)*? *(8)*
Huit fois.

1. Combien de fois as-tu fait du ski? *(1)*

_____

2. Combien de fois es-tu monté à cheval? *(9)*

_____

3. Combien de fois as-tu patiné? *(100)*

_____

4. Combien de fois as-tu joué au hockey? *(15)*

_____

5. Combien de fois as-tu fait du camping? *(21)*

_____

6. Combien de fois as-tu joué au basket? *(50)*

_____

M A S T E R Y   E X E R C I S E S

EXERCICE M

Écrivez les nombres appropriés pour compléter chaque phrase.

1. Il y a _____ lettres dans l'alphabet.

2. Il y a _____ heures dans un jour.

3. Il y a _____ secondes dans une heure.

4. Il y a _____ mois dans une année.

5. Il y a _____ jours au mois d'août.

6. Il y a _____ états aux États-Unis.

7. Il y a _____ arrondissements à Paris.

8. Il y a _____ ans dans un siècle.

9. Il y a _____ élèves dans la classe de français.

10. Il y a _____ chapitres dans ce livre.

EXERCICE N

Vous achetez de nouveaux vêtements. Exprimez combien il faut payer les choses suivantes.

EXEMPLE: Il faut payer **cinquante-huit dollars.**

1. _____

2. _____

3. _____

4. _____

5. _____

6. _____

EXERCICE O

Exprimez le titre français de chaque livre avec le nombre approprié.

1. *Les* _____ *et* _____ *nuits*

2. _____ *lieues sous les mers*

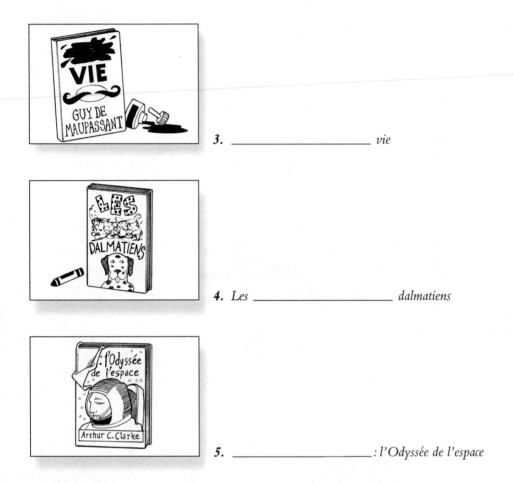

3. _____ *vie*

4. *Les* _____ *dalmatiens*

5. _____ *: l'Odyssée de l'espace*

EXERCICE P

Yvette va bientôt venir de France à un concert de rock à New York. Exprimez ce qu'elle dit de son voyage.

1. I'm going to my fifth rock concert on the third day of summer vacation with fourteen of my friends.

_____

_____

2. This is the first time that we will spend eight days in New York.

_____

_____

3. We'll leave on flight 976 from Paris.

_____

4. My parents are going to give me 1,500 francs as pocket money.

_____

5. We reserved three rooms in a big hotel: rooms 467, 469, and 471.

_____

6. The tickets for the concert cost $75, so we paid 375 francs for each ticket.

_____

_____

7. The group will play for two hours, and we expect to hear seventeen songs.

_____

_____

8. The whole trip will cost me about 6,500 francs.

_____

9. There will be twenty-five thousand young people at the concert.

_____

10. Imagine! The musicians will earn $1 million.

_____

Chapter 26
Time; Dates

[1] TIME

Quelle heure est-il?	*What time is it?*
Il est une heure.	*It is one o'clock.*
Il est trois heures cinq.	*It is 3:05.*
Il est six heures dix.	*It is 6:10.*
Il est sept heures et quart.	*It is 7:15.*
Il est onze heures vingt.	*It is 11:20.*
Il est une heure vingt-cinq.	*It is 1:25.*
Il est deux heures et demie.	*It is 2:30.*
Il est trois heures moins vingt-cinq.	*It is 2:35.*
Il est cinq heures moins vingt.	*It is 4:40.*
Il est deux heures moins le quart.	*It is 1:45.*
Il est deux heures moins dix.	*It is 1:50.*
Il est une heure moins cinq.	*It is 12:55.*
Il est midi.	*It is twelve o'clock (noon).*
Il est minuit.	*It is twelve o'clock (midnight).*
Il est midi (minuit) et demi.	*It is 12:30.*

NOTE:

1. To express time after the hour, the number of minutes is added. The conjunction *et* is used only with *quart* and *demi(e)*. To express time before the hour, *moins* is used.

2. *Midi* (noon) and *minuit* (midnight) are masculine.

[2] TIME EXPRESSIONS

à quelle heure?	*at what time?*
à deux heures	*at two o'clock*
quatre heures du matin	*four o'clock in the morning, 4:00 A.M.*
trois heures de l'après-midi	*three o'clock in the afternoon, 3:00 P.M.*
huit heures du soir	*eight o'clock in the evening, 8:00 P.M.*
vers dix heures	*about ten o'clock*
un quart d'heure	*a quarter of an hour*
une demi-heure (*pl.:* **les demi-heures**)	*a half hour*

NOTE:

1. The official twenty-four-hour system is commonly used in public announcements, such as timetables, with midnight as the zero hour. In this official system, all times are expressed in full numbers.

21h55	vingt et une heures cinquante-cinq	*9:55 P.M.*
0h20	zéro heure vingt	*12:20 A.M.*

16h	seize heures	*4:00 P.M.*
23h45	vingt-trois heures quarante-cinq	*11:45 P.M.*

2.   There is no agreement for the word *demi* when it is placed before the noun and joined to it by a hyphen. When it is placed after the noun and joined to it by the conjuction *et*, *demi* agrees with the gender (masculine or feminine) of the noun but remains singular.

Il arrivera dans une **demi**-heure.	*He will arrive in half an hour.*
Elle appelle tous les jours à trois heures et **demie**.	*She calls every day at half past three.*
Il était minuit et **demi**.	*It was half past midnight.*

EXERCICE A

Exprimez les heures que marquent les horloges ci–dessous.

EXEMPLE: **Il est huit heures moins vingt.**

1. _____

2. _____

3. _____

4. _____

5. _____

6. _____

7. _____

8. _____

9. _____

10. _____

EXERCICE B

Exprimez en système officiel les heures indiquées sur ces montres digitales.

EXEMPLE: **Il est quatre heures trente-sept.**

1. _____

2. _____

3. _____

4. _____

5. _____

6. _____

EXERCICE C

Exprimez à quelle heure vous faites les choses suivantes.

EXEMPLE: **Je vais à l'école à sept heures et demie.**

1. _____

2. _____

3. _____

4. _____

5. _____

6. _____

7. _____

8. _____

9. _____

10. _____

EXERCICE D

Exprimez à quelles heures ces vols partiront de Fort–de–France vers les villes indiquées.

Compagnies	Départs	Destinations
AIR FRANCE	8h50	Pointe-à-Pitre / San Juan / Haïti
	11h10 / 17h30	Pointe-à-Pitre
	17h50	Paris-Orly
	19h10	Cayenne
	20h40	Bordeaux / Lyon
AMERICAN AIRLINES	7h25	S.-Thomas / Miami / New York
	10h30	Miami
	21h40	Sainte-Lucie
AIR MARTINIQUE	9h00	S.Lucie / Grenade / Trinité
	13h15	Dominique

EXEMPLE: vers Pointe-à-Pitre, San Juan et Haïti
Ce vol partira à neuf heures moins dix.

1. vers Pointe-à-Pitre

_____

2. vers Paris-Orly

_____

3. vers Cayenne

_____

4. vers Bordeaux et Lyon

_____

5. vers Saint Thomas, Miami et New York

_____

6. vers Miami

_____

7. vers Sainte-Lucie

_____

8. vers Sainte-Lucie, Grenade et Trinité

_____

9. vers Dominique

_____

EXERCICE E

Vous êtes en vacances et vous voulez nager dans la mer tous les jours. Consultez l'horaire des marées
(tides) *pour connaître les heures des hautes et des basses mers.*

	Heures	Hauteurs en Mètres
Samedi 3	3h47	0,8
	11h34	0,4
	19h18	0,7
	23h00	0,6
Dimanche 4	4h36	0,7
	12h03	0,5
	19h36	0,7
Lundi 5	0h00	0,6
	5h25	0,7
	12h28	0,5
	19h52	0,7
Mardi 6	1h01	0,6
	6h16	0,7
	12h48	0,5
	20h10	0,7

EXEMPLE: samedi 3
             Haute mer: **à quatre heures moins treize du matin et à sept heures dix-huit du soir**
             Basse mer: **à midi moins vingt-six et à onze heures du soir**

1. dimanche 4

_____

_____

_____

2. lundi 5

_____

_____

_____

3. mardi 6

_____

_____

_____

EXERCICE F

Vos parents voudraient savoir où vous serez avec vos amis à certaines heures de la journée. Répondez à leurs questions.

1. À huit heures moins vingt-cinq vous irez à la station-service pour vérifier le moteur de la voiture. Vous comptez y rester quarante-cinq minutes. À quelle heure rentrerez-vous?

   _____

2. Vos amis et vous ferez du karaté à la M.J.C. à onze heures. Le cours durera une heure et demie. À quelle heure quitterez-vous la M.J.C.?

   _____

3. Vous irez chez le docteur à deux heures et quart. La visite durera une demi-heure. À quelle heure quitterez-vous le cabinet du docteur?

   _____

4. Le match que vous irez voir commencera à trois heures et quart. Il durera une heure quarante-cinq minutes. À quelle heure est-ce que le match finira?

   _____

5. La boum se terminera à dix heures. Il vous faudra trente minutes pour revenir à la maison. À quelle heure rentrerez-vous?

   _____

[3]   DAYS, MONTHS, SEASONS

LES JOURS DE LA SEMAINE	LES MOIS DE L'ANNÉE	LES SAISONS DE L'ANNÉE
lundi *Monday*	**janvier** *January*	**le printemps** *spring*
mardi *Tuesday*	**février** *February*	**l'été** *summer*
mercredi *Wednesday*	**mars** *March*	**l'automne** *autumn*
jeudi *Thursday*	**avril** *April*	**l'hiver** *winter*
vendredi *Friday*	**mai** *May*	
samedi *Saturday*	**juin** *June*	
dimanche *Sunday*	**juillet** *July*	
	août *August*	
	septembre *September*	
	octobre *October*	
	novembre *November*	
	décembre *December*	

NOTE:

1. Days, months, and seasons are all masculine. They are not capitalized in French.

2. To express in which months and seasons something takes place, *en* is used, except with *printemps,* when *au* is used.

en juin	*in June*	en été	*in (the) summer*
en avril	*in April*	en automne	*in (the) autumn*
en septembre	*in September*	en hiver	*in (the) winter*
en mai	*in May*	au printemps	*in (the) spring*

3. For the use of the article with days of the week, see page 211, section e.

EXERCICE G

Vous aurez du temps libre pendant les vacances de fin d'année. Utilisez ce calendrier pour exprimer quand vous irez voir les personnes indiquées.

L	M	M	J	V	S	D
		1	*2*	*3*	*4*	*5* *Nathalie*
6 *Caroline*	*7*	*8*	*9*	*10* *Martin*	*11*	*12*
13	*14*	*15*	*16* *Richard*	*17*	*18*	*19*
20	*21* *Martha*	*22*	*23*	*24*	*25* *Aileen*	*26*
27 *Brenda*	*28*	*29* *France*	*30*	*31*		

EXEMPLE: Caroline
            J'irai voir Caroline le lundi 6.

1. Richard

_____

2. Nathalie

_____

3. Aileen

_____

4. France

_____

5. Brenda

_____

6. Martin

_____

7. Martha

_____

EXERCICE H

Vous expliquez quelles sont les fêtes américaines à votre correspondant suisse. Exprimez quand chaque fête est célébrée en complétant les phrases avec le mois approprié.

1. On célèbre la fête des Pères en _____ .

2. On célèbre Noël en _____ .

3. On célèbre l'anniversaire de Washington en _____ .

4. On vote en _____ .

5. On commémore les soldats morts à la guerre en _____ .

6. On célèbre Pâques généralement en _____ .

7. On célèbre le Nouvel An en _____ .

8. On fête la Saint-Patrick en _____ .

9. On met des costumes pour fêter Halloween en _____ .

10. On célèbre l'indépendance des États-Unis en _____ .

11. On célèbre la fête du Travail en _____ .

12. On est en plein été en _____ quand il n'y a pas de fêtes.

EXERCICE I

Exprimez à votre amie française en quelle(s) saison(s) on pratique ces sports.

EXEMPLE: **On fait du volley-ball au printemps et en été.**

1. _____

2. _____

3. _____

4. _____

5. _____

6. _____

7. _____

[4]   DATES

Quelle est la date d'aujourd'hui?	*What is today's date?*
Quel jour (de la semaine) est-ce aujourd'hui? **Quel jour sommes-nous aujourd'hui?**	*What day of the week is today?*
C'est aujourd'hui jeudi. **Nous sommes jeudi.**	*Today is Thursday.*
C'est aujourd'hui le premier juin. **Aujourd'hui, nous sommes le premier juin.**	*Today is June 1 (the first of June).*
en dix-neuf cent quatre-vingt-seize **en mil neuf cent quatre-vingt-seize**	*en 1996*
le dix juin dix-neuf cent soixante **le 10 juin 1960**	*June 10, 1960*

NOTE:

1. In dates, *le premier* is used to express the first day of the month. For all other days, cardinal numbers are used.

2. Years are commonly expressed in hundreds, as in English. The word for "one thousand" in dates, if used, is generally written *mil*.

3. When written in numbers, the date follows the sequence day, month, year.

   12 / 1 / 45 = January 12, 1945

   7 / 8 / 69 = August 7, 1969

EXERCICE J

Exprimez sous quelle date de votre agenda vous noterez les commentaires suivants.

EXEMPLE: fête de la Saint-Patrick
le dix-sept mars

1. Noël

_____

2. Jour d'action de grâce *(Thanksgiving)*

_____

3. Pâques

_____

4. rentrée des classes

_____

5. début des vacances d'été

_____

6. élections gouvernementales

_____

7. célébration de l'arrivée de Christophe Colomb au Nouveau Monde

_____

8. fête des Mères

_____

9. fête des Pères

_____

10. Saint-Valentin

_____

EXERCICE K

Votre famille de France compte venir vous rendre visite cette année. Exprimez quand chaque personne viendra.

EXEMPLE: Oncle Dominique — 7 / 5
Oncle Dominique viendra le sept mai.

1. Cousine Brigitte — 31 / 8

_____

2. Oncle Bruno — 16 / 1

_____

3. Cousin Benjamin — 3 / 5

_____

4. Tante Lise — 4 / 9

_____

5. Grand-mère Rose — 11 / 12

_____

6. Cousin Charles — 28 / 2

_____

7. Grand-père Marcel — 8 / 6

_____

8. Cousine Nadine — 15 / 10

_____

9. Tante Nathalie — 24 / 11

_____

10. Cousin Gilbert — 12 / 3

_____

11. Oncle Fernand — 1 / 7

_____

12. Cousine Bette — 5 / 4

_____

EXERCICE L

Exprimez en français les dates de mariage des membres de la famille Juneau.

EXEMPLE: Pierre et Marie: 13 / 10 / 1945
            le treize octobre mil neuf cent quarante-cinq

1. Albert et Sophie: 1 / 2 / 1986

_____

2. Maurice et Sandra: 12 / 6 / 1974

_____

3. Vincent et Christelle: 21 / 12 / 1980

_____

4. Thierry et Claire: 20 / 4 / 1985

_____

5. Nicolas et Aude: 30 / 9 / 1939

_____

6. Jeffrey et Michèle: 31 / 3 / 1957

_____

M A S T E R Y   E X E R C I S E S

EXERCICE M

Vous regardez votre album de photos. Donnez la date et l'heure à laquelle chaque photo a été prise.

Halloween, Wed., Oct. 31, 1983–9:15

EXEMPLE: **C'est le mercredi trente et un octobre mil neuf cent quatre-vingt-trois, à neuf heures et quart.**

New Year–Friday, Jan. 1, 1989–half-past midnight

1. _____

_____

2. _____

_____

3. _____

_____

4. _____

_____

EXERCICE N

Exprimez en français quand ces personnages historiques sont nés.

Sat. Feb. 22, 1732

EXEMPLE: **Washington est né le samedi vingt-deux février mil sept cent trente-deux.**

Sun. Aug. 15, 1769

1. _____

_____

Fri. Feb. 12, 1809

2. _____

_____

Thurs. Nov. 22, 1890

3. _____

_____

Sat. May 29, 1917

4. _____

_____

Mon. Jan. 15, 1929

5. _____

_____

EXERCICE O

Écrivez l'autobiographie de cet élève pour le journal de l'école.

1. My name is Michael Adam and I was born on Friday, April 22, 1979 at 9:20 A.M.

   _____

   _____

2. When I was five years old, I started school at 8:30 A.M. on Wednesday, September 5, 1983.

   _____

   _____

3. I went to school from 8:40 to 3:00, from Monday to Friday, every day for six years.

   _____

   _____

4. My first junior high school class was French, at 9:15 A.M. on Friday, September 11, 1990.

   _____

   _____

5. I studied for three years and finally received my diploma on Thursday, June 27, 1993 at 10:30 A.M.

   _____

   _____

6. My high school career began on Tuesday, September 3, 1993, and will end on Tuesday, June 27, 1997.

   _____

   _____

7. I now go to school from 7:30 A.M. to 3:15 P.M.

   _____

8. When I come home at 3:30, I watch television.

   _____

   _____

9. I eat dinner between 6:00 and 6:45 P.M.

   _____

10. I do my homework from 7:30 to 10:00 every night.

    _____

Chapter 27
Interrogatives and Exclamations

[1] INTERROGATIVE ADVERBS

combien?	*how much? how many?*	**d'où?**	*from where?*
comment?	*how?*	**pourquoi?**	*why?*
où?	*where (to)?*	**quand?**	*when?*

Interrogative adverbs are used with inversion as well as with *est-ce que* to form questions.

Quand partira-t-il?
Quand est-ce qu'il partira? } *When will he leave?*

Comment est-elle?
Comment est-ce qu'elle est? } *What is she like?*

NOTE:

1. With *combien, comment, où, d'où,* and *quand,* when the subject is a noun, and the verb has no object, a question may be formed by inverting the order of subject and verb.

   Combien coûte ce livre? *How much does this book cost?*

   Comment s'appelle ce café? *What's the name of this café?*

2. In colloquial spoken French, questions are often formed by placing an interrogative adverb after the verb.

   Tu vas **où?** *Where are you going?*

   Ce livre **coûte combien?** *How much does this book cost?*

EXERCICE A

Vous êtes fort curieux (curieuse). Posez des questions à votre ami qui vient d'acheter de nouveaux vêtements.

EXEMPLE: Je suis allé en ville en bus. *(comment)*
   Comment es-tu allé en ville?
   Comment est-ce que tu es allé en ville?

1. Je suis allé à la Samaritaine. *(où)*

_____

_____

2. J'ai choisi ces chaussettes parce que j'aime la couleur. *(pourquoi)*

_____

_____

3. Je suis allé en ville hier. *(quand)*

_____

_____

4. J'ai trouvé ce chapeau avec l'aide du vendeur. *(comment)*

_____

_____

5. J'ai payé cette cravate vingt dollars. *(combien)*

_____

_____

EXERCICE B

Exprimez autant de questions que vous pouvez en vous basant sur ces paragraphes.

EXEMPLE: Vendredi après-midi, Victor, un touriste qui est des États-Unis, s'arrête tout d'un coup devant une boutique parce qu'il a envie d'acheter de jolis souvenirs.
D'où est Victor?
Quand s'arrête-t-il devant la boutique?
Comment s'arrête-t-il?
Où s'arrête-t-il?
Pourquoi s'arrête-t-il?

1. Louis quitte rapidement sa dernière classe à trois heures et demie de l'après-midi parce qu'il sait que deux équipes de football vont entrer dans le stade pour jouer.

_____

_____

_____

_____

2. À sept heures du soir, dans sa chambre, Eva apprend consciencieusement cinq vieilles chansons populaires de France parce qu'elle va chanter en public samedi matin.

_____

_____

_____

_____

[2] INTERROGATIVE ADJECTIVES

The interrogative adjective *quel* (which? what?) agrees with the noun it modifies.

	MASCULINE	FEMININE
SINGULAR	**quel**	**quelle**
PLURAL	**quels**	**quelles**

Quelle chanson préfère-t-il?   *Which song does he prefer?*

NOTE:

1. The only verb that may follow *quel* directly is *être*.

    Quelle est ton adresse?   *What is your address?*

2. *Quel* may be preceded by a preposition.

    De quels livres parlez-vous?   *About which books are you speaking?*
    À quelle heure viendrais-tu?   *At what time would you come?*

EXERCICE C

Votre amie et vous allez faire des achats en ville. Demandez-lui ce qu'elle va acheter.

EXEMPLE: **Quel** disque compact vas-tu acheter?

1. _____

2. _____

3. _____

4. _____

5. _____

6. _____

7. _____

EXERCICE D

Complétez les questions qu'un camarade de classe vous pose pour un sondage.

1. _____ est ton prénom?

2. _____ âge as-tu?

3. _____ sont tes passe-temps préférés?

4. _____ revues préfères-tu?

5. _____ cuisine aimes-tu le mieux?

6. _____ sports regardes-tu à la télé?

7. _____ cassettes as-tu envie d'acheter?

8. _____ matière préfères-tu?

[3] INTERROGATIVE PRONOUNS

	PEOPLE	THINGS
SUBJECT OF A VERB	**qui?** *who?* **qui est-ce qui?** *who?*	**qu'est-ce qui?** *what*
DIRECT OBJECT OF A VERB	**qui?** *whom?* **qui est-ce que?** *whom?*	**que?** *what?* **qu'est-ce que?** *what?*
OBJECT OF A PREPOSITION	**qui?** *who?* **qui est-ce que?** *who?*	**quoi?** *what?*

NOTE: The *e* of *que* is dropped before a word beginning with a vowel. The *i* of *qui* is never dropped.

Qu'a-t-il cherché?	*What did he look for?*
Qui a-t-il cherché?	*Whom did he look for?*

a. Interrogative pronouns as subjects

Qui and *qui est-ce qui* (who?) are used for people. *Qu'est-ce qui* (what?) is used for things. These forms are followed by the third person singular (*il* or *elle*) of the verb.

Qui arrivera avec toi?

Qui est-ce qui arrivera avec toi? } *Who will arrive with you?*

Qu'est-ce qui arrive? } *What is happening?*

EXERCICE E

Votre professeur a été absent pendant quelques semaines. Exprimez les questions qu'elle a posées à son retour.

EXEMPLE: Claire a effacé le tableau.
           Qui a effacé le tableau?

Diane et Claudia ont aidé le remplaçant.

1. _____

Paul a vidé les ordures.

2. _____

Nous avons écouté attentivement.

3. _____

Tout le monde a coopéré.

4. _____

J'ai ramassé les papiers tous les jours.

5. _____

Cassandra et Claire ont organisé les groupes.

6. _____

EXERCICE F

Mme Venable n'a pas pu travailler. Elle vous dit pourquoi, mais vous lui demandez de répéter.

EXEMPLE: Le tonnerre a retenti *(resounded)*
           Qu'est-ce qui a retenti?

Un coup de téléphone a interrompu le silence.

1. _____

Le courrier est arrivé.

2. _____

Des alarmes de voiture se sont mises à sonner.

3. _____

Le vent a dispersé ses papiers.

4. _____

Ses stylos ont disparu.

5. _____

Un klaxon *(horn)* de voiture l'a empêchée de se concentrer.

6. _____

EXERCICE G

Votre mère voudrait savoir ce qui est arrivé pendant son absence. Complétez ses questions avec qui est-ce qui *ou* qu'est-ce qui.

1. _____ est arrivé dans le courrier?

2. _____ a téléphoné?

3. _____ a fait le ménage?

4. _____ s'est passé dans ce quartier?

5. _____ a aidé ta grand-mère?

6. _____ a eu lieu devant la mairie?

7. _____ est tombé en panne *(broke down)*?

8. _____ a nettoyé la maison?

b. Interrogative pronouns as direct objects

Qui and *qui est-ce que* (whom?) are used for people. *Que* and *qu'est-ce que* (what?) are used for things.

Qui vois-tu?
Qui est-ce que tu vois? } *Whom do you see?*

Que vois-tu?
Qu'est-ce que tu vois? } *What do you see?*

NOTE:

1. After the short forms *qui* and *que,* the word order is inverted. After the long form, the word order is regular.

2. When the subject is a noun, the following constructions are possible:

Qui David **regarde-t-il?**
Qui est-ce que David regarde? } *Whom is David looking at?*

Que regarde David?
Qu'est-ce que David regarde? } *What is David looking at?*

EXERCICE H

Exprimez les questions que vous posez à votre nouvelle amie.

EXEMPLE: *(ennuyer)* **Qui est-ce que** tu ennuies?

1. *(déranger)* _____

2. *(embrasser)* _____

3. *(étonner)* _____

4. *(saluer)* _____

5. *(chercher)* _____

6. *(écouter)* _____

EXERCICE I

Votre ami voudrait améliorer son français. Demandez-lui comment il le fera.

EXEMPLE: J'écouterai des disques compacts français.
            Qu'est-ce que tu écouteras?

   Je lirai des magazines français.

1. _____

   Je répéterai les mots difficiles.

2. _____

   J'étudierai la grammaire.

3. _____

   Je verrai des films français.

4. _____

   J'achèterai des cassettes françaises.

5. _____

   J'apprendrai des expressions françaises.

6. _____

EXERCICE J

Utilisez qui ou que (qu') pour poser ces questions à vos amis au sujet de la fête française à votre école.

1. _____ prépareras-tu?

2. _____ aideras-tu?

3. _____ attendras-tu?

4. _____ feras-tu pour aider le prof?

5. _____ apporteras-tu comme dessert?

6. _____ salueras-tu?

7. _____ goûteras-tu?

8. _____ inviteras-tu?

EXERCICE K

Vous faites des projets avec une amie. Exprimez vos questions en utilisant qu'est-ce qui *ou* qu'est-ce que.

1. _____ se passera au carnaval?

2. _____ tu voudrais faire ce week-end?

3. _____ te ferait le plus plaisir?

4. _____ serait amusant de faire?

5. _____ tu voudras manger ce soir?

6. _____ tu proposes d'autre?

c. Interrogative pronouns as objects of prepositions

A preposition + *qui* is used to refer to people.

À qui pense-t-elle?	*Whom is she thinking about?*
De qui as-tu besoin?	*Whom do you need?*

A preposition + *quoi* is used to refer to things.

À quoi pense-t-elle?	*What is she thinking about?*
De quoi as-tu besoin?	*What do you need?*

NOTE:

1. *Est-ce que* may be used in place of inversion.

À qui est-ce qu'elle pense?	**De qui** est-ce que tu as besoin?
À quoi est-ce qu'elle pense?	**De quoi** est-ce que tu as besoin?

2. *À qui* (whose?) is used to show possession. *De qui* (whose?) is used to show relationship.

À qui est ce livre?	*Whose book is this?*
De qui es-tu la petite amie?	*Whose girlfriend are you?*

EXERCICE L

Lucien et ses collègues travaillent pour améliorer la société. Exprimez les questions que vous lui posez en employant quoi.

EXEMPLE: Nous comptons sur les contributions de tous les habitants.
      Sur quoi comptez-vous?

Nous luttons contre la pollution.

1. _____

Nous avons besoin de votre aide.

2. _____

Nous travaillons avec un ordinateur.

3. _____

Nous manifestons souvent devant la mairie.

4. _____

Nous pensons à l'avenir de la planète.

5. _____

Nous laissons nos brochures dans les boîtes aux lettres.

6. _____

EXERCICE M

Corinne travaille cet été. Posez-lui des questions sur son expérience en vous basant sur les expressions en caractères gras et en utilisant qui.

Au travail, je suis polie **envers les employés,** mais je me fâche souvent **contre Steven.** Je travaille **pour M. Clarence.** J'obéis toujours **à mon patron** car j'ai peur **de lui.** Le week-end, je m'amuse **avec mes amis** et je vais **chez mes grands-parents.** L'été va vite passer!

EXEMPLE: **Envers qui es-tu polie?**

1. _____

2. _____

3. _____

4. _____

5. _____

6. _____

EXERCICE N

Vous cherchez à mieux connaître le nouveau membre de votre équipe de foot. En utilisant une préposition suivie de qui *ou* quoi, *posez-lui les questions qui correspondent à ses réponses.*

EXEMPLE: J'ai peur de me blesser.
De quoi as-tu peur?

Je me dispute avec l'arbitre.

1. _____

J'obéis toujours aux règles.

2. _____

Je rêve de devenir célèbre.

3. _____

Je m'exerce avec des haltères *(dumbbells)* tous les jours.

4. _____

Je me renseigne sur les projets de l'équipe.

5. _____

J'ai de l'admiration pour toi.

6. _____

Je me défends contre les attaquants de l'autre équipe.

7. _____

Je m'indigne contre les décisions injustes de l'arbitre.

8. _____

Je pense aux autres membres de l'équipe.

9. _____

Je compte sur mes copains.

10. _____

Je me méfie des stratégies trop complexes.

11. _____

Je me plains du gardien de but *(goalkeeper).*

12. _____

[4] VARIABLE INTERROGATIVE PRONOUNS

The interrogative pronoun *lequel* (which? which one[s]?) agrees in number and gender with the noun to which it refers.

	MASCULINE	FEMININE
SINGULAR	**lequel**	**laquelle**
PLURAL	**lesquels**	**lesquelles**

Lequel de ces livres as-tu lu?	*Which (one) of these books did you read?*
Lesquels de ces livres as-tu lus?	*Which (ones) of these books did you read?*
Laquelle de ces cassettes préfères-tu?	*Which (one) of these cassettes do you prefer?*
Lesquelles de ces cassettes préfères-tu?	*Which (ones) of these cassettes do you prefer?*

NOTE: **When *à* and *de* are used before forms of *lequel*, the usual contractions take place.**

	MASCULINE	FEMININE
SINGULAR	**auquel**	**à laquelle**
	duquel	**de laquelle**
PLURAL	**auxquels**	**auxquelles**
	desquels	**desquelles**

Auquel de tes amis as-tu parlé?	*To which one of your friends did you speak?*
Desquelles de ces filles se souvient-il?	*Which ones of these girls does he remember?*

EXERCICE O

Une amie vous raconte ce qu'elle a fait en France. Posez-lui des questions.

EXEMPLE: J'ai visité une tour.
   Laquelle?

1. J'ai acheté des cassettes.

_____

2. J'ai lu des journaux français.

_____

3. J'ai vu un film.

_____

4. J'ai visité des monuments.

_____

5. J'ai loué une voiture.

_____

6. J'ai traversé un fleuve.

_____

7. J'ai célébré une fête.

_____

8. J'ai goûté des spécialités.

_____

EXERCICE P

Vous cherchez à savoir quels goûts vous avez en commun avec vos amis. Demandez-leur des précisions sur ce qu'ils aiment et ce qu'ils font en utilisant les formes appropriées de lequel.

EXEMPLE: Nous allons à la pâtisserie tous les jours.
À laquelle allez-vous?

1. Nous jouons souvent aux jeux vidéos.

_____

2. Kevin pense toujours à une copine.

_____

3. Je m'intéresse aux nouvelles technologies.

_____

4. Lucas et moi, nous participons de temps en temps à un débat politique.

_____

5. Elles aiment participer à des conférences.

_____

6. Mariel va au cinéma tous les samedis.

_____

EXERCICE Q

Bertrand est assez vague quand il parle de lui-même. Demandez-lui des précisions en posant des questions avec les formes appropriées de lequel.

EXEMPLE: Je me souviens de mes vacances.
Desquelles te souviens-tu?

1. Je discute de mes problèmes avec mes parents.

_____

2. Je joue d'un instrument de musique.

_____

3. Je m'occupe de plusieurs organisations.

_____

4. Je suis membre d'une troupe de théâtre.

_____

5. Je me moque de mon copain.

_____

[5] EXCLAMATIONS

The forms of *quel* are used in exclamations to express "what a . . . !" or "what . . . !"

Quel beau film!	*What a beautiful film!*
Quels bâtiments modernes!	*What modern buildings!*

NOTE: In an exclamation with *quel,* the adjective in the sentence stays in its usual position.

Quelle **belle femme**!	*What a beautiful woman!*
Quelles **fleurs superbes**!	*What marvelous flowers!*

EXERCICE R

Tout vous enthousiasme! Exprimez comment vous vous exclamez en voyant les choses suivantes.

EXEMPLE: luxueux
          Quelle voiture luxueuse!

1. passionnant

_____

2. charmant

_____

3. appétissant

_____

4. ancien

_____

5. précieux

_____

6. formidable

_____

7. vieux

_____

8. puissant

_____

M A S T E R Y   E X E R C I S E S

EXERCICE S

Exprimez autant de questions possibles en vous basant sur les situations décrites.

1. Richard prend la voiture de son père. Il conduit David en ville. Ils décident d'aller à un match de foot parce que leur équipe, les Loups, participe au championnat. Ce match sera vraiment excellent. Les deux garçons rentreront après minuit.

_____

_____

_____

_____

_____

_____

2. Melissa reçoit un cadeau de son petit ami Paul. Quand elle déballe _(unwraps)_ le paquet, une carte tombe par terre. Elle lit la carte et elle est très heureuse. Paul dit qu'il l'adore. Melissa est très curieuse. Elle ouvre son cadeau. Quelle surprise! Paul lui a acheté une jolie bague en or.

_____

_____

_____

_____

_____

_____

EXERCICE T

Mme Prescott est une dame de 85 ans qui est toujours très alerte. Complétez les questions que des amis se posent à son égard. Utilisez l'expression interrogative appropriée.

à qui	desquels	quelles
à quoi	laquelle	qu'est-ce qui
auxquels	que	qui
de quoi	quel	sur qui

1. _____ téléphone-t-elle quand elle a des problèmes? À ses voisins ou à ses enfants?

2. _____ compte-t-elle dans un cas d'urgence? Sur sa meilleure amie ou sur sa fille?

3. _____ s'occupe-t-elle pendant son temps libre? De sa maison ou de son club?

4. _____ de ses petits-enfants se vante-t-elle toujours? De ses petits-fils ou de ses petites-filles?

5. _____ l'intéresse le plus? L'art ou la musique?

6. _____ émissions de télévision préfère-t-elle? Les documentaires ou les comédies?

7. _____ de ses filles lui rend toujours visite? Annette ou Marie?

8. _____ des magasins du quartier va-t-elle tous les jours?

9. _____ fait-elle toute la soirée? Regarde-t-elle la télé ou écoute-t-elle la radio?

10. _____ s'occupe d'elle quand elle est malade? Sa sœur ou sa cousine?

11. _____ pense-t-elle souvent? Au passé ou au présent?

12. _____ est son passe-temps favori? Tricoter *(to knit)* ou lire?

EXERCICE U

Exprimez ce que disent les membres de la famille Poireau au restaurant.

1. To whom may we talk? We would like another table.

_____

_____

2. At which one of these tables can we sit?

_____

3. Who is our waiter?

_____

4. What are today's specialties?

_____

5. What do you recommend? Why?

_____

6. How much does it cost?

_____

7. What do you need? One of these glasses? Which one?

_____

_____

8. What fell in my soup? Please bring me another soup.

_____

_____

9. Which is the most delicious pastry?

_____

10. What a wonderful meal!

_____

Chapter 28
Possession

[1] EXPRESSING POSSESSION

a. In French, possession and relationship are expressed by the preposition *de.*

la voiture **d'**Adam	*Adam's car*
les poupées **de** Michelle	*Michelle's dolls*
le cabinet **du** doctor	*the doctor's office*
le toit **de la** maison	*the roof of the house*
la maîtresse **des** élèves	*the pupils' teacher*

NOTE: *De* is repeated before each noun.

le père **de** Mark et **de** Jim   *Mark and Jim's father*

EXERCICE A

Vous êtes en vacances avec des amis. Expliquez à qui appartiennent les objets qui se trouvent dans votre chambre.

EXEMPLES: le tee-shirt / Joseph   les maillots de bain / garçons
                  C'est le tee-shirt **de** Joseph.   Ce sont les maillots de bain **des** garçons.

1. le bikini / Caroline

_____

2. les lunettes de soleil / Jacques

_____

3. la lotion / filles

_____

4. le baladeur / mon ami

_____

5. les cassettes / garçons là-bas

_____

6. la raquette / instructeur

_____

7. la planche à voile / directeur des sports

_____

8. la chemise / fille

_____

b. The idiom *être à* (to belong to) is also used to express possession.

Ce livre **est à** Jeanne.	*This book belongs to Jeanne.*
Ces magazines **sont à** eux.	*These magazines belongs to them.*

NOTE:

1. *À* is repeated before each noun.

Ces cassettes sont **à** Cody et **à** Matthew.   *These cassettes belong to Cody and Matthew.*

2. In questions, forms of *être à* are used as follows.

À qui est ce chapeau?	*To whom does this hat belong?*
	(Whose hat is this?)
À qui sont ces stylos?	*To whom do these pens belong?*
	(Whose pens are these?)

EXERCICE B

Vous travaillez au bureau des objets trouvés à l'aéroport. Exprimez à qui appartiennent les choses oubliées par certains voyageurs.

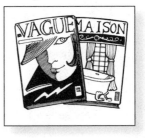

EXEMPLES: M. Olivier
        À qui est l'agenda?
        Il est à M. Olivier.

filles
À qui sont les magazines?
Ils sont aux filles.

1. Paul

2. garçon là-bas

_____

_____

_____

_____

3. touristes français

_____

_____

4. cette dame

_____

_____

5. femmes assises à droite

_____

_____

6. la jeune Anglaise

_____

_____

EXERCICE C

Vous demandez à des amis à qui sont toutes les choses que vous avez trouvées dans votre garage. Exprimez leurs réponses.

EXEMPLE: Ces livres sont à Gérard?
            Oui, ils **sont à** lui.

1. Cette bicyclette est à toi, Rosalie?

_____

2. Ces valises sont à Kristin et à Maria?

_____

3. Cette serviette est à Lara?

_____

4. Ces jouets sont à Amanda et à moi?

_____

5. Ces affiches sont à Jason et à Tim?

_____

6. Ces outils sont à vous, Paul et Justin?

_____

7. Ce tableau est à M. Bell?

_____

8. Ces boîtes sont à moi?

_____

[2] POSSESSIVE ADJECTIVES

SINGULAR		PLURAL	
MASCULINE	FEMININE		
mon	**ma**	**mes**	_my_
ton	**ta**	**tes**	_your_ (familiar)
son	**sa**	**ses**	_his, her, its_
notre	**notre**	**nos**	_our_
votre	**votre**	**vos**	_your_ (formal)
leur	**leur**	**leurs**	_their_

NOTE:

1. Possessive adjectives, like other adjectives, agree with the nouns they modify. They are repeated before each noun.

ma tante et **mon** oncle	_my aunt and uncle_
vos cahiers et **votre** manuel	_your notebooks and your textbook_
leurs disques compacts et **ta** stéréo	_their records and your stereo_

2. The forms _mon, ton,_ and _son_ are used instead of _ma, ta,_ and _sa_ before a feminine singular noun beginning with a vowel or a silent _h_.

mon hôtesse	_my hostess_
ton amitié	_your friendship_
son étudiante	_his (her) student_

3. With parts of the body, the possessive adjective is frequently replaced by the definite article if the possessor is clear.

J'ai mal à **la** gorge.	_My throat is sore._
Il porte son sac sur **le** dos.	_He carries his bag on his back._

EXERCICE D

Vous êtes très en retard pour un rendez-vous en ville. Exprimez les questions que vous posez à votre mère et ses réponses.

EXEMPLE: Où est **mon** jean?
Ton jean? Le voici.

1. _____

_____

2. _____

_____

3. _____

_____

4. _____

_____

5. _____

_____

6. _____

_____

7. _____

_____

8. _____

_____

EXERCICE E

Vous rendez la voiture que vous avez louée. Le propriétaire vous demande si vous avez laissé des affaires dans la voiture. Exprimez ses questions et vos réponses.

EXEMPLE: portefeuilles
            Est-ce que ce sont **vos** portefeuilles?
            Non, ce ne sont pas **nos** portefeuilles.

1. cartes de crédit

_____

_____

2. plan de la ville

_____

_____

3. monnaie

_____

_____

4. chèques de voyage

_____

_____

5. agenda

_____

_____

6. journaux

_____

_____

EXERCICE F

Brigitte est très curieuse à propos des familles de ses amis. Exprimez les réponses à ses questions.

EXEMPLE: Le père de Nicole est riche?
           Oui, **son** père est riche.

1. La mère de Damien est française?

_____

2. Les cousines de Diane sont ambitieuses?

_____

3. L'oncle de Rachel est ingénieur?

_____

4. Les grands-parents de Mario sont en bonne santé?

_____

5. Le fils aîné de M. McKay est en Afrique?

_____

6. La sœur de Catherine est blonde?

_____

EXERCICE G

Ces personnes sont parties en voyage. Exprimez ce qu'elles ont emporté avec elles.

EXEMPLE: Laura et Tania / plans de la ville
           Elles ont emporté **leurs** plans de la ville.

1. Carly et Lisa / journal intime

_____

2. les Carlsen / caméra

_____

3. les grands-parents de Max / médicaments

_____

4. Odile et Louis / réveille-matin

_____

5. tous les voyageurs / valises

_____

6. M. et Mme Brown / cartes de crédit

_____

7. Benjamin et Stephen / dictionnaire bilingue

_____

8. les Jefferson / guide gastronomique

_____

EXERCICE H

Exprimez comment vous avez aidé votre copain à préparer sa surprise-partie en utilisant les pronoms possessifs corrects dans vos réponses.

EXEMPLES: Tu as dépensé l'argent de Suzanne?
Oui, j'ai dépensé **son** argent.

Tu as rangé le salon des Washington?
Oui, j'ai rangé **leur** salon.

1. Tu as invité les amis de Nancy?

_____

2. Tu as emprunté la table de M. Lionet?

_____

3. Tu as enregistré les cassettes de Holly et de Jon?

_____

4. Tu as suivi les instructions de Paul?

_____

5. Tu as trouvé le numéro de téléphone de Jeremy?

_____

6. Tu as emballé les cadeaux de Tom et de Robert?

_____

7. Tu as emprunté l'appareil-photo de Natasha et d'Arthur?

_____

8. Tu as décoré la maison des Washington?

_____

EXERCICE I

Exprimez de quoi ces personnes parlent lors d'une discussion personnelle.

EXEMPLE: Jeff parle de **ses** disputes.

1. Benjamin parle de _____ famille.

2. Vous parlez de _____ rêves.

3. Tu parles de _____ espoirs.

4. Mark et Larry parlent de _____ bonheur.

5. Je parle de _____ peur de l'altitude.

6. Joellen et Claire parlent de _____ idées.

7. Nous parlons de _____ problème.

8. Jeanne exprime _____ opinion personnelle.

EXERCICE J

Exprimez ce qui est arrivé à ces personnes maladroites. Complétez les phrases avec un article défini ou un pronom possessif selon le cas.

1. Hassan s'est coupé _____ doigt alors qu'il préparait une salade.

2. Les filles ont laissé tomber _____ livres quand elles couraient vers le bus.

3. Elena s'est blessée à _____ main pendant un match de volley-ball.

4. Christopher a perdu _____ clef quand il traversait le parc.

5. Les garçons ont oublié _____ ballon quand ils sont partis du stade.

6. Gregory a laissé tomber _____ lunettes au café.

MASTERY EXERCISES

EXERCICE K

Robert et Julie bavardent devant leurs maisons. Robert, qui n'arrive pas à entendre à cause du bruit, pose des questions à son amie. Complétez leur conversation.

EXEMPLE: JULIE: Jacqueline a un problème. Elle va le résoudre.
            ROBERT: Qu'est-ce qu'elle va résoudre?
            JULIE: **Son problème.**

1. JULIE: Martin a une nouvelle chemise. Il va la prêter à Pierre.

    ROBERT: Qu'est-ce qu'il va prêter à Pierre?

    JULIE: _____

2. JULIE: J'ai un nouveau disque compact. Je vais l'écouter dans un moment.

    ROBERT: Qu'est-ce que tu vas écouter?

    JULIE: _____

3. JULIE: Georges et Paul ont un chien. Ils le promènent chaque jour au parc.

    ROBERT: Qu'est-ce qu'ils promènent au parc?

    JULIE: _____

4. JULIE: Nous avons des compositions à écrire. Nous pouvons les écrire ensemble.

    ROBERT: Qu'est-ce que nous pouvons écrire ensemble?

    JULIE: _____

5. JULIE: Claire a de nouveaux vêtements. Elle va les mettre pour ma boum.

    ROBERT: Qu'est-ce qu'elle va mettre pour ta boum?

    JULIE: _____

6. JULIE: Louis et Didier ont deux vieilles voitures. Ils vont les réparer.

    ROBERT: Qu'est-ce qu'ils vont réparer?

    JULIE: _____

7. JULIE: Grégoire a reçu une écharpe d'Anne. Il l'a perdue.

    ROBERT: Qu'est-ce qu'il a perdu?

    JULIE: _____

8. JULIE: Tu as des parents sympathiques. Tu dois les écouter.

    ROBERT: Qui est-ce que je dois écouter?

    JULIE: _____

EXERCICE L

Aline aime bien parler de sa famille avec ses amis. Complétez sa conversation avec les adjectifs possessifs appropriés.

ALINE: Mes cousins et moi, nous passons tout _____ temps libre ensemble.
1.

DIANE: Vous avez les mêmes goûts?

ALINE: Oui. Tiens, maintenant je vais assister à la compétition de natation de _____ cousin Robert.
2.

_____ équipe a gagné le championnat l'année passée. Demain je vais aller voir _____
3.   4.

cousine Danielle jouer dans une pièce à l'école. _____ rôle est très important. _____
5.   6.

profs disent qu'elle pourrait devenir actrice. Et ce week-end, mes cousins viendront voir

_____ match de tennis. _____ adversaire ne joue pas si bien que moi.
7.   8.

DIANE: Tes cousins habitent-ils loin de _____ maison?
9.

ALINE: Non, _____ quartier n'est pas loin du tout. De plus, _____ parents travaillent avec
10.   11.

_____ père et _____ frères. Comme tu vois, _____ famille est très proche.
12.   13.   14.

EXERCICE M

Exprimez en français ce qu'Adam dit de ses voisins.

1. My neighbors are all very friendly.

_____

2. Mr. Lindgren mows our lawn and fixes our cars.

_____

3. Janine Dupont feeds my dog when my family goes on vacation.

_____

_____

4. Do you see Mrs. Michaels? Her son is our doctor.

_____

5. That's Mr. Dupont's daughter.

_____

6. She can help you with your French homework because her parents speak French.

_____

_____

7. Whose bicycle is it? It's Anne's. Anne is my friend.

_____

8. We do our shopping together.

_____

9. The Lincolns are happy because their son and their daughters are coming home from college soon.

_____

_____

10. Our neighborhood is perfect and our neighbors are the best.

_____

_____

Chapter 29
Demonstratives

[1] DEMONSTRATIVE ADJECTIVES

Demonstrative adjectives indicate or point out the person or thing referred to *(this, that, these, those)*.

ce	before a masculine singular noun beginning with a consonant	**ce lieu**	*this (that) place*
cet	before a masculine singular noun beginning with a vowel or a silent **h**	**cet océan** **cet hôtel**	*this (that) ocean* *this (that) hotel*
cette	before a feminine singular noun	**cette fille** **cette amie**	*this (that) girl* *this (that) girlfriend*
ces	before all plural nouns	**ces lieux** **ces océans** **ces hôtels** **ces filles** **ces amies**	*these (those) places* *these (those) oceans* *these (those) hotels* *these (those) girls* *these (those) girlfriends*

Cette robe est très élégante.	*This (That) dress is very elegant.*
Cet avion est moderne.	*This (That) plane is modern.*
J'aime **ce** style.	*I like this (that) style.*
As-tu vu **ces** films?	*Have you seen these (those) films?*

NOTE:

1. Demonstrative adjectives precede and agree with the nouns they modify.

2. The demonstrative adjective is repeated before each noun.

cet homme et **cette** femme	*that man and that woman*
ces poèmes et **ces** pièces	*these poems and plays*

3. If it is necessary to distinguish between "this" and "that" or between "these" and "those," *ci* and *là* are added with hyphens to the nouns that are being compared for clarity, emphasis, or contrast. For "this" or "these," *-ci* is added; for "that" or "those," *-là* is added.

Cette radio-**ci** ou **cette** radio-**là**?	*This radio or that radio?*
Ces légumes-**ci** et **ces** légumes-**là**.	*These vegetables and those vegetables.*

EXERCICE A

Vous voulez redécorer votre chambre. Demandez les prix de ces articles que vous aimeriez acheter.

EXEMPLES: Combien coûte **ce** lit?

Combien coûtent **ces** lampadaires?

1. _____

2. _____

4. _____

3. _____

5. _____

6. _____

7. _____

8. _____

9. _____

10. _____

EXERCICE B

Vous faites le tour de Paris avec des amis. Exprimez ce que vous vous exclamez durant votre promenade.

EXEMPLE: boulevard magnifique
Regardez **ce** boulevard magnifique!

1. jolie tour

_____

2. immeuble moderne

_____

3. rues étroites

_____

4. édifices incomparables

_____

5. musée renommé

_____

6. avenue grandiose

_____

7. magasins élégants

_____

8. arbres fleuris

_____

EXERCICE C

Vous êtes dans une boutique française et vous voulez voir tous les vêtements à la mode cet été. Exprimez ce que vous dites au vendeur.

EXEMPLE: ici
Montrez-moi ces baskets-ci.

1. ici

_____

2. là

_____

3. là

_____

4. ici

_____

5. là

_____

6. là

_____

7. là

_____

8. ici

_____

EXERCICE D

Exprimez votre opinion sur ces choses françaises en formant des phrases avec des adjectifs de votre choix.

EXEMPLE: tour Eiffel: monument
            Ce monument est grand.

1. le football: sport

_____

2. Charles de Gaulle: aéroport

_____

3. la quiche et la bouillabaisse: plats

_____

4. Paris: ville

_____

5. le Concorde: avion

_____

6. le Sacré-Cœur et Notre Dame: églises

_____

7. l'eau minérale Évian: boisson

_____

8. le centre Pompidou: édifice

_____

[2] DEMONSTRATIVE PRONOUNS

Demonstrative pronouns also indicate or point out the person or thing referred to.

	MASCULINE	FEMININE	
SINGULAR	**celui**	**celle**	*this one, that one, the one*
PLURAL	**ceux**	**celles**	*these, those, the ones*

Je vais lire ce poème et **celui** de Jan.   *I am going to read this poem and Jan's.*
Il préfère ces plantes-ci à **celles**-là.   *He prefers these plants to those.*

a. Demonstrative pronouns agree with the nouns they refer to.

Donnez-moi ces pommes-ci et **celles**-là.   *Give me these apples and those.*
J'adore ce pantalon-ci et **celui**-là.   *I love this pair of pants and that one.*

b. *Celui* and its forms are not used alone. They are generally used with one of the following: *de, -ci, -là, qui, que.*

(1)	celui de, celle de	*the one of, that of*
	ceux de, celles de	*the ones of, those of*

Je cherche mon livre et **celui** de Paul.   *I'm looking for my book and Paul's.*

(2)	celui-ci, celle-ci	*this (one), the latter*
	ceux-ci, celles-ci	*these, the latter*
	celui-là, celle-là	*that (one), the former*
	ceux-là, celles-là	*those, the former*

Regarde ces robes. Préfères-tu
celles-ci ou **celles-là?**   *Look at these dresses. Do you prefer these or those?*

Le prof parle de Rodin et de Degas.
Celui-ci était peintre et **celui-là**
était sculpteur.   *The teacher is talking about Rodin and Degas. The latter was a painter and the former was a sculptor.*

(3)	celui qui, celle qui	*the one that*	(subject)
	ceux qui, celles qui	*the ones (those) that*	(subject)
	celui que, celle que	*the one that*	(object)
	ceux que, celles que	*the ones (those) that*	(object)

Je préfère **celui qui** est sur la table.
Ceui que j'aime est sur la table.   *I prefer the one that is on the table. The one I like is on the table.*

EXERCICE E

Vos parents voudraient déménager. Ils comparent des photos de deux maisons qu'ils ont vues. Exprimez ce que vous pensez de chaque maison.

EXEMPLE: Il y a une piscine. *(économique / jolie)*
            Celle-ci est plus économique.
            Celle-là est plus jolie.

1. Il y a un garage. *(haut / large)*

_____

_____

2. Il y a une cuisine. *(moderne / ancienne)*

_____

_____

3. Il y a des cheminées. *(utiles / décoratives)*

_____

_____

4. Il y a un jardin. *(classique / naturel)*

_____

_____

5. Il y a une entrée. *(petite / grande)*

_____

_____

6. Il y a des escaliers. *(étroits / dangereux)*

_____

_____

7. Il y a des salles de bains. *(anciennes / pratiques)*

_____

_____

8. Il y a des balcons. *(larges / ensoleillés)*

_____

_____

EXERCICE F

Nadia compare ses amis. Complétez ses phrases avec les formes correctes de celui-ci *ou de* celui-là.

1. Nicholas et Jason font de la musculation tandis que Bruce et Charles dorment. _____

sont faibles et _____ sont plus forts.

2. Lisa prête toutes ses affaires à ses amies tandis que Lucy ne veut rien partager. _____ est

généreuse et _____ est égoïste.

3. Michael réfléchit toujours avant d'agir. Son frère, lui, prend ses décisions spontanément.

_____ est impulsif et _____ est sérieux.

4. Maria et sa sœur sont polies tandis que Linda et sa sœur ne le sont pas. _____ sont mal

élevées et _____ sont bien élevées.

5. Les Marchand viennent de France tandis que les Smith viennent des États-Unis. _____

sont américains et _____ sont européens.

EXERCICE G

Une camarade de classe discute avec vous. Exprimez ce qu'elle dit pour vous impressionner.

EXEMPLE: Le poste de ma mère est important.
Celui de ma mère est encore plus important.

1. La maison de mes grands-parents est splendide.

_____

2. L'écran de ma télé est grand.

_____

3. Les voitures de mes parents sont luxueuses.

_____

4. Le jardin de ma maison est magnifique.

_____

5. L'ordinateur de mon frère est sophistiqué.

_____

6. Les musiciens de mon groupe de rock sont doués *(talented)*.

_____

7. L'usine de mon père est renommée.

_____

8. Les amies de ma sœur sont jolies.

_____

EXERCICE H

Comparez la ville de Paris avec celle de New York en utilisant un pronom démonstratif.

EXEMPLES: La population de Paris est diverse.
Celle de New York est aussi diverse.

Le climat de Paris est doux.
Celui de New York est moins doux.

1. Le maire de Paris est consciencieux.

_____

2. Les édifices de Paris sont modernes.

_____

3. Les fêtes de Paris sont formidables.

_____

4. La vie intellectuelle de Paris est impressionnante.

_____

5. La circulation de Paris est intense.

_____

6. Les restaurants de Paris sont chers.

_____

EXERCICE I

Exprimez votre opinion en choisissant la forme correcte du pronom démonstratif.

EXEMPLES: (la femme) **Celle** qui chante bien est Pauline.
           (le livre)   Ce livre n'est pas **celui** que je veux.

1. (le dessert)   C'est _____ que je choisis.

2. (l'ami)   Jean est _____ qui aide les autres.

3. (le docteur)   _____ qui guérit les malades est un bon docteur.

4. (la fille)   C'est _____ qui sourit toujours.

5. (les films)   Je préfère _____ qui sont amusants.

6. (les garçons)   _____ que nous connaissons sont sympathiques.

[3] *CECI, CELA, ÇA*

The demonstrative pronouns *ceci* (this) and *cela* / *ça* (that) refer to things indicated or pointed to but not named. *Cela* refers to something already mentioned and *ceci* introduces something new.

Montrez-lui **ceci**.	*Show him this.*
Qui a écrit **ceci**?	*Who wrote this?*
Cela (Ça) me rend triste.	*That makes me sad.*
Qu'est-ce que c'est que **cela (ça)**?	*What is that?*

NOTE:

1. *Ça* often replaces *cela* in spoken French.

2. *Ceci* refers to an object near the speaker, *cela* to one distant.

Quand il prépare son dîner sur la cuisinière et dans le four à micro-ondes il dit: «**Ceci** est plus efficace que **cela**.»	*When he prepares his dinner on the stove and in the microwave oven he says, "This is more efficient than that."*

EXERCICE J

Mme Maupin aime parler de tout à ses voisins. Complétez ses phrases en utilisant **ceci** *ou* **cela.**

1. _____ va te choquer. Toshiro quitte son poste.

2. Il va se passer _____: on va fermer l'usine de la ville.

3. Claire a reçu son diplôme. _____ m'a surprise.

4. M. Fredericks fait les courses pour sa femme. _____ m'amuse.

5. Les Carter déménagent? _____ m'est égal.

6. Écoutez _____: les Bernini vont aller aux Caraïbes!

7. Paul a réussi son bac. _____ me semble parfaitement naturel.

8. Vous ne voulez pas entendre _____? Quel dommage!

EXERCICE K

Exprimez les sentiments de Lorene en formant des phrases avec **ça.**

EXEMPLE: Tu veux monter en haut de la tour Eiffel? *(non / rendre nerveuse)*
           Non, **ça** me rend nerveuse.

1. Tu veux aller au match de foot? *(oui / amuser)*

   _____

2. Tu veux une grosse tranche de gâteau au chocolat avec de la glace? *(non / rendre malade)*

   _____

3. Tu veux monter en haut de la statue de la Liberté? *(non / donner le vertige)*

   _____

4. Tu veux faire du parachutisme? *(non / faire peur)*

   _____

5. Tu veux aller à un concert de rock? *(oui / passionner)*

   _____

6. Tu veux aller voir une exposition? *(oui / intéresser)*

   _____

M A S T E R Y   E X E R C I S E S

EXERCICE L

Vous venez de recevoir vos cadeaux de Noël. Décrivez huit de ces cadeaux en utilisant des adjectifs démonstratifs.

affiche	chèque	montre
baladeur	disques compacts	programme d'ordinateur
chemises	livre	robe de chambre

EXEMPLE: **Ce** livre est intéressant.

1. _____

2. _____

3. _____

4. _____

5. _____

6. _____

7. _____

8. _____

EXERCICE M

Comparez ces personnes et ces situations.

EXEMPLE: **Celui-ci** est aimable. **Celui-là** est méchant.

1. _____

2. _____

3. _____

4. _____

5. _____

6. _____

7. _____

8. _____

EXERCICE N

Répondez aux questions selon votre opinion.

EXEMPLE: Lequel de ces spectacles préféreriez-vous voir? Un film ou un concert?
Je préférerais voir **celui-là (celui-ci).**

1. Lequel de ces acteurs préféreriez-vous rencontrer? Patrick Swayze ou Mel Gibson?

_____

2. Laquelle de ces voitures achèteriez-vous? Une Cadillac ou une Jaguar?

_____

3. Lesquels de ces desserts choisiriez-vous? Des fruits ou des gâteaux?

_____

4. Lesquels de ces cadeaux aimeriez-vous mieux recevoir? Des bijoux ou des vêtements?

_____

5. Laquelle de ces choses voudriez-vous posséder? La santé ou la richesse?

_____

6. Lequel de ces sports regarderiez-vous à la télé? Le tennis ou le base-ball?

_____

EXERCICE O

Exprimez ce que Charlotte dit à sa surprise-partie.

1. This party was really a surprise. This is great.

_____

2. Who did this? This makes me very happy.

_____

3. What is that? A French dish? I love that.

_____

4. Is that plate broken? This will fix it.

_____

5. Which salad do you prefer? This one or that one?

_____

6. I love this pastry and those over there too.

_____

7. Where's my camera? My brother's is on the table.

_____

8. Don't take that picture. That embarrasses me.

_____

9. This Walkman is as practical as that one.

_____

10. These gifts are beautiful. That's the truth.

_____

Part four
Word Study

QUÉBEC

SAINT-PIERRE-
ET-MIQUELON

BELGIQUE

LUXEMBOURG

FRANCE SUISSE

MONACO

CORSE

LOUISIANE

MAROC

ALGÉRIE TUNISIE

MAURITANIE MALI NIGER TCHAD

HAÏTI GUADELOUPE

MARTINIQUE

SÉNÉGAL

GUINÉE

BURKINA FASO RÉPUBLIQUE
CENTRAFRICAINE

CÔTE-D'IVOIRE

GUYANE

TOGO BÉNIN

CAMEROUN ZAÏRE

GABON

CONGO

Chapter 30
Antonyms and Synonyms

[1] *CONTRAIRES*/ANTONYMS (OPPOSITES)

a. Nouns

l'ami *(m.)* *friend*
le copain (la copine) *friend* } l'ennemi *(m.)* *enemy*

l'automne *(m.)* *autumn* — le printemps *spring*

le bruit *noise* — le silence *silence*

le début *beginning*
le commencement *beginning* } la fin *end*

l'été *(m.)* *summer* — l'hiver *(m.)* *winter*

la guerre *war* — la paix *peace*

la jeunesse *youth* — la vieillesse *old age*

le jour *day* — la nuit *night*

le lendemain *next day* — la veille *eve*

le matin *morning* { le soir *evening*
l'après-midi *(m.)* *afternoon*

midi *noon* — minuit *midnight*

le nord *north* — le sud *south*

l'ouest *(m.)* *west* — l'est *(m.)* *east*

le plancher *floor* — le plafond *ceiling*

la question *question* — la réponse *answer*

le soleil *sun* — la lune *moon*

la terre *the earth, land* { la mer *the sea*
le ciel *heaven, sky*

la vie *life* — la mort *death*

la ville *city* — la campagne *country*

b. Adjectives

absent *absent* — présent *present*

ancien(ne) *old* { nouveau (nouvelle) *new*
récent *recent*
moderne *modern*

bas(se) *low* — haut *high*

beau (belle) *beautiful* — laid *ugly*

blanc (-che) *white* — noir *black*

bon(ne) *good* — mauvais *bad*

chaud *hot* — froid *cold*

cher (chère) *expensive, dear* — bon marché *cheap*

court *short* — long(ue) *long*

droit *right*	gauche *left*
facile *easy*	difficile *difficult*
fort *strong*	faible *weak*
grand *big*	petit *little*
heureux (-se) *happy*	malheureux (-se) *unhappy*
large *wide*	étroit *narrow*
léger (-ère) *light*	lourd *heavy*
mort *dead*	vivant *alive*
paresseux (-se) *lazy*	travailleur (-euse) *hardworking*
pauvre *poor*	riche *rich*
plein *full*	vide *empty*
poli *polite*	impoli *impolite, rude*
possible *possible*	impossible *impossible*
premier (-ère) *first*	dernier (-ère) *last*
propre *clean*	sale *dirty*
utile *useful*	inutile *useless*
vieux (vieille) *old*	{ jeune *young* / neuf (-ve) *new* / nouveau (nouvelle) *new*
vrai *true*	faux (fausse) *false, fake*

c. Verbs

accepter *to accept*	refuser *to refuse*
acheter *to buy*	vendre *to sell*
aimer *to love, to like*	détester *to hate*
s'amuser *to have fun*	s'ennuyer *to be bored*
apparaître *to appear*	disparaître *to disappear*
arriver *to arrive*	partir *to leave*
commencer *to begin*	{ finir *to finish* / terminer *to end*
donner *to give*	recevoir *to receive*
emprunter *to borrow*	prêter *to lend*
enlever *to remove, take off*	mettre *to put on*
entrer *to enter*	sortir *to go out*
fermer *to close*	ouvrir *to open*
jouer *to play*	travailler *to work*
monter *to go up*	descendre *to go down*
obéir *to obey*	désobéir *to disobey*
perdre *to lose*	{ trouver *to find* / gagner *to win*
pleurer *to cry*	rire *to laugh*
réussir *to succeed, pass*	rater *to fail*
vivre *to live*	mourir *to die*

d. Adverbs

aujourd'hui *today*	{ hier *yesterday*
	demain *tomorrow*
beaucoup *a lot, much, many*	peu *little, few*
bien *well*	mal *badly*
enfin *finally*	d'abord *first, at first*
ici *here*	là *there*
oui *yes*	non *no*
plus *more*	moins *less*
souvent *often*	rarement *rarely*
vite *quickly*	lentement *slowly*

e. Prepositions

avant *before*	après *after*
avec *with*	sans *without*
devant *in front of*	derrière *behind, in back of*
près de *near*	loin de *far from*
sur *on (top of)*	sous *under*
voici *here is, are*	voilà *there is, are*

EXERCICE A

Vous faites du baby-sitting. Corrigez les phrases que les enfants vous disent en donnant le contraire du mot en caractères gras.

1. Les hiboux dorment **la nuit.**

_____

2. La France est à **l'est** de la Suisse.

_____

3. **Le ciel** est rond.

_____

4. Quand les pays sont en désaccord, ils sont en état de **paix.**

_____

5. Il fait chaud en **hiver.**

_____

6. On met des tapis au **plafond.**

_____

7. Halloween est **le lendemain** de la Toussaint.

_____

8. Un homme de cent ans est en pleine **jeunesse.**

_____

9. La nuit, à la campagne, il y a du **bruit.**

_____

10. On mange le dessert **au début** du repas.

_____

EXERCICE B

Vous aimez contredire votre frère pour l'ennuyer. Exprimez ce que vous lui dites.

EXEMPLE: Il fait chaud.
            Non, il fait **froid.**

1. Notre rue est large.

_____

2. Emma est polie.

_____

3. Cette chambre est propre.

_____

4. Notre école est ancienne.

_____

5. Claire écrit de la main gauche.

_____

6. On joue le premier film de Godard.

_____

7. Gordon est heureux.

_____

8. La voiture de M. Auchincloss est noire.

_____

9. La tour Eiffel est basse.

_____

10. Marianne est petite.

_____

EXERCICE C

Xavier et Emmanuel font souvent le contraire, mais ils s'entendent très bien. Exprimez ce que Xavier fait parallèlement à Emmanuel.

EXEMPLE: Emmanuel **monte** l'escalier.
Xavier descend l'escalier.

1. Emmanuel **pleure** quand le film est triste.

_____

2. Emmanuel a**chète** de la glace.

_____

3. Emmanuel **donne** de l'argent à ses parents.

_____

4. Emmanuel **obéit** toujours.

_____

5. Emmanuel **réussit** à ses examens.

_____

6. Emmanuel **s'amuse** au lycée.

_____

7. Emmanuel **aime** l'hiver canadien.

_____

8. Emmanuel **met** sa casquette pour sortir.

_____

9. Emmanuel **prête** tout.

_____

10. Emmanuel **perd** ses affaires.

_____

EXERCICE D

Récrivez l'histoire de M. Preston en remplaçant les mots en caractères gras par leur contraire.

1. Aime-t-il conduire sa voiture? **Non.**

_____

2. Il conduit **lentement.**

_____

3. Il habite **loin de** son bureau.

_____

4. Ces derniers jours, il parle **plus** à ses collègues.

_____

5. Il travaille **souvent** après cinq heures du soir.

_____

6. Il sort déjeuner **après** midi.

_____

7. Il parle **bien** de son patron.

_____

8. Il gagne **beaucoup.**

_____

9. Il quitte son bureau **sans** ses amis.

_____

10. Il attend le bus **derrière** son bureau.

_____

[2]   SYNONYMES / SYNONYMS

a. Nouns

le bâtiment, l'édifice *(m.)* *building*
le chemin, la route *road*
l'endroit *(m.)*, le lieu *place*
l'espèce *(f.)*, la sorte, le genre *kind, type*
la façon, la manière *way, fashion, manner*
la faute, l'erreur *(f.)* *mistake*
la figure, le visage *face*

le médecin, le docteur *doctor*
le milieu, le centre *middle*
le miroir, la glace *mirror*
la nation, le pays *country*
le palais, le château *palace, castle*
les vêtements *(m.)*, les habits *(m.)* *clothes*

b. Adjectives

célèbre, fameux (-se), renommé *famous*
certain, sûr *certain, sure*
favori(te), préféré *favorite*
grave, sérieux (-se) *grave, serious*

heureux (-se), content *happy, pleased*
méchant, mauvais *nasty, bad*
triste, malheureux (-se) *sad, unhappy*

c. Verbs

employer, utiliser, se servir de *to use*
finir, terminer, achever *to finish*
habiter, demeurer *to live, dwell*

préférer, aimer mieux *to prefer*
rompre, casser *to break*
vouloir, désirer *to wish, want*

d. Adverbs

auparavant, autrefois *previously, in the past*	seulement, ne... que *only*
immédiatement, tout de suite *immediately*	soudainement, tout à coup *suddenly*
puis, ensuite, après *then, afterwards*	vite, rapidement *quickly*
quelquefois, parfois *sometimes*	

e. Prepositions

entre, parmi *among*	pendant, durant *during*
excepté, sauf *excepted*	selon, d'après *according to*

EXERCICE E

Décrivez cet athlète en donnant les synonymes des mots en caractères gras.

1. Claude est un joueur de foot assez **célèbre.**

_____

2. Il **veut** participer à la Coupe du Monde avec **son pays.**

_____

3. Chaque jour, il se lève **tout de suite** pour s'entraîner.

_____

4. Le stade Pelé est **le lieu** où il s'entraîne.

_____

5. Pendant les compétitions, il ne fait jamais de **fautes.**

_____

6. Le foot est son sport **favori.**

_____

7. Il court très **vite.**

_____

8. Il reste calme dans les situations **graves.**

_____

9. Il **demeure** en ville, mais il **préfère** la campagne.

_____

10. Il va régulièrement chez le **docteur** pour être **sûr** de sa bonne condition physique.

_____

M A S T E R Y   E X E R C I S E S

EXERCICE F

Complétez chaque analogie avec le mot qui manque.

1. petit : grand :: étroit : _____

2. léger : lourd :: vide : _____

3. vie : mort :: début : _____

4. figure : visage :: miroir : _____

5. triste : malheureux :: content : _____

6. avec : sans :: avant : _____

7. sous : sur :: devant : _____

8. chemin : route :: bâtiment : _____

9. vouloir : désirer :: rompre : _____

10. milieu : centre :: lieu : _____

11. ouvrir : fermer :: entrer : _____

12. parfois : quelquefois :: immédiatement : _____

13. finir : terminer :: habiter : _____

14. nuit : jour :: lune : _____

15. pauvre : riche :: mort : _____

16. jouer : travailler :: apparaître : _____

17. grave : sérieux :: mauvais : _____

18. après : ensuite :: autrefois : _____

19. pendant : durant :: entre : _____

20. excepté : sauf :: selon : _____

EXERCICE G

Exprimez les synonymes ou les antonymes pour chaque paire.

EXEMPLES: **court, long**

le château, le palais

1. _____

2. _____

3. _____

4. _____

5. _____

6. _____

7. _____

8. _____

9. _____

10. _____

11. _____

12. _____

13. _____

14. _____

15. _____

EXERCICE H

En utilisant autant de synonymes et d'antonymes que possible, exprimez ce que Mme Fernande dit de sa famille et d'elle-même.

1. My grandmother wanted to live in the city and my grandfather wanted to live in the country.

_____

_____

2. I'm certain that my son will want to become a famous doctor and I'm certain that my daughter will become a famous doctor too.

_____

_____

3. My rich uncle borrows my money and my poor aunt lends me money!

_____

_____

4. In the morning I work a lot and in the evening I play a little.

_____

5. I prefer the silence of the country but my sister prefers the noise of the city.

_____

_____

6. I'm neither lazy nor poor nor weak. I'm hardworking, rich, and strong!

_____

_____

7. I use an old typewriter but my children use a new computer.

_____

_____

8. My cousin Nathalie thinks that her house is a castle. Myself, I think that my house is a castle.

_____

_____

9. This summer I'm going to the north of France and this winter my family is going to the south.

_____

_____

10. I'm happy at the beginning of spring and I'm sad at the end of autumn.

_____

_____

Chapter 31
Thematic Vocabulary

[1] PERSONAL IDENTIFICATION

a. Les informations biographiques / *Biographical information*

(1) Les nationalités / *Nationalities*

africain *African*	chinois *Chinese*	indien(ne) *Indian*
allemand *German*	espagnol *Spanish*	italien(ne) *Italian*
américain *American*	européen(ne) *European*	japonais *Japanese*
anglais *English*	français *French*	sud-américain
asiatique *Asian*	grec(que) *Greek*	*South American*
canadien(ne) *Canadian*	haïtien(ne) *Haitian*	

(2) La famille / *Family*

le cousin *cousin*	le frère *brother*	le neveu *nephew*
la cousine *cousin*	le garçon *boy*	la nièce *niece*
l'enfant (*m.* or *f.*) *child*	la grand-mère *grandmother*	l'oncle *uncle*
la famille *family*	le grand-père *grandfather*	les parents *parents*
la femme *wife; woman*	les grands-parents *grandparents*	le père *father*
la fille *daughter; girl*	le mari *husband*	la sœur *sister*
le fils *son*	la mère *mother*	la tante *aunt*

b. Les caractéristiques physiques / *Physical characteristics*

âgé *old*	grand *tall*	maigre *skinny*
aveugle *blind*	gros(se) *fat*	mince *thin*
beau (belle) *beautiful*	handicapé *handicapped*	petit *short*
chauve *bald*	jeune *young*	sourd *deaf*
faible *weak*	joli *pretty*	vieux (vieille) *old*
fort *strong*	laid *ugly*	

avoir... ans *to be . . . years old*
avoir les cheveux blonds *to have blond hair*
avoir les cheveux châtains *to have brown hair*
avoir les cheveux noirs *to have black hair*
avoir les cheveux roux *to have red hair*
avoir les cheveux bouclés *to have curly hair*
avoir les cheveux frisés *to have curly hair*
avoir les cheveux raides *to have straight hair*
avoir les yeux bleus *to have blue eyes*
avoir les yeux marron *to have brown eyes*
avoir les yeux noirs *to have black eyes*
avoir les yeux noisette *to have hazel eyes*
avoir les yeux verts *to have green eyes*

c. Les caractéristiques psychologiques / *Psychological characteristics*

actif (–ve) *active*	drôle *funny*	intuitif (–ve) *intuitive*
aimable *friendly*	égoïste *selfish*	malheureux (–se) *unhappy*
ambitieux (–se) *ambitious*	fier (–ère) *proud*	méchant *mean*
amusant *fun*	franc(he) *frank*	naïf (–ve) *naive*
antipathique *nasty*	furieux (–se) *furious*	paresseux (–se) *lazy*
attentif (–ve) *attentive*	généreux (–se) *generous*	poli *polite*
bon(ne) *good*	gentil(le) *kind*	sérieux (–se) *serious*
consciencieux (–se) *conscientious*	heureux (–se) *happy*	sociable *sociable*
content *happy*	honnête *honest*	sportif (–ve) *athletic*
courageux (–se) *courageous*	imaginatif (–ve) *imaginative*	superstitieux (–se) *superstitious*
cruel(le) *cruel*	impulsif (–ve) *impulsive*	sympathique *nice, congenial*
curieux (–se) *curious*	intelligent *intelligent*	triste *sad*
	intéressant *interesting*	

d. Les émotions et les sentiments / *Emotions and feelings*

l'amour *(m.)* *love*	la honte *shame*	le plaisir *pleasure*
le bonheur *happiness*	la joie *joy*	la tristesse *sadness*
la haine *hate*	la peur *fear*	

EXERCICE A

Vous écrivez une note à votre nouvelle correspondante française où vous exprimez quelles sont vos caractéristiques physiques et psychologiques ainsi que vos émotions.

_____

_____

_____

_____

_____

_____

_____

_____

_____

[2] HOUSE AND HOME

a. Le logement et les pièces / *Lodging and rooms*

l'appartement *(m.)* apartment	la maison *house*
l'ascenseur *(m.)* elevator	le mur *wall*
le bail *lease*	la pelouse *lawn*
le balcon *balcony*	la penderie *clothes closet*
la cave *cellar*	la pièce *room*
la chambre (à coucher) *bedroom*	le placard *closet, cabinet*
la cheminée *fireplace, chimney*	le plafond *ceiling*
le couloir *corridor, hallway*	le plancher *floor*
la cour *courtyard*	la porte *door*
la cuisine *kitchen*	le / la propriétaire *owner*
l'escalier *(m.)* stairs	le rez-de chaussée *ground floor*
l'étage *(m.)* floor, story	la salle à manger *dining room*
la fenêtre *window*	la salle de bains *bathroom*
le garage *garage*	la salle de séjour *living room*
le grenier *attic*	le salon *living room*
l'immeuble *(m.)* apartment house	le sous-sol *basement*
le jardin *garden*	la terrasse *terrace*
le / la locataire *tenant*	les toilettes *(f.)* toilet
le loyer *rent*	le toit *roof*

b. Les meubles et les appareils ménagers / *Furniture and appliances*

l'armoire *(f.)* wardrobe	le lave-vaisselle *dishwasher*
l'aspirateur *(m.)* vacuum cleaner	le lit *bed*
le canapé *sofa*	la machine à laver *washing machine*
la chaîne stéréo *stereo*	le magnétoscope *V.C.R.*
la chaise *chair*	le meuble *(m.)* piece of furniture
la commode *dresser*	le miroir *mirror*
le congélateur *freezer*	l'ordinateur *(m.)* computer
la cuisinière *stove*	la pendule *clock*
à gaz *gas*	le piano *piano*
électrique *electric*	le réfrigérateur *refrigerator*
l'étagère *(f.)* bookcase	le réveil (-matin) *alarm clock*
le fauteuil *armchair*	le rideau *curtain*
le four *oven*	le sèche-linge *clothes dryer*
à micro-ondes *microwave oven*	la table *table*
la glace *mirror*	la table de nuit *night table*
l'horloge *(f.)* clock	le tableau *painting, picture*
le lampadaire *floor lamp*	le tapis *rug*
la lampe *lamp*	la télévision *television*

EXERCICE B

Exprimez ce que vous voyez dans chaque pièce.

Je vois _____

_____

_____

_____

_____

Je vois _____

_____

_____

_____

_____

EXERCICE C

Complétez chaque phrase avec le mot approprié.

1. On se lave dans _____ .

2. Aux USA, _____ , en dessous du rez-de-chaussée, est souvent une salle de récréation.

3. Quand on entre dans la maison, on range son manteau dans _____ .

4. On prépare les repas dans _____ .

5. Quand il y a une grande fête, on mange le repas dans _____ .

6. Le week-end on tond _____ .

7. On gare la voiture au _____ .

8. On met les malles et les vieux meubles au _____ .

9. On plante des fleurs dans _____ .

10. On met un piano dans _____ .

11. On prend _____ pour monter aux étages d'un grand immeuble.

12. L'été, quand il fait beau, on mange sur _____ dehors.

13. Quand on loue un appartement, on signe _____ .

14. Aux États-Unis, le premier étage correspond au _____ en France.

[3] HOUSEWORK

cuisiner *to cook*	mettre le couvert *to set the table*
débarrasser la table *to clear the table*	nettoyer la maison *to clean the house*
faire les courses *to go shopping*	passer l'aspirateur *to vacuum*
faire le ménage *to do the housework*	repasser les vêtements *to iron the clothes*
faire la vaisselle *to do the dishes*	tondre la pelouse *to mow the lawn*
garder les enfants *to watch the children*	vider les ordures *to throw out the garbage*

EXERCICE D

Exprimez ce que chacun fait à la maison.

EXEMPLE: Maman **nettoie la maison.**

1. Je _____

2. Beth et Diana _____

3. Les garçons _____

4. Papa _____

5. Maman _____

6. Nous _____

7. Vous _____

8. Tu _____

[4] COMMUNITY; NEIGHBORHOOD; PHYSICAL ENVIRONMENT

a. La ville / *City*

l'aéroport *(m.)* *airport*

l'avenue *(f.)* *avenue*

la banlieue *suburb*

la banque *bank*

le bâtiment *building*

la bibliothèque *library*

la bijouterie *jewelry store*

la boucherie *butcher shop*

la boulangerie *bakery*

le boulevard *boulevard*

la boutique *shop*

le bureau de poste *post office*

le café *cafe*

le carrefour *intersection, crossroads*

la cathédrale *cathedral*

le centre commercial *mall*

le cinéma *movies*

le citadin *city dweller*

l'école *(f.)* *school*

l'édifice *(m.)* *building*

l'église *(f.)* *church*

l'épicerie *(f.)* *grocery store*

le / la fleuriste *florist*

la fruiterie *fruit store*

la gare *station*

le gratte-ciel *skyscraper*

l'hôpital *(m.)* *hospital*

l'hôtel *(m.)* *hotel*

l'hypermarché *(m.)* *large supermarket*

le jardin public *public garden*

la librairie *bookstore*

le lycée *high school*

le magasin *store*

la mairie *town hall*

la maison des jeunes *youth center*

le marché *market*

le monument *monument*

le musée *museum*

le Palais de justice *courthouse*

le parc *park*

la parfumerie *perfume shop*

la pâtisserie *pastry shop*

la pharmacie *drugstore*

la piscine *swimming pool*

la place *square*

le pont *bridge*

le quartier *neighborhood*

le restaurant *restaurant*

la rue *street*

le stade *stadium*

la station-service *gas station*

le supermarché *supermarket*

le théâtre *theater*

le trottoir *sidewalk*

l'usine *(f.)* *factory*

le village *village*

b. **Les matériaux de construction** / *Building materials*

l'acier *(m.)* *steel*   le fer *iron*
le bois *wood*   la pierre *stone*
la brique *brick*

EXERCICE E

Exprimez ce qu'on achète aux endroits illustrés ci-dessous.

EXEMPLE: **Dans une boutique, on achète des vêtements.**

1. _____

2. _____

3. _____

4. _____

5. _____

6. _____

7. _____

8. _____

9. _____

10. _____

c. La nature / *Nature*

l'arbre *(m.)* *tree*	le fleuve *river*	la plage *beach*
le bétail *livestock*	la forêt *forest*	la plante *plant*
les bois *(m.)* *woods*	l'herbe *(f.)* *grass*	la pluie *rain*
la campagne *country*	l'île *(f.)* *island*	la rive *bank, shore*
le champ *field*	le lac *lake*	la rivière *stream*
le ciel *sky*	la lune *moon*	le ruisseau *stream*
la colline *hill*	la mer *sea*	le sable *sand*
la côte *coast*	le monde *world*	le soleil *sun*
le désert *desert*	la montagne *mountain*	la terre *earth*
l'étoile *(f.)* *star*	la neige *snow*	le vent *wind*
la feuille *leaf*	l'océan *(m.)* *ocean*	
la fleur *flower*	le paysage *landscape*	

d. Les animaux / *Animals*

l'âne *(m.)* *donkey*	le cygne *swan*	l'ours *(m.)* *bear*
la baleine *whale*	l'éléphant *(m.)* *elephant*	la panthère *panther*
le bœuf *ox*	la girafe *giraffe*	la poule *hen*
le chat *cat*	le kangourou *kangaroo*	le renard *fox*
le cheval *horse*	le lapin *rabbit*	le serpent *snake*
la chèvre *goat*	le léopard *leopard*	le singe *monkey*
le chien *dog*	le lion *lion*	le tigre *tiger*
le cochon *pig*	le loup *wolf*	la tortue *turtle*
le coq *rooster*	le mouton *sheep*	la vache *cow*
le crocodile *crocodile*	l'oiseau *(m.)* *bird*	le zèbre *zebra*

EXERCICE F

Citez au moins six animaux que vous trouveriez dans chaque endroit mentionné.

À la ferme _____

_____

_____

_____

_____

Au zoo _____

_____

_____

_____

_____

Dans la jungle _____

_____

_____

_____

_____

EXERCICE G

Vous faites un voyage en avion et vous êtes assis(e) à côté de la fenêtre. Faites une liste de tout ce que vous pouvez voir pendant que l'avion survole (flies over) *une île tropicale.*

EXEMPLE: **du bétail**
             des fleurs, etc.

1. _____   2. _____

3. _____   4. _____

5. _____   6. _____

7. _____   8. _____

9. _____   10. _____

11. _____   12. _____

[5] MEALS; FOOD; DRINK

a. Les repas / *Meals*

l'addition *(f.)* bill	la cuiller *spoon*	le petit déjeuner *breakfast*
l'appétit *(m.)* appetite	le déjeuner *lunch*	le pourboire *tip*
l'assiette *(f.)* plate	le dîner *dinner*	le repas *meal*
la bouteille *bottle*	la fourchette *fork*	la serviette *napkin*
la carte *menu*	le menu *menu*	la tasse *cup*
le couteau *knife*	la nappe *tablecloth*	le verre *glass*

b. La nourriture / *Food*

l'abricot *(m.)* apricot	le ketchup *ketchup*
l'agneau *(m.)* lamb	le lait *milk*
l'artichaut *(m.)* artichoke	les légumes *(m.)* vegetables
la banane *banana*	la limonade *lemon soda*
le beurre *butter*	l'œuf *(m.)* egg
le bifteck *steak*	l'orangeade *(f.)* orange soda
le bœuf *beef*	la mayonnaise *mayonnaise*
les bonbons *(m.)* candies	la moutarde *mustard*
la brioche *sweet roll*	le pain *bread*
le café *coffee*	le pain grillé *toast*
la carotte *carrot*	la pêche *peach*
les céréales *(f.)* cereal	les petits pois *(m.)* peas
la cerise *cherry*	la pizza *pizza*
le chocolat *chocolate*	la poire *pear*
le citron *lemon*	le poisson *fish*
la citronnade *lemonade*	le poivre *pepper*
la confiture *jam*	la pomme *apple*
le croissant *crescent roll*	la pomme de terre *potato*
l'eau minérale *(f.)* mineral water	le poulet *chicken*
les épinards *(m.)* spinach	le raisin *grape*
la fraise *strawberry*	le riz *rice*
les frites *(f.)* french fries	la salade *salad*
le fromage *cheese*	le sandwich *sandwich*
le fruit *fruit*	la saucisse *sausage*
les fruits de mer *seafood*	le sel *salt*
le gâteau *cake*	la soupe *soup*
la glace *ice cream*	le sucre *sugar*
le hamburger *hamburger*	le thé *tea*
les haricots verts *(m.)* green beans	la tomate *tomato*
le hors-d'œuvre *appetizer*	le veau *veal*
le jambon *ham*	la viande *meat*
le jus *juice*	le vin *wine*

EXERCICE H

Vous dînez dans un restaurant élégant. Exprimez ce que vous voyez sur la table.

1. _____

2. _____

3. _____

4. _____

5. _____

6. _____

7. _____

8. _____

9. _____

10. _____

11. _____

12. _____

13. _____

14. _____

EXERCICE I

Faites une liste de ce que vous adorez manger et de ce que vous détestez manger.

J'adore

Je déteste

_____

_____

_____

_____

_____

_____

_____

_____

[6] HEALTH AND WELFARE

a. Les parties du corps / *Parts of the body*

la barbe *beard*	l'estomac *(m.)* *stomach*	le nez *nose*
la bouche *mouth*	la figure *face*	l'œil *(m.)* *eye*
le bras *arm*	le front *forehead*	l'oreille *(f.)* *ear*
les cheveux *(m.)* *hair*	le genou *knee*	l'orteil *(m.)* *toe*
le cœur *heart*	la gorge *throat*	la peau *skin*
le corps *body*	la jambe *leg*	le pied *foot*
le cou *neck*	la joue *cheek*	la poitrine *chest*
le coude *elbow*	la langue *tongue*	le sang *blood*
la dent *tooth*	la lèvre *lip*	la tête *head*
le doigt *finger*	la main *hand*	le ventre *stomach*
le dos *back*	le menton *chin*	le visage *face*
l'épaule *(f.)* *shoulder*	la moustache *mustache*	

b. Les maladies / *Illnesses*

avoir mal à l'estomac   *to have a stomach ache*
avoir mal au ventre   *to have a bellyache*
avoir mal à la gorge   *to have a sore throat*
avoir mal au pied   *to hurt in the foot*
avoir mal à la tête   *to have a headache*

l'accident *(m.)* *accident*	le médicament *medicine*
l'ambulance *(f.)* *ambulance*	les oreillons *(m.)* *mumps*
l'angine *(f.)* *tonsillitis*	la piqûre *injection*
l'appendicite *(f.)* *appendicitis*	la pneumonie *pneumonia*
l'aspirine *(f.)* *aspirin*	le repos *rest*
l'asthme *(m.)* *asthma*	le rhume *cold (illness)*
la brûlure *burn*	la rougeole *measles*
le coup de soleil *(m.)* *sunburn*	la santé *health*
la douleur *pain*	le soin *care*
l'énergie *(f.)* *energy*	la sueur *sweat*
la fièvre *fever*	la température *temperature*
la force *strength*	la toux *cough*
la fracture *fracture*	le traitement *treatment*
la grippe *flu*	l'urgence *(f.)* *emergency*
la guérison *recovery, cure*	le vaccin *vaccine*
le malade *patient*	la varicelle *chicken pox*

EXERCICE J

La petite Charline, âgée de cinq ans, voudrait devenir docteur. Aidez-la à identifier les différentes parties du corps.

EXERCICE K

Vous devez remplir un formulaire médical. Faites la liste des maladies que vous avez eues.

J'ai eu _____

_____

_____

[7] EDUCATION

a. L'école / School

le banc *seat, bench*	le cartable *satchel*
le bureau *desk*	la carte *map*
le cahier *notebook*	les ciseaux *(m.)* *scissors*
la calculette *calculator*	la classe *class*
le calendrier *calendar*	le classeur *ring binder*

la cloche *bell*

conseiller (-ère) *counselor*

la cour *courtyard*

la craie *chalk*

le crayon *pencil*

les devoirs *(m.)* *homework*

la dictée *dictation*

le dictionnaire *dictionary*

directeur (-trice) *principal*

l'école *(f.)* *school*

l'élève *(m. or f.)* *pupil*

l'emploi du temps *(m.)* *class schedule*

l'erreur *(f.)* *error*

l'étude *(f.)* *study*

l'étudiant(e) *student*

l'examen *(m.)* *test*

l'exercice *(m.)* *exercise*

l'explication *(f.)* *explanation*

la faute *mistake*

la gomme *eraser*

la grammaire *grammar*

l'instituteur (-trice) *elementary school teacher*

la leçon *lesson*

la lecture *reading*

la ligne *line*

le livre *book*

le lycée *high school*

le manuel (scolaire) *textbook*

le matériel scolaire *school supplies*

le mot *word*

la note *grade*

la page *page*

le papier *paper*

la phrase *sentence*

la poésie *poetry*

le professeur *teacher*

la question *question*

la règle *ruler*

la réponse *answer*

le résumé *summary*

le sac à dos *backpack*

la salle de classe *classroom*

le Scotch *Scotch tape*

le stylo *pen*

le sujet *subject, topic*

le tableau *blackboard*

le travail *work*

la trousse *pencil case*

le vocabulaire *vocabulary*

b. Les matières scolaires / *School subjects*

l'anglais *(m.)* *English*

la biologie *biology*

la chimie *chemistry*

le dessin *drawing*

l'éducation physique *(f.)* *gym*

l'espagnol *(m.)* *Spanish*

le français *French*

la géographie *geography*

l'histoire *(f.)* *history*

l'informatique *(f.)* *computer science*

le latin *latin*

les mathématiques *(f.)* *math*

la physique *physics*

la science *science*

la technologie *technology*

les travaux manuels *(m.)* *shop, arts & crafts*

c. Les activités scolaires / *School activities*

le cercle *club*

le cercle dramatique *drama club*

le cercle français *French club*

le cercle international *international club*

le cercle de maths *math club*

l'équipe de base-ball *baseball team*

l'équipe de football *soccer team*

la fanfare *band*

l'orchestre *(m.)* *orchestra*

le tableau d'honneur *honor roll*

EXERCICE L

Faites la liste du matériel scolaire dont vous avez besoin pour tous vos cours.

1. _____   2. _____

3. _____   4. _____

5. _____   6. _____

7. _____   8. _____

9. _____   10. _____

11. _____   12. _____

EXERCICE M

Identifiez les matières et les activités offertes au lycée Marcel Pagnol.

EXEMPLE: **Il y a des cours de français.**

1. _____   2. _____

3. _____   4. _____

5. _____

6. _____

7. _____

8. _____

9. _____

10. _____

[8] EARNING A LIVING

acteur (-trice) *actor*

l'agent *(m.)* de police *policeman*

l'artiste *(m. or f.)* *artist*

l'avocat(e) *lawyer*

boucher (-ère) *butcher*

boulanger (-ère) *baker*

le chef *chef*

chercheur (-euse) *researcher*

coiffeur (-euse) *hair stylist*

le commerçant *merchant*

cuisinier (-ière) *cook*

le / la dentiste *dentist*

directeur (-trice) *manager (of a company)*

l'écrivain *(m.)* *writer*

l'épicier (-ière) *grocer*

facteur (factrice) *mail carrier*

fermier (-ière) *farmer*

le garçon *waiter*

gérant(e) *manager (of shop, restaurant)*

l'infirmier (-ière) *nurse*

l'ingénieur *(m.)* *engineer*	poète (poétesse) *poet*
le juge *judge*	le président *president*
le médecin *doctor*	le professeur *teacher*
le métier *trade, profession*	programmeur (-euse) *programmer*
musicien(ne) *musician*	le savant *scientist, scholar*
l'ouvrier (-ière) *factory worker*	le / la secrétaire *secretary*
le peintre *painter*	serveur (-se) *waiter, waitress*
le pilote *pilot*	vendeur (-euse) *salesperson*

EXERCICE N

Identifiez les professions illustrées.

EXEMPLE: **C'est un docteur.**

1. _____

2. _____

3. _____

4. _____

5. _____

6. _____

7. _____

8. _____

9. _____

10. _____

[9] LEISURE

a. Les loisirs / *Leisure activities*

le bal *ball*	la foire *fair*
le ballet *ballet*	l'île tropicale (*f.*) *tropical island*
la campagne *country*	le jour de congé *day off*
le carnaval *carnival*	le jour férié *legal holiday*
les cartes (*f.*) *cards*	le match *match*
le centre commercial *mall*	la M.J.C. (maison des jeunes et de la culture)
le cinéma *movies*	*youth center*
le concert *concert*	la montagne *mountain*
la discothèque *discotheque*	le musée *museum*
l'exposition (*f.*) *exhibit, show*	l'opéra (*m.*) *opera*
la fête *holiday, celebration*	le parc national *national park*

le parc zoologique, le zoo *zoo*

la plage *beach*

la promenade *walk*

le sport *sport*

le stade *stadium*

la télévision *television*

le théâtre *theater*

les vacances *(f.)* *vacation*

b. Les sports / *Sports*

l'alpinisme *(m.)* *mountain climbing*

l'athlétisme *(m.)* *track and field*

le base-ball *baseball*

le bateau à voiles *sailboat*

le bowling *bowling*

le football *soccer*

le football américain *football*

le golf *golf*

le hockey *hockey*

la natation *swimming*

la pêche *fishing*

le rugby *rugby*

le ski *skiing*

le ski nautique *waterskiing*

le tennis *tennis*

le volley-ball *volleyball*

EXERCICE O

Faites la liste des sports que vous faites et de ceux que vous ne faites pas.

EXEMPLE: **Je fais du ski. Je ne fais pas de golf.**

Je fais

_____

_____

_____

_____

_____

Je ne fais pas

_____

_____

_____

_____

_____

EXERCICE P

Exprimez où il faut aller pour faire ou voir les choses mentionnées.

EXEMPLE: pour faire du sport après l'école
Il faut aller au parc.

1. pour voir un match de foot

_____

2. pour voir une pièce

_____

3. pour nager dans l'océan

_____

4. pour voir un film

_____

5. pour voir jouer vos musiciens préférés

_____

6. pour faire de l'alpinisme

_____

7. pour visiter une ferme

_____

8. pour voir des animaux sauvages

_____

9. pour voir des danseuses classiques

_____

10. pour voir des tableaux de maître

_____

[10] PUBLIC AND PRIVATE SERVICES

a. Le téléphone / *Telephone*

l'annuaire *(m.)* *phone book*

l'appel *(m.)* *call*

le bottin *phone book*

la cabine téléphonique *phone booth*

décrocher *to pick up (the phone)*

l'opérateur (-trice) *operator*

raccrocher *to hang up*

le récepteur *receiver*

le répondeur *answering machine*

la télécarte *calling card*

b. La poste / *Post office*

l'adresse *(f.)* *address*

la boîte aux lettres *mailbox*

la carte postale *postcard*

le code postal *zip code*

le colis *parcel, package*

la correspondance *letters*

le courrier *mail*

l'enveloppe *(f.)* *envelope*

le facteur, la factrice *mail carrier*

le guichet *window (for service)*

la lettre *letter*

le paquet *package*

par avion *air mail*

la poste restante *post office box*

le télégramme *telegram*

le timbre *stamp*

c. La banque / *Bank*

l'argent *(m.)* *money*

l'argent liquide *cash*

le billet *bill*

la caisse *cash register*

le carnet de chèques *checkbook*	les fonds *(m.)* *funds*
le chèque (de voyage) *(traveler's) check*	le guichet *window*
le chéquier *checkbook*	la monnaie *change*
le coffre-fort *safe*	le retrait *withdrawal*
le compte-chèques *checking account*	la signature *signature*
le compte épargne *savings account*	le taux d'intérêt *interest rate*
la devise *currency*	le versement *deposit*
l'emprunt *(m.)* *loan*	le virement *transfer*

changer *to change*	payer en liquide *to pay in cash*
endosser *to endorse*	signer *to sign*
faire un versement *to make a deposit*	toucher un chèque *to cash a check*
payer en espèces *to pay in cash*	

d. Autres services publics / *Other public services*

l'agence *(f.)* de voyages *travel agency*	le douanier *customs official*
la douane *customs*	la sécurité sociale *social security*

EXERCICE Q

Exprimez ce que vous avez fait hier.

1. Hier, je suis allé(e) à *(the bank)* _____ . Je me suis dirigé(e) vers

(a window) _____ avec mon *(money)* _____ et

mon *(checkbook)* _____ . J'ai aussi demandé à déposer des bijoux dans

(the safe) _____ .

2. Je suis allé(e) à *(the phone booth)* _____ où il n'y avait pas d'*(phone book)*

_____ . Alors j'ai décroché *(the receiver)* _____

du *(phone)* _____ et j'ai demandé le numéro que je cherchais à

(the operator) _____ .

3. Ensuite, je suis allé(e) au *(service window)* _____ de *(the post office)*

_____ avec des *(letters)* _____ , des *(postcards)*

_____ et *(a package)* _____ . J'ai pris mon

(mail) _____ , j'ai cherché *(the zip code)* _____

de mon ami et j'ai acheté des *(stamps)* _____ . J'ai mis une lettre dans

(the mailbox) _____ .

[*11*] SHOPPING FOR CLOTHING

a. Les vêtements / *Clothing*

les baskets *(f.)* *sneakers*

la blouse *blouse*

les bottes *(f.)* *boots*

la casquette *cap*

le chapeau *hat*

les chaussettes *(f.)* *socks*

les chaussures *(f.)* *shoes*

la chemise *shirt*

le chemisier *blouse*

les collants *(m.)* *pantyhose*

le complet *suit* (man's)

le costume *suit*

la cravate *tie*

l'écharpe *(f.)* *scarf*

les gants *(m.)* *gloves*

les habits *(m.)* *clothing*

l'imperméable *(m.)* *raincoat*

le jean *jeans*

la jupe *skirt*

le maillot de bain *bathing suit*

le manteau *coat*

le pantalon *pants*

le pardessus *overcoat*

la poche *pocket*

le pull *sweater*

la robe *dress*

les sandales *(f.)* *sandals*

le short *shorts*

les souliers *(m.)* *shoes*

le tailleur *suit* (woman's)

le tee-shirt *T-shirt*

les tennis *(f.)* *tennis sneakers*

le veston *jacket*

les vêtements *(m.)* *clothing*

b. Les couleurs / *Colors*

blanc(he) *white*	jaune *yellow*	rouge *red*
bleu *blue*	noir *black*	vert *green*
brun *brown*	orange *orange*	violet(te) *purple*
gris *gray*	rose *pink*	

c. Les tissus et les matériaux / *Fabrics and materials*

le coton *cotton*	la flanelle *flannel*	le satin *satin*
le cuir *leather*	la fourrure *fur*	la soie *silk*
le daim *suede*	la laine *wool*	le velours *velvet*
la dentelle *lace*	le lin *linen*	
le feutre *felt*	le nylon *nylon*	

d. Les bijoux / *Jewelry*

l'alliance *(f.)* *wedding ring*

l'anneau *(m.)* *ring* (without stone)

la bague *ring* (with stone)

les boucles d'oreilles *(f.)* *earrings*

le bracelet *bracelet*

la broche *brooch, pin*

la chaîne *chain*

le collier *necklace*

la montre *watch*

e. Pierres précieuses et métaux / *Gems and metals*

le diamant *diamond*

l'émeraude *(f.)* *emerald*

l'opale *(f.)* *opal*

la perle *pearl*

le rubis   *ruby*   la topaze   *topaz*
le saphir   *sapphire*

l'argent *(m.)*   *silver*   l'or *(m.)*   *gold*   le platine   *platinum*

EXERCICE R

Vous allez passer une année à l'étranger pour étudier le français. Faites la liste des vêtements que vous emporterez avec vous. Mentionnez également la couleur et le tissu de chaque article.

EXEMPLE: **un tee-shirt jaune en coton**

1. _____   2. _____

3. _____   4. _____

5. _____   6. _____

7. _____   8. _____

9. _____   10. _____

[*12*] TRAVEL AND TRANSPORTATION

l'aéroport *(m.)* *airport*	le décollage *takeoff*
l'arrêt *(m.)* *stop*	le départ *departure*
l'arrivée *(f.)* *arrival*	la gare *train station*
l'atterrissage *(m.)* *landing*	la gare routière *bus station*
l'auberge *(f.)* *inn*	le guichet *ticket window*
l'autobus *(m.)* *bus*	le guide *guide*
l'automobile *(f.)* *car*	l'horaire *(m.)* *schedule*
l'autoroute *(f.)* *highway*	l'itinéraire *(m.)* *itinerary*
l'avion *(m.)* *airplane*	le logement *lodging*
les bagages *(m.)* *luggage*	la malle *trunk*
le bateau *boat*	le métro *subway*
la bicyclette *bicycle*	la mobylette *moped*
le billet *ticket*	la moto *motorcycle*
la boussole *compass*	le moyen de transport *means of transportation*
le camion *truck*	le / la pensionnaire *boarder, guest*
la camionnette *van*	la place *seat*
la carte routière *road map*	la porte *gate*
le chemin *road*	la promenade *walk*
le chemin de fer *railroad*	le quai *pier*
le compartiment *compartment*	la route *route, road*
la couchette *berth*	le scooter *scooter*

le séjour *stay*	la valise *suitcase*
la station *station, resort*	le vélo *bicycle*
la station balnéaire *seaside resort*	la vitesse *speed*
la station de ski *ski resort*	la voie *track*
le tarif *rate, price*	la voiture *car*
le taxi *taxi*	le vol *flight*
le ticket *ticket*	le voyage *trip*
le train *train*	le voyageur *traveler*
le tramway *streetcar*	le wagon *wagon, coach, car*

EXERCICE S

Exprimez comment vous pouvez vous rendre à chaque endroit mentionné en faisant la liste des moyens de transport à votre disposition.

EXEMPLE: Au centre commercial
J'y vais **en scooter, en vélo, en voiture.**

1. Au lycée

_____

_____

_____

2. À Walt Disney World

_____

_____

_____

3. En Europe

_____

_____

_____

[13] CURRENT EVENTS

a. La politique / *Politics*

l'aide militaire *(f.)* *military aid*	le candidat *candidate*
l'ambassade *(f.)* *embassy*	le chef d'État *head of state*
l'ambassadeur *(m.)* *ambassador*	la conférence *conference*
l'armée *(f.)* *army*	le congrès *congress*
l'assemblée *(f.)* *assembly*	la démocratie *democracy*

le député   *representative*
la dictature   *dictatorship*
les droits   *rights*
l'économie *(f.)*   *economy*
la frontière   *border*
le gouvernement   *government*
le gouverneur   *governor*
la guerre   *war*
l'inflation *(f.)*   *inflation*
les informations *(f.)*   *news*
l'interview *(f.)*   *interview*
le journal   *newspaper*
le / la journaliste   *journalist*
le magazine   *magazine*
le maire   *mayor*
la mairie   *town hall*
le ministre   *minister*
la monarchie   *monarchy*
les nouvelles *(f.)*   *news*

le parlement   *parliament*
le parti   *party*
le pouvoir exécutif   *executive power*
le président   *president*
le programme   *program, platform*
la rébellion   *rebellion*
la reine   *queen*
le reportage   *news report*
le reporter   *reporter*
la république   *republic*
la révolte   *revolt*
la révolution   *revolution*
le roi   *king*
le sénat   *senate*
le sénateur   *senator*
les (gros) titres *(m.)*   *headlines*
le traité   *treaty*
l'urne *(f.)*   *ballot box*
le vice-président   *vice president*

b. La vie culturelle / *Cultural life*

l'auditorium *(m.)*   *auditorium*
l'acte *(m.)*   *act*
l'artiste *(m. or f.)*   *artist*
les arts *(m.)*   *arts*
l'auteur dramatique *(m.)*   *playwright*
le ballet   *ballet*
la comédie   *comedy*
le compositeur   *composer*
le concert   *concert*
la culture   *culture*
l'exposition *(f.)*   *exhibit*
musicien(ne)   *musician*
la musique   *music*
l'opéra *(m.)*   *opera*
l'orchestre *(m.)*   *orchestra*

l'ouvreur (-euse)   *usher*
le peintre   *painter*
la peinture   *painting*
le personnage   *character*
la pièce de théâtre   *play*
la poésie   *poetry*
poète (poétesse)   *poet*
la représentation   *performance (show)*
la scène   *scene, stage*
le sculpteur   *sculptor*
la sculpture   *sculpture*
le spectacle   *show*
le théâtre   *theater*
la vedette   *star*
le vers   *line, verse*

EXERCICE T

Répondez aux questions suivantes.

1. Quels sont les membres principaux du gouvernement américain?

_____

_____

2. Qui dirige la ville et qui dirige l'état?

_____

3. Quels sont les différents genres de gouvernement?

_____

_____

EXERCICE U

Pour chaque catégorie, donnez le plus de noms possibles de Français célèbres.

1. Auteurs dramatiques

_____

_____

2. Sculpteurs

_____

_____

3. Peintres

_____

_____

4. Poètes

_____

_____

5. Compositeurs

_____

_____

MASTERY EXERCISES

EXERCICE V

Complétez chaque phrase avec un mot approprié.

1. On entend avec _____ .

2. Pour donner un coup de téléphone, décrochez _____ .

3. _____ nous donne des œufs.

4. Vous ouvrez un compte épargne à _____ .

5. Pour chercher la définition d'un mot, on regarde dans _____ .

6. Mon père est _____ de ma mère.

7. Une personne mariée porte _____ au doigt.

8. L'omelette est faite avec _____ .

9. _____ d'une école honore les étudiants qui ont les meilleures notes.

10. Dans une boulangerie, on vend du _____ .

11. Pour conserver la glace, on la met au _____ .

12. _____ dirige les affaires d'une grande compagnie.

13. L'Empire State Building est un _____ très connu.

14. _____ est un jour où il n'y a ni classes ni travail.

15. _____ écrit des pièces.

16. Après le dîner, on _____ la table.

17. L'homme qui apporte le courrier est _____ .

18. Si un homme ne se rase pas, il aura _____ .

19. Pour savoir utiliser un ordinateur, il faut étudier _____ .

20. À l'aéroport, _____ vous demande d'ouvrir vos bagages.

21. La Martinique est _____ tropicale.

22. Si vous voulez attraper des poissons, allez à _____ .

23. Pour savoir à quelle heure part votre train, il faut consulter _____ .

24. À la fin d'un repas, on laisse _____ de 15% au serveur.

25. Quand il pleut, je mets mon _____ .

EXERCICE W

Identifiez les illustrations.

EXEMPLE: **C'est un homme.**

1. _____   2. _____

3. _____   4. _____

5. _____   6. _____

7. _____

8. _____

9. _____

10. _____

11. _____

12. _____

13. _____

14. _____

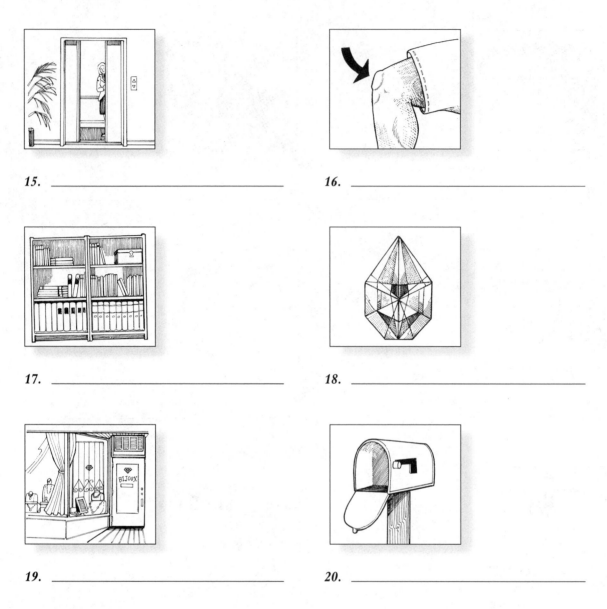

15. _____   16. _____

17. _____   18. _____

19. _____   20. _____

EXERCICE X

Exprimez en français ce qui est arrivé à ce garçon.

1. I was watching the news when a reporter said that the president and his family were coming to my city.

   _____

   _____

2. This man is fifty years old. He has brown hair and blue eyes.

   _____

   _____

3. He seems conscientious, serious, intuitive, and honest.

   _____

4. His wife, his children, and he will take a plane to our airport in the country, then they'll travel to the city by car.

_____

_____

5. He'll visit our neighborhood in the suburbs and he'll see the parks, the museums, the hospitals, and the schools.

_____

_____

6. He'll come to my school and speak of his program during our history class.

_____

_____

7. I want to make a good impression when I meet him, so I'll wear a suit, a tie, a shirt, and my new shoes.

_____

_____

8. In the country, he'll speak to the farmers and in the city, he'll speak to the doctors, lawyers, teachers, salespeople, and factory workers.

_____

_____

9. He'll discuss the economy, inflation, and commerce with the mayor of the city and the governor of our state.

_____

_____

10. My parents won't go to work, won't go shopping, and won't do the housework because they'll spend the day watching him on television. They'll probably vote for him.

_____

_____

_____

Part five
French Civilization

QUÉBEC

SAINT-PIERRE-
ET-MIQUELON

LOUISIANE

HAÏTI

GUADELOUPE
MARTINIQUE

GUYANE

BELGIQUE

LUXEMBOURG

FRANCE

SUISSE

MONACO

CORSE

MAROC

ALGÉRIE

TUNISIE

MAURITANIE

MALI

NIGER

TCHAD

SÉNÉGAL

GUINÉE

BURKINA FASO

CÔTE-D'IVOIRE

TOGO

BÉNIN

CAMEROUN

RÉPUBLIQUE
CENTRAFRICAINE

ZAÏRE

GABON

CONGO

Chapter 32
La Langue française

ANGLETERRE BELGIQUE ALLEMAGNE

LUXEMBOURG

• Brest ⊙ Paris • Strasbourg

AUTRICHE

• Nantes FRANCE

SUISSE

1 Le français, comme l'italien, l'espagnol, le portugais et le roumain (Romanian) est langue romane (Romance language) dérivée surtout du latin populaire parlé par les Romains. Il y a plus de 2.000 ans, les
5 Romains, avec leur chef Jules César, ont fait la conquête de la Gaule, appelée aujourd'hui la France. Les Gaulois, qui étaient un peuple celtique, ont adopté la langue des Romains victorieux.

Pendant longtemps, on a parlé des dialectes dif-
10 férents dans les régions de France. C'est le dialecte de l'Île-de-France, où se trouvait la cour des rois, qui est devenu la langue officielle du pays. On trouve encore aujourd'hui des traces de ces anciens dialectes. Le breton, par exemple, est une langue
15 celtique. Le français a aussi emprunté beaucoup de termes modernes à l'anglais, comme les mots **club, détective, match, steak, jazz, parking, tunnel, in-terview** et **week-end.**

La langue française est connue pour sa clarté de
20 pensée et d'expression. Pour conserver et perfec-tionner cette langue, le cardinal de Richelieu a fondé l'**Académie française** en 1635. Les membres de l'Académie sont appelés «les quarante immor-tels» et ils publient le dictionnaire officiel et la
25 grammaire de la langue française.

En Europe, on parle français non seulement en France, mais aussi en Belgique, en Suisse et au Luxembourg. Le français est devenu une des deux langues officielles du Canada où il est parlé princi-
30 palement dans la province de Québec. Aux États-Unis, on parle encore français en Louisiane. Le français est aussi une des langues officielles de l'O.N.U. (Organisation des Nations Unies).

Le français est la langue officielle de plusieurs
35 pays d'Afrique comme le Gabon, la République centrafricaine et la Côte-d'Ivoire. Dans d'autres pays africains, comme le Maroc, la Tunisie et l'Algérie, c'est la langue d'enseignement (teaching) dans les écoles.

40 Le français a exercé une influence profonde sur la langue anglaise. Cette influence est la con-séquence de l'invasion de l'Angleterre en 1066 par Guillaume le Conquérant, duc de Normandie. Après cette conquête, le français est devenu la
45 langue officielle de la cour royale, des nobles et de la justice en Angleterre. Beaucoup de mots français ont été adoptés par la langue anglaise. Ainsi, certains mots anglais ressemblent à des mots français. En général, le mot anglais et le mot français sont de la
50 même origine. Voici quelques exemples de mots al-liés (cognates):

FRANÇAIS	ANGLAIS	FRANÇAIS	ANGLAIS
année	*annual*	**livre**	*library*
campagne	*campaign*	**main**	*manual*
chien	*canine*	**moins**	*minus*
dormir	*dormitory*	**nez**	*nasal*
faible	*feeble*	**penser**	*pensive*
fleur	*florist*	**seul**	*solitude*
hiver	*hibernate*	**vie**	*vital*

60 L'anglais a également emprunté beaucoup d'expressions au français, comme:

à la carte   *term used in dining when items are ordered individually from the menu*
bon voyage   *"Have a good trip."*
coup d'état   *violent overthrow of a government*
déjà vu   *sense of already having seen or heard some-thing*
demitasse   *small cup of black coffee*
de rigueur   *prescribed by custom; proper*
encore   *repeat performance*
esprit de corps   *enthusiastic group spirit*
faux pas   *social blunder*
gourmet   *person who knows and appreciates fine food*
nom de plume   *pen name assumed by an author*
rendezvous   *meeting place, appointment*
R.S.V.P.   *(répondez, s'il vous plaît) "Please reply."*
sabotage   *malicious destruction of property*
tête-à-tête   *private conversation between two people*

LA LANGUE FRANÇAISE
DANS LE MONDE

EXERCICE A

Écrivez la lettre désignant le mot qui correspond à chaque définition de la colonne de gauche.

1. langue des anciens Romains   _____

2. ancien nom de la France   _____

3. chef des Romains   _____

4. qualité de la langue française   _____

5. duc de Normandie   _____

6. pays où le français est la langue officielle   _____

7. membres de l'Académie française   _____

8. langue celtique   _____

9. pays conquis *(conquered)* par les Normands   _____

10. langue romane   _____

a. l'Angleterre
b. la Côte-d'Ivoire
c. la clarté
d. le latin
e. l'italien
f. les quarante immortels
g. la Gaule
h. Guillaume le Conquérant
i. Jules César
j. le breton

EXERCICE B

Pour chaque mot français, trouvez le mot anglais de la même origine.

EXEMPLE: penser **pensive**

1. main   _____

2. vie   _____

3. année   _____

4. seul   _____

5. moins   _____

6. hiver   _____

7. campagne   _____

8. nez   _____

EXERCICE C

Complétez chaque phrase avec le mot français approprié.

1. La langue de la province d'_____ est devenue la langue officielle de la France.

2. Aux États-Unis, on parle français en _____ .

3. En 1635, le cardinal de Richelieu a fondé _____ .

4. D'autres langues romanes sont _____ , l'italien, le roumain et le portugais.

5. Dans la province canadienne de _____ , des millions de personnes parlent français.

6. _____ et _____ sont deux mots français d'origine anglaise.

7. En Europe, on parle français en France, au Luxembourg, en _____ et en

_____ .

8. R.S.V.P. sont les initiales de _____ .

EXERCICE D

Complétez chaque phrase avec l'expression française qui correspond à l'expression anglaise entre parenthèses.

1. With a fine *(group spirit)* _____ , you can accomplish a lot.

2. During World War II, there were many acts of *(malicious destruction)* _____ .

3. Louis Napoleon, like his uncle Napoleon Bonaparte before him, seized control of the country by a

(sudden overthrow of the government) _____ .

4. Marcel Dubois is a real *(person who enjoys good food)* _____ .

5. My father and I sometimes have a *(private conversation)* _____ to discuss the problems of being a teenager today.

6. If I wrote a novel, I would not choose to use a *(assumed name)* _____ .

7. When he went to the White House, he interrupted the President. That was a *(social blunder)*

_____ .

PAYS-BAS ALLEMAGNE
ANGLETERRE
BELGIQUE
LUXEMBOURG
• Brest   ○ Paris   Strasbourg •   AUTRICHE
• Nantes   FRANCE   SUISSE

Chapter 33
La Géographie de la France

SUPERFICIE, POPULATION, FRONTIÈRES ET CLIMAT

1 La France est un pays remarquable par la variété de son climat, de son paysage, de ses industries et de ses produits. Avec une superficie *(area)* de 213.000 milles carrés *(square miles)*, la France est plus petite 5 que le Texas. Elle a une population d'un peu plus de 57,5 millions d'habitants.

La France a la forme d'un hexagone, une figure géométrique à six côtés. Trois de ces côtés sont des frontières maritimes: **la mer du Nord** et **la** 10 **Manche** au nord-ouest, **l'océan Atlantique** à l'ouest et **la mer Méditerranée** au sud. La France a donc des côtes maritimes étendues et de nombreux ports.

La France a aussi des frontières avec **la Belgique** 15 et **le Luxembourg** au nord, **l'Allemagne**, **la Suisse** et **l'Italie** à l'est, et **l'Espagne** au sud.

Le pays est en zone tempérée, presque à égale distance entre le pôle nord et l'équateur. Cette position, ainsi que l'influence des mers et du Gulf 20 Stream, permet à une grande partie de la France de bénéficier d'un climat généralement doux et de pluies suffisantes.

Il ne faut pas oublier que **la Corse**, une île de la Méditerranée au sud-est du pays, fait partie de la 25 France. C'est en Corse que Napoléon Ier est né.

MONTAGNES

1. **Les Alpes** servent de frontière entre la France et l'Italie. Ces montagnes sont les plus élevées du pays. **Le mont Blanc**, le sommet le plus élevé d'Europe (15.780 pieds ou 4.807 mètres), 30 est situé dans les Alpes françaises.
2. **Les Pyrénées** sont moins hautes que les Alpes.

Elles séparent la France de l'Espagne.
3. **Le Jura** est la frontière principale entre la France et la Suisse.
4. **Les Vosges** se trouvent en Alsace, près de 35 l'Allemagne.
5. **Le Massif central** est la chaîne de montagnes la plus ancienne du pays. On y trouve de nombreux volcans éteints *(extinct)*, appelés «puys». **Les Cévennes** font partie du Massif central. 40

FLEUVES

1. **La Seine** est le fleuve le plus navigable et le plus important au point de vue commercial. La Seine naît *(originates)* dans le centre-est de la France. Elle traverse Paris, puis la Normandie et se jette dans la Manche, près du Havre. 45
2. **La Loire** est le plus long fleuve français. Elle naît dans le Massif central et se jette dans l'Atlantique. Il y a beaucoup de châteaux célèbres le long de la vallée de la Loire.
3. **La Garonne** vient d'Espagne. Elle se jette dans 50 l'Atlantique près de la ville de **Bordeaux**, où elle forme un bras de mer appelé **la Gironde**.
4. **Le Rhône** est le fleuve le plus rapide et le plus turbulent. Il prend sa source dans les Alpes suisses. À **Lyon**, le Rhône s'unit à un autre 55 fleuve, **la Saône**, puis continue pour aller se jeter dans la Méditerranée près de Marseille. La région du delta formé par le Rhône s'appelle **la Camargue**. Il y a plusieurs barrages *(dams)* le long du Rhône qui fournissent de l'énergie 60 hydroélectrique.
5. **Le Rhin** sépare la France de l'Allemagne.

La France possède beaucoup de canaux qui unissent les fleuves et les rivières. L'ancien **canal du Midi** est l'un des mieux connus. Il relie *(con-* 65 *nects)* la Méditerranée à la Garonne et, par conséquent, à l'Atlantique.

EXERCICE A

Identifiez les montagnes et les fleuves de la France, en écrivant en face de chaque nom donné le numéro qui correspond à son emplacement sur la carte suivante.

1. la Loire _____

2. la Garonne _____

3. le Massif central _____

4. le Jura _____

5. la Seine _____

6. les Alpes _____

7. le Rhône _____

8. le Rhin _____

9. les Vosges _____

10. les Pyrénées _____

EXERCICE B

Utilisez la carte de l'exercice A pour reporter les lettres qui correspondent aux locations des frontières françaises suivantes.

1. l'océan Atlantique _____   2. l'Allemagne _____

3. la mer Méditerranée _____   4. la Manche _____

5. la Suisse _____   6. l'Espagne _____

7. la Belgique _____   8. l'Italie _____

9. le Luxembourg _____

EXERCICE C

Écrivez la lettre désignant le mot qui correspond à chaque définition de la colonne de gauche.

1. montagnes les plus hautes de France _____   *a.* le Jura

2. île française de la Méditerranée _____   *b.* la Loire

3. fleuve français le plus navigable _____   *c.* le mont Blanc

4. plus haut sommet des Alpes _____   *d.* les Vosges

5. plus long fleuve français _____   *e.* la Camargue
                                                       f. le Massif central
6. montagnes d'Alsace _____   *g.* la Corse

7. fleuve qui vient d'Espagne _____   *h.* la Seine

8. frontière entre la France et la Suisse _____   *i.* les Alpes

9. région du delta du Rhône _____   *j.* la Garonne

10. plus anciennes montagnes _____

EXERCICE D

Complétez les phrases avec les noms appropriés.

1. Les montagnes qui séparent la France de l'Italie sont _____ .

2. Le fleuve qui traverse Paris s'appelle _____ .

3. _____ sépare la France de l'Allemagne.

4. _____ est une chaîne de montagnes où on trouve de vieux volcans.

5. Il y a de beaux châteaux le long de _____ .

6. La Seine se jette dans _____ , près du Havre.

7. Les Pyrénées séparent la France de _____ .

LES PROVINCES

Avant la Révolution de 1789, la France était divisée en 32 **provinces.** Chaque province avait ses tradi-
70 tions et ses coutumes particulières. Aujourd'hui, les provinces n'existent plus. Le pays est divisé en **régions** et en **départements.** Pourtant, les Français emploient encore le nom des anciennes provinces pour désigner certaines régions.

Chaque ancienne province avait un costume 75 spécifique, que l'on porte parfois aujourd'hui à l'occasion d'une fête régionale. On peut encore voir la coiffe (chapeau traditionnel pour les femmes) et les sabots (chaussures de bois).

Voici quelques-unes des anciennes provinces: 80

1. **La Bretagne** *(Brittany)* est la péninsule au nord-ouest du pays qui s'avance dans l'Atlantique.

PROVINCES

C'est une province pittoresque où on trouve beaucoup de pêcheurs et de marins *(sailors)*. C'est aussi une région agricole.

85

La tradition et le folklore jouent un rôle important dans la vie des Bretons. Beaucoup parlent encore l'ancien dialecte celtique. On appelle **pardons** les fêtes religieuses que les Bretons célèbrent chaque année. Parmi les curiosités de cette province, il faut noter les assemblages mystérieux de grosses pierres préhistoriques, souvent groupées en ligne, les **menhirs.**

90

2. **La Normandie,** au nord-ouest de la France, est située sur la Manche. Le long des côtes normandes on trouve des ports de commerce et des plages renommées. La Seine traverse cette région de champs *(fields)* fertiles et de pâturages *(pastures)*. La Normandie est connue pour ses produits laitiers comme **le beurre** et **le fromage.** On y trouve aussi de grands centres industriels.

95

100

Deux événements historiques rappellent cette province: la conquête de l'Angleterre en 1066 par le duc de Normandie, **Guillaume le Conquérant,** et **le débarquement** *(landing)* des forces alliées pour libérer l'Europe pendant la Seconde Guerre mondiale.

105

3. **L'Île-de-France,** province des rois de France, est le centre administratif du pays. **Paris,** la capitale de la France, est situé en Île-de-France.

110

4. **L'Alsace** et **la Lorraine,** au nord-est du pays, sont deux provinces qui ont été disputées pendant des siècles par la France et l'Allemagne. L'Alsace est importante au point de vue agricole. La Lorraine, région industrielle, possède de très riches mines de fer.

115

5. **La Provence,** au sud-est de la France, se trouve entre la Méditerranée, les Alpes et le Rhône. Cette province fleurie au doux climat possède beaucoup de monuments romains. Un grand nombre d'habitants parlent **provençal,** l'ancien dialecte de la province. La célèbre **Côte d'Azur (la Riviera)** est située le long de la Méditerranée entre Marseille et la frontière italienne.

120

125

6. **La Touraine,** dans la vallée de la Loire, est surnommée *(nicknamed)* «le jardin de la France» à cause des quantités de fruits et de légumes qui y sont produits. La vallée de la Loire est célèbre pour ses châteaux splendides, comme **Blois, Chambord** et **Chenonceaux.**

130

7. **La Bourgogne** *(Burgundy)* et **la Champagne** sont deux régions fertiles, connues pour leurs vins.

8. **L'Auvergne,** dans le Massif central, est une région montagneuse d'origine volcanique.

135

9. **La Savoie,** à l'est du pays, est la principale province des Alpes françaises. Le mont Blanc y est situé.

10. **La Flandre,** qui forme la frontière avec la Belgique, est une région industrielle très importante.

140

EXERCICE E

Donnez le nom de chaque province qui correspond à la définition.

1. _____ est l'ancienne province où se trouve Paris.

2. _____ est dans la vallée de la Loire, le pays des châteaux.

3. _____, près de l'Allemagne, est riche en mines de fer.

4. _____ est une péninsule au nord-ouest de la France où la pêche est une industrie importante.

5. _____, au centre de la France, est une région volcanique.

6. _____ est la province où il y a beaucoup de monuments romains.

7. _____, à l'est de la France, est connue pour la beauté de ses montagnes, les Alpes.

8. _____, sur la Manche, est une région agricole très riche.

9. _____ et la _____ produisent des vins renommés.

10. _____, près de la Belgique, est une région industrielle.

EXERCICE F

Complétez chaque phrase avec le mot français approprié.

1. Avant la révolution de 1789, la France était divisée en 32 _____ .

2. Depuis cette révolution, elle est divisée en _____ et

en _____ .

3. La libération de l'Europe en 1944 a commencé quand les forces alliées ont débarqué sur les plages

de _____ .

4. Il y a des _____ magnifiques à Chenonceaux et à Blois.

5. Le dialecte du Sud de la France est _____ .

6. _____ et _____ sont deux provinces que la France et l'Allemagne se sont longtemps disputées.

7. L'Île-de-France était très importante parce que les _____ y habitaient.

8. Deux produits laitiers de la Normandie sont _____

et _____ .

9. La Côte d'Azur commence à l'est de Marseille puis continue jusqu'à la frontière avec

_____ .

10. En _____, on entend encore parler un dialecte celtique.

11. En 1066, _____, duc de Normandie, a conquis l'Angleterre.

12. Le _____ est une fête religieuse célébrée en Bretagne.

PARIS

1   PALAIS DE CHAILLOT
2   PLACE CHARLES DE GAULLE
    ARC DE TRIOMPHE
3   PLACE DE LA CONCORDE
4   ÉGLISE DE LA MADELEINE
5   OPÉRA
6   RUE DE LA PAIX
7   PLACE VENDÔME.
    RUE ST. HONORÉ
8   TUILERIES
9   MUSÉE D'ORSAY
10 INVALIDES
11 TOUR EIFFEL
12 JARDIN DU LUXEMBOURG
13 BOULEVARD ST. MICHEL
14 SORBONNE
15 PANTHÉON
16 MUSÉE DE CLUNY
17 QUARTIER LATIN
18 SAINT GERMAIN DES PRÉS
19 CONCIERGERIE
20 PONT NEUF
21 SAINTE CHAPELLE
22 ÎLE DE LA CITÉ
23 CATHÉDRALE NOTRE-DAME
24 CENTRE GEORGES POMPIDOU
25 FORUM DES HALLES
26 LOUVRE
27 AVENUE DE L'OPÉRA
28 ÉGLISE DU SACRÉ-COEUR
29 CITÉ DES SCIENCES
    ET DE L'INDUSTRIE
30 PARC DE LA VILLETTE
31 PLACE DE LA BASTILLE
32 ZOO DE VINCENNES
33 CITÉ UNIVERSITAIRE

PARIS

Paris est la **capitale** politique, économique et intellectuelle de la France. C'est le premier centre commercial et industriel du pays, le centre de la mode et le premier port français de navigation intérieure. La ville même a une population de moins de 3 millions d'habitants, mais avec la banlieue *(suburbs)* elle forme une concentration de presque 10 millions d'habitants.

La Seine divise la ville en deux parties: **la rive droite**, au nord, et **la rive gauche**, au sud. La rive droite est plus grande et plus animée. C'est le centre des affaires: maisons de commerce, grands magasins, théâtres, hôtels, restaurants et grands boulevards. Le quartier pittoresque de **Montmartre** est situé sur la rive droite. Sur la rive gauche se trouve le **Quartier latin**, centre de l'enseignement et des activités culturelles. La plupart des grandes écoles, comme **la Sorbonne, le Collège de France** et **l'École de Médecine** sont dans le Quartier latin.

Le Pont-Neuf est le plus ancien pont de Paris. Il traverse la Seine à l'île de la Cité.

Pour son administration, Paris est divisé en vingt **arrondissements**. Paris, qu'on appelle «**la Ville Lumière**», est une des plus belles villes du monde, connue pour son architecture, ses monuments, ses musées, ses places et ses jardins.

MUSÉES

1. Le musée du **Louvre** est le musée le plus important de France. Cet ancien palais des rois de France est l'un des plus grands musées d'art du monde. On y trouve des chefs-d'œuvre *(masterpieces)* comme **la Joconde** (le portrait de Mona Lisa) de Léonard de Vinci, **la Vénus de Milo** et **la Victoire de Samothrace**. Une pyramide de verre sert d'entrée au musée.
2. **L'hôtel des Invalides** contient la tombe en marbre rouge de Napoléon Ier et un musée militaire.
3. **Le Panthéon**, au Quartier latin, a été construit pour être une église en l'honneur de sainte Geneviève, la patronne *(patron saint)* de Paris. Dans ce monument se trouvent aujourd'hui les tombeaux de nombreux Français et Françaises illustres, comme Voltaire, Jean-Jacques Rousseau, Victor Hugo, Émile Zola, Sophie Berthelot et Marie Curie.
4. Le musée de **Cluny**, au Quartier latin, contient une collection d'objets d'art du Moyen Âge et de la Renaissance.
5. **Le Centre national d'art et de culture Georges-Pompidou** est une structure métallique d'une architecture très moderne. Le **centre Pompidou**, qu'on appelle aussi le **centre Beaubourg** à cause du quartier où il se trouve, est un complexe d'activités diverses: un musée d'art moderne, une grande bibliothèque, un centre de création industrielle et un institut pour l'expérimentation musicale.
6. Le **musée d'Orsay**, installé dans l'ancienne gare d'Orsay, contient des collections qui illustrent la création artistique de la seconde moitié du XIXe siècle et des premières années du XXe siècle.
7. **La Cité des sciences et de l'industrie** est un musée très moderne. On y présente des expositions relatives aux sciences et aux technologies d'aujourd'hui. Dans son théâtre spectaculaire, la **Géode,** on joue des films en relief *(3-D).*

ÉGLISES

1. La cathédrale **Notre-Dame,** commencée dans l'île de la Cité au XIIe siècle, est un chef-d'œuvre d'architecture gothique.
2. **La Madeleine** est une église élégante qui ressemble à un temple grec.
3. **La basilique du Sacré-Cœur,** qui date du XIXe siècle, a la forme d'une mosquée. Située sur la butte *(small hill)* Montmartre, cette église blanche domine la ville entière.
4. **La Sainte-Chapelle,** construite pour saint Louis (le roi Louis IX), est célèbre pour ses beaux vitraux *(stained-glass windows)*. Ce «bijou de l'architecture gothique» se trouve sur l'île de la Cité.
5. L'église romane de **Saint-Germain-des-Prés,** au Quartier latin, est une des plus anciennes de Paris.

JARDINS ET BOIS

1. **Le jardin des Tuileries** se trouve près de la Seine, entre le Louvre et la place de la Concorde. C'était l'un des jardins favoris des rois de France.
2. **Le bois de Boulogne** était une forêt. C'est maintenant le plus grand parc de Paris. Il est situé à l'ouest de la ville.
3. **Le jardin du Luxembourg,** sur la rive gauche, est le rendez-vous préféré des étudiants du Quartier latin.
4. **Le bois de Vincennes,** avec son célèbre zoo, est un parc au sud-est de Paris.

PLACES

1. **La place de la Concorde** est la plus vaste et la plus belle place de Paris. Après la Révolution de 1789, on y a guillotiné beaucoup de Français. Au centre de la place s'élèvent un obélisque égyptien et deux fontaines magnifiques. La place est entourée de statues colossales qui représentent des grandes villes de France.

2. **La place Charles-de-Gaulle** s'appelait place de l'Étoile jusqu'en 1970 parce que douze avenues y convergent vers l'**Arc de Triomphe** qui est au centre de la place. L'arc commémore les victoires de Napoléon Ier. Sous l'arc il y a le tombeau du Soldat inconnu et une flamme éternelle.

3. **La place de l'Opéra,** toujours pleine d'activité, est dominée par l'opéra. Cet édifice de la seconde moitié du XIXe siècle est connu pour ses façades sculptées, son grand escalier de marbre et son foyer splendide. À côté de la place se trouve le célèbre **Café de la Paix.**

4. **La place Vendôme** a beaucoup de magasins élégants. Au centre de la place se trouve la fameuse **colonne Vendôme,** faite avec le bronze des canons pris à l'ennemi par Napoléon Ier. La statue de l'empereur est au sommet de la colonne.

5. C'est sur **la place de la Bastille** que se trouvait autrefois la prison que les Parisiens ont prise et détruite en 1789. Aujourd'hui, **la colonne de Juillet** est au centre de la place. Elle a été élevée à la mémoire des Parisiens tués *(killed)* durant la Révolution de juillet 1830. Le nouvel opéra de la Bastille se trouve tout près.

AUTRES MONUMENTS

1. **La tour Eiffel,** construite en acier par l'ingénieur **Gustave Eiffel,** date de l'exposition de 1889. La tour mesure 1.109 pieds (336 mètres) de haut et sert de poste émetteur de radio et de télévision.

2. **La Sorbonne,** fondée en 1257 par **Robert de Sorbon,** le chapelain du roi Louis IX, est la partie la plus ancienne de l'université de Paris.

3. **Le palais de Chaillot,** en face de la tour Eiffel, contient plusieurs musées et un théâtre.

4. **La cité universitaire,** composée de nombreux édifices, sert de résidence aux étudiants français et étrangers.

5. **La Conciergerie** est l'ancienne prison dans l'île de la Cité. Pendant la Révolution, un grand nombre de personnes y ont passé leurs derniers jours.

6. **Le Forum des Halles** est un centre commercial et de loisirs, construit à l'emplacement des Halles, l'ancien marché central de Paris.

7. Parmi les grands magasins de Paris on remarque **les Galeries Lafayette, le Bon Marché** et le **Printemps.**

8. Deux palais célèbres se trouvent près de la capitale: **Versailles,** le palais magnifique construit sur l'ordre de Louis XIV et **Fontainebleau,** le château préféré de Napoléon Ier.

RUES

1. **L'avenue des Champs-Élysées** va de la place de la Concorde à la place Charles-de-Gaulle. Quand on se promène le long de cette large avenue bordée d'arbres, on peut voir des hôtels, des théâtres, des cafés, des cinémas et de beaux magasins.

2. **L'avenue de l'Opéra** et **la rue de la Paix** sont connues pour leurs magasins de luxe.

3. **La rue de Rivoli,** avec ses arcades, longe *(goes alongside)* les Tuileries. On y trouve des boutiques élégantes.

4. **Les Grands Boulevards** sont de belles et larges avenues. **Le boulevard Saint-Michel** est la rue principale du Quartier latin.

5. **Les quais** sont les rues qui bordent les deux rives de la Seine. Le long des quais se trouvent **les bouquinistes,** des marchands qui vendent de vieux livres.

TRANSPORTS

La situation commerciale de Paris est excellente. C'est le premier port fluvial *(river)* de France et le centre du réseau *(network)* routier. La ville a deux aéroports: **Charles-de-Gaulle,** qui est un vaste aéroport international, et **Orly.** Toutes les grandes lignes de chemin de fer passent par Paris. Le T.G.V., **Train à Grande Vitesse,** relie *(connects)* Paris à cinquante villes dont *(of which)* cinq en Suisse. Quelques-unes des villes reliées sont Lille, Calais, Lyon, Marseille, Genève et Le Mans.

Pour se déplacer dans Paris, il y a **les transports en commun** *(public transportation):*

1. **Le métro** est le chemin de fer souterrain. Ce vaste réseau relie tous les points de la ville.

2. **Le R.E.R.** (Réseau Express Régional) est un ensemble de lignes qui relient Paris et la banlieue. Ce «super-métro» a un système de contrôle unique automatisé.

3. Un réseau **d'autobus** sert la ville entière et les banlieues.

4. On peut faire une belle excursion sur **les bateaux-mouches** qui descendent et remontent la Seine. Ils permettent d'admirer plusieurs monuments historiques de la ville.

5. Et maintenant, Paris est directement relié à Londres, en Angleterre, grâce à **l'Eurotunnel.** Inauguré en 1994, ce tunnel permet de passer 340 en train sous la Manche. Avec le T.G.V. et l'Eurotunnel, Paris est maintenant à trois heures de Londres.

EXERCICE G

Écrivez la lettre désignant le mot qui correspond à chaque définition de la colonne de gauche.

1. église en forme de temple grec _____	*a.* centre Pompidou
	b. Galeries Lafayette
2. nom du tunnel sous la Manche _____	*c.* cité universitaire
3. complexe moderne d'art et de culture _____	*d.* Eurotunnel
	e. tour Eiffel
4. boulevard principal du Quartier latin _____	*f.* Cluny
5. poste émetteur de télévision _____	*g.* la Madeleine
6. partie de l'université de Paris _____	*h.* métro
	i. Saint-Michel
7. chemin de fer souterrain _____	*j.* la Sorbonne
8. grand magasin _____	
9. musée d'art médiéval dans le Quartier latin _____	
10. résidence pour étudiants _____	

EXERCICE H

Complétez chaque phrase avec le mot français approprié.

1. Le Quartier latin se trouve sur la rive _____ .

2. Après la Révolution, on a guillotiné des centaines de personnes sur la place

    de _____ .

3. Paris est divisé en vingt _____ .

4. On a construit la _____ pour l'exposition de 1889.

5. Douze avenues rayonnent *(radiate)* de la place _____ .

6. Au centre de cette place, on voit l'_____ , sous lequel se trouvent le

   tombeau du _____ et une flamme éternelle.

7. Le Bon Marché et le Printemps sont deux grands _____ de Paris.

8. Louis XIV a fait bâtir le palais de _____ , près de Paris.

9. Les statues de la place de la Concorde représentent les grandes _____ de
   France.

10. On peut marcher de la place de l'Étoile à la place de la Concorde en prenant l'avenue des

    _____ .

11. Le musée _____ est un musée d'art installé dans une ancienne gare.

12. T.G.V. sont les initiales de _____ .

EXERCICE 1

Complétez l'histoire avec les mots français appropriés.

Hier, j'ai fait une promenade dans _____ , la «Ville Lumière». D'abord, j'ai
                                              1.

visité la cathédrale _____ et la _____ , qui est
                              2.   3.

célèbre pour ses vitraux colorés. En marchant sur les _____ qui longent
                                                              4.

la Seine, je suis arrivé(e) au magnifique palais du _____ . C'est maintenant
                                                            5.

un des plus riches musées d'art du monde. J'y ai admiré la _____ , le
                                                                   6.

fameux portrait peint par Léonard de Vinci. J'ai aussi vu la Vénus de _____
                                                                              7.

et la _____ de Samothrace. Après ma visite du musée, je me suis
          8.

promené(e) dans le jardin des _____ qui était le jardin préféré des
                                      9.

_____ de France.
        10.

AUTRES VILLES FRANÇAISES

Lyon, Marseille, Lille, Toulouse, Bordeaux et Nice sont parmi les autres villes françaises les plus peuplées.

PORTS

345 **1. Marseille,** sur la Méditerranée près de l'embouchure *(mouth)* du Rhône, est le plus grand port de mer français. C'est aussi une ville industrielle et le centre d'un grand commerce avec l'Afrique du Nord et l'Orient.

350 **2. Le Havre,** à l'embouchure de la Seine, est le plus grand port sur la Manche. **Cherbourg,** **Boulogne** et **Calais** sont d'autres ports sur la Manche.

3. Dunkerque est un port important sur la mer du
355 Nord.

4. Bordeaux, à l'embouchure de la Garonne, est le port d'où l'on exporte les vins célèbres de la région.

5. Nantes, à l'embouchure de la Loire, est un cen-
360 tre de construction navale.

VILLES INDUSTRIELLES

1. Lyon se trouve au confluent *(junction)* du Rhône et de la Saône. C'est une ville commerciale et le centre traditionnel des industries de la soie et de la rayonne.

365 **2. Lille,** au nord-est, est le centre de l'industrie textile. On y fabrique aussi des machines.

3. Strasbourg, capitale de l'Alsace, est un port sur le Rhin. Dans sa cathédrale gothique se trouve une célèbre horloge astronomique.

370 **4. Rouen** est un port sur la Seine en Normandie. C'est dans cette ville que Jeanne d'Arc a été exécutée.

5. Grenoble, au cœur des routes qui mènent aux Alpes, est un centre intellectuel, économique et
375 touristique. C'est aussi un centre scientifique avec de nombreux laboratoires de recherche.

6. Toulouse, sur la Garonne, est un marché important de la région. On y fabrique les avions de l'Airbus Industrie.

380 **7. Reims** est le centre de la production du vin de champagne. La ville est également connue pour sa cathédrale gothique où l'on couronnait les rois de France.

8. Nancy et **Metz,** en Lorraine, sont des centres de constructions mécaniques comme les auto-
385 mobiles.

9. Clermont-Ferrand, dans le centre du pays, est la métropole française du caoutchouc. On y fabrique des pneus *(tires)*.

STATIONS D'ÉTÉ ET D'HIVER

1. Nice est la plus grande ville de la Côte d'Azur.
390 Nice et la ville de **Cannes** sont deux stations balnéaires *(seaside resorts)* qui attirent beaucoup de touristes. Chaque année, à Cannes, il y a le fameux festival international du cinéma.

2. Deauville et **Trouville** sont des plages popu-
395 laires de Normandie, sur la Manche.

3. Chamonix, au pied du mont Blanc, est une belle station de ski *(ski resort)*. On y fait aussi de l'alpinisme.

4. Vichy, dans le Massif central, est la station ther-
400 male *(spa)* la plus célèbre du pays. Ses eaux minérales se boivent partout dans le monde.

5. Biarritz est une station balnéaire sur l'Atlantique, près de l'Espagne.

VILLES HISTORIQUES

1. Carcassonne, dans le Midi de la France, est une
405 ville fortifiée datant du Moyen Âge et parfaitement conservée.

2. Le Mont-Saint-Michel est situé sur une petite île de la Manche, entre les côtes de Bretagne et de Normandie. Cette ville fortifiée est dominée
410 par une abbaye qui date du Moyen Âge. C'est une des merveilles du monde.

3. Lourdes, dans les Pyrénées, est un grand centre religieux. Des milliers de catholiques y viennent chaque année en pèlerinage *(pilgrimage)*.
415

4. Avignon, sur le Rhône en Provence, est célèbre pour son **palais des Papes** *(popes)*. Les papes ont habité cette ville au XIVe siècle.

5. À Nîmes et à **Arles,** deux villes provençales, on
420 trouve quelques-uns des monuments romains les mieux conservés. La **Maison carrée,** à Nîmes, est un ancien temple romain. À Arles, **les arènes** et **le théâtre antique** sont des merveilles d'architecture romaine. Près de Nîmes se
425 trouve le célèbre aqueduc romain appelé le pont du Gard.

EXERCICE J

Écrivez la lettre désignant le mot qui correspond à chaque définition de la colonne de gauche.

1. port sur la Manche _____

2. ville connue pour son champagne _____

3. station d'été sur la Côte d'Azur _____

4. grande ville sur la Méditerranée, près de l'embouchure du Rhône _____

5. centre de sports d'hiver _____

6. port sur la Garonne _____

7. centre de l'industrie textile _____

8. ville où se trouve la Maison carrée _____

9. station d'été sur l'Atlantique, près de l'Espagne _____

10. centre de recherche scientifique et de tourisme alpin _____

a. Cannes
b. Nîmes
c. Chamonix
d. Biarritz
e. Bordeaux
f. Marseille
g. Cherbourg
h. Grenoble
i. Reims
j. Lille

EXERCICE K

Complétez chaque phrase avec le mot français approprié.

1. On peut voir une horloge astronomique dans la cathédrale de _____ .

2. Boulogne, Cherbourg et _____ sont des ports sur la Manche.

3. _____ , en Normandie sur la Seine, est une ville industrielle et commerciale.

4. On va faire du ski dans les Alpes à _____ , au pied du mont Blanc.

5. La plus célèbre des stations thermales est _____ , dans le Massif central.

6. On couronnait les rois de France dans la cathédrale de _____ .

7. _____ , avec ses fortifications, est le meilleur exemple d'une ville médiévale.

8. Le _____ est situé sur une île entre la Bretagne et la Normandie.

9. Des catholiques viennent du monde entier en pèlerinage à _____ .

10. Deux villes provençales où on peut voir des monuments romains bien préservés sont Nîmes et

_____ .

11. _____ , sur la Loire, est un centre de construction navale.

12. On fabrique des pneus à _____ .

EXERCICE L

Pour chaque phrase, cerclez la lettre qui correspond à la réponse correcte.

1. Ville où Jeanne d'Arc est morte.
   - *a.* Biarritz
   - *b.* Rouen
   - *c.* Metz

2. Centre de l'industrie de la soie.
   - *a.* Lyon
   - *b.* Lille
   - *c.* Mont-Saint-Michel

3. Ville industrielle et port sur le Rhin en Alsace.
   - *a.* Strasbourg
   - *b.* Arles
   - *c.* Clermont-Ferrand

4. Grande ville de la Côte d'Azur.
   - *a.* Chamonix
   - *b.* Nîmes
   - *c.* Nice

5. Port à l'embouchure de la Loire.
   - *a.* Lourdes
   - *b.* Nantes
   - *c.* Cannes

6. Station d'été sur la Manche.
   - *a.* Biarritz
   - *b.* Deauville
   - *c.* Reims

7. Ville de Provence où se trouve le palais des Papes.
   - *a.* Avignon
   - *b.* Le Havre
   - *c.* Lille

8. Port transatlantique à l'embouchure de la Seine.
   - *a.* Avignon
   - *b.* Le Havre
   - *c.* Metz

9. Ville célèbre pour son eau minérale.
   - *a.* Carcassonne
   - *b.* Marseille
   - *c.* Vichy

10. Grand port du sud-ouest qui exporte les vins de la région.
    - *a.* Bordeaux
    - *b.* Grenoble
    - *c.* Amiens

Chapter 34
L'Histoire de la France

LA PRÉHISTOIRE

1 La France a un passé préhistorique très riche. On découvre encore de nombreux objets datant de cette époque. Les grottes de **Lascaux** sont célèbres dans le monde entier pour leurs magnifiques dessins
5 *(drawings)* préhistoriques. En 1994, on a découvert une autre grotte dans la région du Rhône. Appelée grotte de **Chauvet,** elle présente des exemples uniques de l'art préhistorique. En **Bretagne,** on trouve d'immenses blocs de pierre alignés datant de
10 plus de trois mille ans. On ignore toujours qui a dressé *(erected)* ces pierres et pourquoi.

LA GAULE

Au premier siècle avant Jésus-Christ, la France s'appelait la **Gaule. Les Gaulois** étaient essentiellement un peuple d'agriculteurs *(farmers)* qui pratiquaient
15 aussi le commerce. Il y avait de nombreuses tribus qui se faisaient parfois la guerre. Leurs prêtres, appelés **druides,** occupaient une place importante dans leur société. Les druides étaient les chefs religieux. Ils étaient aussi chargés de l'éducation des
20 jeunes et de l'application de la justice. Ils adoraient la nature et croyaient qu'à la mort, l'âme *(soul)* partait dans un nouveau corps.

LES ROMAINS

Le général romain **Jules César** a commencé à conquérir la Gaule en 58 av. J.-C. *(B.C.).* **Vercingétorix,**
25 un brave et intelligent chef gaulois, a réussi à unir son peuple contre les légions romaines. Mais après sa défaite à Alésia en 52 av. J.-C., Vercingétorix a été emmené à Rome où les Romains l'ont emprisonné puis exécuté. Vercingétorix est considéré
30 comme le premier héros national français. Il est mort en 46 av. J.-C.

Le gouvernement romain a duré près de 400 ans. Il a apporté la prospérité et la paix à la Gaule. Durant cette occupation, les Gaulois ont adopté la culture
35 plus développée des Romains. Ils ont adopté leurs coutumes, leur religion, leur code de justice et leur langue, le latin. Les Romains ont développé l'agriculture et le commerce et ils ont construit des routes, des aqueducs, des amphithéâtres et beaucoup
40 d'autres monuments remarquables.

LES FRANCS

C'est l'invasion de la Gaule par des tribus barbares, Wisigoths, Vandales, Burgondes, Huns, qui a terminé l'occupation romaine. Au Ve siècle, **les Francs,** une tribu germanique, se sont installés en Gaule. Ils ont donné leur nom au pays: **la France.** Clovis 45 (465–511), roi des Francs, a chassé *(ousted)* les Romains et il a étendu *(spread)* son autorité à tout le territoire de la Gaule. Il a fondé ensuite une dynastie puis a introduit le christianisme qui est devenu la religion officielle du pays. 50

Au Ve siècle, **les Huns,** une tribu barbare, a menacé d'attaquer Paris, alors appelée **Lutèce.** Une jeune fille, Geneviève, a dit aux habitants de ne pas avoir peur. Elle les a rassurés et leur a donné courage. Elle avait raison car les Huns n'ont pas attaqué la ville. C'est pourquoi **sainte Geneviève** est, aujourd'hui encore, la patronne *(patron saint)* de la ville de **Paris.**

LE MOYEN ÂGE

Charles Ier le Grand, appelé **Charlemagne,** a été le plus puissant *(powerful)* empereur du Moyen Âge. 60 Couronné *(crowned)* empereur d'Occident à Rome le jour de Noël de l'an 800, il a régné sur un immense empire. Il a fondé de nombreuses écoles car il encourageait l'éducation. Il a essayé d'améliorer les conditions de vie de ses sujets. Ses exploits 65 militaires sont racontés dans une histoire du Moyen Âge appelée *La Chanson de Roland.* Cette histoire est considérée comme le premier chef-d'œuvre de la littérature française. Malheureusement, l'empire de Charlemagne a été divisé quelques années après 70 sa mort.

À la fin du IXe siècle, **les Normands** ont envahi *(invaded)* la France. Ces hommes du nord, arrivés par la mer, ont remonté les fleuves en pillant *(looting)* tout sur leur passage. Certains sont restés dans 75 la région qu'on appelle aujourd'hui **la Normandie.**

En 1066, **Guillaume le Conquérant,** duc de Normandie, est devenu roi d'Angleterre après avoir fait la conquête de ce pays.

Louis IX, aussi appelé **saint Louis,** est connu 80 pour son amour de la justice et de la paix. Il était

l'ami des pauvres. Très religieux, il a participé activement aux **croisades** *(Crusades)* du XIIIe siècle. Durant son règne, Louis IX a consolidé l'autorité
85 royale.

LA GUERRE DE CENT ANS

La France a connu ensuite une longue période de guerre. Les Anglais ont revendiqué *(claimed)* le trône de France, ce qui a mené à **la guerre de Cent Ans,** de 1337 à 1453. Les armées anglaises ont envahi le
90 pays qui a été sauvé grâce à **Jeanne d'Arc,** une jeune paysanne française. Jeanne d'Arc est née en 1412 à **Domrémy,** en Lorraine. Persuadée qu'elle avait pour mission divine d'aider le roi de France, elle a commandé les troupes qui ont délivré *(liberated)* la
95 ville d'**Orléans.** Ses victoires militaires ont permis au roi de se faire couronner à Reims. Mais le 23 mai 1430, Jeanne a été faite prisonnière des Anglais. Accusée de sorcellerie *(witchcraft),* elle a été brûlée vive *(alive)* le 28 mars 1431 à **Rouen.** Après sa mort,
100 les Français, inspirés par son courage, ont chassé les Anglais de France.

DU XVIe AU XVIIIe SIÈCLE

Au XVIe siècle, l'économie française s'est considérablement développée. Le roi **François Ier** a agrandi *(increased)* le territoire et centralisé l'ad-
105 ministration. C'est l'époque de **la Renaissance.** Grand admirateur des arts, François Ier a reçu à sa cour des poètes, des écrivains, des savants et de grands artistes italiens dont **Léonard de Vinci.** C'est François Ier qui a acheté le portrait de Mona
110 Lisa au peintre.

François Ier aimait aussi l'architecture. Il a fait construire de magnifiques châteaux le long de la Loire et a modernisé le palais du Louvre. Il a également encouragé l'exploration du Nouveau
115 Monde. En 1534, **Jacques Cartier** a pris possession du **Canada** au nom de François Ier.

Henri IV a été appelé **le bon roi Henri** parce qu'il aimait son peuple et gouvernait avec humanité. Il était protestant, mais il s'est converti au
120 catholicisme pour mettre fin aux guerres de religion. Son célèbre **édit de Nantes** de 1598, a donné aux protestants le droit de pratiquer leur religion en toute liberté. Henri IV a développé l'industrie, le commerce et l'agriculture. **Samuel de Champlain,**
125 un de ses capitaines, a fondé la ville de **Québec** en 1608.

Le cardinal de Richelieu était le Premier mi-

nistre de Louis XIII. Homme d'État intelligent, il a augmenté la puissance *(power)* et le prestige de la France. Il a développé et imposé l'autorité royale. 130 Excellent administrateur, grand stratège *(strategist)* militaire et ami des arts, il a transformé la France en une des plus grandes nations de l'époque. Il a fondé **l'Académie française** en 1635.

Louis XIV, appelé **le Roi-Soleil,** a régné en 135 maître absolu sur la France pendant 72 ans. C'était un roi très puissant. Il a dirigé le royaume fermement et seul. Il a dit: «L'État, c'est moi». Son splendide **palais de Versailles** était le centre politique, culturel et social de la France. Il a encouragé les arts et 140 développé le commerce et l'industrie. Mais ce roi égoïste, ambitieux et agressif a mené des guerres aux conséquences désastreuses pour le pays. Le luxe de Versailles et ces guerres ont fini par ruiner l'économie du pays. De plus, en 1685, Louis XIV a révoqué 145 *(revoked)* l'édit de Nantes, ce qui a mené à la persécution des protestants.

Son successeur, **Louis XV,** préférait s'occuper de ses propres plaisirs que des affaires d'État. C'est à cette époque que la France a perdu le Canada. Les 150 dépenses et la vie luxueuse du roi ont augmenté la colère du peuple, ce qui a contribué à provoquer **la Révolution française.**

LA RÉVOLUTION DE 1789

Louis XVI est monté sur le trône quand le pays était en pleine crise économique. Cet homme doux 155 et honnête était aussi faible et ne savait pas gouverner. Sa femme, la frivole **Marie-Antoinette,** n'était pas aimée du peuple à cause de ses dépenses extravagantes.

Louis XVI n'a pas pu résoudre la crise finan- 160 cière, politique et sociale qui troublait le pays. **Le 14 juillet 1789,** le peuple de Paris, fatigué de souffrir de la pauvreté et de la faim, a attaqué **la prison de la Bastille.** L'assaut et la prise de cette prison, symbole des abus du pouvoir, a marqué le début de **la** 165 **Révolution française** et la fin de la monarchie.

La Déclaration des droits de l'homme et du citoyen, écrite en 1789, a proclamé les droits fondamentaux de chaque individu. **La Ire République française** est établie le 21 septembre 1792 et en 170 1793 le roi et la reine, qui étaient prisonniers, sont condamnés à mort puis guillotinés. La nouvelle société est basée sur l'égalité de tous les citoyens. Mais les premières années de la république ont été une période de crises, de violence et de guerres. 175

Beaucoup ont été guillotinés sous le nouveau régime appelé **la Terreur** et mené par **Robespierre**.

NAPOLÉON BONAPARTE

Napoléon Bonaparte est né en 1769, à Ajaccio en Corse. Il s'est distingué comme général dans l'armée
180 française sous la Révolution. Il a pris le pouvoir après un coup d'État et, en 1804, il s'est fait couronner empereur sous le nom de **Napoléon Ier**.

Génie militaire et ambitieux, Napoléon a conquis la plus grande partie de l'Europe occidentale.
185 Il a finalement perdu face aux Anglais à **Waterloo** en 1815. Exilé par les Anglais, il est mort sur l'île de **Sainte-Hélène** en 1821. Ses cendres *(ashes)* sont à l'hôtel des Invalides à Paris.

Les guerres napoléoniennes ont coûté cher au
190 peuple français. Beaucoup sont morts. Mais Napoléon Ier a mis au point des réformes encore utilisées de nos jours. Les lois françaises sont toujours basées sur **le Code Napoléon** qui a reformé le système de justice. Il a également réorganisé
195 l'instruction publique en créant **les lycées** et en réorganisant l'université de Paris. Il a aussi créé **la Banque de France** et **la Légion d'honneur,** la plus haute distinction française. Il a vendu la **Louisiane** aux États-Unis en 1803.

LE XIXe SIÈCLE

200 Après un bref retour de la monarchie, **la IIe République** est proclamée en 1848. **Louis Napoléon,** le neveu de Napoléon Bonaparte, est élu président. Comme son oncle, il s'est fait couronner empereur en 1852 après un coup d'État. Il a pris le nom de
205 **Napoléon III** et a fondé le **Second Empire.** Il a donné à Paris son aspect d'aujourd'hui en modernisant la ville.

Après la défaite de la France face à l'Allemagne en 1871, Napoléon III est obligé d'abdiquer et la
210 IIIe République est établie.

LES DEUX GUERRES MONDIALES

La Grande Guerre entre la France et l'Allemagne a commencé en 1914. Cela a marqué le début de **la Première Guerre mondiale** *(World War I).* Le maréchal **Ferdinand Foch** a commandé toutes les
215 troupes alliées, y compris les troupes américaines. En 1918, après quatre ans de guerre, les armées alliées ont obligé l'Allemagne à se rendre. Elle a signé l'armistice le 11 novembre 1918.

La Seconde Guerre mondiale a commencé en
220 1939. En 1940, les troupes d'Hitler ont envahi la France. L'occupation du pays par les Allemands marque la fin de la IIIe République.

Le maréchal Pétain est nommé chef du gouvernement. Installé à **Vichy,** le gouvernement collabore avec l'Allemagne. **Le général Charles de** 225
Gaulle, qui a réussi à se réfugier en Angleterre, a pris la tête d'un mouvement de résistance contre l'Allemagne. Le 18 juin 1940, il a encouragé le peuple français à résister en lançant un appel à la radio de Londres: «La France a perdu une bataille! 230
Mais la France n'a pas perdu la guerre!»

C'est **le débarquement** *(landing)* des forces alliées en **Normandie** le 6 juin 1944 qui a permis la libération de la France puis de l'Europe entière. **La IVe République** française est établie en 1947. 235

LA Ve RÉPUBLIQUE

Le général de Gaulle, héros de la Seconde Guerre mondiale, est élu président de **la Ve République** en 1958. Les Français ont aussi approuvé une nouvelle constitution. Le général a quitté la présidence en 1969. 240

Depuis 1969, il y a eu quatre présidents en France: **Georges Pompidou** (1969–1974), **Valéry Giscard d'Estaing** (1974–1981), **François Mitterrand** (1981–1995) et **Jacques Chirac** (1995–).

LA FRANCE ET L'AMÉRIQUE DU NORD

Les explorateurs français ont joué un rôle impor- 245
tant dans l'histoire de l'Amérique du Nord.

Jacques Cartier a pris possession du **Canada** au nom du roi François Ier en 1534. Puis, il a remonté le fleuve Saint-Laurent jusqu'à une montagne qu'il a appelée mont Royal, connue aujourd'hui sous le 250
nom de Montréal. Jacques Cartier a été surnommé «le découvreur du Canada».

Samuel de Champlain a fondé la ville de **Québec** en 1608 et a découvert le lac auquel il a donné son nom. 255

Jacques Marquette est un missionnaire qui a descendu le cours du **Mississippi** avec **Louis Joliet** en 1673.

René Robert Cavelier de La Salle a descendu le Mississippi du Canada jusqu'au golfe du 260
Mexique. En 1681, il a pris possession du territoire qu'il a appelé **la Louisiane** en l'honneur du roi Louis XIV.

Trois nobles français ont activement aidé les

265 colonies américaines pendant **la guerre de l'Indépendance.** Ils ont contribué à la défaite des Anglais à la bataille de **Yorktown** en 1781.

1. **Le marquis de La Fayette** était un ami per-
270 sonnel de **George Washington.** Après la guerre de l'Indépendance, il est retourné en France où il a défendu les causes libérales pendant la Révolution française. Il a donné la clef de la prison de la Bastille à George Washington. On peut voir cette clef dans la maison de Washington à Mount Vernon en Virginie. 275

2. **Le comte de Rochambeau** a dirigé le batail-lon français envoyé pour aider les Américains.

3. **Le comte François de Grasse** était un amiral qui a commandé les navires français.

EXERCICE A

Mettez dans l'ordre chronologique.

cardinal de Richelieu Jacques Chirac
Clovis Jeanne d'Arc
Ferdinand Foch Louis XVI
François Ier Napoléon III
Guillaume le Conquérant saint Louis

1. _____ *2.* _____

3. _____ *4.* _____

5. _____ *6.* _____

7. _____ *8.* _____

9. _____ *10.* _____

EXERCICE B

Écrivez la lettre désignant le mot qui correspond à chaque définition de la colonne de gauche.

1. village de Lorraine où Jeanne d'Arc est née _____

2. Roi-Soleil _____

3. chef des Romains _____

4. tribu barbare _____

5. ami personnel de George Washington _____

6. oncle de Louis Napoléon _____

7. prêtre gaulois _____

8. lieu d'une grande victoire de Jeanne d'Arc _____

9. chef du gouvernement français installé à Vichy _____

10. ancien nom de la France _____

a. les Huns
b. Pétain
c. druide
d. Orléans
e. Bonaparte
f. La Fayette
g. Domrémy
h. Jules César
i. Louis XIV
j. Gaule

EXERCICE C

Complétez chaque phrase avec le nom approprié.

1. Henri IV a donné aux protestants le droit de pratiquer leur religion grâce à l'édit de

   _____ .

2. _____ a vendu la Louisiane aux États-Unis.

3. En l'an 800, _____ a été couronné empereur d'Occident.

4. _____ a fondé l'Académie française en 1635.

5. Jeanne d'Arc a été exécutée dans la ville de _____ .

6. La défaite de 1871 face à l'Allemagne a terminé le règne de _____ .

7. *La Chanson de* _____ , qui raconte les exploits de Charlemagne, est le premier chef-d'œuvre de la littérature française.

8. Napoléon Ier a perdu la bataille de _____ face aux Anglais en 1815.

9. Le général _____ a encouragé les Français à résister pendant l'occupation allemande en 1940.

10. Le gouvernement actuel de la France s'appelle la _____ République.

EXERCICE D

Identifiez chaque personnage historique d'après les définitions données.

1. Sainte patronne de Paris: _____

2. Premier ministre de Louis XIII: _____

3. Roi de France qui a été guillotiné: _____

4. Empereur des Français qui est né en Corse: _____

5. Roi de la tribu des Francs: _____

6. Chef gaulois qui a résisté à Jules César: _____

7. Femme de Louis XVI: _____

EXERCICE E

Choisissez la réponse correcte.

1. Samuel de Champlain a fondé cette ville.
   a. Québec   *b.* Chicago   *c.* Montréal

2. Explorateur qui a pris possession de la Louisiane.
   a. Champlain   *b.* Lafayette   *c.* La Salle

3. Il a accompagné Jacques Marquette.
   a. Cartier   *b.* Joliet   *c.* La Salle

4. Le comte de Rochambeau a aidé les Américains durant cette guerre.
   a. la guerre de l'Indépendance
   b. la Première Guerre mondiale
   c. la Seconde Guerre mondiale

5. Il est surnommé «le découvreur du Canada».
   a. Champlain   *b.* La Salle   *c.* Cartier

6. Il était l'ami personnel de George Washington.
   a. La Fayette   *b.* de Grasse   *c.* Marquette

Chapter 35
Le Gouvernement français

1 **1.** La France est **une république démocratique et sociale.** Elle garantit l'égalité devant la loi de tous ses citoyens. Le suffrage *(vote)* est universel, égal et secret. Tous les citoyens français âgés de
5 plus de dix-huit ans ont le droit de voter.

2. **Le pouvoir exécutif** appartient au Président de la République et aux ministres qui sont dirigés par le Premier ministre.

Le Président de la République est le véritable
10 chef du gouvernement. Il représente l'État. Il est élu pour sept ans par vote direct. Il est le chef des armées et il assure le fonctionnement de l'État. Il nomme **le Premier ministre** et les différents **ministres** du gouvernement. Il supervise
15 les nouvelles lois et il a le droit de dissoudre *(dissolve)* le Parlement et de demander de nouvelles élections ou un référendum (vote direct du peuple pour ou contre une loi spécifique). La résidence du Président est **le palais de l'Élysée** à Paris.
20

Le Premier ministre et **le Conseil des ministres** composent le gouvernement. Le Premier ministre recommande au Président le choix des nouveaux ministres. Les ministres assurent l'exé-
25 cution des lois et conduisent la politique de la nation. Le gouvernement est responsable devant **l'Assemblée nationale** qui peut décider par vote de révoquer *(impeach)* les ministres. Mais ce procédé *(process)* est difficile, ce qui assure la stabilité du gouvernement. Les ministres n'étant
30 pas élus au Parlement, ils sont libres des pressions *(pressures)* des campagnes électorales.

3. **Le pouvoir législatif** est exercé par le **Parlement** qui comprend **l'Assemblée nationale** et **le Sénat.** L'Assemblée nationale est
35 la plus importante. **Les députés** de l'Assemblée nationale sont élus au suffrage direct pour cinq ans. **Les sénateurs,** eux, sont élus pour neuf ans au suffrage indirect. Ils représentent les départements français et les Français à l'étranger. Le Parlement vote les lois et autorise la déclaration
40 de guerre.

Le Conseil constitutionnel assure le respect de la Constitution et la régularité des élections et des référendums.

4. **Le pouvoir judiciaire** est détenu *(held)* par **les**
45 **tribunaux.** Son indépendance est garantie par la Constitution. **La Cour de cassation,** qui siège à Paris, est le tribunal suprême.

5. La France est divisée en 96 **départements** plus
50 quatre départements d'outre-mer (la Guadeloupe, la Martinique, la Réunion et la Guyane française), deux collectivités territoriales (Mayotte et Saint-Pierre-et-Miquelon) et quatre territoires d'outre-mer qui ont un statut *(status)* spécial (les îles
55 Wallis-et-Futuna, la Nouvelle-Calédonie, la Polynésie française et les Terres australes et antarctiques françaises).

Chaque département est dirigé par un **préfet,** qui est nommé par le gouvernement. Les
60 départements sont regroupés en 22 **régions,** formées plus ou moins d'après les anciennes provinces. Ceci a permis de décentraliser le gouvernement. À la tête des régions sont les **conseils régionaux,** créés en 1972, présidés par
65 des **préfets de région.**

6. L'emblème national est **le drapeau tricolore:** bleu, blanc et rouge. La devise *(motto)* nationale est «**Liberté, Égalité, Fraternité**» qui était la devise de la Révolution de 1789. L'hymne na-
70 tional est **la Marseillaise,** une marche militaire composée en 1792 par **Rouget de Lisle.** La fête nationale est **le 14 juillet.** Cette date commémore le jour de la prise de **la Bastille** par le peuple de Paris en 1789. La Bastille était la
75 prison royale et le symbole de la tyrannie. On célèbre ce jour en dansant dans les rues. Il y a aussi des défilés *(parades)* militaires et des feux d'artifice *(fireworks)* dans toute la France.

EXERCICE A

Vrai *ou* Faux? *Si la phrase est fausse, corrigez-la.*

1. La France est une monarchie. _____

2. Le Premier ministre est choisi par le Président. _____

3. Les citoyens français de moins de dix-huit ans peuvent voter. _____

4. Le Président est le chef des armées. _____

5. Les départements sont divisés en régions. _____

6. La Guadeloupe est un département français. _____

7. L'Assemblée nationale peut révoquer les ministres. _____

8. Rouget de Lisle a composé la Marseillaise en 1792. _____

9. Le Sénat est plus important que l'Assemblée nationale. _____

10. La Bastille était une prison. _____

EXERCICE B

Choisissez la réponse qui complète chaque phrase correctement.

1. Le Parlement est composé du Sénat et...
   a. de l'Assemblée   **b.** du tribunal   **c.** de l'armée

2. Le Président français est élu pour...
   a. quatre ans   **b.** dix ans   **c.** sept ans

3. Le chef des armées est...
   a. le Premier ministre   **b.** le Président   **c.** le préfet

4. Georges Pompidou était un...
   a. roi   **b.** président   **c.** ministre

5. La devise de la France est: Liberté, Égalité...
   a. Fraternité   **b.** Amitié   **c.** Diversité

6. La fête nationale commémore la prise...
   a. du Louvre   **b.** de Paris   **c.** de la Bastille

7. Les départements sont regroupés en...
   a. provinces   **b.** territoires   **c.** régions

8. Le préfet est à la tête...
   a. du département   **b.** de la France   **c.** de la ville

9. La Cour de cassation est...
   a. un ministère   **b.** un tribunal   **c.** une préfecture

10. La France est une république...
   a. démocratique   **b.** fédérale   **c.** socialiste

bétail *livestock;* **betteraves à sucre** *sugar beets;* **volaille** *poultry*

L'AGRICULTURE

1. **1.** Il y a en France un bon équilibre entre la vie agricole et la vie industrielle. L'adoption des techniques modernes d'agriculture et un sol *(soil)* fertile permettent à la France d'être
5 presque indépendante au point de vue agricole.

2. Le blé *(wheat)* est le principal produit agricole. C'est avec le blé qu'on fait le pain, un des aliments de base des Français. La France est le troisième exportateur mondial de blé. On cul-

tive aussi une variété abondante de fruits et de 10 légumes.

Les vastes forêts sont la source d'une grande quantité de bois.

3. La France est le premier pays du monde pour la production des vins. Quelques vins connus dans 15 le monde entier sont le **champagne,** le **bordeaux** et le **bourgogne.** On produit aussi du **cidre** en Normandie et des **eaux minérales** dont Vichy, Évian et Perrier sont les sources principales.

20 **4.** La **Côte d'Azur** fournit une abondance de fleurs. À **Grasse**, près de Nice, on extrait *(extracts)* les essences des fleurs pour la parfumerie. La fabrication des parfums est achevée *(completed)* à Paris, centre de l'industrie cosmétique.
25 Parmi les parfumeurs célèbres on trouve **Chanel, Guerlain** et **Lancôme**.

5. Une des ressources principales de la France est **l'élevage** des animaux *(livestock farming)*. Le pays est renommé pour l'excellence de son bétail *(livestock):* vaches, moutons, chèvres, porcs et
30 chevaux. La Normandie, en particulier, est une région de production laitière très riche. Les Français fabriquent des **fromages** de toutes sortes comme **le brie, le camembert, le**

roquefort *(blue cheese)* et **le Port-Salut.** 35

6. Les produits de la mer sont également appréciés des Français. **La pêche** est une industrie importante, principalement en **Bretagne**.

L'INDUSTRIE

1. L'industrie française est diverse. Elle varie de la grande usine moderne à l'atelier du petit artisan. 40

2. Deux industries très importantes dans l'économie française sont **la métallurgie** et **le textile**. L'industrie lourde comprend la production de machines, de locomotives et d'armes. On produit 45 aussi des appareils électriques et électroniques.

industries alimentaires *food processing;* mineral de fer *iron ore;* potasse *potash;* produits de caoutchouc *rubber goods*

La France est le sixième pays producteur d'acier *(steel)* au monde.

50 **3.** Les principaux centres de **l'industrie textile** se trouvent au nord-est, près de **Lille.** La France fabrique des textiles de coton, de laine et de lin *(linen)* ainsi que des textiles synthétiques. La région de **Lyon** produit la plus grande partie de la soie française, naturelle et artificielle.

55 **4.** **L'industrie automobile** exporte des voitures presque partout dans le monde. Les marques principales sont **Peugeot-Citroën** et **Renault.**

5. **Les sources d'énergie** sont limitées en France, mais elle a des gisements *(deposits)* de gaz naturel 60 et elle produit de l'énergie hydroélectrique, solaire et marémotrice *(tidal).* Aussi, la France a développé une importante production d'énergie nucléaire. C'est le premier pays producteur d'uranium en Europe occidentale. La France 65 doit importer la majeure partie de son pétrole.

6. **L'industrie chimique** est très développée et la France exporte beaucoup de produits chimiques et pharmaceutiques.

7. **L'industrie aéronautique et aérospatiale** pro- 70 duit des avions, des missiles et des engins *(machines)* spatiaux. En coopération avec l'Angleterre, la France a développé et construit **le Concorde,** un avion supersonique. Les avions **d'Airbus Industrie** sont fabriqués en 75 coopération avec plusieurs autres pays européens. **Air France** est la compagnie aérienne *(airline)* du pays, financée par le gouvernement. Ses avions parcourent *(cover)* le monde entier.

80 **8.** La France fabrique, spécialement à Paris, une grande quantité d'articles de luxe: gants, maroquinerie *(leather goods),* bijoux, instruments de précision, argenterie *(silverware)* et produits photographiques.

85 **9.** La France est membre de **la Communauté économique européenne (EEC).** Sa situation économique contribue beaucoup à la prospérité de l'Europe.

LE COMMERCE

90 **1.** Les activités économiques sont liées *(linked)* aux moyens de transport intérieurs et extérieurs. Les fleuves et les nombreux canaux permettent le transport bon marché des marchandises lourdes.

95 **2.** Le réseau des routes est bien développé, avec beaucoup d'autoroutes. Le réseau de chemin de fer est excellent et relie la France au reste de l'Europe. Le **T.G.V.** (Train à Grande Vitesse) a établi le record mondial de vitesse.

100 **3.** Le tourisme contribue beaucoup à l'économie française. En 1994, on a ouvert un passage direct pour les trains et les automobiles entre la Grande-Bretagne et la France quand on a terminé le célèbre tunnel sous la Manche. Appelé **l'Eurotunnel,** il permet de traverser la Manche en une heure seulement.

EXERCICE A

Vrai *ou* Faux? *Si la phrase est fausse corrigez-la.*

1. La France doit importer du blé pour nourrir son peuple. _____

2. La France ne produit pas d'énergie. _____

3. Le sol français est très fertile. _____

4. Les Français cultivent une variété de fruits et de légumes. _____

5. On produit beaucoup d'eau minérale en France. _____

6. La France importe des avions. _____

7. Guerlain et Chanel sont des marques de parfums bien connues. _____

8. La France a refusé de développer l'énergie nucléaire. _____

9. L'industrie chimique n'est pas importante en France. _____

10. La France préfère ne pas être membre de la Communauté _____
   économique européenne.

EXERCICE B

Écrivez la lettre désignant le mot qui correspond à chaque définition de la colonne de gauche.

1. vin   _____   **a.** camembert

2. mer sous laquelle l'Eurotunnel passe   _____   **b.** Peugeot

                                                                     c. bourgogne
3. fromage   _____
                                                                     d. Air France
4. train très rapide   _____
                                                                     e. Perrier
5. constructeur d'automobiles   _____
                                                                     f. énergie nucléaire
6. eau minérale   _____   **g.** Airbus

7. elle produit de l'électricité   _____   **h.** blé

                                                                     i. T.G.V.
8. compagnie aérienne nationale française   _____
                                                                     j. Manche
9. céréale que la France exporte   _____

10. compagnie qui construit des avions   _____

EXERCICE C

Complétez chaque phrase avec le mot français approprié.

1. À Paris, on fabrique surtout des articles de _____ .

2. Le brie et le roquefort sont des _____ français.

3. Deux des industries les plus importantes dans l'économie de la France sont les industries

   métallurgiques et les industries _____ .

4. Les marchandises lourdes sont transportées sur les fleuves et les _____ .

5. Renault et Citroën sont les noms de deux constructeurs d'_____ .

6. Le _____ est une des nourritures fondamentales des Français.

7. La France a construit l'avion supersonique, le _____ , en collaboration avec
   l'Angleterre.

8. La _____ est une région connue pour sa production de lait et de fromages.

9. On produit de la soie dans la ville de _____ .

10. On envoie les fleurs de la Côte d'Azur à _____ , près de Nice, pour en faire du parfum.

11. Avec l'Eurotunnel, traverser la Manche est rapide: il faut seulement _____ .

12. L'industrie de la _____ est située sur les côtes, principalement en Bretagne.

13. L'économie de la France contribue beaucoup à l'économie de la Communauté économique

_____ .

14. La France produit de l'énergie hydroélectrique, nucléaire, marémotrice et _____ .

Chapter 37
La Vie quotidienne

RELIGION

1 La plupart des Français sont catholiques. Toutes les religions sont respectées et autorisées en France.

ENSEIGNEMENT

La scolarité *(schooling)* est obligatoire en France pour les enfants de six à seize ans. L'enseignement
5 *(education)* public est gratuit *(free)*. Il existe un grand nombre d'écoles privées, dont la plupart sont catholiques. **Le ministère de l'Éducation nationale** contrôle l'enseignement public et privé.

L'enseignement **primaire** dure cinq ans. Le
10 premier cycle de l'enseignement **secondaire,** donné dans **les collèges,** est obligatoire et dure quatre ans. Le second cycle a lieu au **lycée.** Après trois années de lycée, les étudiants passent **le baccalauréat.** C'est un examen très difficile qui dure
15 plusieurs jours. Il est indispensable pour entrer à l'université. Il y a de nombreuses universités et écoles spécialisées en France.

RÉCRÉATION

1. **Le café** joue un rôle important dans la vie sociale et intellectuelle des Français. Ils y rencon-
20 trent leurs amis, lisent leur journal, écrivent, jouent aux cartes et regardent passer les gens. Beaucoup de cafés ont une terrasse extérieure où les clients s'installent quand il fait beau.

2. On peut pratiquer tous les sports en France. Les
25 sports préférés sont le football, le cyclisme, l'alpinisme, le ski, le tennis, la natation et la planche à voile. Le camping et les sports sous-marins *(underwater)* sont très populaires. Parmi les sports régionaux, il y a la **pétanque** *(lawn*
30 *bowling),* qui se joue surtout dans le sud et **la pelote basque** *(jai alai),* populaire dans les Pyrénées. **Le Tour de France** est la course cycliste la plus populaire. C'est aussi un événement international.

35 3. Les Français aiment le théâtre, le cinéma, l'opéra, le ballet et les concerts. Le gouvernement subventionne *(sponsors)* plusieurs théâtres nationaux, comme **la Comédie-Française,** **l'Opéra** et le **Théâtre national populaire.**
40 Dans les théâtres et les cinémas français, on donne un pourboire à l'ouvreuse *(usher)* qui guide le spectateur jusqu'à sa place.

4. La lecture et les visites des musées sont d'autres activités culturelles que les Français aiment. Dans les rues, **les kiosques** *(newsstands)* vendent 45 tous les journaux et magazines. Un grand nombre de Français jouent au loto, à la Loterie nationale. Le gouvernement autorise aussi des jeux à gains *(winnings)* instantanés comme le bingo, le Millionnaire et le Taco Tac. 50

CUISINE

La restauration rapide *(fast-food)* est devenue très populaire en France. On y trouve de nombreux McDonald's, appelés MacDo, ainsi que des **pizzerias** et des chaînes de restaurants françaises comme Hippo et Quick. Toutefois *(however)*, la cuisine reste 55 un art très apprécié. Chaque région a développé des spécialités, appréciées dans toute la France. En voici quelques-unes:

la soupe à l'oignon *(onion soup)*
la bouillabaisse (une soupe faite avec différents pois- 60
   sons)
le pot-au-feu (viande de bœuf bouillie *[boiled]* avec
   des légumes)
les escargots *(snails)*
la quiche lorraine *(ham and cheese pie)* 65
le pâté de foie gras *(goose liver paste)*
la choucroute garnie (choucroute *[sauerkraut]* servie
   avec des saucisses de toutes sortes)
les croissants *(flaky sweet rolls)*
les crêpes *(thin pancakes)* 70

Généralement, le petit déjeuner consiste en un bol de café ou de chocolat et du pain beurré ou des croissants que l'on mange avec de la confiture. Les céréales, comme les flocons de maïs *(cornflakes)* et le muesli, sont populaires auprès des jeunes. 75

Dans les restaurants français, on peut commander **à la carte** (chaque plat a un prix différent) ou **à prix fixe** (un repas entier dont le prix est déterminé d'avance). Les prix et le menu sont affichés *(posted)* à l'entrée *(entrance)* du restaurant. Les **bistros** 80 sont des cafés populaires où on vend des boissons et des sandwichs.

UNITÉS DE MESURE

1. **Le système métrique,** avec ses multiples de dix et ses subdivisions décimales, est d'origine française. Les scientifiques de toutes les nations 85

et presque tous les pays d'Europe et d'Amérique du Sud emploient ce système.

Le mètre, l'unité de longueur, est un peu plus long que le *yard* américain.

90   1 mètre = 100 centimètres = 39.37 pouces *(inches)*

1 kilomètre = 1.000 mètres = 5/8 mille

Le gramme est l'unité de poids *(weight).*

1 kilogramme = 1.000 grammes = 2.2 livres *(pounds)*   95

Le litre est l'unité de mesure des liquides. Un litre vaut un peu plus qu'un *quart* américain.

2. On emploie en France le thermomètre en **degrés Celsius,** qui comprend 100 divisions.

3. L'unité monétaire française est **le franc.**   100

    1 franc = 100 centimes

EXERCICE A

Vrai *ou* Faux? *Si la phrase est fausse, corrigez-la.*

1. Il n'y a pas d'écoles privées en France. _____

2. L'enseignement français est sous la direction du gouvernement. _____

3. L'enseignement public en France coûte cher. _____

4. La plupart des Français sont catholiques. _____

5. Le café joue un rôle important dans la vie sociale des Français. _____

6. Les sports sont rares en France. _____

7. En France, on donne un pourboire à l'ouvreuse de cinéma. _____

8. On emploie le système métrique presque partout en Europe. _____

9. La loterie n'existe pas en France. _____

10. Le mètre est plus court que le *yard* américain. _____

11. On peut lire les journaux dans un café en France. _____

12. Il n'y a pas de restauration rapide en France. _____

13. En France, il y a des théâtres subventionnés par le gouvernement. _____

14. Il y a plus de liquide dans un litre que dans un quart américain. _____

15. Pour le petit déjeuner, le Français préfère des œufs et du jus de fruit. _____

EXERCICE B

Écrivez la lettre désignant le mot qui correspond à chaque définition de la colonne de gauche.

1. école avant le lycée _____
2. jeu pratiqué dans le Midi de la France _____
3. type de pâté _____
4. jeu de hasard *(chance)* _____
5. théâtre subventionné par le gouvernement français _____
6. soupe de poissons _____
7. où on vend des journaux _____
8. pâtisserie pour le petit déjeuner _____
9. examen à la fin des années de lycée _____
10. un des sports favoris des Français _____

a. Comédie-Française
b. bouillabaisse
c. tennis
d. croissant
e. loterie
f. pétanque
g. baccalauréat
h. foie gras
i. kiosque
j. collège

EXERCICE C

Complétez chaque phrase avec le mot français approprié.

1. Après l'école primaire, les élèves vont au collège puis au _____ .

2. L'école est obligatoire jusqu'à l'âge de _____ .

3. Le _____ est un événement sportif international.

4. L'unité monétaire française est le _____ .

5. Il y a _____ grammes dans un kilogramme.

6. En France, on utilise le système de degrés _____ .

7. Trois théâtres nationaux sont l'Opéra, la Comédie-Française et

   le _____ .

8. Beaucoup de cafés ont une _____ où on peut s'asseoir dehors.

Chapter 38
La Littérature

LE MOYEN ÂGE

1 Les premières œuvres *(works)* littéraires, appelées **chansons de geste,** datent du Moyen Âge. Ces longs poèmes célèbrent les exploits légendaires des chevaliers *(knights)* de l'époque. La plus célèbre de
5 ces chansons est *La Chanson de Roland.* Composée au XIIᵉ siècle, elle raconte les aventures de Charlemagne et de son neveu Roland pendant la guerre contre les Sarrasins d'Espagne. Cette chanson est considérée comme le premier chef-d'œuvre de
10 la littérature française.

François Villon (1431–1463) est le premier des grands poètes français. Il a écrit le vers si souvent cité: «Mais où sont les neiges d'antan?» *(But where are the snows of yesteryear?)*

LE XVIᵉ SIÈCLE

15 C'est l'époque de **la Renaissance.** Les artistes redécouvrent l'Antiquité. S'inspirant des anciens Grecs et Romains, les auteurs s'adressent à une élite cultivée.

François Rabelais est l'auteur de romans amu-
20 sants et satiriques où il décrit les problèmes de la société. Ses personnages les plus célèbres sont les deux géants **Gargantua** et **Pantagruel.**

Pierre de Ronsard est le plus grand poète du XVIᵉ siècle. Il a trouvé son inspiration auprès des
25 poètes de l'Antiquité.

Michel de Montaigne est un philosophe et un moraliste. Il recommande la tolérance et la modération dans la vie de tous les jours.

LE XVIIᵉ SIÈCLE

Le XVIIᵉ siècle est **l'âge d'or** de la littérature française,
30 particulièrement sous le règne de Louis XIV, de 1643 à 1715. C'est l'époque du **classicisme,** un mouvement où l'on recherche l'ordre et la discipline. Les auteurs visent *(aim)* à la perfection de forme, d'expression et de style.

35 **Pierre Corneille** et **Jean Racine** sont les plus grands auteurs dramatiques du siècle. Leurs tragédies sont des classiques du théâtre français.

Molière, souvent appelé «le Shakespeare de France», est le plus célèbre auteur de comédies classiques. Dans ses pièces, comme *L'Avare (The*
40 *Miser)* ou *Tartuffe,* il dénonce les vices de ses contemporains.

Jean de La Fontaine est un fabuliste. Dans ses fables, il met en scène *(stages)* des animaux pour se moquer de la société où il vit.
45

L'œuvre de **René Descartes,** philosophe et savant, influence encore la pensée française aujourd'hui. Il est l'auteur de la fameuse phrase: «Je pense, donc je suis» *(I think, therefore I am).*

LE XVIIIᵉ SIÈCLE

La littérature du XVIIIᵉ siècle oppose l'individua-
50 lisme à la tradition et à l'autorité. L'esprit critique et scientifique règne. C'est l'époque des grands philosophes. **Voltaire, Rousseau, Montesquieu** et **Diderot** ont une grande influence sur les idées politiques du siècle. Ils dénoncent l'injustice sociale
55 et démontrent le besoin de réformes. Leurs œuvres ouvrent la voie *(way)* à la Révolution française de 1789.

Voltaire a dominé le XVIIIᵉ siècle. Il a attaqué l'injustice et est devenu le défenseur de la liberté
60 sous toutes ses formes. Son esprit satirique s'est exprimé dans des œuvres de genres variés, comme le conte, *Candide ou l'Optimisme,* la tragédie et l'essai historique.

Jean-Jacques Rousseau est le théoricien de la
65 démocratie. Il a attaqué l'ordre social et recommandé un retour à la nature. Ses idées, exposées dans son livre *Émile,* ont beaucoup influencé l'éducation moderne.

Charles de Montesquieu a proposé la sépara-
70 tion des pouvoirs *(powers)* du gouvernement qui étaient alors tous tenus par le roi. Dans *De l'esprit des lois,* il propose de nouvelles idées qui influenceront la rédaction *(writing)* de la Constitution américaine. Il est aussi l'un des fondateurs de la so-
75 ciologie moderne.

Denis Diderot a publié *l'Encyclopédie,* un grand dictionnaire écrit par les plus grands savants et auteurs de l'époque dont Voltaire et Rousseau. Diderot a également écrit plusieurs romans qui
80

sont devenus des classiques de la littérature française.

LE XIXᵉ SIÈCLE

Pendant la première moitié du XIXᵉ siècle, une réaction contre la tradition classique se produit. Le
85 **romantisme** apparaît, un mouvement qui donne une liberté d'expression totale aux auteurs. Ainsi, chaque auteur est libre d'exprimer ses émotions, ses rêves ou son amour de la nature.

Victor Hugo a été le chef et le plus grand poète
90 de l'école romantique. Il est renommé pour ses pièces de théâtre et ses romans dont *Notre-Dame de Paris* et *Les Misérables.*

Les autres poètes romantiques de cette époque sont **Alphonse de Lamartine, Alfred de Musset**
95 et **Alfred de Vigny.**

Honoré de Balzac est l'auteur de *La Comédie humaine,* une série de vingt-quatre romans où il décrit la société de son temps. Ses descriptions précises et détaillées de la société feront évoluer la lit-
100 térature vers **le réalisme.**

Alexandre Dumas père a écrit de nombreux romans historiques, toujours populaires aujourd'hui, dont *Les Trois Mousquetaires* et *Le Comte de Monte-Cristo.*

105 De nouveaux mouvements en opposition au romantisme émergent vers le milieu du XIXᵉ siècle. **Le réalisme** emprunte les méthodes scientifiques pour étudier et décrire la réalité. Il évoluera vers **le naturalisme** qui considère que l'art doit être la re-
110 production de la nature et non pas son interprétation par l'artiste.

Gustave Flaubert est l'auteur de *Madame Bovary.* Ses romans se caractérisent par un travail de documentation méticuleux.

115 **Alphonse Daudet** décrit la nature humaine avec fantaisie et humour dans ses livres comme *Lettres de mon moulin* ou *Tartarin de Tarascon.*

Émile Zola, chef de l'école naturaliste, observe et analyse scientifiquement les personnages de ses
120 romans. Sa série des *Rougon-Macquart* retrace l'histoire de deux familles en vingt romans.

Guy de Maupassant est célèbre pour ses romans et ses contes dont *La Parure.*

Jules Verne est le précurseur de la science-
125 fiction moderne avec ses romans fantastiques comme *Voyage au centre de la Terre* ou *Le Tour du monde en quatre-vingts jours.*

Les poètes de l'époque les plus célèbres sont **Charles Baudelaire, Arthur Rimbaud** et **Paul Verlaine.**
130

LE XXᵉ SIÈCLE

C'est un second âge d'or pour la littérature française. De nombreux écrivains exercent par leurs œuvres variées une profonde influence sur leurs lecteurs. Plusieurs ont reçu le prix Nobel de
135 littérature.

ROMANCIERS *(novelists)*

Anatole France est un satiriste et un philosophe érudit. Il a reçu le prix Nobel.

Marcel Proust a écrit les douze volumes qui constituent *À la recherche du temps perdu.* Dans cet
140 immense roman, il utilise des faits biographiques pour évoquer la réalité des émotions et des impressions attachées à des souvenirs dans la mémoire.

André Gide a reçu le prix Nobel pour son œuvre variée et abondante. Il était avant tout un humaniste.

André Maurois est l'auteur de romans, d'essais,
145 d'études historiques et de biographies littéraires.

François Mauriac, qui a reçu le prix Nobel, est un romancier, un auteur dramatique et un essayiste très influencé par sa religion catholique.

André Malraux célèbre dans ses œuvres la fra-
150 ternité entre les êtres humains et l'héroïsme. Sous le gouvernement de Charles de Gaulle il sera ministre de l'Information puis ministre des Affaires culturelles.

Antoine de Saint-Exupéry est célèbre pour
155 son roman *Le Petit Prince.* Ce pilote s'est inspiré de ses expériences dans l'aviation militaire et civile pour décrire un monde où le danger et l'aventure sont toujours présents.

Claude Simon a obtenu le prix Nobel de lit-
160 térature. Il a essayé de redéfinir le roman moderne en changeant le style d'écriture et en diminuant l'importance de l'histoire racontée.

Marguerite Duras a écrit des romans, des films et des pièces de théâtre.
165

Marguerite Yourcenar évoque en détail ses voyages à travers le monde. Elle est la première femme à avoir été admise à l'Académie française. Elle a passé

170 de nombreuses années aux États-Unis car elle avait la double nationalité française et américaine.

AUTEURS DRAMATIQUES

Edmond Rostand est l'auteur du célèbre *Cyrano de Bergerac* qui a inspiré plusieurs films.

Eugène Ionesco est le maître du théâtre de l'absurde. Dans ses pièces, *Rhinocéros* et *La Leçon*, 175 il montre la confusion des individus face à l'absurdité du quotidien.

PHILOSOPHES

Jean-Paul Sartre est le père de **l'existentialisme**, un mouvement qui affirme que les êtres humains doivent construire leur destinée eux-mêmes. En 180 1964, il a refusé le prix Nobel qui lui était offert.

Simone de Beauvoir est connue pour ses œuvres sur la condition des femmes.

Albert Camus est un des représentants de la «philosophie de l'absurde» qu'il a illustrée dans ses romans comme *L'Étranger* ou *La Peste*. 185

POÈTES

Paul Valéry combine le goût de la littérature et l'étude des mathématiques. Il s'est intéressé aux problèmes modernes ainsi qu'aux mécanismes et aux pouvoirs de l'intellect.

Saint-John Perse est un diplomate et un poète 190 qui a médité sur le destin de l'homme. Il a reçu le prix Nobel.

Louis Aragon est un des fondateurs du **surréalisme**.

Jacques Prévert, également brillant scénariste 195 de films, est l'auteur de poèmes où la fantaisie se mélange à l'expression populaire. Beaucoup de ses textes pleins de tendresse sont devenus des chansons.

EXERCICE A

Pour chaque phrase, cerclez la lettre qui correspond à la réponse correcte.

1. Les chansons de gestes datent de cette époque.

  a. XVIIIe siècle   *b.* Moyen Âge   *c.* XVIe siècle

2. Il est souvent appelé «le Shakespeare français».

  a. Alphonse Daudet   *b.* Émile Zola   *c.* Molière

3. Ce philosophe a influencé l'éducation moderne.

  a. Rousseau   *b.* Proust   *c.* Rabelais

4. Le XVIe siècle correspond à cette époque.

  a. l'âge d'or   *b.* la Renaissance   *c.* le naturalisme

5. Cet auteur du XVIIe siècle était un fabuliste.

  a. La Fontaine   *b.* Ronsard   *c.* Voltaire

6. Ce mouvement littéraire laisse à l'auteur une grande liberté d'expression.

  a. le réalisme   *b.* le naturalisme   *c.* le romantisme

7. Antoine de Saint-Exupéry a exercé ce métier.

  a. ministre   *b.* pilote   *c.* diplomate

8. *La Chanson de Roland* raconte les exploits de ce roi.

  a. Louis XIV   *b.* François Ier *c.* Charlemagne

9. Certains poèmes de cet auteur sont devenus des chansons.

  a. Prévert   *b.* Aragon   *c.* Valéry

10. C'est le titre de la série de romans écrits par Émile Zola.

 a. La Condition humaine   *b.* Les Rougon-Macquart   *c.* À la recherche du temps perdu

EXERCICE B

Pour chaque description identifiez l'œuvre ou l'écrivain.

1. La plus belle chanson de geste: _____

2. Deux géants créés par Rabelais: _____

 _____

3. Il a dirigé la publication de l'*Encyclopédie:* _____

4. Le premier grand poète français: _____

5. Elle a écrit des romans, des films et des pièces: _____

6. Précurseur de la science-fiction: _____

7. Chef de l'école romantique: _____

8. Célèbre roman de Saint-Exupéry: _____

9. Auteur qui a refusé le prix Nobel en 1964: _____

10. Première femme à l'Académie française: _____

EXERCICE C

Complétez chaque phrase avec les mots ou les noms qui conviennent.

1. Voltaire et Rousseau sont les précurseurs de la _____ française.

2. Alexandre _____ père est l'auteur des *Trois Mousquetaires.*

3. Anatole France a reçu le prix _____ .

4. À la Renaissance, les auteurs s'inspirent de _____ .

5. Le philosophe René Descartes a dit: "Je _____ , donc je suis."

6. *À la recherche du temps perdu* est un roman en douze volumes de _____ .

7. Jean-Paul Sartre est le père d'un mouvement appelé _____ .

8. Le XVIIe siècle est considéré comme _____ de la littérature française.

9. _____ est le chef de l'école naturaliste.

10. _____ a écrit des livres sur la condition des femmes.

Chapter 39
Les Beaux-Arts

L'histoire des beaux-arts en France commence à la préhistoire. Dans les grottes de **Lascaux** ou de **Chauvet,** on a trouvé d'admirables dessins d'animaux faits il y a plus de 20.000 ans. À travers les siècles, de nombreux artistes français ont gagné une renommée internationale.

PEINTRES

Antoine Watteau est le plus grand peintre classique du XVIIIe siècle. Ses tableaux reflètent les fêtes et les plaisirs de la haute société de son époque. Il a créé des scènes pastorales pleines de charme.

Jacques-Louis David, peintre de la Révolution française, est le chef de l'école néoclassique qui s'inspire des anciens Grecs et Romains. Il sera aussi le peintre officiel de l'empereur Napoléon Ier.

Au XIXe siècle, Paris devient le centre mondial de l'art et les peintres s'y regroupent en différents mouvements.

Le romantisme désire se libérer des règles strictes du **classicisme.** Ses peintres, comme **Eugène Delacroix,** s'intéressent aux couleurs, au mouvement et aux émotions.

Le réalisme est une réaction contre le romantisme et le classicisme. Les artistes désirent représenter la réalité de la vie quotidienne et de la nature. **Honoré Daumier** est un de ces peintres réalistes de grand talent. Il est célèbre pour ses caricatures politiques et sociales.

L'école de Barbizon doit son nom au petit village de Barbizon, près de Paris, où un groupe d'artistes aimaient se retrouver. **Jean-François Millet** était le chef de cette école. Dans ses tableaux comme *L'Angélus* ou *Les Glaneuses,* il a représenté la vie des habitants de la campagne. **Jean-Baptiste Corot** est célèbre pour ses paysages. Ce sont des peintres réalistes.

Dans la seconde moitié du XIXe siècle, le réalisme évolue vers **l'impressionnisme.** Les peintres impressionnistes essayent de traduire leurs perceptions visuelles dans leurs tableaux. La lumière devient l'élément essentiel des tableaux qui représentent des scènes modernes, surtout des paysages.

Édouard Manet est l'un des pères de l'école impressionniste. Les critiques se sont moqués du choix de ses sujets et de ses innovations techniques. Il est aujourd'hui considéré comme un grand maître, surtout pour son utilisation des couleurs.

Claude Monet est l'un des paysagistes les plus importants de l'histoire de l'art. Il travaillait toujours en plein air. Il a représenté le même sujet à différentes heures ou saisons, en observant les changements de lumière ainsi provoqués. Il n'utilisait jamais la couleur noire ni la couleur grise.

Auguste Renoir est un grand maître impressionniste, connu principalement pour ses portraits de femmes et de jeunes filles.

Edgar Degas a combiné la discipline du classicisme au caractère immédiat de l'impressionnisme. Ses sujets favoris étaient les danseuses de ballet qu'il a représentées dans des compositions innovatrices.

Georges Seurat a développé **le pointillisme,** une technique qui consiste à juxtaposer de minuscules points de couleurs pures pour créer un effet de profondeur *(depth)* et de lumière.

Rosa Bonheur a peint les travaux de la ferme et la vie des champs. Elle fait partie de ces artistes qui ont préféré **le traditionalisme.**

Le postimpressionnisme apparaît à la fin du XIXe siècle en réaction aux excès de l'impressionnisme et du réalisme. Les peintres **modernistes** développent leur style individuel et n'hésitent pas à déformer l'apparence de la nature et du corps humain.

Paul Cézanne est considéré comme le père de l'art moderne. Il a utilisé la couleur pour créer des perspectives et un effet tridimensionnel. Ses œuvres inspireront tous les peintres modernes.

Paul Gauguin a rejeté l'impressionnisme et a utilisé la nature comme point de départ pour représenter des figures abstraites et symboliques. **Symboliste,** il a voulu donner à ses œuvres une dimension spirituelle, comme l'illustre son tableau *D'où venons-nous? Que sommes-nous?* Il a vécu *(lived)* à Tahiti où il a créé ses tableaux les plus célèbres.

Suzanne Valadon a peint des paysages et des natures mortes *(still lifes)* très expressives.

Vincent Van Gogh, d'origine hollandaise, s'est établi en France, à Paris puis à Arles. Ses tableaux sont animés par des couleurs vives et vibrantes. Ses œuvres dont *Les Tournesols (Sunflowers)* ou *Portrait de l'artiste à l'oreille coupée* sont mondialement célèbres.

Henri de Toulouse-Lautrec, influencé par Degas, a réalisé de nombreuses affiches et a peint principalement des scènes de music-hall, de cabaret et de cirque.

Au début du XXe siècle, certains artistes décident de se libérer de l'analyse impressionniste et de peindre comme ils le veulent. C'est la naissance du **fauvisme.** Les artistes **fauves** *(wild animals)* simplifient les formes et utilisent des couleurs pures et vives.

Henri Matisse est considéré comme le plus grand peintre français. Sa décoration intérieure de la chapelle de Vence dans le Sud de la France est un chef-d'œuvre.

Georges Braque est l'un des fondateurs du **cubisme.** Sa technique consiste à décomposer les objets et à les représenter sous plusieurs angles à la fois.

Pablo Picasso est l'un des plus célèbres peintres modernes. Né en Espagne, il est venu habiter en France. Il a influencé l'évolution de l'art moderne et essayé une variété de techniques. Son tableau le plus célèbre est *Guernica,* une œuvre où il dénonce les horreurs de la guerre et du fascisme.

Vers 1920, **le surréalisme** rejette toutes les conventions. Influencés par les travaux de Freud, **les surréalistes** essayent de représenter l'imaginaire et le rêve. Les artistes les plus connus sont: **Yves Tanguy, Max Ernst** et **André Masson.**

D'autres artistes importants du XXe siècle sont **Maurice Utrillo, Marc Chagall, Fernand Léger** et **Bernard Buffet.**

SCULPTEURS

Jean-Antoine Houdon, sculpteur réaliste du XVIIIe siècle, a réalisé les bustes de personnages célèbres dont Voltaire, Washington, Franklin et Jefferson.

François Rude fait partie de l'école romantique du XIXe siècle. Il a créé *La Marseillaise,* le célèbre bas-relief de l'Arc de Triomphe à Paris.

Frédéric-Auguste Bartholdi est l'auteur de *La Liberté éclairant le monde,* la célèbre statue de la Liberté du port de New York.

Auguste Rodin est le plus grand sculpteur des temps modernes. Il est connu pour ses œuvres dont *Le Penseur (The Thinker), Le Baiser* et *Les Bourgeois de Calais.* Ses sculptures sont à la fois réalistes, puissantes et poétiques.

Aristide Maillol est un sculpteur du XXe siècle connu pour ses statues de femmes. Influencé par le classicisme, il allie la grâce et la simplicité à des formes solides.

Jacques Lipchitz, associé au mouvement cubiste, puis au surréalisme, a réalisé des sculptures puissantes et dramatiques.

MUSICIENS

Jean-Baptiste Lully, italien de naissance, a composé de la musique de chambre et a été chef d'orchestre *(conductor)* pour Louis XIV. Il est le créateur de l'opéra français pour lequel il a défini les règles. Il a également composé des ballets et de la musique pour accompagner plusieurs comédies de Molière comme *Le Bourgeois gentilhomme.*

Jean-Philippe Rameau a rénové l'opéra français au XVIIIe siècle. Il a écrit un *Traité de l'harmonie* et de nombreuses pièces pour clavecin *(harpsichord).* Ce compositeur privilégiait l'harmonie par rapport à la mélodie.

Au XIXe siècle, la musique française a atteint une renommée internationale avec de grands compositeurs.

Hector Berlioz est le plus grand compositeur de l'époque **romantique.** Ses œuvres sont d'une grande force dramatique comme le prouvent ses chefs-d'œuvre *La Damnation de Faust* et *La Symphonie fantastique.*

César Franck est d'origine belge. Installé à Paris, il a formé et influencé toute une génération de compositeurs. Sa musique s'inspire de la technique de Bach.

Camille Saint-Saëns a composé des poèmes symphoniques dont *La Danse macabre* et *Le Carnaval des animaux.* Il était un virtuose du piano et de l'orgue.

Claude Debussy a été influencé par les peintres impressionnistes. Sa musique est légère, délicate et extrêmement originale. Il a composé *Prélude à l'après-midi d'un faune.*

180 **Maurice Ravel** a composé des œuvres pour piano et orchestre dont *Boléro* et *Valses nobles.* Sa musique est fluide et originale, tout en respectant les normes classiques.

Autres compositeurs d'opéras:
Georges Bizet: *Carmen, Les Pêcheurs de perles*
185 **Charles Gounod:**   *Faust, Roméo et Juliette*
Jules Massenet: *Manon, Thaïs*
Jacques Offenbach: *Les Contes d'Hoffmann*

La musique classique française du XXe siècle continue à évoluer avec de nouveaux artistes
190 talentueux dont **Pierre Boulez, Maurice Jarre, Olivier Messiaen** et **Jacques Charpentier.**

ARCHITECTES

À l'époque gallo-romaine (du Ier au IVe siècle), on a construit des édifices remarquables comme des temples, des arènes, des aqueducs et des amphi-
195 théâtres. Beaucoup de ces édifices existent encore, principalement en Provence, dans le Sud de la France. Il y a, par exemple, les arènes de la ville d'Arles et la Maison carrée à Nîmes.

Au Moyen Âge, les arts sont associés à la reli-
200 gion. Les églises **de style roman** sont lourdes et sombres. Mais vers la moitié du XIIe siècle, un nouveau style d'architecture apparaît: **l'architecture gothique.** Ce style et cette méthode permettent de construire des édifices de vastes dimensions
205 et très hauts, comme les cathédrales. Ces édifices sont ornés de vitraux *(stained-glass windows)*, de gar-

gouilles *(gargoyles)* et de nombreuses sculptures. Les plus beaux exemples sont les cathédrales d'Amiens, de Chartres, de Reims et de Paris.

Au XVIe siècle, **la Renaissance** s'inspire de 210 l'architecture italienne. Entre le XVIe et le XVIIe siècle, les rois et les nobles font bâtir de magnifiques châteaux, principalement dans la vallée de la Loire et autour de Paris.

Jules Hardouin-Mansart était l'architecte de 215 Louis XIV au XVIIe siècle. Il a participé à la création du **palais de Versailles** en construisant la galerie des Glaces, le Grand Trianon, la chapelle et l'orangerie. Il a aussi réalisé la place des Victoires et la place Vendôme à Paris. 220

Eugène Viollet-le-Duc a encouragé le regain *(revival)* d'intérêt pour l'art gothique en France au XIXe siècle. Il est célèbre pour ses travaux de restauration de chefs-d'œuvre du Moyen Âge comme la cathédrale Notre-Dame et la Sainte- 225 Chapelle à Paris. Il a également restauré la ville de Carcassonne et les cathédrales de Chartres, d'Amiens et de Reims.

Le Corbusier est le chef de l'école moderne d'architecture du XXe siècle. Ses œuvres et ses 230 écrits ont révolutionné le développement de l'architecture dans le monde. Il a eu l'idée de «la ville verticale» qu'il a partiellement réalisée à Marseille.

De nombreux grands projets d'architecture ont été réalisés en France, à Paris surtout, au cours des 235 dernières années.

EXERCICE A

Répondez par **Vrai** *ou* **Faux** *aux affirmations suivantes. Si la phrase est fausse, corrigez-la.*

1. En France, l'art n'existe pas avant le Moyen Âge. _____

2. Au XIXe siècle, Paris est le centre mondial de l'art. _____

3. Picasso est d'origine espagnole. _____

4. Van Gogh est un peintre classique. _____

5. David est le peintre officiel de Napoléon Ier. _____

6. Toulouse-Lautrec fait partie de l'école de Barbizon. _____

7. Pour les impressionnistes, la lumière n'est pas importante. _____

8. Gauguin a habité Tahiti. _____

9. Matisse a décoré une chapelle dans le Sud de la France. _____

10. Cézanne est un peintre pointilliste. _____

EXERCICE B

Identifiez chaque artiste en écrivant s'il s'agit d'un peintre, d'un sculpteur, d'un architecte ou d'un musicien.

1. Jules Massenet _____

2. Le Corbusier _____

3. Vincent Van Gogh _____

4. Aristide Maillol _____

5. Hector Berlioz _____

6. Auguste Rodin _____

7. Eugène Viollet-le-Duc _____

8. Jean-Baptiste Lully _____

9. Jules Hardouin-Mansart _____

10. Rosa Bonheur _____

EXERCICE C

Pour chaque œuvre de la première colonne, écrivez la lettre désignant le nom de son créateur.

1. *Guernica* _____

2. *Le Penseur* _____

3. La galerie des Glaces du palais de Versailles _____

4. *La Danse macabre* _____

5. *Carmen* _____

6. *Les Glaneuses* _____

7. La statue de la Liberté de New York _____

8. *Les Tournesols* _____

9. Le buste de Jefferson _____

10. La musique de certaines pièces de Molière _____

a. Auguste Rodin
b. Camille Saint-Saëns
c. Jean-François Millet
d. Georges Bizet
e. Frédéric-Auguste Bartholdi
f. Jean-Antoine Houdon
g. Pablo Picasso
h. Jean-Baptiste Lully
i. Jules Hardouin-Mansart
j. Vincent Van Gogh

EXERCICE D

Complétez chaque phrase avec le mot ou le nom approprié.

1. Les _____ étaient les sujets favoris d'Edgar Degas.

2. _____ est appelé le père de l'art moderne.

3. Georges Seurat a inventé le _____ .

4. Au Moyen Âge, les églises de style _____ sont sombres.

5. Le chef de l'école moderne d'architecture s'appelle _____ .

6. Camille Saint-Saëns a composé des _____ symphoniques.

7. Les impressionnistes veulent représenter leur _____ visuelle.

8. Jacques Lipchitz est un sculpteur du mouvement _____ .

9. Le style _____ a permis de créer des édifices comme les cathédrales.

10. Jean-Baptiste Lully est le créateur de _____ français.

Chapter 40
Les Sciences

Les Français ont beaucoup contribué au développement de la science. Les scientifiques suivants ont fait des contributions notables.

MATHÉMATICIENS

René Descartes (1596–1650), créateur de **la géométrie analytique,** a simplifié l'écriture mathématique. Ses travaux en physique ont fondé la science moderne. Il a développé une méthode de pensée méthodique et rationnelle. C'est la pensée **cartésienne.** Il est aussi considéré comme le père de la philosophie moderne.

Blaise Pascal (1623–1662) était aussi physicien et philosophe. Il a créé **le calcul des probabilités** et inventé la presse hydraulique. À dix-huit ans, il a inventé la première machine à calculer.

Pierre Simon de Laplace (1749–1827) était également un astronome. Dans son livre, *Traité de mécanique céleste,* il a exposé ses théories sur les mouvements des comètes et des planètes et a confirmé les théories de Newton. Il a aussi développé l'hypothèse de la naissance du système solaire.

Henri Poincaré (1854–1912) a contribué par ses travaux à la découverte de la théorie de la relativité. Il est aussi l'un des fondateurs de **la topologie,** une branche de la géométrie.

PHYSICIENS

Charles de Coulomb (1736–1806) a étudié l'électricité et le magnétisme. Il a donné son nom au **coulomb,** une unité de charge électrique.

André Ampère (1775–1836) a publié son premier traité de mathématiques à treize ans. Il est surtout connu pour ses travaux sur l'électricité et pour avoir créé **l'électrodynamique.** Aujourd'hui, **un ampère** est l'unité d'intensité du courant électrique.

Henri Becquerel (1852–1908) a découvert la radioactivité de l'uranium. Il a reçu le prix Nobel en 1903. Son père, **Antoine Becquerel,** était un pionnier de l'électricité et de l'électrochimie.

CHIMISTES

Antoine Laurent de Lavoisier (1743–1794) est un des fondateurs de la chimie moderne. Il a découvert la nature et le rôle de l'oxygène. Il a été guillotiné sous la Révolution. On cite encore souvent sa phrase célèbre: «Rien ne se perd, rien ne se crée, tout se transforme.»

Marie Curie (1867–1934) a découvert le radium en collaboration avec son mari, **Pierre Curie** (1859–1906). Première femme à occuper une chaire *(professorship)* de l'enseignement supérieur, elle a reçu deux prix Nobel. Pierre et Marie Curie ont fait des recherches sur la radioactivité et ont aussi découvert le polonium. Leur fille **Irène Joliot-Curie** et son mari **Frédéric Joliot-Curie** ont aussi reçu le prix Nobel de chimie en 1935.

NATURALISTES

Jean-Baptiste de Lamarck (1744–1829) a fait la classification des invertébrés et a développé des théories sur l'évolution des êtres vivants.

Georges Cuvier (1769–1832) est le créateur de l'anatomie comparée des vertébrés et de **la paléontologie,** la science qui traite des fossiles.

BIOLOGISTES ET MÉDECINS

Claude Bernard (1813–1878) est le fondateur de **la physiologie** moderne. Il a défini les règles de la méthode expérimentale et les principes de toute recherche scientifique.

Louis Pasteur (1822–1895) est le créateur de **la microbiologie,** la science qui s'intéresse aux organismes microscopiques. Il a découvert que des microbes pouvaient être la cause des maladies infectieuses. Il a inventé des méthodes **d'aseptisation** *(sterilization)* et la technique de la **vaccination.** Le procédé de **la pasteurisation,** pour conserver le lait, par exemple, doit son nom à Pasteur.

L'Institut Pasteur est un institut de recherches biologiques et médicales situé à Paris. Il a été fondé par souscription internationale et dirigé par Pasteur en 1888. Aujourd'hui, l'institut continue dans le monde entier les travaux de Pasteur. C'est aussi l'un des grands centres de production de vaccins et de sérum.

Émile Roux (1853–1933) a été l'élève et le collaborateur de Louis Pasteur. Directeur de l'Institut Pasteur, il a découvert le traitement de la diphtérie et a réalisé des recherches sur les toxines et les virus.

AUTRES SAVANTS

Jean-François Champollion (1790–1832) est un archéologue qui, sous Napoléon Ier, a réussi à
85 comprendre et à traduire **les hiéroglyphes égyptiens.**

Nicéphore Niepce (1765–1833) est considéré comme l'inventeur du procédé de **la photographie.**

90 **Jacques Daguerre** (1789–1851) a perfectionné le procédé photographique inventé par Niepce. Il a inventé un appareil photographique appelé **le daguerréotype.**

Louis Lumière (1864–1948) et **Auguste**
95 **Lumière** (1862–1954) sont deux frères qui ont inventé **le Cinématographe,** le premier système pour photographier et projeter des films. Ils sont considérés comme les pères du cinéma.

Louis Braille (1809–1852) a inventé **le braille,** un alphabet en relief, pour permettre aux aveugles 100 *(blind people)* de lire avec les doigts. Louis Braille était lui-même aveugle.

De nombreux scientifiques français ont reçu le prix Nobel depuis sa création en 1901. **Pierre-Gilles de Gennes** a reçu le prix Nobel de physique 105 en 1991 et **Georges Charpak** l'a reçu en 1992.

Le **CNRS** (Centre national de la recherche scientifique) a été créé en 1939. Financé par le gouvernement, c'est le premier centre de recherche européen qui couvre tous les domaines de la science. 110 Le CNRS est composé de plus de 1.300 laboratoires et emploie plus de 26.000 chercheurs.

EXERCICE A

Complétez les phrases avec le mot ou le nom approprié.

1. _____ a inventé un système de lecture *(reading)* pour les aveugles.

2. L'Institut _____ continue les travaux du grand chercheur du même nom.

3. _____ est une femme qui a gagné deux prix Nobel.

4. Blaise Pascal a inventé la première _____ .

5. Jean-François Champollion a déchiffré *(deciphered)* _____ .

6. Les frères _____ ont inventé le Cinématographe.

7. Le grand centre de recherches en France s'appelle _____ .

8. La paléontologie est la science des _____ .

9. _____ a créé la géométrie analytique.

10. L'unité d'intensité du courant électrique est _____ .

EXERCICE B

Pour chaque phrase choisissez la réponse correcte.

1. Daguerre a développé cette invention.

   a. le cinéma   **b.** la machine à calculer   **c.** la photographie

2. Aujourd'hui le lait est pasteurisé grâce à *(thanks to)* ses travaux.

   a. Pasteur   **b.** Laplace   **c.** Roux

3. Il a été guillotiné en 1794.

    a. Lamarck   *b.* Descartes   *c.* Lavoisier

4. La microbiologie les étudie.

    a. les microbes   *b.* les fossiles   *c.* les hiéroglyphes

5. Descartes l'a fondée.

    a. la chimie   *b.* la science moderne   *c.* la photographie

6. Poincaré a créé cette branche de la géométrie.

    a. le magnétisme   *b.* les probabilités   *c.* la topologie

EXERCICE C

Identifiez ces scientifiques d'après leurs inventions et découvertes.

1. L'unité de charge électrique porte son nom: _____

2. Il a développé des théories sur l'évolution: _____

3. Inventeur de la vaccination: _____

4. Il a découvert le rôle de l'oxygène: _____

5. Fondateur de la physiologie moderne: _____

6. Il a trouvé un remède à la diphtérie: _____

7. Créateur de l'électrodynamique: _____

8. Il a travaillé sur la mécanique céleste: _____

9. Il a fondé la paléontologie des invertébrés: _____

10. Il a découvert la radioactivité de l'uranium: _____

Civilization Quiz

A. Soulignez la réponse convenable.

1. Frontière entre la France et l'Espagne:

    a. les Alpes   *b.* les Pyrénées   *c.* les Vosges   *d.* le Jura

2. Le plus long fleuve français:

    a. la Seine   *b.* la Garonne   *c.* le Rhône   *d.* la Loire

3. Ancienne province au climat doux qui possède beaucoup de monuments romains:

    a. la Lorraine   *b.* la Provence   *c.* la Touraine   *d.* la Savoie

4. Les "Quarante immortels":

    a. le Parlement   *b.* l'Académie française   *c.* le Sénat   *d.* la Comédie-Française

5. Péninsule qui s'avance dans l'Atlantique:

    a. la Bretagne   *b.* l'Alsace   *c.* l'Auvergne   *d.* la Flandre

6. Chambord et Chenonceaux:

    a. ports maritimes   *b.* châteaux splendides   *c.* montagnes volcaniques   *d.* grands boulevards

7. Produits de Normandie:

    a. textiles   *b.* mines de fer   *c.* vins célèbres   *d.* beurre et fromage

8. Premier port de navigation intérieure:

    a. Deauville   *b.* Paris   *c.* Clermont-Ferrand   *d.* Rouen

9. Centre de l'enseignement parisien:

    a. la rive droite   *b.* le Quartier latin   *c.* le centre Pompidou   *d.* le Massif central

10. Musée le plus célèbre de France:

    a. la Madeleine   *b.* les Tuileries   *c.* le Louvre   *d.* la Sainte-Chapelle

11. Un chef-d'oeuvre d'architecture gothique:

    a. Notre-Dame   *b.* le Sacré-Cœur   *c.* la Conciergerie   *d.* l'Opéra

12. Les Galeries Lafayette et le Printemps:

    a. musées   *b.* grands magasins   *c.* palais   *d.* églises

13. Ville qui n'est pas un port:

    a. Marseille   *b.* le Havre   *c.* Grenoble   *d.* Bordeaux

14. Centre de la production du champagne:

    a. Strasbourg   *b.* Reims   *c.* Rouen   *d.* Chamonix

15. Grand centre religieux:

    a. Nîmes   *b.* Biarritz   *c.* Lourdes   *d.* Trouville

16. Premier héros national français:

    a. Clovis   *b.* Eiffel   *c.* Vercingétorix   *d.* Lascaux

17. Le plus puissant empereur du Moyen Âge:

    a. François Ier   *b.* Charlemagne   *c.* Louis IX   *d.* Jules César

18. Fondateur da la ville de Québec:

    a. Champlain   *b.* Marquette   *c.* LaSalle   *d.* LaFayette

19. Le Roi Soleil:

    a. Napoléon Ier   *b.* Louis XIV   *c.* Henri IV   *d.* Louis XV

20. Création de Napoléon:

    a. le drapeau   *b.* le T.G.V.   *c.* la Légion d'honneur   *d.* le café

21. Fromage français:

    a. blé   *b.* camembert   *c.* Renault   *d.* pelote

22. Soupe faite avec différents poissons:

    a. pot-au-feu   *b.* quiche lorraine   *c.* bouillabaisse   *d.* soupe à l'oignon

23. "Le Shakespeare de France," auteur de comédies classiques:

    a. Molière   *b.* Descartes   *c.* Rousseau   *d.* Maupassant

24. Compositeur d'opéras:

    a. César Franck   *b.* Ferdinand Foch   *c.* Claude Monet   *d.* Georges Bizet

25. Chef de l'école moderne d'architecture du XXᵉ siècle:

    a. Mansart   *b.* Ravel   *c.* Viollet-le-Duc   *d.* Le Corbusier

B. Complétez la phrase.

1. Deux autres pays européens où l'on parle français sont _____ et

_____ .

2. Aux États-Unis, on parle encore français en _____ .

3. En 1066, Guillaume le Conquérant, duc de _____ , a envahi l'Angleterre.

4. Deux termes modernes que le français a empruntés à l'anglais sont _____ et _____ .

5. Le cardinal Richelieu a fondé _____ française pour conserver et perfectionner le français.

6. Le français est une des deux langues officielles du Canada où il est parlé principalement dans la province de _____ .

7. Le mot anglais *"canine"* est de la même origine que le mot français _____ .

8. R.S.V.P. sont les initiales de l'expression _____ .

9. Deux expressions que l'anglais a empruntées au français sont _____ et _____ .

10. Trois pays qui forment des frontières avec la France sont _____ , _____ et _____ .

11. La _____ est une île française dans la Méditerranée où Napoléon est né.

12. Le Rhin sépare la France de _____ .

13. Le plus haut sommet des Alpes est le mont _____ .

14. La Côte d'Azur est située le long de la _____ .

15. La _____ divise Paris en deux parties: la rive droite et la rive gauche.

16. On appelle Paris "la Ville _____ ."

17. Douze avenues convergent vers l'Arc de _____ .

18. La prison que les Parisiens ont prise en 1789 se trouvait sur la place de la

_____ .

19. L'avenue des _____ va de la place de la Concorde à la place

Charles-de-Gaulle.

20. On va à _____ , au pied du mont Blanc, pour faire du ski.

21. Le régime politique actuel de la France est la _____ République.

22. La devise nationale de la France est " _____ , Egalité,

_____ ."

23. _____ est la compagnie aérienne *(airline)* nationale.

24. L'Institut _____ fait des recherches biologiques et médicales; c'est un

centre de production de vaccins.

25. Les frères _____ sont considérés comme les pères du cinéma.

C. Choisissez l'expression qui complète le sens de la phrase.

1. La dialecte de _____ est devenu la langue officielle du pays.
   - *a.* la Bretagne
   - *b.* la Normandie
   - *c.* l'Île-de France.

2. La France a la forme d'un _____ .
   - *a.* hexagone
   - *b.* triangle
   - *c.* pentagone

3. La langue qui n'est pas une langue romane est _____ .
   - *a.* l'espagnol
   - *b.* l'allemand
   - *c.* l'italien

4. La frontière maritime au sud de la France est _____ .
   - *a.* la Manche
   - *b.* la Méditerranée
   - *c.* l'Atlantique

5. Le français est dérivé _____ .
   - *a.* du latin
   - *b.* du celtique
   - *c.* du breton

6. La Camargue est la région du delta formé par le fleuve le plus rapide, _____ .
   - *a.* le Rhône
   - *b.* la Seine
   - *c.* la Garonne

7. Les pardons sont _____ .

   a. des chaussures de bois   *b.* de grosses pierres historiques   *c.* des fêtes religieuses

8. La Bourgogne et la Champagne sont connues pour leurs _____ .

   a. poissons   *b.* vins   *c.* plages

9. On peut voir la Vénus de Milo au _____ .

   a. Louvre   *b.* Panthéon   *c.* musée d'Orsay

10. L'hôtel des Invalides à Paris contient la tombe de _____ .

   a. Marie Curie   *b.* sainte Geneviève   *c.* Napoléon

11. La plus vaste et la plus belle place de Paris est la place _____ .

   a. de l'Opéra   *b.* de la Concorde   *c.* Charles-de Gaulle

12. La plus grande ville de la Côte d'Azur est _____ .

   a. Vichy   *b.* Cannes   *c.* Nice

13. Le véritable chef du gouvernement est _____ .

   a. le Premier ministre   *b.* l'Assemblée nationale   *c.* le Président de la République

14. Jean de la Fontaine est célèbre pour ses _____ .

   a. romans   *b.* fables   *c.* proverbes

15. Le grand satiriste qui a dominé le XVIIIᵉ siècle en attaquant l'injustice et en défendant la liberté est _____ .

   a. Voltaire   *b.* Marcel Proust   *c.* Alphonse Daudet

16. Le chef et le plus grand poète de l'école romantique, auteur de *Les Misérables,* est _____ .

   a. Honoré de Balzac   *b.* Victor Hugo   *c.* André Gide

17. Le précurseur de la science-fiction est _____ .

   a. Guy de Maupassant   *b.* Jules Verne   *c.* Anatole France

18. L'école de Barbizon était composée de _____ .

   a. poètes   *b.* peintres   *c.* musiciens

19. Le chef de l'art moderne français est _____ .

   a. Paul Cézanne   *b.* Vincent Van Gogh   *c.* Henri de Toulouse-Lautrec

20. Le sculpteur de *La Liberté éclairant le monde* dans le port de New York est _____ .

   a. Bartholdi   *b.* Rodin   *c.* Maillol

21. _____ a fondé la science moderne.

   a. Blaise Pascal   *b.* René Descartes   *c.* Henri Poincaré

22. Pierre Simon de Laplace a _____ .

    a. donné son nom à l'unité de charge électrique

    b. développé l'hypothèse de la naissance du système solaire

    c. créé la phrase "Rien ne se perd, rien ne se crée, tout se transforme."

23. Marie et Pierre Curie ont découvert _____ .

    a. des fossiles extraordinaires   *b.* le traitement de la diphtérie   *c.* le radium

24. Louis Braille a _____ .

    a. inventé un alphabet en relief pour les aveugles

    b. fondé la physiologie moderne

    c. réussi à traduire les hiéroglyphes égyptiens

25. L'édit de Nantes était un document en faveur _____ .

    a. de la liberté de religion   *b.* des catholiques   *c.* des druides

Part six

Comprehensive Testing
Speaking, Listening, Reading, Writing

QUÉBEC

BELGIQUE

LUXEMBOURG

FRANCE

SUISSE

SAINT-PIERRE-
ET-MIQUELON

MONACO

CORSE

LOUISIANE

MAROC

ALGÉRIE

TUNISIE

HAÏTI

GUADELOUPE

MARTINIQUE

MAURITANIE

MALI

NIGER

TCHAD

SÉNÉGAL

GUINÉE

BURKINA FASO

CÔTE-D'IVOIRE

RÉPUBLIQUE
CENTRAFRICAINE

GUYANE

TOGO

BÉNIN

CAMEROUN

ZAÏRE

GABON

CONGO

1. SPEAKING: ORAL COMMUNICATION TASKS [20 points]

Your teacher will administer two communication tasks. Each task prescribes a simulated conversation in which you play yourself and the teacher assumes the role indicated in the task.

Each task requires five utterances on your part. An utterance is any spoken statement that is comprehensible and appropriate and leads to accomplishing the stated task. Assume that in each situation you are speaking with a person who speaks French.

2. LISTENING COMPREHENSION

2a Multiple Choice (English) [18 points]

Part 2a consists of nine questions. For each question, you will hear some background information in English. Then you will hear a passage in French twice, followed by a question in English. Listen carefully. After you have heard the question, read the question and the four suggested answers in your book. Choose the best suggested answer and write its number in the space provided.

1. What is she complaining about?   _____
    1. The school uniform she must wear.
    2. The lack of sports available.
    3. Outdated teaching methods.
    4. Articles of clothing she is not allowed to wear.

2. What is your uncle inviting you to do?   _____
    1. Listen to French tapes.
    2. Go to a party at his house.
    3. Attend a street fair.
    4. Try a new restaurant

3. What is the club leader announcing?   _____
    1. A checkers tournament.
    2. A sporting competition.
    3. A new club that is being formed.
    4. A chess championship.

4. What is he explaining to you?   _____
    1. Why you should visit England.
    2. A new way to cross the English Channel.
    3. How to get to England by car.
    4. Job opportunities in France and England.

5. Which suggestion would you make to a friend?   _____
    1. Let's go to the beach.
    2. You'd better take an umbrella.
    3. Perhaps we should wear our winter coats.
    4. We could have a snowball fight.

6. Why should you go to this hotel?   _____

   1. It has the best prices.

   2. You can get your money back if you aren't satisfied.

   3. The staff is friendly and helpful.

   4. It offers you services you can't get anywhere else.

7. What is the salesperson suggesting you buy?   _____

   1. A watch.

   2. A game that teaches time.

   3. A toy car.

   4. An electronic calendar.

8. What question might you ask the tour guide?   _____

   1. What were some of his paintings?

   2. Does the gift shop sell his cassettes?

   3. Can we get his autograph today?

   4. What instrument does he play?

9. What is she telling you about?   _____

   1. Unusually devoted animals.

   2. Some rich animals.

   3. Very costly pets.

   4. Extremely large animals.

2b   Multiple Choice (French) [12 points]

Part 2b consists of six questions. For each question, you will hear some background information in English. Then you will hear a passage in French twice, followed by a question in French. Listen carefully. After you have heard the question, read the question and the four suggested answers in your book. Choose the best suggested answer and write its number in the space provided.

1. Que dites-vous à votre ami?   _____

   1. Essayons de gagner.

   2. Où peut-on acheter des billets?

   3. Je n'aime pas aller à l'opéra.

   4. Cette excursion m'intéresse beaucoup.

2. Qu'est-ce que cette annonce vous propose?   _____

   1. Des vacances.   3. Des souliers.

   2. Des aliments.   4. Des jeux.

3. Que faut-il faire pour avoir ce poste?   _____

   1. Parler deux langues.

   2. Voyager à l'étranger.

   3. Travailler sur ordinateur.

   4. Avoir un diplôme universitaire.

4. Qui aura besoin de ce service?   _____

   1. Un guide.   3. Un interprète.

   2. Un touriste.   4. Un petit enfant.

5. Que suggère cette annonce?

    1. Que les enfants apprennent en quoi consiste la cuisine française.

    2. Que les parents amènent leurs enfants chez le docteur.

    3. Que les enfants français ne connaissent pas leur culture.

    4. Que les parents enseignent leurs enfants à cuisiner.

6. Qu'est-ce que cette personne essaie de vous vendre?

    1. Un film vidéo.

    2. Des livres.

    3. Des billets de théâtre.

    4. Un magazine.

3. READING COMPREHENSION

3a Long Connected Passage [10 points]

Part 3a consists of a passage followed by five questions or incomplete statements in French. For each, choose the expression that best answers the question or completes the statement according to the meaning of the passage and write its number in the space provided.

Les rues désertes étaient déjà recouvertes d'un épais manteau blanc et la neige tombait toujours. Il faisait si froid que tout gelait. Il était difficile de marcher et de conduire une auto. Mais c'était jeudi, le 27 janvier, le jour où Michel avait rendez-vous pour passer son examen du permis de conduire. Rien à faire. Il fallait essayer, sinon il devrait encore attendre deux mois pour un nouveau rendez-vous avec l'inspecteur.

Arrivés au lieu du rendez-vous, sa mère est sortie de la voiture pour laisser la place à Michel et à l'inspectrice. Michel s'est installé au volant. Il avait l'air calme et confiant tandis que l'inspectrice était très sérieuse et ne souriait pas. Puis ils sont partis. Qui était le plus nerveux, Michel ou sa mère? Sa mère, probablement.

Elle est restée dehors, enveloppée par le froid, pendant ce qui lui a semblé être une éternité. Elle ne savait trop quoi penser, elle ne pouvait qu'espérer que son fils réussisse.

Enfin elle a vu son auto approcher. Michel avait l'air trop sérieux. Il lui semblait qu'il allait pleurer. «Tant pis», a-t-elle pensé. Il lui faudra repasser le test plus tard. Mais une fois la voiture arrêtée, elle a regardé à l'intérieur. L'inspectrice écrivait encore. Dans la section des commentaires, elle a noté: «Bon». Sa mère ne pouvait pas en croire ses yeux. Michel avait réussi! C'était de joie qu'il avait envie de pleurer. Il allait falloir fêter cela ce soir. Comme elle avait eu tort de douter de lui!

1. Quelle saison était-ce?

    1. L'été.   3. L'automne.

    2. Le printemps.   4. L'hiver.

2. Qu'est-ce que Michel devait faire ce jour-là?

    1. S'inscrire à un examen.

    2. Conduire une voiture.

    3. Essayer de marcher.

    4. Attendre un nouveau test.

3. Pourquoi Michel est-il allé au rendez-vous malgré le mauvais temps?

    1. Il n'avait pas envie d'avoir à fixer un nouveau rendez-vous.

    2. Il voulait être l'unique participant.

    3. Sa mère était très nerveuse.

    4. L'inspectrice l'avait demandé.

4. Qu'est-ce que sa mère a pensé en voyant le visage de Michel?

    1. Qu'il avait réussi l'examen.

    2. Qu'il était trop calme.

    3. Qu'il avait raté l'examen.

    4. Qu'il avait fâché l'inspectrice.

5. Ce soir Michel et sa famille vont

    1. célébrer.   3. pleurer.

    2. prier.   4. travailler.

3b Short Readings (Multiple Choice, English) [10 points]

Part 3b consists of five short readings. For each selection, there is a question or incomplete statement in English. For each, choose the expression that best answers the question or completes the statement and write its number in the space provided. Base your choice on the content of the reading selection.

1. At what time can you see a game show?

    1. At 11:50   2. At 13:40

    3. At 18:20   4. At 20:00

TF1

11.50 : LA ROUE DE LA FORTUNE

13.00 : JOURNAL – Suivi de la météo et de **Tout compte fait**

13.40 : HIGHLANDER – Série
– *«Meurtre à l'Opéra»*
– Avec Adrian Paul (Duncan MacLeod), Alexandra Vandernoot (Tessa Nœl).
– À la suite d'une mort mystérieuse à l'Opéra de Paris, Duncan MacLeod retrouve Ursa, un des immortels les plus étranges qu'il ait rencontrés au cours de ses voyages à travers les siècles.

14.35 : CLUB DOROTHÉE – Animé par Dorothée, Ariane, Jacky, Corbier et Patrick.
– **Huit ça suffit** – **Punky Brewster** – **Ici bébé** – **Salut les Musclés**
– **Trois filles à la maison**

17.50 : LE MIEL ET LES ABEILLES – Série française
– «Déprimé» – Johnny ne semble pas dans son assiette. Lola est inquiète. Elle essaye d'interroger ses amis pour découvrir les raisons de cet abattement, en vain.

18.20 : HÉLÈNE ET LES GARÇONS – Série
– «Clair et net» Hélène ne peut plus supporter de voir Thérèse aussi crédule vis-à-vis de Christian.

18.50 : COUCOU C'EST NOUS! – Animé par Christophe Dechavanne avec Patrice Carmouze.
– Invité : Darry Cowl, pour sa pièce *«Une aspirine pour deux»*.

20.00 : JOURNAL – Suivi du Sourire du jour, Météo.

2. Why should you take this bus? _____

    1. The fare is free from December 11 to December 24.

    2. The driver helps you with your packages for free.

    3. You will get a free gift.

    4. You can check your packages for free while you shop.

Du 11 au 24 décembre

2 Bus Consigne gratuits, pour vous faciliter la vie!

Vous déposez vos emplettes de fin d'année dans l'un

des deux Bus Consigne et vous gardez les mains libres

pour vos autres achats.

Nos bus sont stationnés Pl. de la Mairie et Pl. de la République.

De 11h à 19h30.

3. What job does this woman want? _____

    1. Secretary.   2. Nurse.

    3. Baby-sitter.   4. Housekeeper.

> JF 31 ans cherche emploi pour
> faire quelques heures de ménage
> chez un médecin, particulier, ou
> emploi à domicile.Tél. 48.55.55.55

4.   What can you buy in this store?

1. A V.C.R.
3. A computer.

2. A necklace.
4. A razor.

5.   What is not being offered in this ad?

1. A welcome gift.
3. Low-cost travel fares.

2. A free night at a hotel.
4. A wide variety of activities.

3c Slot Completion [10 points]

In the following passage there are five blank spaces numbered 1 to 5. Each blank represents a missing word or expression. For each blank space, four possible completions are provided. Only one of them makes sense in the context of the passage.

First, read the passage in its entirety to determine its general meaning. Then read it a second time. For each blank space, choose the completion that makes the best sense and write its number in the space provided.

CONSEILS DU SERVICE INFORMATION-SÉCURITÉ AUX TOURISTES

POUR UN BON SÉJOUR DANS NOTRE CAPITALE,

1. Ne laissez jamais de bagages, valeurs ou documents dans votre ___(1)___

2. ___(2)___ des photocopies de vos documents importants.

3. N'oubliez pas votre adresse! Prenez-en note et gardez ___(3)___ la carte de votre hôtel.

4. Informez-vous de l'adresse et du numéro de téléphone de votre Ambassade ou Consulat.

5. N'hésitez pas à appeler ___(4)___ en cas d'urgence. Il y a un commissariat central dans chaque arrondissement parisien.

6. ___(5)___ vos modes de paiement (devises étrangères, francs français, cartes de crédit, chèques de voyages, etc.).

(1) 1. portefeuille
    2. véhicule
    3. valise
    4. serviette   _____

(2) 1. Distribuez
    2. Jetez
    3. Conservez
    4. Vendez   _____

(3) 1. précieusement
    2. lentement
    3. rarement
    4. heureusement   _____

(4) 1. les pompiers
    2. la douane
    3. le standardiste
    4. la police   _____

(5) 1. Préférez
    2. Donnez
    3. Diversifiez
    4. Rendez   _____

4. WRITING

4a Informal Note [6 points]

Choose one of the topics below and write a well-organized note in French as directed. Your note must consist of at least six clauses. A clause must contain a verb, a stated or implied subject, and additional words necessary to convey meaning. The six clauses may be contained in fewer than six sentences if some of the sentences have more than one clause.

Examples:

One clause: Hier j'ai fait des courses.

Two clauses: Hier j'ai fait des courses et j'ai rencontré Jean dans la rue.

Three clauses: Hier j'ai fait des courses et j'ai rencontré Jean qui m'a invité(e) à une boum chez lui.

Note that the salutation and closing will not count as part of the six clauses.

1. Your parents left some money on the kitchen table. Write a note in which you tell them why you needed the money.

    Use the following:

    Salutation: Maman et papa
    Closing: [your name]

    _____

    _____

    _____

    _____

    _____

2. Your neighbors are going away on vacation. Write them a short note in which you ask what you can do to help them.

    Use the following:

    Salutation: Chers [your neighbors' names]
    Closing: [your name]

    _____

    _____

    _____

    _____

    _____

4b Narrative or Letter [10 points]

Write a well-organized composition as directed below. Choose either the narrative or the formal letter. Follow the specific instructions for the topic you select. Each composition must consist of at least ten clauses. A clause must contain a verb, a stated or implied subject, and additional words necessary to convey meaning. The ten clauses may be contained in fewer than ten sentences if some of the sentences have more than one clause.

A. Narrative

Write a story in French about the situation shown in the picture. It must be a story about the situation in the picture, not a description of the picture.

Key words:	la tempête de neige	*snowstorm*
	la chute de neige	*snowfall*
	le chasse-neige	*snowplow*
	déblayer	*to clear (the ground)*
	enlever	*to remove*

_____

_____

_____

_____

_____

_____

B. Formal Letter

Write a letter in French. Follow the specific instructions. Note that the dateline, salutation, and closing will not count as part of the required ten clauses.

Your parents are celebrating a special occasion and you would like to make party arrangements for them at a French restaurant. Write a letter to the management in which you request information about the dinner. Suggested subtopics are: date and time of the party, reason for the party, the number of guests, the available menu, the cost per person. You may use ideas suggested by any or all of these subtopics, or you may use your own ideas. Either way, you must accomplish the purpose of the letter, which is to inquire about the dinner and to make arrangements for it.

Use the following:

Dateline: le ____ _____ 19____

Salutation: Monsieur/Madame,

Closing: Veuillez agréer, Monsieur/Madame, l'expression de mes sentiments les meilleurs.

[your name]

_____

_____

_____

_____

_____

_____

Appendix

[1] VERBS WITH REGULAR FORMS

INFINITIVE

parler	finir	vendre	s'amuser

PAST PARTICIPLE

parlé	fini	vendu	amusé

PRESENT

parle	finis	vends	m' amuse
parles	finis	vends	t' amuses
parle	finit	vend	s' amuse
parlons	finissons	vendons	nous amusons
parlez	finissez	vendez	vous amusez
parlent	finissent	vendent	s' amusent

IMPERATIVE

parle	finis	vends	amuse-toi
parlons	finissons	vendons	amusons-nous
parlez	finissez	vendez	amusez-vous

IMPERFECT

parlais	finissais	vendais	m' amusais
parlais	finissais	vendais	t' amusais
parlait	finissait	vendait	s' amusait
parlions	finissions	vendions	nous amusions
parliez	finissiez	vendiez	vous amusiez
parlaient	finissaient	vendaient	s' amusaient

FUTURE

parlerai	finirai	vendrai	m' amuserai
parleras	finiras	vendras	t' amuseras
parlera	finira	vendra	s' amusera
parlerons	finirons	vendrons	nous amuserons
parlerez	finirez	vendrez	vous amuserez
parleront	finiront	vendront	s' amuseront

CONDITIONAL

parler**ais**	finir**ais**	vendr**ais**	**m'** amuserais
parler**ais**	finir**ais**	vendr**ais**	**t'** amuserais
parler**ait**	finir**ait**	vendr**ait**	**s'** amuserait
parler**ions**	finir**ions**	vendr**ions**	**nous** amuserions
parler**iez**	finir**iez**	vendr**iez**	**vous** amuseriez
parler**aient**	finir**aient**	vendr**aient**	**s'** amuseraient

PRESENT SUBJUNCTIVE

parl**e**	finiss**e**	vend**e**	**m'** amuse
parl**es**	finiss**es**	vend**es**	**t'** amuses
parl**e**	finiss**e**	vend**e**	**s'** amuse
parl**ions**	finiss**ions**	vend**ions**	**nous** amusions
parl**iez**	finiss**iez**	vend**iez**	**vous** amusiez
parl**ent**	finiss**ent**	vend**ent**	**s'** amusent

PASSÉ COMPOSÉ

ai parlé	ai fini	ai vendu	me suis amusé(e)
as parlé	as fini	as vendu	t'es amusé(e)
a parlé	a fini	a vendu	s'est amusé(e)
avons parlé	avons fini	avons vendu	nous sommes amusé(e)s
avez parlé	avez fini	avez vendu	vous êtes amusé(e)(s)
ont parlé	ont fini	ont vendu	se sont amusé(e)s

[2] -*ER* VERBS WITH SPELLING CHANGES

	-*cer* VERBS	-*ger* VERBS	-*yer* VERBS*	-*eler* / -*eter* VERBS		*e* + CONSONANT + *er* VERBS	*é* + CONSONANT(S) + *er* VERBS
INFINITIVE	pla**cer**	man**ger**	emplo**yer**	app**eler**	j**eter**	m**e**ner	esp**é**rer
PRESENT	place	mange	**emploie**	**appelle**	**jette**	**mène**	**espère**
	places	manges	**emploies**	**appelles**	**jettes**	**mènes**	**espères**
	place	mange	**emploie**	**appelle**	**jette**	**mène**	**espère**
	plaçons	**mangeons**	employons	appelons	jetons	menons	espérons
	placez	mangez	employez	appelez	jetez	menez	espérez
	placent	mangent	**emploient**	**appellent**	**jettent**	**mènent**	**espèrent**

	-cer VERBS	*-ger* VERBS	*-yer* VERBS*	*-eler* / *-eter* VERBS		e + CONSONANT + er VERBS	é + CONSONANT(S) + er VERBS
IMPERFECT	**plaçais** **plaçais** **plaçait** placions placiez **plaçaient**	**mangeais** **mangeais** **mangeait** mangions mangiez **mangeaient**					
FUTURE			emploierai emploieras emploiera emploierons emploierez emploieront	appellerai appelleras appellera appellerons appellerez appelleront	jetterai jetteras jettera jetterons jetterez jetteront	mènerai mèneras mènera mènerons mènerez mèneront	
CONDITIONAL			emploierais emploierais emploierait emploierions emploieriez emploieraient	appellerais appellerais appellerait appellerions appelleriez appelleraient	jetterais jetterais jetterait jetterions jetteriez jetteraient	mènerais mènerais mènerait mènerions mèneriez mèneraient	
PRESENT SUBJUNCTIVE			emploie emploies emploie **employions** **employiez** emploient	appelle appelles appelle **appelions** **appeliez** appellent	jette jettes jette **jetions** **jetiez** jettent	mène mènes mène **menions** **meniez** mènent	espère espères espère **espérions** **espériez** espèrent
IMPERATIVE	place **plaçons** placez	mange **mangeons** mangez	**emploie** employons employez	**appelle** appelons appelez	**jette** jetons jetez	**mène** menons menez	**espère** espèrons espérez

*Verbs ending in **-ayer**, like **payer** and **balayer**, may be conjugated like **employer** or retain the **y** in all conjugations: **je paye** or **je paie.**

[3] VERBS WITH IRREGULAR FORMS

NOTE:

1. Irregular forms are printed in bold type.
2. Verbs conjugated with **être** in compound tenses are indicated with an asterisk (*)

INFINITIVE, PARTICIPLE	PRESENT	IMPERATIVE	IMPERFECT	FUTURE	CONDITIONAL	SUBJUNCTIVE	PASSÉ COMPOSÉ
aller* *to go*	**vais** **vas** **va** allons allez **vont**	**va** **allons** **ayez**	allais allais allait allions alliez allaient	**irai** **iras** **ira** **irons** **irez** **iront**	irais irais irait irions iriez iraient	**aille** **ailles** **aille** **allions** **aillez** **aillent**	suis allé(e) es allé(e) est allé(e) sommes allé(e)s êtes allé(e)(s) sont allé(e)s
allé							

apparaître *to appear* (like **connaître**)

apprendre *to learn* (like **prendre**)

INFINITIVE, PARTICIPLE	PRESENT	IMPERATIVE	IMPERFECT	FUTURE	CONDITIONAL	SUBJUNCTIVE	PASSÉ COMPOSÉ
avoir *to have*	**ai** **as** **a** avons avez **ont**	**aie** **ayons** **ayez**	avais avais avait avions aviez avaient	**aurai** **auras** **aura** **aurons** **aurez** **auront**	aurais aurais aurait aurions auriez auraient	**aie** **aies** **ait** **ayons** **ayez** **aient**	ai **eu** as **eu** a **eu** avons **eu** avez **eu** ont **eu**
eu							

INFINITIVE, PARTICIPLE	PRESENT	IMPERATIVE	IMPERFECT	FUTURE	CONDITIONAL	SUBJUNCTIVE	PASSÉ COMPOSÉ
boire *to drink*	bois	bois	buvais	boirai	boirais	boive	j'ai **bu**
	bois	buvons	buvais	boiras	boirais	boives	
	boit	buvez	buvait	boira	boirait	boive	
bu	**buvons**		buvions	boirons	boirions	**buvions**	
	buvez		buviez	boirez	boiriez	**buviez**	
	boivent		buvaient	boiront	boiraient	boivent	

comprendre *to understand* (like **prendre**)

INFINITIVE, PARTICIPLE	PRESENT	IMPERATIVE	IMPERFECT	FUTURE	CONDITIONAL	SUBJUNCTIVE	PASSÉ COMPOSÉ
conduire *to drive*	conduis	conduis	conduisais	conduirai	conduirais	conduise	j'ai **conduit**
	conduis	conduisons	conduisais	conduiras	conduirais	conduises	
	conduit	conduisez	conduisait	conduira	conduirait	conduise	
conduit	**conduisons**		conduisions	conduirons	conduirions	conduisions	
	conduisez		conduisiez	conduirez	conduiriez	conduisiez	
	conduisent		conduisaient	conduiront	conduiraient	conduisent	
connaître *to know*	**connais**	connais	connaissais	connaîtrai	connaîtrais	connaisse	j'ai **connu**
	connais	connaissons	connaissais	connaîtras	connaîtrais	connaisses	
	connaît	connaissez	connaissait	connaîtra	connaîtrait	connaisse	
connu	**connaissons**		connaissions	connaîtrons	connaîtrions	connaissions	
	connaissez		connaissiez	connaîtrez	connaîtriez	connaissiez	
	connaissent		connaissaient	connaîtront	connaîtraient	connaissent	

construire *to build* (like **conduire**)

INFINITIVE, PARTICIPLE	PRESENT	IMPERATIVE	IMPERFECT	FUTURE	CONDITIONAL	SUBJUNCTIVE	PASSÉ COMPOSÉ
courir *to run* **couru**	**cours** **cours** **court** **courons** **courez** **courent**	cours courons courez	courais courais courait courions couriez couraient	**courrai** **courras** **courra** **courrons** **courrez** **courront**	courrais courrais courrait courrions courriez courraient	coure coures coure courions couriez courent	j'ai **couru**
croire *to believe* **cru**	crois crois **croit** **croyons** **croyez** croient	crois croyons croyez	croyais croyais croyait croyions croyiez croyaient	croirai croiras coira croirons croirez croiront	croirais croirais croirait croirions croiriez croiraient	croie croies croie **croyions** **croyiez** croient	j'ai **cru**

découvrir *to discover* (like **ouvrir**)

décrire *to describe* (like **écrire**)

devenir* *to become* (like **tenir**)

devoir *to have to; to owe* **dû, due, dus, dues**	**dois** **dois** **doit** **devons** **devez** **doivent**	dois devons devez	devais devais devait devions deviez devaient	**devrai** **devras** **devra** **devrons** **devrez** **devront**	devrais devrais devrait devrions devriez devraient	doive doives doive **devions** **deviez** doivent	j'ai **dû**

INFINITIVE, PARTICIPLE	PRESENT	IMPERATIVE	IMPERFECT	FUTURE	CONDITIONAL	SUBJUNCTIVE	PASSÉ COMPOSÉ
dire *to say, tell* **dit**	dis dis **dit** **disons** **dites** **disent**	dis disons dîtes	disais disais disait disions disiez disaient	dirai diras dira dirons direz diront	dirais dirais dirait dirions diriez diraient	dise dises dise disions disiez disent	j'ai **dit**
dormir *to sleep* dormi	**dors** **dors** **dort** **dormons** **dormez** **dorment**	dors dormons dormez	dormais dormais dormait dormions dormiez dormaient	dormirai dormiras dormira dormirons dormirez dormiront	dormirais dormirais dormirait dormirions dormiriez dormiraient	dorme dormes dorme dormions dormiez dorment	j'ai dormi
écrire *to write* **écrit**	écris écris **écrit** **écrivons** **écrivez** **écrivent**	écris écrivons écrivez	écrivais écrivais écrivait écrivions écriviez écrivaient	écrirai écriras écrira écrirons écrirez écriront	écrirais écrirais écrirait écririons écririez écriraient	écrive écrives écrive écrivions écriviez écrivent	j'ai **écrit**
envoyer *to send* envoyé	**envoie** **envoies** **envoie** envoyons envoyez **envoient**	envoie envoyons envoyez	envoyais envoyais envoyait envoyions envoyiez envoyaient	**enverrai** **enverras** **enverra** **enverrons** **enverrez** **enverront**	enverrais enverrais enverrait enverrions enverriez enverraient	envoie envoies envoie **envoyions** **envoyiez** envoient	j'ai envoyé

INFINITIVE, PARTICIPLE	PRESENT	IMPERATIVE	IMPERFECT	FUTURE	CONDITIONAL	SUBJUNCTIVE	PASSÉ COMPOSÉ
être *to be* **été**	**suis** **es** **est** **sommes** **êtes** **sont**	**sois** **soyons** **soyez**	**étais** **étais** **était** **étions** **étiez** **étaient**	**serai** **seras** **sera** **serons** **serez** **seront**	serais serais serait serions seriez seraient	**sois** **sois** **soit** **soyons** **soyez** **soient**	j'ai **été**
faire *to do, make* **fait**	fais fais **fait** **faisons** **faites** **font**	fais faisons faites	faisais faisais faisait faisions faisiez faisaient	**ferai** **feras** **fera** **ferons** **ferez** **feront**	ferais ferais ferait ferions feriez feraient	**fasse** **fasses** **fasse** **fassions** **fassiez** **fassent**	j'ai **fait**
falloir *to be necessary* **fallu**	**il faut**		**il fallait**	**il faudra**	**il faudrait**	**il faille**	il a **fallu**
lire *to read* **lu**	lis lis **lit** **lisons** **lisez** **lisent**	lis lisons lisez	lisais lisais lisait lisions lisiez lisaient	lirai liras lira lirons lirez liront	lirais lirais lirait lirions liriez liraient	lise lises lise lisions lisiez lisent	j'ai **lu**

INFINITIVE, PARTICIPLE	PRESENT	IMPERATIVE	IMPERFECT	FUTURE	CONDITIONAL	SUBJUNCTIVE	PASSÉ COMPOSÉ
mettre *to put*	**mets**	mets	mettais	mettrai	mettrais	mette	j'ai **mis**
	mets	mettons	mettais	mettras	mettrais	mettes	
	met	mettez	mettait	mettra	mettrait	mette	
mis	mettons		mettions	mettrons	mettrions	mettions	
	mettez		mettiez	mettrez	mettriez	mettiez	
	mettent		mettaient	mettront	mettraient	mettent	
mourir* *to die*	**meurs**	meurs	mourais	**mourrai**	mourrais	meure	je suis **mort(e)**
	meurs	mourons	mourais	**mourras**	mourrais	meures	
	meurt	mourez	mourait	**mourra**	mourrait	meure	
mort	**mourons**		mourions	**mourrons**	mourrions	**mourions**	
	mourez		mouriez	**mourrez**	mourriez	**mouriez**	
	meurent		mouraient	**mourront**	mourraient	meurent	
naître* *to be born*	**nais**	nais	naissais	naîtrai	naîtrais	naisse	je suis **né(e)**
	nais	naissons	naissais	naîtras	naîtrais	naisses	
	naît	naissez	naissait	naîtra	naîtrait	naisse	
né	**naissons**		naissions	naîtrons	naîtrions	naissions	
	naissez		naissiez	naîtrez	naîtriez	naissiez	
	naissent		naissaient	naîtront	naîtraient	naissent	

obtenir *to obtain* (like tenir)

offrir *to offer* (like ouvrir)

INFINITIVE, PARTICIPLE	PRESENT	IMPERATIVE	IMPERFECT	FUTURE	CONDITIONAL	SUBJUNCTIVE	PASSÉ COMPOSÉ
ouvrir *to open*	**ouvre**	**ouvre**	ouvrais	ouvrirai	ouvrirais	ouvre	j'ai **ouvert**
	ouvres	ouvrons	ouvrais	ouvriras	ouvrirais	ouvres	
	ouvre	ouvrez	ouvrait	ouvrira	ouvrirait	ouvre	
ouvert	**ouvrons**		ouvrions	ouvrirons	ouvririons	ouvrions	
	ouvrez		ouvriez	ouvrirez	ouvririez	ouvriez	
	ouvrent		ouvraient	ouvriront	ouvriraient	ouvrent	

paraître *to seem, appear* (like **connaître**)

partir* *to leave* (like **sortir**)

INFINITIVE, PARTICIPLE	PRESENT	IMPERATIVE	IMPERFECT	FUTURE	CONDITIONAL	SUBJUNCTIVE	PASSÉ COMPOSÉ
pleuvoir *to rain*	il pleut		il pleuvait	il pleuvra	il pleuvrait	il pleuve	il a plu
plu							

permettre *to allow* (like **mettre**)

INFINITIVE, PARTICIPLE	PRESENT	IMPERATIVE	IMPERFECT	FUTURE	CONDITIONAL	SUBJUNCTIVE	PASSÉ COMPOSÉ
pouvoir *to be able*	**peux (puis)**		pouvais	**pourrai**	pourrais	**puisse**	j'ai **pu**
	peux		pouvais	**pourras**	pourrais	**puisses**	
	peut		pouvait	**pourra**	pourrait	**puisse**	
pu	**pouvons**		pouvions	**pourrons**	pourrions	**puissions**	
	pouvez		pouviez	**pourrez**	pourriez	**puissiez**	
	peuvent		pouvaient	**pourront**	pourraient	**puissent**	

INFINITIVE, PARTICIPLE	PRESENT	IMPERATIVE	IMPERFECT	FUTURE	CONDITIONAL	SUBJUNCTIVE	PASSÉ COMPOSÉ
prendre *to take*	prends	prends	prenais	prendrai	prendrais	prenne	j'ai **pris**
	prends	prenons	prenais	prendras	prendrais	prennes	
	prend	prenez	prenait	prendra	prendrait	prenne	
pris	**prenons**		prenions	prendrons	prendrions	**prenions**	
	prenez		preniez	prendrez	prendriez	**preniez**	
	prennent		prenaient	prendront	prendraient	prennent	

promettre *to promise* (like **mettre**)

recevoir *to receive*	**reçois**	reçois	recevais	**recevrai**	recevrais	reçoive	j'ai **reçu**
	reçois	recevons	recevais	**recevras**	recevrais	reçoives	
	reçoit	recevez	recevait	**recevra**	recevrait	reçoive	
reçu	**recevons**		recevions	**recevrons**	recevrions	**recevions**	
	recevez		receviez	**recevez**	receviez	**receviez**	
	reçoivent		recevaient	**recevront**	recevraient	reçoivent	

reconnaître *to recognize* (like **connaître**)

revenir* *to come back* (like **tenir**)

rire *to laugh*	ris	ris	riais	rirai	rirais	rie	j'ai **ri**
	ris	rions	riais	riras	rirais	ries	
	rit	riez	riait	rira	rirait	rie	
ri	rions		riions	rirons	ririons	riions	
	riez		riiez	rirez	ririez	riiez	
	rient		riaient	riront	riraient	rient	

INFINITIVE, PARTICIPLE	PRESENT	IMPERATIVE	IMPERFECT	FUTURE	CONDITIONAL	SUBJUNCTIVE	PASSÉ COMPOSÉ
savoir *to know, know how to*	**sais** **sais** **sait** **savons** **savez** **savent**	**sache** **sachons** **sachez**	savais savais savait savions saviez savaient	**saurai** **sauras** **saura** **saurons** **saurez** **sauront**	saurais saurais saurait saurions sauriez sauraient	**sache** **saches** **sache** **sachions** **sachiez** **sachent**	j'ai **su**
su							
sortir* *to go out*	**sors** **sors** **sort** **sortons** **sortez** **sortent**	sors sortons sortez	sortais sortais sortait sortions sortiez sortaient	sortirai sortiras sortira sortirons sortirez sortiront	sortirais sortirais sortirait sortirions sortiriez sortiraient	sorte sortes sorte sortions sortiez sortent	je suis sorti(e)
sorti							
tenir *to hold*	**tiens** **tiens** **tient** **tenons** **tenez** **tiennent**	tiens tenons tenez	tenais tenais tenait tenions teniez tenaient	**tiendrai** **tiendras** **tiendra** **tiendrons** **tiendrez** **tiendront**	tiendrais tiendrais tiendrait tiendrions tiendriez tiendraient	tienne tiennes tienne **tenions** **teniez** tiennent	j'ai **tenu**
tenu							

venir* *to come* (like **tenir**)

INFINITIVE, PARTICIPLE	PRESENT	IMPERATIVE	IMPERFECT	FUTURE	CONDITIONAL	SUBJUNCTIVE	PASSÉ COMPOSÉ
vivre *to live*	**vis** **vis** **vit** vivons vivez vivent	vis vivons vivez	vivais vivais vivait vivions viviez vivaient	vivrai vivras vivra vivrons vivrez vivront	vivrais vivrais vivrait vivrions viviez vivraient	vive vives vive vivions viviez vivent	j'ai **vécu**
vécu							
voir *to see*	vois vois voit **voyons** **voyez** **voient**	vois voyons voyez	voyais voyais voyait voyions voyiez voyaient	**verrai** **verras** **verra** **verrons** **verrez** **verront**	verrais verrais verrait verrions verriez verraient	voie voies voie **voyions** **voyiez** voient	j'ai **vu**
vu							
vouloir *to want*	**veux** **veux** **veut** voulons voulez **veulent**	**veuille** **veuillons** **veuillez**	voulais voulais voulait voulions vouliez voulaient	**voudrai** **voudras** **voudra** **voudrons** **voudrez** **voudront**	voudrais voudrais voudrait voudrions voudriez voudraient	**veuille** **veuilles** **veuille** **voulions** **vouliez** **veuillent**	j'ai **voulu**
voulu							

[4] COMMON PREPOSITIONS

a. Simple prepositions

à to, at, in

après after

avant before

avec with

chez to/at, in the house (place) of (a person)

contre against

dans in, into, within

de of, from

depuis since, for

derrière behind

devant in front of

en in, into, as

entre among, between

malgré despite

par by, through

parmi among

pendant during, for

pour for

sans without

sauf except

selon according to

sous under

sur on

vers toward

b. Compound prepositions

à cause de because of, on account of

à côté de next to, beside

à droite de on (to) the right

à force de by dint of, as a result of

à gauche de on (to) the left

à part aside from

à partir de beginning with

à propos de about, concerning

à travers through, across

au bas de at the bottom of

au bout de at the end of, after

au fond de in the bottom of

au lieu de instead of

au milieu de in the middle of

au sujet de about, concerning

au-dessous de below, beneath

au-dessus de above, over

autour de around

du côté de in the direction of, near

en arrière de behind

en face de opposite

grâce à thanks to

jusqu'à until

loin de far from

près de near

quant à as for

[5] MISCELLANEOUS IDIOMS AND EXPRESSIONS

bien entendu of course

bon marché cheap

meilleur marché cheaper

avoir la parole to have the floor *(for a speaker)*

il fait jour it is light (daylight)

il fait nuit it is dark (night)

faire des progrès to improve

Ça/cela ne fait rien. It does not matter.

C'est égal. Ça m'est égal. It's all the same (to me).

C'est dommage. That's a pity. It's too bad.

Tant pis! Tant mieux! So much the worse. So much the better!

C'est entendu. D'accord! It is agreed. O.K.

S'il te plaît, s'il vous plaît. Please!

À tout à l'heure! See you later.

[6] PUNCTUATION

French punctuation, though similar to English, has the following major differences:

(a) The comma is not used before **et** or **ou** in a series.

Elle a laissé tomber le livre, le stylo et le crayon.	*She dropped the book, the pen and the pencil.*

(b) In numbers, French uses a comma where English uses a period and a period where English uses a comma.

7.100 (sept mille cent)	*7,100 (seven thousand one hundred)*
7,25 (sept virgule vingt-cinq)	*7.25 (seven point twenty five)*

(c) French final quotation marks, contrary to English, precede the comma or period; however, the quotation mark follows a period if the quotation mark closes a completed statement.

Elle demande: «Est-ce que tu m'aimes?» - «Oui», répond-il.	*She asks:"Do you love me?"* *— "Yes," he answers.*

[7] SYLLABICATION

French words are generally divided at the end of a line according to units of sound or syllables. A French syllable generally begins with a consonant and ends with a vowel.

(a) If a single consonant comes between two vowels, the division is made before the consonant.

ba-**la**-der   pré-**cis**   cou-**teau**

NOTE: A division cannot be made either before or after **x** or **y** when they come between two vowels.

tuyau   **exact**

(b) If two consonants are combined between the vowels, the division is made between the two consonants.

es-**p**oir   al-ler   chan-ter

NOTE: If the second consonant is **r** or **l**, the division is made before the two consonants.

sa-**ble**   pro-**pre**

(c) If three or more consonants are combined between the vowels, the division is made after the second consonant.

o**bs**-ti**né**   co**mp**-ter   **ins**-ta**ller**

(d) Two vowels may not be divided.

o**a**-sis   th**éâ-tre**   es-p**ion**

[8] Some Common Proverbs

À bon chat, bon rat.
Tit for tat.

À chacun son goût.
Everyone to his own taste.

Aide-toi, le ciel t'aidera.
Heaven helps those who help themselves.

Après la pluie, le beau temps.
Every cloud has a silver lining. (= Good weather follows the rain.)

À qui se lève le matin, Dieu prête la main.
The early bird catches the worm.

C'est le premier pas qui coûte.
It's the first step that counts. (= that is the most difficult)

En forgeant, on devient forgeron.
Practice makes perfect. (= by forging, you become a blacksmith)

Il faut battre le fer quand il est chaud.
Strike while the iron is hot.

Il n'y a pas de rose sans épine.
There is no rose without thorns.

La parole est d'argent; le silence est d'or.
Speech is silver, but silence is golden.

Les petits ruisseaux font les grandes rivières.
Great oaks from little acorns grow. (=little streams become large rivers)

Loin des yeux, loin du cœur.
Out of sight, out of mind.

Mieux vaut tard que jamais.
Better late than never.

Petit à petit, l'oiseau fait son nid.
Rome was not built in a day.(=little by little, the bird builds its nest)

Pierre qui roule n'amasse pas mousse.
A rolling stone gathers no moss.

Qui ne dit mot consent.
Silence gives consent.

Qui s'excuse s'accuse.
He who excuses himself accuses himself.

Qui se ressemble s'assemble.
Birds of a feather flock together.

Rira bien qui rira le dernier.
He who laughs last laughs best.

Tout nouveau, tout beau.
A new broom sweeps clean.

Vouloir, c'est pouvoir.
Where's there's a will, there's a way

French-English Vocabulary

The French–English vocabulary is intended to be complete for the context of this book.

Irregular plurals are given in full: **œil** *(m.) (pl.* **yeux***).* Irregular feminine forms are also given in full: **beau** *(f.* **belle***).* Regular feminine forms are indicated by showing the ending that is added to the masculine forms: **petit(e), bon(ne),** or the ending that replaces the masculine ending: **généreux (–euse).**

An asterisk (*) indicates an aspirate **h: le héros.**

ABBREVIATIONS

(adj.)	adjective	*(f.)*	feminine
(adv.)	adverb	*(m.)*	masculine
(coll.)	colloquial	*(m/f)*	masculine or feminine
(p.p.)	past participle	*(pl.)*	plural

à at, to

abbaye *(f.)* abbey

abeille *(f.)* bee

abondant(e) plentiful

(s') abonner to subscribe

abord: d'abord at first

aboyer to bark

absolu(e) absolute

absolument absolutely

abstrait(e) abstract

abus *(m.)* abuse

académie *(f.)* academy

accepter to accept

accès *(m.)* access

accessoire *(m.)* accessory

accompagner to accompany

accomplissement *(m.)* completion

accord *(m.)* agreement; **d'accord** OK, agreed

accueil *(m.)* welcome

accuser to accuse

achat *(m.)* purchase

acheter to buy

achever to complete, finish

acier *(m.)* steel

acteur *(m.) (f.* **actrice***)* actor

actif (–ive) active

activement actively

activité *(f.)* activity

actuel(le) current, present

addition *(f.)* check

adjectif *(m.)* adjective

admettre *(p.p.* **admis***)* to admit

administrateur (–trice) administrator

administratif (–ive) administrative

admirateur (–trice) admirer

admirer to admire

admis *(p.p.* of **admettre***)* accepted

adolescent(e) teenager

adopter to adopt

adorer to adore

adresse *(f.)* address

adversaire *(m.)* adversary, opponent

aérien(ne) overhead; air

aéronautique *(f.)* aeronautics

aéroport *(m.)* airport

aérospatiale *(f.)* aerospace industry

affaire *(f.)* affair; **affaires** *(f. pl.)* business; belongings

affiche *(f.)* poster

afficher to put up

affirmer to assert

afin de in order to

africain(e) African

âge *(m.)* age

agé(e) old

agenda *(m.)* memo book

agent de police *(m.)* police officer

agir to act

agneau *(m.)* lamb

agrandir to enlarge

agréable agreeable, nice

agressif (–ve) aggressive

agricole agricultural

agriculteur (–trice) farmer

aide *(f.)* aid, help

aider to help

aimable friendly, kind

aimer to like, love; **aimer mieux** to prefer

aîné(e) older, oldest

ainsi thus; **ainsi que** as well as

air *(m.)* air; **avoir l'air (de)** to appear, seem; **en plein air** outdoors; **prendre l'air** to get some air

ajouter to add

alarme *(f.)* alarm

alcool *(m.)* alcohol

aligner to align
alimentaire food
aliments *(m. pl.)* food
allée *(f.)* alley
Allemagne *(f.)* Germany
allemand(e) German
aller to go; **s'en aller** to go away
alliance *(f.)* wedding ring
allié(e) allied
allumer to light, turn on
alors then, thus, so; **alors que** when
alpin(e) alpine
alpinisme *(m.)* mountain climbing
amaigrissant(e) reducing
ambassade *(f.)* embassy
ambassadeur *(m.)* ambassador
ambitieux (-euse) ambitious
améliorer to improve
amener to bring; lead to
américain(e) American
ami *(m.)* (e) friend; **petit ami** boyfriend; **petite amie** *(f.)* girlfriend
amiral *(m.)* *(pl. -aux)* admiral
amitié *(f.)* friendship
amour *(m.)* love
amoureux (-euse) in love; **tomber amoureux** to fall in love
amphithéâtre *(m.)* amphitheater
amusant(e) fun, amusing
amusement *(m.)* fun
amuser to amuse; **s'amuser** to have a good time, to have fun
an *(m.)* year; **avoir... ans** to be . . . years old
analyse *(f.)* analysis
analytique analytical
ananas *(m.)* pineapple
ancien(ne) old, ancient, former
anglais(e) English
Angleterre *(f.)* England

animal *(m.)* *(pl. -aux)* animal; **animal domestique** pet
animé(e) animated
année *(f.)* year
anniversaire *(m.)* birthday
annonce *(f.)* advertisement; announcement; **annonce publicitaire** advertisement; **petite annonce** classified ad
annoncer to announce
annuaire *(m.)* phone book
antipathique nasty
anxieux (-euse) anxious
août *(m.)* August
apparaître *(p.p. **apparu**)* to appear
appareil *(m.)* apparatus; **appareil ménager** appliance; **appareil-photo** camera
appartement *(m.)* apartment
appartenir (à) to belong (to)
appel *(m.)* call
appeler to call; **s'appeler** to be named, call oneself
appétissant(e) appetizing
appétit *(m.)* appetite
applaudir to applaud
appliquer to apply; **s'appliquer** to apply oneself
apporter to bring
apprécier to appreciate
apprendre *(p.p. **appris**)* to learn; **apprendre (à)** to learn, to teach; **apprendre par cœur** to memorize
approcher to approach; **s'approcher (de)** to come near
approprié(e) appropriate
approuver to approve
appuyer to lean; **s'appuyer (contre)** to lean (against)
après after, afterward; **après tout** after all; **d'après** according to
après-demain the day after

tomorrow
après-midi *(m.)* afternoon
aqueduc *(m.)* aqueduct
arbitre *(m.)* referee
arbre *(m.)* tree
archéologue *(m. /f.)* archaeologist
architecte *(m.)* architect
arène *(f.)* arena
argent *(m.)* money, silver; **argent liquide** cash; **argent de poche** spending money
argenterie *(f.)* silverware
armée *(f.)* army
armoire *(f.)* wardrobe
arracher to pull out
arranger to arrange
arrêt *(m.)* stop
arrêter to stop; to arrest; **s'arrêter (de)** to stop
arrivée *(f.)* arrival
arriver to arrive, to come; to happen
arrondissement *(m.)* administrative district
arroser to water
artichaut *(m.)* artichoke
artificiel(le) artificial
artifice: feu *(m.)* **d'artifice** fireworks
artiste *(m. /f.)* artist
artistique artistical
ascenseur *(m.)* elevator
aspirateur *(m.)* vacuum cleaner; **passer l'aspirateur** to vacuum
aspirine *(f.)* aspirin
assaisonner to season
assaut *(m.)* assault
assemblée *(f.)* assembly
assez enough; rather
assiette *(f.)* plate
assimiler to assimilate
assis(e) seated
assister (à) to attend
associer (à) to associate (to)

assurance *(f.)* insurance

assurer to assure; to insure; to ensure

astronaute *(m. /f.)* astronaut

astronome *(m. /f.)* astronomer

astronomique astronomical

atelier *(m.)* studio

athlète *(m. /f.)* athlete

athlétisme *(m.)* track and field

attaché(e) attached

attaquant(e) attacker

attaquer to attack

atteindre *(p.p. atteint)* to reach

attendre to wait (for); **s'attendre à** to expect

attentif (-ive) attentive

attention *(f.)* attention; **faire attention (à)** to pay attention (to)

attentivement attentively

atterrir to land

atterrissage *(m.)* landing

attirer to attract

attraction *(f.)* attraction; **parc d'attractions** *(m.)* amusement park

attraper to catch

avare miser(ly)

au *(pl. aux)* at the, to the

aucun(e) any; **ne...aucun(e)** not any

augmenter to increase

aujourd'hui today

auparavant before

auprès de next to

auquel *(pl. auxquels, f. à laquelle, f. pl. auxquelles)* to which (one[s])

aussi also, too; as

aussitôt right away, **aussitôt que** as soon as

autant as much, as many; **autant que** as much as

auteur *(m.)* author; **auteur dramatique** playwright

auto *(f.)* car; **en auto** by car

autobiographie *(f.)* autobiography

autobus *(m.)* bus

automatiser to automate

automne *(m.)* fall, autumn

automobiliste *(m. /f.)* car driver

autoriser to authorize

autorité *(f.)* authority

autoroute *(f.)* highway

autour (de) around

autre other; another

autrefois formerly, in the past

autrement otherwise

avance *(f.)* advance; à **l'avance** in advance; **d'avance** in advance, beforehand

avant (de) before

avant-hier the day before yesterday

avantage *(m.)* advantage

avantageux (-euse) advantageous

avec with

avenir *(m.)* future

aventure *(f.)* adventure

aventureux (-euse) adventurous

avertir to warn

aveugle blind

aveuglément blindly

avion *(m.)* airplane; **en avion** by plane

avis *(m.)* opinion, advice; **à mon avis** in my opinion

avocat(e) lawyer

avoir *(p.p. eu)* to have

avril *(m.)* April

bac *(m.)* **(baccalauréat)** high-school degree

bagages *(m. pl.)* luggage

bague *(f.)* ring; **bague de fiançailles** engagement ring

(se) baigner to bathe

bail *(m.)* lease

bain *(m.)* bath; **bain de soleil** sun bath; **maillot de bain** *(m.)* bathing suit; **salle de bains** *(f.)* bathroom

bal *(m.)* dance

baladeur *(m.)* Walkman

balcon *(m.)* balcony

balle *(f.)* ball

ballon *(m.)* balloon; ball

balnéaire: station balnéaire *(f.)* seaside resort

banane *(f.)* banana

banc *(m.)* seat, bench

bande *(f.)* band, strip; **bande dessinée** comic strip

banlieue *(f.)* suburb

banque *(f.)* bank

barbare barbarian

barbe *(f.)* beard

bas(se) low; **en bas** downstairs; **à voix basse** in a low voice; **au bas (de)** at the bottom (of)

base-ball *(m.)* baseball

baser to base; **se baser** to be based on

basilique *(f.)* basilica

basket *(f.)* sneaker (shoe)

basket-ball *(m.)* basketball

bataille *(f.)* battle

bataillon *(m.)* battalion

bateau *(m.)* *(pl. -aux)* boat; **bateau à voile** sailboat; **bateau-mouche** sightseeing boat

bâtiment *(m.)* building

bâtir to build

batterie *(f.)* drums

bavard (e) talkative

bavarder to chat

bavette *(f.)* sirloin steak

beau, bel *(f. belle)* beautiful, handsome; **faire beau** to be beautiful *(weather)*

beaucoup (de) a lot (of), many, much

beauté *(f.)* beauty

bébé *(m.)* baby
Belgique *(f.)* Belgium
bénéficier to benefit
besoin *(m.)* need; **avoir besoin de** to need
bétail *(m.)* livestock
bête stupid, silly, foolish
bêtise *(f.)* stupidity, stupid thing
betterave *(f.)* beet
beurre *(m.)* butter
bibliothécaire *(m./f.)* librarian
bibliothèque *(f.)* library
bicyclette *(f.)* bicycle; **monter à bicyclette** to go bicycling
bien well; **aller bien** to feel well; **bien des** a good many; **bien que** although; **bien sûr** of course
bientôt soon; **à bientôt** see you soon
bienvenue *(f.)* welcome
bifteck *(m.)* steak
bijou *(m.)* *(pl.* **bijoux)** jewel
bijouterie *(f.)* jewelry store
bilingue bilingual
billet *(m.)* ticket
biographique biographical
biologiste *(m./f.)* biologist
biscuit *(m.)* cookie
bise *(f.)* *(coll.)* kiss
blanc(he) white; *(m.)* egg white
blé *(m.)* wheat
blesser to hurt; **se blesser** to hurt oneself
bleu(e) blue
bœuf *(m.)* ox; beef; **bœuf bourguignon** beef stew
boire *(p.p.* **bu)** to drink
bois *(m.)* wood; woods
boisson *(f.)* drink
boîte *(f.)* box, can; **boîte aux lettres** mailbox; **boîte de conserve** can
bol *(m.)* bowl
bon(ne) good; **bon**

anniversaire happy birthday; **bon marché** inexpensive; **bonne année** happy new year; **bonne chance** good luck; **de bonne heure** early; **faire bon** to be fine *(weather)*
bonbon *(m.)* candy
bonheur *(m.)* happiness
bonhomme *(m.)* **de neige** snowman
bonjour hello
bord *(m.)* edge; **bord de la mer** seashore
border to edge, line
botte *(f.)* boot
boucher (-ère) butcher
boucherie *(f.)* butcher shop
bouclé(e) curly
bouger to move
bouillabaisse *(f.)* fish stew
bouillir to boil
boulanger (-ère) baker
boulangerie *(f.)* bakery
boule *(f.)* ball; **boule de neige** snowball
bouleversé(e) upset
boum *(f.)* party
bouquiniste *(m./f.)* bookseller
Bourgogne *(f.)* Burgundy
bourse *(f.)* scholarship; stock market
boussole *(f.)* compass
bouteille *(f.)* bottle
branche *(f.)* branch
bras *(m.)* arm
bref *(f.* **brève)** brief
Bretagne *(f.)* Brittany
brièvement briefly
brillant(e) brilliant
briller to shine
brochette *(f.)* skewer
bronzer se bronzer to tan; **crème** *(f.)* **à bronzer** tanning cream
brosse *(f.)* brush; **brosse à**

dents toothbrush
brosser to brush; **se brosser** to brush oneself
bruit *(m.)* noise
brûler to burn; **se brûler** to burn oneself
brun(e) brown, brunette
brusquement abruptly
buissonnière: faire l'école buissonnière to play hooky
bureau *(m.)* desk; office; **bureau de change** money exchange; **bureau des objets trouvés** lost and found; **bureau de poste** post office
buste *(m.)* bust
but *(m.)* goal; **gardien de but** goal keeper

ça that; **ça ne fait rien** it doesn't matter; **ça va?** how are you? **Ça va.** Fine.
cabinet *(m.)* office
cacher to hide; **se cacher** to hide oneself
cachet *(m.)* tablet
cadeau *(m.)* gift, present
cadet(te) younger
café *(m.)* coffee, café; **café crème** coffee with cream
cahier *(m.)* notebook
caisse *(f.)* cash register
caissier (-ière) cashier
calcul *(m.)* arithmetic
calculer to calculate
calculette *(f.)* calculator
calendrier *(m.)* calendar
calme *(m.)* calmness; *(adj.)* calm
calmement calmly
camarade *(m./f.)* pal, friend
Cambodge *(m.)* Cambodia
caméra *(f.)* movie camera
camion *(m.)* truck
campagne *(f.)* country, campaign
camper to camp

camping: faire du camping to go camping

canadien(ne) Canadian

canard *(m.)* duck

candidat(e) candidate

cantine *(f.)* cafeteria

caoutchouc *(m.)* rubber

capitaine *(m.)* captain

capitale *(f.)* capital

capturer to capture, seize, arrest

car because

car *(m.)* tour bus

caractère *(m.)* character; **caractères gras** boldface type

caractériser to be characteristic of

caractéristique *(f.)* characteristic

Caraïbe Caribbean

carnaval *(m.)* carnival

carnet *(m.)* notebook; **carnet de chèques** checkbook

carotte *(f.)* carrot

carré(e) square

carrière *(f.)* career

cartable *(m.)* school bag

carte *(f.)* card, map, menu; **carte d'identité** identification card; **carte de crédit** credit card; **carte postale** postcard; **carte routière** road map

cartésien Cartesian; **esprit** *(m.)* **cartésien** logical mind

cas *(m.)* case; **en cas de** in case of; **en tout cas** in any case

case *(f.)* box

casquette *(f.)* cap

cassation: cour *(f.)* **de cassation** court of appeal

(se) casser to break

catégorie *(f.)* category

cathédrale *(f.)* cathedral

catholicisme *(m.)* Catholicism

cauchemar *(m.)* nightmare

cause *(f.)* cause; **à cause de** because of

ce it, he, she, they; this, that; **ce que** that which, what; **ce qui** that which, what; **c'est** it is

ceci this

cela that; **cela m'est égal** it's all the same to me; **cela ne fait rien** it doesn't matter

célèbre famous

célébrer to celebrate

céleste celestial

celle *(pl.* **celles***)* the one, that, this

celtique celtic

celui *(pl.* **ceux***)* the one, that, this; **celui-ci** the latter; **celui-là** the former

cendre *(f.)* ash

cent (one) hundred

centaine *(f.)* about a hundred

centimètre *(m.)* centimeter

centraliser to centralize

centre *(m.)* center; **centre commercial** shopping mall

cependant however

céramique *(f.)* ceramic

cercle *(m.)* circle; club

céréale *(f.)* cereal

cérémonie *(f.)* ceremony

cerf *(m.)* deer

cerise *(f.)* cherry

certainement certainly, surely

ces these, those

cesser to stop

cet(te) *(pl.* **ces***)* this, that

ceux *(m. pl.)* the ones, those, these

chacun(e) each one

chaîne *(f.)* chain; **chaîne stéréo** stereo; **chaîne de montagnes** mountain range

chaise *(f.)* chair

chaleureux (-euse) warm

chambre (à coucher) *(f.)* bedroom

champ *(m.)* field

championnat *(m.)* championship

chance *(f.)* luck; **avoir (de) la chance** to be lucky; **bonne chance** good luck

change *(m.)* change, exchange, **bureau** *(m.)* **de change** money exchange

changeant(e) changeable

changement *(m.)* change

changer (de) to change; **changer d'avis** to change one's mind

chanson *(f.)* song

chant *(m.)* song, singing

chanter to sing

chanteur (-euse) singer

chapeau *(m.) (pl.* **-aux***)* hat

chapelain *(m.)* chaplain

chapelle *(f.)* chapel

chapitre *(m.)* chapter

chaque each

charcuterie *(f.)* delicatessen

charger to load; to entrust

charmant(e) charming

charme *(m.)* charm, spell

chasser to chase, hunt

chat(te) cat

châtaigne *(f.)* chestnut

château *(m.) (pl.* **-aux***)* castle

chaud(e) warm, hot; **avoir chaud** to be hot *(of persons)*; **faire chaud** to be warm/hot *(weather)*

chauffer to heat, warm

chaussette *(f.)* sock

chaussure *(f.)* shoe

chef *(m.)* chef, cook, chief, head; **chef d'état** head of state; **chef-d'oeuvre** masterpiece

chemin *(m.)* road; **chemin de fer** railroad

cheminée *(f.)* fireplace

chemise *(f.)* shirt
chemisier *(m.)* blouse
chèque *(m.)* check; **chèque de voyage** traveler's check
cher (-ère) dear; expensive
chercher to look for, search
chercheur (-euse) researcher
cheval *(m.) (pl. -aux)* horse; **à cheval** on horseback; **faire du cheval** to go horseback riding
cheveu *(m.) (pl. -eux)* hair *(one strand)*
chèvre *(f.)* goat
chez to/at (the house/place of)
chic stylish, fashionable
chien(ne) dog
chiffre *(m.)* number
chimie *(f.)* chemistry
chimique chemical
chimiste *(m./f.)* chemist
chocolat *(m.)* chocolate; hot chocolate
choisir (de) to choose (to)
choix *(m.)* choice
choquer to shock
chose *(f.)* thing
chou *(m.) (pl. choux)* cabbage
choucroute *(f.)* sauerkraut
christianisme *(m.)* Christianity
chute *(f.)* fall; **saut** *(m.)* **en chute libre** sky-diving
ci-dessous below
cidre *(m.)* cider
ciel *(m.)* heaven, sky
ciné-club *(m.)* film club
cinéma *(m.)* movies
cinq five
cinquante fifty
cinquième fifth
circonstance *(f.)* circumstance
circulation *(f.)* traffic
cirque *(m.)* circus
cité *(f.)* city
citer to list, quote
citoyen(ne) citizen

citron *(m.)* lemon; **citron pressé** fresh lemonade
citronnade *(f.)* lemonade
clair(e) clear
clairement clearly
clarté *(f.)* clarity
classe *(f.)* class; **classe de neige** snow class; **salle de classe** classroom
classeur *(m.)* looseleaf notebook
classicisme *(m.)* classicism
classique classical
clavecin *(m.)* harpsichord
clef *(f.)* key
client(e) customer
climat *(m.)* climate
clou *(m.)* nail
cocher to check
code postal *(m.)* zip code
cœur *(m.)* heart; **de bon cœur** willingly
coffre *(m.)* trunk
coiffe *(f.)* headdress
coiffeur (-euse) hairdresser
colère *(f.)* anger; **se mettre en colère** to become angry
colis *(m.)* package
collaborateur (-trice) collaborator
collaborer to collaborate
collectionner to collect
collège *(m.)* secondary school
collègue *(m./f.)* colleague
collier *(m.)* necklace
colline *(f.)* hill
colonie *(f.)* colony; **colonie de vacances** camp
colonne *(f.)* column
combien (de) how many, much
combiner to combine
comédie *(f.)* comedy
comète *(f.)* comet
comique comical, funny
commande *(f.)* control, order
commander to order

comme as, like
commémorer to commemorate
commencement *(m.)* beginning
commencer to begin
comment how
commentaire *(m.)* commentary
commérage *(m.)* gossip
commerçant(e) merchant
commercial(e) commercial; **centre** *(m.)* **commercial** shopping mall
commettre to commit
commun(e) common
communauté *(f.)* community
compact *(m.)*, **disque** *(m.)* **compact** CD
compagnie *(f.)* company
comparer to compare
complet (-ète) complete
complètement completely
compléter to complete
compliqué(e) complicated
comporter to involve, include, require; **se comporter** to behave
composer to compose, dial
compositeur (-trice) composer
comprendre *(p.p. compris)* to understand, comprise, include
compte *(m.)* account; **compte-chèques** checking account; **compte épargne** savings account; **se rendre compte de** to realize
compter to count; to intend
comte *(m.)* count
comtesse *(f.)* countess
(se) concentrer to concentrate
concierge *(m./f.)* concierge, superintendant
concours *(m.)* race, contest
condamner to condemn
conducteur (-trice) driver
conduire *(p.p. conduit)* to

drive; **permis** *(m.)* **de conduire** driver's license

conduite *(f.)* behavior, driving

confiance *(f.)* confidence, trust

confier to trust; **se confier à** to confide in

confirmer to confirm

confiture *(f.)* jelly, jam

confortable comfortable

congé *(m.)* time off; **jour de congé** day off

connaissance *(f.)* acquaintance, knowledge; **faire la connaissance de** to meet

connaître *(p.p.* **connu)** to know, to be acquainted with

conquérant *(m.)* conqueror

conquérir to conquer

conquête *(f.)* conquest

consacré(e) devoted

consciencieusement conscientiously

consciencieux (-euse) conscientious

conseil *(m.)* advice; council

conseiller (-ère) counselor

conseiller to advise

consentir (à) to consent (to)

conséquent(e) consistent; **par conséquent** consequently

conserver to conserve, save

conserve *(f.)* canned food; **boîte** *(f.)* **de conserve** can

considérer to consider

consolider to strengthen

consommer to consume

constamment constantly

constater to notice, observe

constitutionnel(le) constitutional

constructeur (-trice) builder

construire *(p.p.* **construit)** to construct, build

consulter to consult

conte *(m.)* tale, short story

contemporain(e)

contemporary, modern

contenir *(p.p.* **contenu)** to contain

content(e) content, happy

continuellement continuously

continuer to continue

contraire *(m.)* opposite; **au contraire** on the contrary

contravention *(f.)* (parking) ticket

contre against

contredire *(p.p.* **contredit)** to contradict

contribuer to contribute

contrôle *(m.)* control; test

contrôler to control

convenir to fit

convertir to convert

coopérer to cooperate

copain *(m.)* (*f.* **copine**) friend, pal

copier to copy

coq *(m.)* rooster; **coq au vin** chicken in wine sauce

corbeille *(f.)* basket; **corbeille à papier** wastebasket

corps *(m.)* body

correctement correctly

correspondant(e) pen pal

correspondre to correspond; to exchange letters

corriger to correct

Corse *(f.)* Corsica

côte *(f.)* coast

côté *(m.)* side; **à côté (de)** next (to); **de côté** aside

coton *(m.)* cotton

coucher (m.) setting; **coucher de soleil** sunset

coucher to put to bed; **se coucher** to go to bed

couleur *(f.)* color

couloir *(m.)* hallway

coup *(m.)* blow; **coup d'œil** glance; **coup de foudre** love at first sight; **coup de soleil**

sunburn; **coup de téléphone** telephone call; **coup de tonnerre** thunderclap

coupe *(f.)* cup; haircut

couper to cut

cour *(f.)* courtyard; court

courageux (-euse) courageous

couramment fluently

courant *(m.)* current

courir *(p.p.* **couru)** to run

couronner to crown

courrier *(m.)* mail

cours *(m.)* course, subject

course *(f.)* errand; race; **faire des courses** to go shopping

court(e) short

coussin *(m.)* cushion

couteau *(m.)* knife

coûter to cost; **coûter cher** to be expensive

coutume *(f.)* custom

couvert *(m.)* place setting; **mettre le couvert** to set the table

couvert(e) covered; **piscine couverte** indoor pool

couverture *(f.)* cover, blanket

couvrir *(p.p.* **couvert) (de)** cover (with); **se couvrir** to cover oneself

craie *(f.)* chalk; **bâton** *(m.)* **de craie** stick of chalk

craquer to crack

cravate *(f.)* tie

crayon *(m.)* pencil

créateur (-trice) creator

créativité *(f.)* creativity

créer *(p.p.* **créé)** to create

crème *(f.)* cream; **crème à bronzer** tanning cream; **crème solaire** suntan creme

crémerie *(f.)* dairy store

crêpe *(f.)* crêpe, pancake

cri *(m.)* cry

crier to shout

criminel(le) criminal

crise *(f.)* crisis
cristal *(m.)* crystal
critique *(f.)* criticism; review; *(m./f.)* critic
critiquer to criticize
croire *(pp.* **cru**) to believe
croisade *(f.)* crusade
croisière *(f.)* cruise; **faire une croisière** to take a cruise
croissant *(m.)* crescent roll
croix *(f.)* cross, checkmark
croque-monsieur *(m.)* grilled ham and cheese sandwich
cruellement cruelly
cueillir to pick *(flowers)*
cuiller (or: **cuillère**) *(f.)* spoon
cuire to cook
cuisine *(f.)* kitchen; cooking; **faire la cuisine** to cook
cuisiner to cook
cuisinier (-ière) cook; **cuisinière** *(f.)* stove
cultiver to cultivate; to grow *(plant)*
culturel(le) cultural
curieux (-euse) curious, strange
curiosité *(f.)* curiosity
cyclisme *(m.)* cycling
cycliste *(m./f.)* cyclist
cygne *(m.)* swan

dame *(f.)* lady; **jeu** *(m.)* **de dames** checkers
dangereux (-euse) dangerous
dans in, into, within
danse *(f.)* dance
danser to dance
danseur (-euse) dancer
dater to date
davantage more
de of, about, from
déballer to unwrap, unpack
débarquer to land, disembark
débarquement *(m.)* landing; D-day

débarrasser to clear up
débat *(m.)* debate
début *(m.)* beginning
décembre *(m.)* December
décentraliser to decentralize
déchiffrer to decipher
décider (de) to decide (to)
décision *(f.)* decision
déclarer to declare
décoiffé(e) disheveled
décomposer to break down
décorateur *(m.)* (-trice) designer; interior decorator
décoratif (-ve) decorative
décoration *(f.)* decoration
décorer to decorate
découverte *(f.)* discovery
découvrir *(p.p.* **découvert**) to discover
décrire *(p.p.* **décrit**) to describe
décrocher to take down; to pick up (phone)
défaite *(f.)* defeat
défendre to defend; to forbid
défenseur *(m.)* champion
défi *(m.)* challenge
défilé *(m.)* parade
défini(e) definite
déformer to distort
degré *(m.)* degree
dehors outside
déjà already
déjeuner *(m.)* lunch; **petit déjeuner** breakfast
déjeuner to eat lunch
délicat(e) delicate
délicieux (-euse) delicious
délivrer to free, deliver
demain tomorrow; **à demain** see you tomorrow
demande *(f.)* application, demand
demander to ask (for); **demander pardon** to ask forgiveness; **se demander** to

wonder
démarrer to start (up)
déménager to move *(to another residence)*
déménageur *(m.)* mover
demeurer to live, stay
demi(e) half; **demi-heure** *(f.)* half-hour
démocratie *(f.)* democracy
démocratique democratic
démontrer to demonstrate, prove
dénoncer to denounce
dent *(f.)* tooth; **brosse à dents** toothbrush
dentelle *(f.)* lace
dentiste *(m./f.)* dentist
départ *(m.)* departure
département *(m.)* department
dépasser to go over, surpass
dépêcher to dispatch; **se dépêcher** to hurry
dépense *(f.)* expenditure
dépenser to spend *(money)*
déplacer to move
déposer to put down, leave, deposit
déprimé(e) depressed
depuis for, since
député *(m.)* representative
déranger to bother, disturb
dériver to derive
dernier (-ière) last
derrière behind
des some; of the; from the; about the
désaccord *(m.)* disagreement
désastre *(m.)* disaster
désastreux (-euse) disastrous
descendre to go down; to take down
désespéré(e) hopeless
désespoir *(m.)* despair
déshabiller to undress; **se déshabiller** to get undressed
désigner to name

désirer to desire, want
désobéir(à) to disobey
désolé(e) sorry
désordre *(m.)* disorder
désormais from now on, henceforth
desquels *(f. desquelles)* of which (ones)
dessin *(m.)* drawing, design; **dessin animé** cartoon
dessiné(e) drawn, designed; **bande** *(f.)* **dessinée** comic strip
dessiner to draw
dessous beneath, below
dessus above
destin *(m.)* fate
destinée *(f.)* destiny
détail *(m.)* detail
détenir to hold, detain
déterminer to determine
détester to hate
détruire to destroy
dette *(f.)* debt
deux two
deuxième second
devant in front (of)
développement *(m.)* development
développer to develop
devenir *(p.p.* **devenu)** to become
devoir to owe; to have to
devoirs *(m. pl.)* homework
dialecte *(m.)* dialect
diamant *(m.)* diamond
diamètre *(m.)* diameter
dictée *(f.)* dictation
dictionnaire *(m.)* dictionary
différemment differently
différent(e) different
difficile difficult
diligent(e) hard working
dimanche *(m.)* Sunday
dimensionnel(le) dimensional
diminuer to reduce, diminish

dîner to dine, eat dinner
dîner *(m.)* dinner
diphtérie *(f.)* diphtheria
diplomate *(m./f.)* diplomat
diplôme *(m.)* diploma
dire *(p.p.* **dit)** to say, tell; **vouloir dire** to mean
directement directly
directeur (-trice) director, principal
diriger to direct
discothèque *(f.)* *(coll.* **disco)** discotheque
discours *(m.)* speech
discret (-ète) discreet
discuter (de) to discuss
disparaître *(p.p.* **disparu)** to disappear
disperser to disperse
disposition *(f.)* disposal
dispute *(f.)* quarrel
(se) disputer (avec) to quarrel (with)
disque *(m.)* record; **disque compact** compact disc, C.D.; **disque vidéo** laser disc
disquette *(f.)* diskette
dissoudre to dissolve
distinguer to distinguish; **se distinguer** to stand out
distribuer to distribute
divan *(m.)* sofa
divers(e) different
diversifier to diversify
divertissement *(m.)* diversion
diviser to divide
dix ten
dix-huit eighteen
dix-neuf nineteen
dix-sept seventeen
docteur *(m.)* doctor
documentaire *(m.)* documentary
doigt *(m.)* finger
doit *see* **devoir**
domaine *(m.)* estate; sector

domestique *(m./f.)* servant, domestic; **animal** *(m.)* **domestique** pet
domicile *(m.)* home, residence
dominer to dominate
dommage *(m.)* harm; pity, shame
donc therefore
donner to give
dont of which
dormir to sleep
dos *(m.)* back; **sac** *(m.)* **à dos** backpack
doucement softly, gently
doué(e) talented
douleur *(f.)* pain
doute *(m.)* doubt
douter to doubt
douteux (-euse) doubtful
doux *(f.* **douce)** sweet, mild, gentle
douzaine *(f.)* dozen
douze twelve
drame *(m.)* drama
drap *(m.)* sheet
drapeau *(m.)* flag
dresser to raise, put up
droit *(m.)* right, law
droit(e) right, straight; **à droite (de)** to the right (of); **tout droit** straight ahead
drôle funny; strange
drôlement *(coll.)* really
druide *(m.)* druid
du some, any, of the; **du moins** at least
duc *(m.)* duke
duquel of which (one)
dur(e) hard
durant during
durer to last
dynastie *(f.)* dynasty

eau *(f.)* water; **eau minérale** mineral water
échalotte *(f.)* shallot

écharpe *(f.)* scarf

échecs *(m. pl.)* chess

éclairer to light

éclater to burst out; **éclater de rire** to burst out laughing

école *(f.)* school; **faire l'école buissonnière** to play hooky

économie *(f.)* economy

économique economic(al)

écouter to listen (to)

écran *(m.)* screen

écrire *(p.p. **écrit**)* to write; **machine** *(f.)* **à écrire** typewriter

écriture *(f.)* writing

écrivain *(m.)* writer

écurie *(f.)* stable

édifice *(m.)* building

édit *(m.)* edict

éditeur (-trice) publisher

éducatif (-ive) educational

éducation *(f.)* **physique** gym

effacer to erase

effet *(m.)* effect

effrayant frightening

effrayer to frighten

égal *(pl. **-aux**)* equal; **cela m'est égal** it's all the same to me

également equally, as well

égalité *(f.)* equality

égard consideration; **à son égard** on his/her account

église *(f.)* church

égoïste selfish

élaborer to develop

électeur (-trice) voter

électoral(e) electoral

électrique electric

électronique electronic

élégant(e) elegant

élément *(m.)* element

éléphant *(m.)* elephant

élevage *(m.)* breeding *(cattle)*

élève *(m./f.)* student, pupil

élever to raise, bring up;

bien/mal élevé(e) well/badly brought up

éliminer to eliminate

élire *(p.p. **élu**)* to elect

élite *(f.)* elite

elle she, it, her,

elles they, them

éloigner to move away; **s'éloigner (de)** to move away (from)

emballer to wrap, pack

embarrassé(e) embarrassed

emblème *(m.)* emblem

embouchure *(f.)* mouth *(river)*

embrasser to kiss

émerger to emerge

émetteur *(m.)* transmitter

émission *(f.)* (TV) program

emmener to take away, lead away

émotion *(f.)* emotion

empêcher (de) to prevent (from)

empereur *(m.)* emperor

emploi *(m.)* job; **emploi du temps** schedule, program

employé(e) employee

employer to use

employeur *(m.)* employer

emporter to take away

emprisonner to jail

emprunter (à) to borrow (from)

en in, to; about it/them, from it/them, of it/them; from there

enchanté(e) delighted

encore still, yet, again; **encore une fois** again; **pas encore** not yet

encourager to encourage

encre *(f.)* ink

encyclopédie *(f.)* encyclopedia

endormir to put to sleep; **s'endormir** to fall asleep

endroit *(m.)* place

énergie *(f.)* energy

énergique energetic

énerver to bother, annoy; **s'énerver** to get annoyed

enfance *(f.)* childhood

enfant *(m./f.)* child; **petits-enfants** *(m.)* grandchildren

enfin at last, finally

engagé(e) engaged, hired

engager to engage, hire; **s'engager à** to commit oneself to

engin *(m.)* machine

enlever to remove, take off

ennemi(e) enemy

ennui *(m.)* boredom, problem

ennuyer to bore; to bother; **s'ennuyer** to be bored

ennuyeux (-euse) annoying, boring

énorme enormous

énormément enormously, a great deal

enquête *(f.)* survey; investigation

enquêter to investigate

enregistrer to record

enseigner to teach

enseignement *(m.)* teaching

ensemble together

ensoleillé(e) sunny

ensuite then

entendre to hear; **s'entendre (avec)** to get along (with)

enthousiasmer to enthuse

entier (-ère) entire, whole

entourer to surround

(s') entraîner to train

entraîneur *(m.)* coach

entre between, among

entrée *(f.)* entrance

entrer to enter, go in

entrevue *(f.)* interview

envahir to invade

envers towards

envie *(f.)* desire, want; **avoir**

envie (de) to desire, want; to feel like

environnement *(m.)* environment

envoyer to send

épais(se) thick

épeler to spell

épice *(f.)* spice

époque *(f.)* age, era

épouser to marry

épousseter to dust

équilibre *(m.)* balance

équipe *(f.)* team

équipement *(m.)* equipment

érudit(e) erudite, learned

erreur *(f.)* error, mistake

escalier *(m.)* staircase

escalope *(f.)* cutlet

escargot *(m.)* snail

espace *(m.)* space

Espagne *(f.)* Spain

espèce *(f.)* type, kind

espérer to hope

espoir *(m.)* hope

esprit *(m.)* spirit, mind

essai *(m.)* essay

essayer (de) to try (to)

essayiste *(m./f.)* essayist

essence *(f.)* gasoline, essence

essentiel(le) essential

essuyer to wipe

est *(m.)* east

estimer to hold in esteem

estomac *(m.)* stomach

et and, plus

établir to establish

établissement *(m.)* establishment

étage *(m.)* floor, story

étagère *(f.)* bookshelf

état *(m.)* state; **États-Unis** *(m. pl.)* United States

été *(m.)* summer; **en été** in the summer

éteindre to extinguish, turn off

étendre to spread

étoile *(f.)* star; **à la belle étoile** outdoors

étonnant(e) astonishing

étonner to astonish; **s'étonner** to be surprised

étrange strange

étranger (-ère) foreigner; stranger; **à l'étranger** abroad

être *(p.p.* **été)** to be; **être à** to belong to; **être en train de** to be (in the act of) doing something; **être** *(m.)* **humain** human being

étroit(e) narrow

étude *(f.)* study

étudiant(e) student

étudier to study

européen(ne) European

eux they, them

événement *(m.)* event

évidemment evidently

évident(e) evident

éviter to avoid

évoluer to evolve

évoquer to evoke

exagérer to exaggerate

examen *(m.)* test

excepté except

excès *(m.)* excess

excitant(e) exciting

excitation *(f.)* excitement

(s') exclamer to exclaim

excuser to excuse; **s'excuser** to apologize

exécuter to perform, execute

exemple *(m.)* example; **par exemple** for example

exercer to exercise; **s'exercer** to practice

exercice *(m.)* exercise

exiger to demand

exiler to exile

exister to exist

exotique exotic

expérience *(f.)* experience, experiment

explication *(f.)* explanation

expliquer to explain; **s'expliquer** to explain oneself

explorateur (-trice) explorer

explorer to explore

exporter to export

exposer to expose, exhibit

exposition *(f.)* exhibit

exprimer to express; **s'exprimer** to express oneself

extérieur(e) external

extrait *(m.)* extract

extraordinaire extraordinary

extraterrestre *(m.)* extraterrestrial

extrêmement extremely

fabriquer to manufacture

fabuliste *(m./f.)* writer of fables

façade *(f.)* facade

face à faced with; **en face (de)** in front (of)

fâché(e) angry

fâcher to anger; **se fâcher** to become angry

facile easy

facilement easily

façon *(f.)* fashion, way, manner; **de cette façon** this way

facteur (-trice) mail carrier

faible weak

faiblir to weaken

faim *(f.)* hunger; **avoir faim** to be hungry

faire *(p.p.* **fait)** to make, do

falloir to be necessary

fameux (-euse) famous

famille *(f.)* family; **en famille** with the family

fanfare *(f.)* band

fantaisie *(f.)* fancy; whim

fantastique fantastic

fantôme *(m.)* ghost

farce *(f.)* practical joke; **faire une farce (à)** to play a joke (on)

fascisme *(m.)* fascism

fatigué(e) tired

faune *(f.)* fauna

faut *see* **falloir**

faute *(f.)* mistake

fauteuil *(m.)* armchair

fauve *(m.)* big cat; wild

faux *(f.* **fausse***)* false, fake

favori(te) favorite

félicitations *(f. pl.)* congratulations

féliciter to congratulate

femelle *(f.)* female

féminin(e) feminine

femme *(f.)* woman, wife; **femme de ménage** cleaning woman

fenêtre *(f.)* window

fente *(f.)* slot

fer *(m.)* iron

férié(e): jour férié legal holiday

ferme *(f.)* farm

fermement firmly

fermer to close

fermier (-ière) farmer

féroce ferocious

fête *(f.)* feast, holiday, party; **fête des mères** mother's day; **fête des pères** father's day; **fête du travail** labor day

fêter to celebrate

feu *(m.)* fire, traffic light; **feu d'artifice** fireworks

février *(m.)* February

fiançailles *(f. pl.)* engagement

ficeler to tie with string

fidèle faithful

fier (-ère) proud

se fier à to trust

fièrement proudly

fièvre *(f.)* fever

figure *(f.)* face

filet *(m.)* net; (shopping) bag

fille *(f.)* daughter, girl; **petite-fille** granddaughter

film *(m.)* movie

filmer to film

fils *(m.)* son; **petit-fils** grandson

fin *(f.)* end

finalement finally

financer to finance

financier (-ère) financial

finir to finish

fixe fixed

fixer to arrange, set up, fix

flamme *(f.)* flame

flatté(e) flattered

fleur *(f.)* flower

fleuri(e) in bloom, blossoming

fleuriste *(m./f.)* florist

fleuve *(m.)* river

flic *(m. coll.)* cop

flocon *(m.)* flake

fluvial(e) *(pl.* **-aux***)* river

foie gras *(m.)* goose liver pâté

foire *(f.)* fair

fois *(f.)* time *(in a series)*; **trois fois** three times; **trois fois quatre** three times (multiplied by) four; **une fois** one time, once; **à la fois** at the same time

folklorique folk

fonctionner to work, function

fonctionnement *(m.)* functioning

fond *(m.)* bottom; **au fond (de)** at the bottom (of)

fondateur (-trice) founder

fonder to found

fonds *(m. pl.)* funds

fontaine *(f.)* fountain

football *(m.) (coll.* **foot***)* soccer; **football américain** *(m.)* football

force *(f.)* strength; force

forêt *(f.)* forest

forme *(f.)* form; **en pleine forme** in good shape

former to form

formidable great

formulaire *(m.)* form

formuler to formulate

fort(e) strong; loud (voice); high (price); very

fortifier to fortify; strengthen

four *(m.)* oven; **four à micro-ondes** microwave oven

fourchette *(f.)* fork

fournir to provide

frais *(f.* **fraîche***)* fresh, cool; **faire frais** to be cool *(weather)*

franc(he) frank

français(e) French

franchement frankly

frapper to knock, hit

fraternité *(f.)* fraternity, brotherhood

fréquemment frequently

frère *(m.)* brother

frites *(f. pl.)* French fries

frivole frivolous

froid(e) *(adj & m.)* cold; **avoir froid** to be cold *(of persons)*; **faire froid** to be cold *(weather)*

fromage *(m.)* cheese

frontière *(f.)* frontier

fruit *(m.)* fruit; **fruits de mer** *(m. pl.)* seafood

fruiterie *(f.)* fruit store

fumer to smoke

furieusement furiously

furieux (-euse) furious

fusée *(f.)* rocket

futur(e) future

gagner to win; to earn

galerie *(f.)* gallery

gant *(m.)* glove

garantir to guarantee

garçon *(m.)* boy; waiter

garder to keep, guard; to take care of

gardien(ne) guard, guardian; **gardien de but** goalkeeper

gare *(f.)* train station; **gare routière** bus station

garer to park

gargouille *(f.)* gargoyle

garnir to garnish

gastronomique gastronomic

gâteau *(m.)* cake

gâter to spoil

gauche left; **à gauche (de)** to the left (of)

gaulois(e) gallic

gaz *(m.)* gas

géant(e) giant

geler to freeze

gêner to bother

général(e) *(pl. -aux)* general

généralement generally

généreux (-euse) generous

génial(e) great

génie *(m.)* genius; genie

genou *(m.)* knee

genre *(m.)* type

gens *(m. pl.)* people

gentilhomme *(m.)* gentleman

gentil(le) kind, nice

gentillesse *(f.)* kindness

gentiment gently

géographie *(f.)* geography

gérant(e) manager

geste *(m.)* gesture

girafe *(f.)* giraffe

gisement *(m.)* deposit *(mine)*

glace *(f.)* ice; ice cream; mirror

glaneur (-euse) gleaner

gloire *(f.)* glory

golfe *(m.)* gulf

gomme *(f.)* eraser

gorge *(f.)* throat

gosse *(m./f. coll.)* youngster, kid

gothique gothic

goût *(m.)* taste

goûter *(m.)* snack

goûter to taste

gouvernement *(m.)* government

gouvernemental(e) government

gouverner to govern

grâce à thanks to

gracieux (-euse) graceful

gradin *(m.)* bleachers

grammaire *(f.)* grammar

gramme *(m.)* gram

grand(e) large, big; tall

grand-mère *(f.)* grandmother

grand-père *(m.)* grandfather

grandiose grand, imposing

grandir to grow

grands-parents *(m. pl.)* grandparents

gratte-ciel *(m.)* skyscraper

gras(se) fat

gratuit(e) free

grec *(f.* **grecque)** Greek

grenier *(m.)* attic

grillé(e) grilled; **pain** *(m.)* **grillé** toast

grimper to climb

grippe *(f.)* flu

gris(e) gray

gronder to scold

grossir to become fat

grotte *(f.)* cave

groupe *(m.)* group

grouper to group

guérir to cure, recover

guérison *(f.)* cure, recovery

guerre *(f.)* war

guichet *(m.)* ticket window

guillotiner to behead

guitare *(f.)* guitar

gymnase *(m.)* gymnasium

gymnastique *(f.)* gym, gymnastics

habiller to dress; **s'habiller** to get dressed

habitant(e) inhabitant

habiter to live (in)

habits *(m. pl.)* clothes

habitude *(f.)* habit; **avoir l'habitude de** to be accustomed to, to be in the habit of; **d'habitude** usually

habituellement habitually

*****haine** *(f.)* hatred

haltère *(m.)* dumbbell

*****hasard** *(m.)* chance; **par hasard** by chance

*****haut(e)** high; loud *(voice);* **à haute voix** loudly; **au haut (de)** in/at the top (of); **en haut** upstairs

hériter to inherit

héroïne *(f.)* heroine

*****héros** *(m.)* hero

hésiter to hesitate

heure *(f.)* hour; **une heure** one o'clock; **à l'heure** on time; **à tout à l'heure** see you; **de bonne heure** early

heureusement fortunately

heureux (-euse) happy

hexagone *(m.)* hexagon

*****hibou** *(m.)* owl

hier yesterday

hiéroglyphe *(m.)* hieroglyph

histoire *(f.)* story, history

historique historical

hiver *(m.)* winter

homme *(m.)* man

honnête honest

honneur *(m.)* honor; **tableau** *(m.)* **d'honneur** honor roll

honorer to honor

*****honte** *(f.)* shame; **avoir honte** to be ashamed

hôpital *(m.)* hospital

horaire *(m.)* schedule

horloge *(f.)* clock

horreur *(f.)* horror

hors outside

*****hors-d'œuvre** *(m.)* appetizer

hôte(sse) host

hôtel *(m.)* hotel
huile *(f.)* oil
huit eight
huitième eighth
humain(e) human
humaniste *(m./f.)* humanist
humanité *(f.)* humanity
humeur *(f.)* mood; **de bonne (mauvaise) humeur** in a good (bad) mood
humide wet, damp
humour *(m.)* humor
hydraulique hydraulic
hydroélectrique hydroelectric
hypermarché *(m.)* large supermarket
hypothèse (f.) hypothesis

ici here
idéal(e) ideal
idée *(f.)* idea
identifier to identify
identité *(f.)* identity; **carte** *(f.)* **d'identité** identification card
idiot(e) idiot; **faire l'idiot** to act like an idiot
ignorer to ignore
il he, it; **il y a** there is/are; ago; **il n'y a pas de quoi** you're welcome
île *(f.)* island
illustration *(f.)* picture
illustre famous
illustrer to illustrate
ils they
image *(f.)* picture
imaginatif (-ive) imaginative
imaginer to imagine
immédiat immediate
immédiatement immediately
immeuble *(m.)* apartment building
immortel(le) immortal
impératif (-ve) imperative
imperméable *(m.)* raincoat
impoli(e) impolite

importer to import
imposer to impose
impressionnant(e) impressive
impressionner to impress
impressionnisme *(m.)* impressionism
impressionniste impressionist
impulsif (-ive) impulsive
impulsivement impulsively
inaugurer to inaugurate
inconnu(e) unknown
inconvénient *(m.)* disadvantage
incorrectement incorrectly
incroyable incredible
indéfini(e) indefinite
indépendance *(f.)* independence
indésirable undesirable
indigner to make indignant; **s'indigner** to become indignant
indiquer to indicate
indiscret indiscreet
individu *(m.)* individual
individuel(le) individual
industrie *(f.)* industry
industriel(le) industrial
infectieux (-ieuse) infectious
infirmier (-ière) nurse
influencer to influence
informations *(f. pl.)* news
informatique *(f.)* computer science
ingénieur *(m.)* engineer
ingrédient *(m.)* ingredient
injuste unfair
innovateur (-trice) innovator
innover to innovate
inquiet (-ète) worried
inquiéter to worry; **s'inquiéter (de)** to worry (about)
inscription *(f.)* registration
inscrire to schedule; **s'incrire** to enroll, to register
inspirer to inspire

instable unstable
installer to install; **s'installer** to settle down, to set up (shop)
instantané(e) instantaneous
institut *(m.)* institute
instructeur (-trice) teacher
insulte *(f.)* insult
intellectuel(le) intellectual
intensité *(f.)* intensity
interdire to prohibit, forbid
intéressant(e) interesting
intéresser to interest; **s'intéresser à** to become interested in
intérieur internal
interprète *(m./f.)* interpreter
interrogatif (-ve) interrogative
interroger to interrogate, question
interrompre *(p.p.* **interrompu)** to interrupt
interviewer to interview
intime intimate
intimidé(e) intimidated
intitulé(e) entitled; called
introduire to insert; introduce
intuitif (-ive) intuitive
inutile useless
inventer to invent
inventeur (-trice) inventor
invertébré *(m.)* invertebrate
invité(e) guest
inviter to invite
irresponsable irresponsible
irriter to irritate
isolé(e) isolated
itinéraire *(m.)* itinerary

jaloux (-ouse) jealous
jamais never, ever; **jamais de la vie** out of the question; **ne... jamais** never; **à jamais** forever
jambe *(f.)* leg
jambon *(m.)* ham
janvier *(m.)* January

japonais(e) Japanese

jardin *(m.)* garden

jardinage *(m.)* gardening

jardinier (-ière) gardener

jaune yellow; *(m.)* yolk *(of egg)*

je I

jeter to throw; **se jeter** to empty *(river)*

jeu *(m.)* game; **jeu de cartes** card game; **jeu vidéo** video game

jeudi *(m.)* Thursday

jeune young

jeunesse *(f.)* youth

joie *(f.)* joy

joli(e) pretty

joue *(f.)* cheek

jouer to play; **jouer à** to play *(a game / a sport)*; **jouer de** to play *(a musical instrument)*; **se jouer** to be played

jouet *(m.)* toy

joueur (-euse) player

joujou *(m. coll.)* (pl. **joujoux**) toy

jour *(m.)* day; **jour de congé** day off; **jour férié** legal holiday

journal *(m.)* (pl. **-aux**) newspaper; journal; **journal intime** diary

journaliste *(m./f.)* journalist

journée *(f.)* day

joyeux (-euse) joyous

judiciaire judicial

juge *(m.)* judge

jugement *(m.)* judgment

juger to judge

juillet *(m.)* July

juin *(m.)* June

jumeau (pl. **-aux;** f. **jumelle**) twin

jupe *(f.)* skirt

jus *(m.)* juice

jusqu'à until

juste fair; right

juxtaposer to juxtapose

kangourou *(m.)* kangaroo

karaté *(m.)* karate; **faire du karaté** to do karate

kilo, kilogramme *(m.)* kilogram

kilomètre *(m.)* kilometer

kiosque *(m.)* kiosk

klaxon *(m.)* horn

la the; her, it

là, là-bas there

laboratoire *(m.)* laboratory

lac *(m.)* lake

laid(e) ugly

laine *(f.)* wool

laisse *(f.)* leash

laisser to leave; + *infinitive* to allow, let

lait *(m.)* milk

laitier (-ière) dairy

lampadaire *(m.)* floor lamp

lampe *(f.)* lamp

lancer to throw, send out

langue *(f.)* language, tongue

laque *(f.)* hair spray

laquelle *(f.)* (pl. **lesquelles**) which (one)

large wide

lavage *(m.)* wash

laver to wash; **laver la vaisselle** to do the dishes; **machine à laver** washing machine; **se laver** to wash oneself

le the; him, it

leçon *(f.)* lesson

lecteur *(m.)* player *(music)*; (f. **lectrice**) reader

lecture *(f.)* reading

légendaire legendary

léger (-ère) light *(weight)*

légèrement lightly

législatif (-ve) legislative

léguer to bequeath

légume *(m.)* vegetable

lendemain *(m.)* next day

lent(e) slow

lentement slowly

lequel which one

les the; them, to them

lesquels (-elles) which (ones)

lessive *(f.)* laundry; **faire la lessive** to do the laundry

lettre *(f.)* letter; **boîte** *(f.)* **aux lettres** mailbox; **en toutes lettres** in full

leur their; to them

lever to raise, lift; **se lever** to get up

lèvre *(f.)* lip; **rouge** *(m.)* **à lèvres** lipstick

libérer to free

liberté *(f.)* freedom, liberty

librairie *(f.)* bookstore

libre (de) free (to)

lieu *(m.)* place; **au lieu (de)** instead (of); **avoir lieu** to take place

lieue *(f.)* league

ligne *(f.)* line

limite *(f.)* limit

limiter to limit

limonade *(f.)* lemon soda

lin *(m.)* linen

liquide *(m.)* liquid

lire (p.p. **lu**) to read

liste *(f.)* list

lit *(m.)* bed

litre *(m.)* liter

littéraire literary

littérature *(f.)* literature

littoral *(m.)* coast line

living *(m.)* living room

livre *(f.)* pound; *(m.)* book

livret *(m.)* booklet

locataire *(m./f.)* tenant

location *(f.)* rental

logement *(m.)* lodging

loger to lodge, stay

loi *(f.)* law

loin (de) far (from)
loisir *(m.)* leisure
Londres *(m.)* London
long(ue) long; **de long en large** back and forth
longer to go along
longtemps a long time
longueur *(f.)* length
lorsque when
loterie *(f.)* lottery
loto *(m.)* lotto
louer to rent
loup *(m.)* wolf
lourd(e) heavy
loyal *(pl.* **-aux)** loyal
loyalement loyally
loyer *(m.)* rent
lui he, him, to him, her, to her
lumière *(f.)* light
lundi *(m.)* Monday
lune *(f.)* moon
lunettes *(f. pl.)* eyeglasses;
  lunettes de soleil sunglasses
lutter to fight
luxe *(m.)* luxury
luxueux (-euse) luxurious
lycée *(m.)* high school
lyrique lyrical

M.J.C. youth center *(see* **maison)**
ma my
MacDo *(m.)* McDonald's
mâcher to chew
machine *(f.)* machine;
  machine à écrire typewriter;
  machine à laver washing machine
madame *(f.)* *(pl.* **mesdames)** Madam, Mrs.
mademoiselle *(f.)* *(pl.* **mesdemoiselles)** Miss
magasin *(m.)* store; **grand magasin** department store
magnétisme *(m.)* magnetism
magnétoscope *(m.)* V.C.R.

magnifique magnificent
mai *(m.)* May
maigre thin
maigrir to lose weight
maillot *(m.)* jersey; **maillot de bain** bathing suit
main *(f.)* hand
maintenant now
maire *(m.)* mayor
mairie *(f.)* town hall
mais but
maison *(f.)* house; **Maison des Jeunes et de la Culture (M.J.C.)** youth center
maître *(m.)* master;
  maître-nageur *(m.)* lifeguard
maîtresse *(f.)* grade school teacher; mistress
majeur of age
mal bad(ly); **aller mal** *(health)* to feel poorly; **avoir mal** to have an ache; **mal** *(m.)* **de dents** toothache; **mal du pays** homesickness
malade *(m./f.)* patient; *(adj.)* sick
maladie *(f.)* illness
maladroit(e) clumsy
malgré in spite of
malheureusement unfortunately
malheureux (-euse) unhappy
malhonnête dishonest
malin(e) clever
malle *(f.)* trunk
maman *(f.)* mom
Manche *(f.)* English Channel
manger to eat
manière *(f.)* manner, way
manifester to demonstrate
mannequin *(m.)* mannequin, model
manquer to be missing, lack
manteau *(m.)* coat
manuel (scolaire) *(m.)* textbook

maquillage *(m.)* makeup
maquiller to apply makeup; **se maquiller** to put on one's makeup
marbre *(m.)* marble
marchand(e) merchant
marchandise *(f.)* merchandise
marche *(f.)* walking
marché *(m.)* market; **bon marché** inexpensive
marcher to walk; to work, function
mardi *(m.)* Tuesday
maréchal *(m.)* marshal
marée *(f.)* tide
marémoteur (-trice) tidal (energy)
mari *(m.)* husband
mariage *(m.)* marriage
marier to marry; **se marier (avec)** to marry
marin *(m.)* sailor
marionnette *(f.)* puppet
Maroc *(m.)* Morocco
maroquinerie *(f.)* leather-goods store
marque *(f.)* brand
marquer to mark
marraine *(f.)* godmother
marron brown
mars *(m.)* March
masculin(e) masculine
masque *(m.)* mask
matelas *(m.)* mattress
matériel scolaire *(m.)* school supplies
mathématicien(ne) mathematician
mathématiques *(f. pl.)* mathematics
maths *(f. pl.)* math
matière *(f.)* subject
matin *(m.)* morning
matinée *(f.)* morning
mauvais(e) bad; **faire mauvais** to be bad *(weather)*

mauve purple
maximal(e) maximum
me me, to me
mécanicien(ne) mechanic
mécanisme *(m.)* mechanism
méchant(e) naughty, wicked
médecin *(m.)* doctor
médecine *(f.)* medicine
médical(e) medical
médicament *(m.)* medicine
médiéval(e) *(pl.* **-aux)** medieval
méditer to meditate
se méfier (de) to distrust
meilleur(e) best, better
mélange *(m.)* mix
mélanger to mix
mélodie *(f.)* melody
membre *(m.)* member
même same *(adj.);* even *(adv.);* **en même temps** at the same time
mémoire *(f.)* memory
menaçant(e) threatening
menacer to threaten
ménage *(m.)* household; **faire le ménage** to do the housework; **femme de ménage** cleaning woman
ménager (-ère) household; **travail ménager** housework
mener to lead
mensonge *(m.)* lie
mentionner to mention
menton *(m.)* chin
mer *(f.)* sea; **au bord de la mer** to/at the seashore; **haute mer** high tide; **basse mer** low tide
merci thank you
mercredi *(m.)* Wednesday
mère *(f.)* mother
méridional(e) southern
mériter (de) to deserve (to)
merveille *(f.)* marvel, wonder
merveilleux (-euse) marvelous

mes my
mesure *(f.)* measure
mesurer to measure
métallique metallic
métallurgie *(f.)* metallurgy
météo *(f.)* weather report
météorologue *(m./f.)* meteorologist, weather forecaster
méthode *(f.)* method
méthodiquement methodically
méticuleux (-euse) meticulous
métier *(m.)* job, profession
mètre *(m.)* meter
métrique metric
métro *(m.)* subway
métropole *(f.)* metropolis
mettre *(pp.* **mis)** to put (on); **mettre la table/le couvert** to set the table; **se mettre à** to begin to; **se mettre en route** to start out; **se mettre en colère** to become angry; **se mettre en rang** to get in line
meuble *(m.)* piece of furniture; *(m. pl.)* furniture
meurtre *(m.)* murder
microbiologie *(f.)* microbiology
miscroscopique microscopic
midi *(m.)* noon; south (of France)
mieux better; **aimer mieux** to prefer; **faire de son mieux** to do one's best; **tant mieux** so much the better
milieu *(m.)* center, middle; **au milieu** in the middle
militaire military
mille (mil *in dates)* (one) thousand
milliard *(m.)* billion
millier *(m.)* a thousand
mince thin

minerai *(m.)* ore
minéral(e) mineral; **eau** *(f.)* **minérale** mineral water
ministère *(m.)* ministry
ministre *(m.)* minister; **premier ministre** prime minister
minuit *(m.)* midnight
miroir *(m.)* mirror
missionnaire *(m./f.)* missionary
mobile movable
mobylette *(f.)* moped
mode *(f.)* style, fashion; **à la mode** in style
modèle *(m.)* model
moderne modern
moderniser to modernize
moi I, me
moindre least, smallest
moins less, minus, least; **au moins** at least; **moins (de)** less, fewer
mois *(m.)* month
moitié *(f.)* half
mon my
monarchie *(f.)* monarchy
monarque *(m.)* monarch

monde *(m.)* world; **tout le monde** everybody; **faire le tour du monde** to go around the world
mondial(e) world
monétaire monetary
moniteur (-trice) counselor
monnaie *(f.)* change
monsieur *(m.) (pl.* **messieurs)** sir, gentleman, Mr.
mont *(m.)* mount
montagne *(f.)* mountain
montagneux (-euse) mountainous
monter to go up, climb; to carry up
montre *(f.)* watch
montrer to show

moquer to mock; **se moquer (de)** to make fun (of)

moraliste *(m./f.)* moralist

morceau *(m.)* piece

mort *(f.)* death

mort(e) dead

mosquée *(f.)* mosque

mot *(m.)* word

moteur *(m.)* motor

moto *(f.)*, **motocyclette** *(f.)* motorcycle

mouche *(f.)* fly; **bateau-mouche** *(m.)* sightseeing boat

mouchoir *(m.)* handkerchief

moulin *(m.)* windmill

mourir *(p.p. mort)* to die

mousquetaire *(m.)* musketeer

moutarde *(f.)* mustard

mouton *(m.)* sheep

mouvement *(m.)* movement

moyen *(m.)* means; **moyen de transport** means of transportation

mur *(m.)* wall

musculation *(f.)* bodybuilding; **faire de la musculation** to do bodybuilding

musée *(m.)* museum

musicien(ne) musician

musique *(f.)* music

mystérieux (-euse) mysterious

n'importe quoi anything

n'est-ce pas? isn't that so?

nage *(f.)* swimming

nager to swim

naïf (-ve) naive

naissance *(f.)* birth

naître *(p.p. né)* to be born

natal(e) native

natation *(f.)* swimming

national *(pl. -aux)* national

nationalité *(f.)* nationality

naturaliste naturalist

naturel(le) natural

naturellement naturally

nautique nautical; **ski nautique** *(m.)* waterskiing

naval(e) *(pl. navals)* naval

navire *(m.)* ship

né(e) born

ne: ne... aucun(e) not any; **ne... jamais** never; **ne... ni... ni** neither nor; **ne... pas** not; **ne... personne** nobody, no one; **ne... plus** no longer, no more, anymore; **ne... que** only; **ne... rien** nothing

nécessaire necessary

négatif (-ive) negative

négativement negatively

négliger to neglect

neige *(f.)* snow; **bonhomme de neige** *(m.)* snowman; **boule de neige** *(f.)* snowball

neiger to snow

nerveux (-euse) nervous

net(te) clean

nettoyage *(m.)* cleaning

nettoyer to clean

neuf nine

neuf (-ve) new

neveu *(m.)* nephew

nez *(m.)* nose

ni... ni neither. . . nor

niche *(f.)* kennel; niche

nièce *(f.)* niece

nocturne night

Noël *(m.)* Christmas

noir(e) black; *(m.)* darkness; **il fait noir** it is dark

noisette *(f.)* hazelnut

nom *(m.)* name

nombre *(m.)* number

nombreux (-euse) numerous

nommé(e) named

non no

nord *(m.)* north

norme *(f.)* standard, norm

Norvège *(f.)* Norway

nos our

notamment in particular

note *(f.)* note, grade, bill

noter to note

notre our

nourrir to feed

nourriture *(f.)* food

nous we, us, to us

nouveau, nouvel *(f. nouvelle)* new; **de nouveau** again

nouveauté *(f.)* new thing

nouvelles *(f. pl.)* news

novembre *(m.)* November

nuage *(m.)* cloud

nucléaire nuclear

nuit *(f.)* night; **table de nuit** *(f.)* night table

numéro *(m.)* number; **numéro de téléphone** telephone number

obéir (à) to obey

obélisque *(m.)* obelisk

objet *(m.)* object; **bureau** *(m.)* **des objets trouvés** lost and found

obligatoire compulsory

obliger to oblige, compel

observer to observe

obtenir *(p.p. obtenu)* to obtain, get

occupé(e) busy

occuper to occupy; **s'occuper (de)** to take care of, to be busy (with)

océan *(m.)* ocean

octobre *(m.)* October

odorant(e) fragrant

œil *(m.) (pl. yeux)* eye; **coup d'œil** glance

œuf *(m.)* egg

œuvre *(f.)* work

officiel(le) official

offre *(m.)* offer

offrir *(pp. offert)* to offer

oignon *(m.)* onion

oiseau *(m.)* bird

omelette *(f.)* omelet

omettre *(pp.* **omis)** to omit
on one, we, you, they, people
oncle *(m.)* uncle
ongle *(m.)* nail
onze eleven
opérateur (-trice) operator
opération *(f.)* operation, transaction
optimiste optimistic
or *(m.)* gold, **en or** (made of) gold
orage *(m.)* storm
orangeade *(f.)* orange soda
orchestre *(m.)* orchestra
ordinaire ordinary; **d'ordinaire** usually
ordinateur *(m.)* computer
ordonner to order
ordre *(m.)* order
ordures *(f. pl.)* garbage
oreille *(f.)* ear
organisateur (-trice) organizer
organiser to organize
orgue *(m.)* organ
origine *(f.)* origin
orner to decorate
orteil *(m.)* toe
orthographe *(f.)* spelling
oser to dare
ôter to remove, take off
ou or
où where
oublier (de) to forget (to)
ouest *(m.)* west
oui yes
ouragan *(m.)* hurricane
ours *(m.)* bear
outil *(m.)* tool
ouverture *(f.)* opening
ouvreur (-euse) usher
ouvrier (-ière) factory worker
ouvrir *(p.p.* **ouvert)** to open

paiement *(m.)* payment
pain *(m.)* bread; **pain grillé** toast

pair *(m.)* peer; **(jeune fille) au pair** au pair (girl)
paire *(f.)* pair
paix *(f.)* peace
palais *(m.)* palace; **palais de justice** courthouse
paléontologie *(f.)* paleontology
panne *(f.)* breakdown; **tomber en panne** to break down; **panne d'électricité** power failure
panoramique panoramic
pantalon *(m.)* pants
papier *(m.)* paper
paquet *(m.)* package
par by, through, per; **par conséquent** consequently
parachutisme *(m.)* parachuting, parasailing
paragraphe *(m.)* paragraph
paraître *(p.p.* **paru)** to seem
parallèlement in parallel
parapluie *(m.)* umbrella
parc *(m.)* park; **parc d'attractions** amusement park
parce que because
parcourir to cover; to scan
pardon *(m.)* pardon; **demander pardon** to ask for forgiveness
pardonner to forgive, excuse
parenthèse *(f.)* parenthesis
paresseux (-euse) lazy
parfait(e) perfect
parfaitement perfectly
parfois sometimes
parfum *(m.)* perfume
parfumer to perfume; **se parfumer** to put on perfume
parfumerie *(f.)* perfume shop
parfumeur (-euse) perfume maker
parisien(ne) Parisian
parlement *(m.)* parliament
parler to speak

parmi among
parole *(f.)* word; **tenir sa parole** to keep one's promise
part *(f.)* part; **prendre part à** to take part in
partager to share, divide
parti *(m.)* party (politics)
participant(e) participant
participer (à) to participate (in)
particulier (-ère) particular
partie *(f.)* part; **faire partie de** to belong to
partiellement partially
partir to leave, go away; **à partir de** from
partitif *(m.)* partitive
partout everywhere
parution *(f.)* publication
pas not; **pas du tout** not at all; **pas encore** not yet; **ne... pas** not; **pas de quoi** you're welcome;
passager (-ère) passenger
passant(e) passerby
passé(e) past; **l'année passée** last year
passe-temps *(m.)* pastime
passeport *(m.)* passport
passer to pass; to spend *(time);* **passer l'aspirateur** to vacuum; **passer un examen** to take a test; **se passer** to happen
passionnant(e) intriguing, captivating
passionner to fascinate
pasteurisation *(f.)* pasteurization
patienter to wait
patin *(m.)* skate; **patin à glace** ice skate/skating; **patin en ligne** in-line skate; **faire du patin à glace** to go ice skating
patiner to skate

patinoire *(f.)* skating rink

pâtisserie *(f.)* pastry; pastry shop

pâtissier (-ière) pastry maker

patron(ne) boss; patron saint

patte *(f.)* paw

pâturage *(m.)* pasture land

pauvre poor

pauvreté *(f.)* poverty

payer to pay (for); **payer comptant** to pay cash; **payer en espèces/en liquide** to pay in cash

pays *(m.)* country; **avoir le mal du pays** to be homesick

Pays-Bas *(m.)* Netherlands

paysage *(m.)* landscape; scenery

paysagiste *(m./f.)* landscape designer

paysan(ne) peasant

peau *(f.)* skin

pêche *(f.)* peach; fishing; **aller à la pêche** to go fishing

pêcher to fish

pédagogique educational

pédaler to pedal

peigne *(m.)* comb

peigner to comb; **se peigner** to comb one's hair

peindre *(p.p.* **peint)** to paint

peine *(f.)* pain; **valoir la peine** to be worth the effort; **à peine** hardly

peintre *(m.)* painter

peinture *(f.)* painting

pèlerinage *(m.)* pilgrimage

pelote *(f.)* ball (of wool)

pelouse *(f.)* lawn

pendant during; **pendant que** while

penderie *(f.)* closet

pendre to hang

pendule *(f.)* clock

pensée *(f.)* thought

penser to think; to intend

péninsule *(f.)* peninsula

pensionnaire *(m./f.)* boarder, guest

perdre to lose; **perdre son temps** to waste one's time

père *(m.)* father; **père Noël** Santa Claus

perfectionner to improve

période *(f.)* period

perle *(f.)* pearl

permettre *(p.p.* **permis)** to allow, permit

permis *(m.)* permit; **permis de conduire** driver's license

persister (à) to persist (in)

personnage *(m.)* character

personnalité *(f.)* personality

personne *(f.)* person

personne (ne) nobody, no one; **ne... personne** nobody, no one

personnel(le) personal

personnellement personally

persuader (de) to persuade (to)

peser to weigh

peste *(f.)* plague

pétanque *(f.)* bowls (game)

petit(e) little, small; **petit(e) ami(e)** *(m./f.)* boy/girl-friend; **petit-fils** *(m.)* grandson; **petite-fille** *(f.)* granddaughter; **petits-enfants** *(m. pl)* grandchildren; **petit déjeuner** *(m.)* breakfast; **petits pois** *(m. pl.)* peas

pétrole *(m.)* oil

peu (de) little, few; **à peu près** about, approximately; **peu à peu** little by little; **un peu** a little

peuple *(m.)* people *(of a nation)*

peur *(f.)* fear; **avoir peur de** to be afraid of; **faire peur** to scare

peureux (-euse) fearful

peut-être perhaps, maybe

pharmacie *(f.)* pharmacy, drugstore

philosophe *(m.)* philosopher

philosophie *(f.)* philosophy

photocopie *(f.)* photocopy

photocopieur *(m.)* (or: **photocopieuse**) copying machine

photographe *(m./f.)* photographer

photographie *(f.)* photography

photographier to photograph

physicien (-ienne) physicist

physiologie *(f.)* physiology

physique *(f.)* physics

physique physical; **éducation** *(f.)* **physique** gym

physiquement physically

pièce *(f.)* play; coin; room

pied *(m.)* foot; **aller à pied** to walk, go on foot

pierre *(f.)* stone

piller to loot

pilote *(m.)* pilot

piloter to pilot

pilule *(f.)* pill

pin *(m.)* pine tree

pionnier (-ière) pioneer

pique-nique *(m.)* picnic

piquer to sting

piqûre *(f.)* injection

pire worse, worst

pis worse, worst

piscine *(f.)* swimming pool; **piscine couverte** indoor pool

pittoresque picturesque

placard *(m.)* cabinet, closet, cupboard

placer to place, set

plafond *(m.)* ceiling

plage *(f.)* beach

plaindre to pity; **se plaindre** to complain

plaire (à) to please; **s'il vous plaît** please

plaisanter to joke, kid around

plaisir *(m.)* pleasure; **faire plaisir (à)** to please

plan *(m.)* map, plan

planche *(f.)* board; **planche à voile** windsurf; **faire de la planche à voile** to go windsurfing

plancher *(m.)* floor

planète *(f.)* planet

planter to plant

plastique *(m.)* plastic

plat *(m.)* dish

plateau *(m.)* tray

plein(e) full; **plein de** full of; **en plein air** outdoors; **en pleine forme** in good shape; **en plein été** in mid-summer

pleurer to cry

pleuvoir *(p.p.* **plu)** to rain

plombier *(m.)* plumber

plonger to plunge, dive

pluie *(f.)* rain

plupart: la plupart (de) most

plus (de) more; **plus tard** later; **de plus** in addition; **le plus** the most; **le plus possible** as much as possible; **ne... plus** no longer, no more, anymore

plusieurs several

pneu *(m.)* *(pl.* **pneus)** tire

poche *(f.)* pocket

poème *(m.)* poem

poésie *(f.)* poetry

poète *(m.)* poet

poétique poetic

poids *(m.)* weight

pointillisme *(m.)* pointillism

poisson *(m.)* fish; **poisson rouge** gold fish

poivre *(m.)* pepper

pôle *(m.)* pole

poli(e) polite

poliment politely

politique political; *(f.)* politics

pomme *(f.)* apple; **pomme de terre** potato

pompier *(m.)* fireman

pont *(m.)* bridge

populaire popular

porc *(m.)* pig

porte *(f.)* door, gate

portefeuille *(m.)* wallet

porter to carry; to wear

portugais(e) Portuguese

poser to place; to ask *(questions);* **se poser** to come up *(problem)*

positif (-ve) positive

posséder to possess, own

possiblement possibly

postal(e) postal; **carte** *(f.)* **postale** postcard; **code** *(m.)* **postal** zip code

poste *(f.)* post office; **bureau** *(m.)* **de poste** post office

poste *(m.)* job

poster to mail

pot-au-feu *(m.)* beef stew

potage *(m.)* soup

pou *(m.)* *(pl.* **poux)** louse

poubelle *(f.)* garbage can

pouce *(m.)* inch; thumb

poulet *(m.)* chicken

poupée *(f.)* doll

pour for, in order to; **pour que** so that

pourboire *(m.)* tip

pourquoi why

pourtant even so

pousser to push; to grow; **pousser un cri** to shout; **pousser un soupir de soulagement** to breathe a sigh of relief

pouvoir *(m.)* power; pouvoir exécutif executive power

pouvoir *(p.p.* **pu)** to be able to, can

pratique practical

pratiquer to practice; play *(a sport)*

précieusement preciously

précieux (-euse) precious, important

précis(e) precise; **à deux heures précises** at two o'clock exactly

précisément precisely

précurseur *(m.)* precursor

préfecture *(f.)* prefecture

préférable preferable

préférer to prefer

préfet *(m.)* prefect

préhistoire *(f.)* prehistory

préhistorique prehistoric

premier (-ière) first; **premier ministre** *(m.)* prime minister

prendre to take *(p.p.* **pris);** **prendre au sérieux** to take seriously; **prendre part à** to take part in; **prendre soin** to take care; **prendre une décision** to make a decision

prénom *(m.)* given name

préoccuper to preoccupy, worry

préparatifs *(m. pl.)* preparations

préparer to prepare; **se préparer** to prepare oneself

près (de) near; **à peu près** about, approximately

présent *(m.)* present; **à présent** now

présenter to introduce; to offer; **se présenter** to introduce oneself

préserver to preserve

présidence *(f.)* presidency

président(e) president

presse *(f.)* press

pressé(e) in a hurry

prêt(e) ready

prêtre *(m.)* priest

prétendre to claim

prêter to lend

prévoir *(p.p.* **prévu)** to foresee
prier to pray
primaire primary
princesse *(f.)* princess
principal(e) *(pl.-aux)* principal, main
principalement principally
principe *(m.)* principle
printemps *(m.)* spring
prise *(f.)* taking
prisonnier (-ière) prisoner
privé(e) private
privilégier to privilege
prix *(m.)* prize; price
probabilité *(f.)* probability
probablement probably
problème *(m.)* problem
prochain(e) next
proche nearby
procéder to proceed
proclamer to proclaim
producteur (-trice) producer
produit *(m.)* product
produire to produce
professeur *(m.)* *(coll.* **prof)** teacher
professionnel(le) professional
profiter (de) to profit from
profiterole *(f.)* cream puff with chocolate sauce
profond(e) profound, deep
profondément profoundly
profondeur *(f.)* depth
programme *(m.)* program, platform
programmeur (-euse) programmer
progrès *(m.)* progress
projet *(m.)* project
projeter to project, plan
promenade *(f.)* walk; **faire une promenade** to go for a walk
promener to walk; **se promener** to take a walk
promesse *(f.)* promise

promettre (de) to promise (to)
promouvoir to promote
prononcer to pronounce; to declare
propos: à propos de about
proposer to propose
propre clean, own
propriétaire *(m./f.)* owner
prospérité *(f.)* prosperity
protéger to protect; **se protéger** to protect oneself
protester to protest
prouver to prove
provençal(e) from Provence
provoquer to cause
prudemment prudently
prune *(f.)* plum
psychologie *(f.)* psychology
psychologique pyschological
public (-que) public; **en public** in public
public *(m.)* public, audience
publicité *(f.)* publicity
publier to publish
puis then
puisque since
puissant(e) powerful
pull *(m.)* pullover sweater
punir to punish
pupitre *(m.)* pupil's desk
purée *(f.)* mashed (vegetables)

quai *(m.)* pier
qualifié(e) qualified
qualité *(f.)* quality
quand when; **quand même** anyway
quantité *(f.)* quantity
quarante forty
quart *(m.)* quarter
quartier *(m.)* neighborhood
quatorze fourteen
quatre four
quatre-vingt-dix ninety
quatre-vingts eighty
quatrième fourth

que that, whom, which; what; than; **ce que** that which, what; **ne... que** only; **qu'est-ce que** what
quel(le) what, which; what a
quelqu'un someone
quelque some; **quelques** *(m./f. pl.)* a few, some
quelque chose something
quelquefois sometimes
querelle *(f.)* quarrel
qui who, whom, which, that
quinze fifteen
quitter to leave
quoi what; **(il n'y a) pas de quoi** you're welcome
quotidien(ne) daily

rabais *(m.)* discount
raccrocher to hang up *(phone)*
racisme *(m.)* racism
raconter to tell; to describe
radioactivité *(f.)* radioactivity
rafraîchissement *(m.)* refreshment
ragoût *(m.)* stew
raide straight *(hair)*
raisin *(m.)* grape
raison *(f.)* reason; **avoir raison** to be right
raisonnable reasonable
rajeunir to rejuvenate
ramasser to pick up
ramener to bring back
randonnée *(f.)* hike
rang *(m.)* row
ranger to put away; to put in order, tidy
rapide rapid, fast
rapidement quickly, rapidly
rappeler to recall; **se rappeler** to remember
rapport *(m.)* report; **par rapport à** with regard to
rapporter to bring back
raquette *(f.)* racket

rarement rarely

raser to shave; **se raser** to shave (oneself)

rasoir *(m.)* razor

rassurer to reassure

rater to fail

ravi(e) delighted

rationnel(le) rational

rayon *(m.)* shelf, department

rayonner to radiate

réagir to react

réalisable feasible

réaliser to achieve, realize

réalisme *(m.)* realism

réaliste *(m./f.)* realist

réalité *(f.)* reality

récemment recently

récent(e) recent

récepteur *(m.)* handset, phone, receiver

réception *(f.)* reception; receipt

recette *(f.)* recipe

recevoir *(p.p.* **reçu)** to receive

recherche *(f.)* research

rechercher to search

récit *(m.)* story

recommandation *(f.)* recommendation

recommander to recommend

recommencer to start over again

récompense *(f.)* reward

réconcilier to reconcile; **se réconcilier** to make up with

recouvert(e) covered

recruter to recruit

rédaction *(f.)* editing

redécorer to redecorate

redéfinir to redefine

réel(le) real

refaire to redo

refermer to close again

réfléchir to reflect, think

refléter to reflect

réformer to reform

réforme *(f.)* reform

réfrigérateur *(m.)* refrigerator

(se) réfugier to take refuge

refuser (de) to refuse (to)

regarder to look at, watch; **se regarder** to look at oneself

régime *(m.)* diet; system

régional(e) *(pl.* **-aux)** regional

registre *(m.)* register

règle *(f.)* rule, ruler

règlement *(m.)* rules

régler to set, to arrange; **régler un compte** to arrange an account

régner to reign

regretter (de) to regret (to)

regrouper to regroup

régularité *(f.)* regularity

regulièrement regularly

reine *(f.)* queen

rejeter to reject

relation *(f.)* relationship

relativité *(f.)* relativity

relaxant(e) relaxing

relaxer to relax

relier to connect, link

religieux (-euse) religious

remarquable remarkable

remarque *(f.)* remark

remarquer to notice

remède *(m.)* remedy

remercier to thank

remettre *(p.p.* **remis)** to put back; to deliver

remonter to go back up; to wind up

remplaçant(e) replacement, substitute teacher

remplacer to replace

remplir to fill

rencontrer to meet

rendre to give back, return; **rendre malade** to make one sick; **rendre visite (à)** to visit; **se rendre** to go; **se rendre compte (de)** to

realize

renommé(e) renowned

renoncer (à) to give up, renounce

rénover to renovate

renseignements *(m. pl.)* information

renseigner to inform; **se renseigner (sur)** to inquire, get information

rentrée *(f.)* return; **rentrée scolaire** return to school

rentrer to return

renverser to overthrow, capsize

renvoyer to send back; to fire

réorganiser to reorganize

répandu(e) wide-spread

réparer to repair

repartir to set out again

répartition *(f.)* distribution

repas *(m.)* meal

repasser to iron

répéter to repeat

répétition *(f.)* rehearsal

répondeur *(m.)* answering machine

répondre (à) to answer

réponse *(f.)* answer

reportage *(m.)* news report

repos *(m.)* rest

reposer to rest; **se reposer** to rest, relax

reprendre to take back

représentant(e) representative

représentation *(f.)* performance *(show)*

représenter to represent

réprimande *(f.)* reprimand

république *(f.)* republic

réputé(e) known, reputed

réseau *(m.)* network

réservation *(f.)* reservation

réserver to reserve

résidence *(f.)* residence, home

résigner to resign; **se résigner (à)** to resign oneself (to)

résister to resist

résoudre to solve, resolve

respecter to respect

respectueusement respectfully

respectueux (-euse) respectful

responsabilité *(f.)* responsibility

responsable responsible

ressembler (à) to resemble; **se ressembler** to look alike

restauration *(f.)* restaurant business; restoration

restaurer to restore

rester to remain, stay

résultat *(m.)* result

rétablir to restore; **se rétablir** to recover

retard *(m.)* lateness; **en retard** late

retentir to resound

retirer to remove

retour *(m.)* return; **de retour** back

retourner to return

retrait *(m.)* withdrawal

retraite *(f.)* retirement; retreat

retrouver to find again; **se retrouver** to find oneself

réussir (à) to succeed (in), to pass (test)

rêve *(m.)* dream

réveil (-matin) *(m.)* alarm clock

réveiller to awaken; **se réveiller** to wake up

revendiquer to demand

revenir *(p.p.* **revenu)** to come back

rêver (de) to dream (of)

revoir *(p.p.* **revu)** to see again; **au revoir** goodbye

révolte *(f.)* revolt

révolution *(f.)* revolution

révolutionner to revolutionize

révoquer to revoke

revue *(f.)* magazine

rez-de-chaussée *(m.)* ground floor

Rhin *(m.)* Rhine

riche rich

richesse *(f.)* wealth

rideau *(m.) (pl.* **-aux)** curtain

ridicule ridiculous

rien nothing; **de rien** you're welcome; **ne... rien** nothing

rire to laugh; **éclater de rire** to burst out laughing

risque *(m.)* risk

risquer (de) to risk

rive *(f.)* bank

rivière *(f.)* river

riz *(m.)* rice

robe *(f.)* dress; **robe à volants** dress with ruffles; **robe de chambre** bathrobe

robuste robust, strong

rocher *(m.)* rock

roi *(m.)* king

rôle *(m.)* role

romain(e) Roman

roman *(m.)* novel; **roman policier** detective story

romancier (-ière) novelist

romantique romantic

romantisme *(m.)* romanticism

rompre to break

rond(e) round

ronde *(f.)* round

rose pink

rôtir to roast

roue *(f.)* wheel

rouge *(m.)* red; **rouge à lèvres** lipstick

rougir to blush

rouler to roll (along)

roumain(e) Romanian

route *(f.)* road, route; **en route** on the way; **se mettre en route** to start out

routier (-ère) *(adj.)* road

roux *(f.* **rousse)** red *(hair)*

royaume *(m.)* kingdom

rubrique *(f.)* column

(newspaper)

rue *(f.)* street

ruer to kick

ruiner to bankrupt; ruin

ruisseau *(m.)* stream

sa his, her

sable *(m.)* sand

sabot *(m.)* clog

sac *(m.)* bag, sack, pocketbook; **sac à dos** backpack; **sac de couchage** sleeping bag

sage wise; well-behaved

Saint-Valentin *(m.)* Valentine's Day

saisir to seize, grab

saison *(f.)* season

sale dirty

salle *(f.)* room; **salle à manger** dining room; **salle de bains** bathroom; **salle de classe** classroom; **salle de récréation** playroom; **salle de séjour** living room

salon *(m.)* living room, lounge; **salon de coiffure** beauty parlor

saluer to greet

salut hi

samedi *(m.)* Saturday

sans without

santé *(f.)* health

satirique satirical

satiriste *(m./f.)* satirist

saucisse *(f.)* sausage

saucisson *(m.)* dry sausage

sauf except

saut *(m.)* jump; **saut en chute libre** skydiving

sauter to jump; **sauter à la corde** to jump rope

sauvage savage, wild

sauver to save; **se sauver** to run away

savane *(f.)* savanna

savant(e) scientist

savoir *(p.p.* **su)** to know (how to)
savourer to savour, relish, enjoy
scénariste *(m./f.)* scriptwriter
scientifique scientific
scolaire school; **matériel** *(m.)* **scolaire** school supplies; **rentrée** *(f.)* **scolaire** return to school
scolarité *(f.)* schooling
sculpter to sculpt
sculpteur (-trice) sculptor
se (to) himself, (to) herself, (to) oneself, (to) themselves
sec *(f.* **sèche)** dry
sèche-linge *(m.)* dryer
secondaire secondary
seconde *(f.)* second
secret (-ète) secret
secrétaire *(m./f.)* secretary
secrètement secretly
sécurité *(f.)* security; **sécurité sociale** social security
seize sixteen
séjour *(m.)* stay; family room; **salle** *(f.)* **de séjour** family room
séjourner to stay
sel *(m.)* salt
selon according to
semaine *(f.)* week
sembler to seem
semestre *(m.)* semester
sénat *(m.)* senate
sénateur *(m.)* senator
sensationnel(le) sensational
sensibilité *(f.)* sensitivity
sentiment *(m.)* feeling
sentir to feel, smell; **se sentir** to feel
séparer to separate
sept seven
septembre *(m.)* September
série *(f.)* series
sérieusement seriously
sérieux (-euse) serious;

prendre au sérieux to take seriously
serpent *(m.)* snake
serveur (-euse) waiter/waitress
serviette *(f.)* briefcase; napkin; towel
servir (de) to serve (as); **se servir de** to use
ses his, her
seul(e) only, single, alone
seulement only
sévère strict
sévèrement severely, strictly
sexe *(m.)* sex
si if; yes; so
siècle *(m.)* century
siège *(m.)* siege; seat
sieste *(f.)* nap; **faire la sieste** to take a nap
siffler to whistle
signer to sign
simplifier to simplify
simultanément simultaneously
sincère sincere
sincèrement sincerely
singe *(m.)* monkey
sirène *(f.)* siren
situé(e) situated
sixième sixth
ski *(m.)* ski; **ski nautique** waterskiing; **faire du ski** to go skiing
skier to ski
société *(f.)* company; society
sociologie *(f.)* sociology
sœur *(f.)* sister
soie *(f.)* silk
soif *(f.)* thirst; **avoir soif** to be thirsty
soigné(e) neat
soigneux (-euse) careful
soin *(m.)* care; **prendre soin (de)** to take care (of)
soir *(m.)* evening
soirée *(f.)* evening, evening party

soixante sixty
soixante-dix seventy
sol *(m.)* ground
solaire sun
soldat *(m.)* soldier
soleil *(m.)* sun; **coucher** *(m.)* **de soleil** sunset; **coup** *(m.)* **de soleil** sunburn; **lunettes** *(f.)* **de soleil** sunglasses; **faire du soleil** to be sunny
solide solid
soliste *(m./f.)* soloist
sombre dark
somme *(f.)* sum
sommeil *(m.)* sleep; **avoir sommeil** to be sleepy
sommet *(m.)* summit, top
son *(m.)* sound
son his, her
sondage *(m.)* survey
songer (à) to think (of)
sonner to ring
sophistiqué(e) sophisticated
sorcellerie *(f.)* witchcraft
sorte *(f.)* sort, type; **en sorte que** so that
sortie *(f.)* outing; exit
sortir to go out
souci *(m.)* care, worry
soudain(e) sudden, *(adv.)* suddenly
soudainement suddenly
souffler to blow
souffrir *(p.p.* **souffert)** to suffer
souhaiter to wish
soulagement *(m.)* relief
soulier *(m.)* shoe
soupe *(f.)* soup
soupir *(m.)* sigh; **pousser un soupir de soulagement** to breathe a sigh of relief
soupirer to sigh
sourire *(m.)* smile
sourire to smile
souris *(f.)* mouse
sous under

souscription *(f.)* subscription
sous-sol *(m.)* basement
souterrain underground
se souvenir de to remember
souvent often
spatial(e) space
spécial *(pl. -aux)* special
se spécialiser (en) to specialize (in)
spécialiste *(m./f.)* specialist
spécialité *(f.)* specialty
spécifique specific
spectacle *(m.)* show
spectaculaire spectacular
spectateur (-trice) spectator
spirituel(le) spiritual; witty
splendide splendid
spontanément spontaneously
sport *(m.)* sport; **voiture de sport** sports car; **faire du sport** to play sports
sportif (-ive) sports, athletic
squelettique emaciated
stabilité *(f.)* stability
stade *(m.)* stadium
stage *(m.)* training course
standardiste *(m./f.)* switchboard operator
station *(f.)* station; **station balnéaire** seaside resort; **station de ski** ski resort
station-service *(f.)* gas station
stationné(e) parked
statut *(m.)* status
stop *(m.)* stop sign
store *(m.)* shade, blind
stratège *(m.)* strategist
stratégie *(f.)* strategy
studieux (-euse) studious
stupéfait(e) stupefied
stupide stupid
stupidement stupidly
stylo *(m.)* pen
subventionner to subsidize
succès *(m.)* success
successeur *(m.)* successor

sucre *(m.)* sugar
sud *(m.)* south
suffire to be enough
suffisant(e) sufficient
suffrage *(m.)* vote
suggérer to suggest
Suisse *(f.)* Switzerland; *(adj.)* Swiss
suite *(f.)* continuation; **à la suite** following
suivant(e) following
suivre *(p.p. suivi)* to follow
sujet *(m.)* subject; **au sujet de** about
superbe superb
superficie *(f.)* area, surface
supérieur(e) superior
supermarché *(m.)* supermarket
supersonique supersonic
superstitieux (-euse) superstitious
supplément *(m.)* supplement
supporter to tolerate
suprême supreme
sur on, upon
sûr(e) sure; **bien sûr** of course
sûrement surely
surnommé(e) nicknamed
surprenant(e) surprising
surprendre *(p.p. surpris)* to surprise
surréaliste surrealist(ic)
surtout especially
surveiller to watch
survêtement *(m.)* tracksuit
survoler to fly over
symbole *(m.)* symbol
symbolique symbolic
sympathique likable, nice
symphonie *(f.)* symphony
synthèse *(f.)* synthesis
système *(m.)* system

ta your
tableau *(m.)* chalkboard; painting; **tableau**

d'honneur honor roll
tailleur *(m.)* suit *(woman's)*; tailor
talentueux (-euse) talented
tandis que while
tant so much/many; **tant mieux** so much the better; **tant pis** too bad
tante *(f.)* aunt
tapis *(m.)* rug
tard late; **plus tard** later
tarif *(m.)* rate
tarte *(f.)* pie
tasse *(f.)* cup
taux *(m.)* rate; **taux d'intérêt** interest rate
te you, to you
technicien (ne) technician
technique technical
technologie *(f.)* technology
tel(le) such
télécarte *(f.)* phone card
télégramme *(m.)* telegram
téléphone *(m.)* telephone; **coup de téléphone** telephone call; **numéro de téléphone** telephone number
téléphoner to phone
tellement so
témoin *(m.)* witness
tempéré(e) temperate
temporaire temporary
temps *(m.)* time; weather; **emploi du temps** schedule, program; **de temps à autre/de temps en temps** from time to time; **en même temps** at the same time; **perdre son temps** to waste one's time; **tout le temps** all the time
tendresse *(f.)* tenderness
tenir to hold; **tenir sa parole** to keep one's promise
tennis *(m.)* tennis; tennis shoe

tente *(f.)* tent
terme *(m.)* end
terminer to end
terrain *(m.)* field
terrasse *(f.)* terrace
terre *(f.)* earth, land; **par terre** on the ground
terreur *(f.)* terror
territoire *(m.)* territory
tes your
tête *(f.)* head
texte *(m.)* text
thé *(m.)* tea
théâtre *(m.)* theater
théière *(f.)* teapot
thème *(m.)* theme
théoricien *(m.)* (ne) theoretician
théorie *(f.)* theory
thermochimie *(f.)* thermochemistry
thermomètre *(m.)* thermometer
timbre *(m.)* stamp
timide shy
tirage *(m.)* drawing
tirer to pull, stick out
tiroir *(m.)* drawer
tissu *(m.)* material
titre *(m.)* title; **les (gros) titres** headlines
toi you
toilettes *(f. pl.)* toilet
toit *(m.)* roof
tomate *(f.)* tomato
tombe *(f.)* grave
tombeau *(m.)* tomb
tomber to fall; **tomber amoureux (-euse)** to fall in love; **tomber en panne** to break down
ton your
tondre to mow
tonnerre *(m.)* thunder; **coup** *(m.)* **de tonnerre** thunderclap
topologie *(f.)* topology
tort *(m.)* fault; **avoir tort** to be

wrong
tôt early; soon
toucher to touch; **toucher un chèque** to cash a check
toujours always, still
tour *(f.)* tower
tour *(m.)* tour; **faire le tour du monde** to go around the world
tourisme *(m.)* tourism
touriste *(m./f.)* tourist
touristique tourist
tourner to turn
tournesol *(m.)* sunflower
Toussaint *(f.)* All Saint's Day
tousser to cough
tout(e) *(m. pl.* **tous**) all; every(thing); *(adv.)* very, quite; **à tout à l'heure** see you later; **à tout prix** at all cost; **tous les deux** both; **tous les jours** every day; **tout à coup** suddenly; **tout à fait** entirely; **tout d'un coup** suddenly; **tout de suite** immediately; **tout droit** straight ahead; **tout le monde** everybody; **tout le temps** all the time
toutefois however
toux *(f.)* cough
traditionalisme *(m.)* traditionalism
traditionnel(le) traditional
traduire *(p.p.* **traduit**) to translate
tragédie *(f.)* tragedy
trahir to betray
train *(m.)* train; **être en train de** to be in the process of
traité *(m.)* treaty
traitement *(m.)* treatment; **traitement de texte** word processing
traiter to treat
traiteur *(m.)* caterer

trajet *(m.)* journey
tramway *(m.)* streetcar
tranche *(f.)* slice
tranquille quiet, calm; **laisser ... tranquille** leave . . . alone
tranquillement calmly
transatlantique transatlantic
transformer to transform
transport *(m.)* transportation; **moyen de transport** *(m.)* means of transportation
transporter to transport
travail *(m.)* *(pl.* **-aux**) work; **travaux manuels** *(m. pl.)* shop, arts & crafts; **travaux ménagers** housework
travailler to work
travailleur (-euse) hard-working
travers: à travers across, through
traversée *(f.)* crossing
traverser to cross
treize thirteen
trente thirty
très very
tri *(m.)* selection
tribu *(f.)* tribe
tribunal *(m.)* court of justice
tricolore three-colored
tricoter to knit
triste sad
tristement sadly
tristesse *(f.)* sadness
trois three
tromper to deceive; **se tromper** to make a mistake
trompette *(f.)* trumpet
trône *(m.)* throne
trop (de) too; too many, too much
trophée *(m.)* trophy
trotter to trot
trou *(m.)* hole
troubler to disturb
trouver to find; **se trouver** to

be (found)

tu you
tuer to kill
Tunisie *(f.)* Tunisia
typique typical
tyrannie *(f.)* tyranny

un(e) a, an, one
unique only, single, unique
uniquement only
unir to unite
unité *(f.)* unit
universel(le) universal
universitaire (from a)
  university
université *(f.)* university
urgence *(f.)* emergency
usage *(m.)* use
usé(e) worn
usine *(f.)* factory
utile useful
utiliser to use

va *see* **aller**
vacances *(f. pl.)* vacation;
  colonie *(f.)* **de vacances**
  camp
vaccin *(m.)* vaccine
vache *(f.)* cow
vaisseau *(m.)* vessel
vaisselle *(f.)* dishes; **faire/laver**
  la vaisselle to do the dishes
valable valid
valeur *(f.)* value, stock
valide healthy, ambulatory
valise *(f.)* suitcase
vallée *(f.)* valley
valoir to be worth; **valoir la**
  peine to be worth the
  effort; **valoir mieux** to be
  better
valse *(f.)* waltz
vanter to praise; **se vanter**
  (de) to boast (of)
varié(e) varied
variété *(f.)* variety

vaste vast
vaut *see* **valoir**
vedette *(f.)* star
végétarien(ne) vegetarian
véhicule *(m.)* vehicule
veille *(f.)* eve
vélo *(m.)* bicycle
vendeur (-euse) salesperson
vendre to sell
vendredi *(m.)* Friday
venir *(p.p.* **venu)** to come;
  venir de to have just
vent *(m.)* wind; **faire du vent**
  to be windy
verbe *(m.)* verb
vérifier to check
véritable real, true
verité *(f.)* truth
verre *(m.)* glass
vers *(m.)* line, verse
vers towards
versement *(m.)* deposit
vert(e) green; **haricots verts**
  (m. pl.) string beans; **plante**
  (f.) **verte** potted plant
vertébré *(m.)* vertebrate
vertige *(m.)* dizziness; **avoir le**
  vertige to be dizzy
veste *(f.)* jacket
veston *(m.)* jacket *(man's)*
vêtements *(m. pl.)* clothes;
  vêtements de sport sport
  clothes
vêtu(e) dressed
veut *see* vouloir
viande *(f.)* meat
vice-président(e)
  vice-president
victime *(f.)* victim
victoire *(f.)* victory
victorieux (-euse) victorious
vide empty
vidéocassette *(f.)* videocassette
vider to empty
vie *(f.)* life
vieille *(f.)* old woman

vieillesse *(f.)* old age
vieux *(m.)* old man
vieux, vieil, *(f.* **vieille)** old
vif (-ive) lively
vigne *(f.)* vine
ville *(f.)* city; **en ville**
  downtown
vin *(m.)* wine
vingt twenty
vingtième twentieth
violon *(m.)* violin
virement *(m.)* transfer
virgule *(f.)* comma
virtuose *(m./f.)* virtuoso
vis-à-vis towards
visage *(m.)* face
viser to aim
visite *(f.)* visit; **faire une**
  visite, rendre visite à to visit
visuel(le) visual
vitamine *(f.)* vitamin
vite rapidly, quickly
vitesse *(f.)* speed; **à toute**
  vitesse very fast; **en vitesse**
  speedily
vitrail *(m.) (pl.* **vitraux)**
  stained-glass window
vivant(e) alive
vivre *(p.p.* **vécu)** to live
vocabulaire *(m.)* vocabulary
vœu *(m.) (pl.* **vœux)** vow, wish
voici here!, here is/are
voie *(f.)* track
voilà there!, there is/are
voile *(f.)* sail; **bateau** *(m.)* **à**
  voile sailboat; **faire de la**
  voile to sail
voir *(p.p.* **vu)** to see
voisin(e) neighbor
voiture *(f.)* car; **voiture de**
  sport sports car; **aller en**
  voiture to go by car
voix *(f.)* voice; **à haute voix/à**
  voix haute out loud; **à voix**
  basse in a low voice
vol *(m.)* flight; theft

volaille *(f.)* poultry
volcan *(m.)* volcano
volcanique volcanic
voler to fly; to steal
voleur *(m.)* robber
volley-ball *(m.)* volleyball
vos your
voter to vote
votre your
vouloir *(p.p.* **voulu**) to want;
   vouloir dire to mean

vous you, to you
voyage *(m.)* trip, voyage;
   agence *(f.)* **de voyages**
   travel agency; **chèque** *(m.)*
   de voyage traveler's check;
   faire un voyage to take a
   trip
voyager to travel
voyageur (-euse) traveler
vrai(e) true, real
vraiment truly, really

vue *(f.)* view

week-end *(m.)* weekend

y to it/them, in it/them, on
   it/them; there; **il y a** there is
yeux *(m. pl)* *(sing.* **œil**) eyes
yogourt *(m.)* yogurt

zèbre *(m.)* zebra
zéro *(m.)* zero

English-French Vocabulary

The English-French vocabulary include those words that occur in the English to French translation exercises.

ABBREVIATIONS

(adj.)	adjective	*(m.)*	masculine
(adv.)	adverb	*(p.p.)*	past participle
(f.)	feminine	*(pl.)*	plural
(inf.)	infinitive	*(v.)*	verb

a(n) un(e)

a.m. du matin

able: to be able (to) pouvoir + *inf.*

about à peu près; de

accompany accompagner

according to selon, d'après

across à travers

adore adorer

advance: in advance à l'avance; en avance

advise conseiller

after après

afternoon après-midi *(m.)*; **in the afternoon** l'après-midi

afterward(s) après

again de nouveau

age âge *(m.)*

(by) air mail par avion

airplane avion *(m.)*

airport aéroport *(m.)*

alarm clock réveil *(m.)*

all tout(e) *(m. pl.* tous); **all evening** toute la soirée; **all the time** tout le temps

allow permettre

almost presque

also aussi

always toujours

ambition ambition *(f.)*

ambitious ambitieux (-euse)

American américain(e)

amusing amusant(e)

ancient ancien(ne)

and et

angry fâché(e)

animal animal *(m.) (pl.* -aux)

anniversary (wedding) anniversaire *(m.)* de mariage

announce annoncer

another un autre *(m.)*

answer réponse *(f.); (v.)* répondre (à)

any de

anybody ne... personne

anymore ne... plus

anyone quelqu'un; ne... personne

anything ne... rien

appear apparaître, avoir l'air

April avril *(m.)*

arrive arriver

as comme; **as . . . as** aussi... que; **as much . . . as** autant de... que

ask (for) demander

at à; **at home** à la maison

athletic sportif (-ive)

attend assister à, aller à

attentive attentif (-ive)

aunt tante *(f.)*

autumn automne *(m.)*

baby bébé *(m.)*

back: be/come back revenir; **go back** retourner

bag sac *(m.)*

balloon ballon *(m.)*

banana banane *(f.)*

band orchestre *(m.)*

bank banque *(f.)*

be être; **to be ... years old** avoir... ans; **be able** pouvoir; **be in the middle of** être en train de

beautiful beau, bel *(f.* belle)

because parce que

become devenir; **become fat** grossir

before avant (de + *inf.*)

begin commencer

beginning commencement *(m.)*

bell cloche *(f.)*

best meilleur(e); **do one's best** faire de son mieux

better mieux, meilleur(e); **so much the better** tant mieux

between entre

bicycle bicyclette *(f.),* vélo *(m.)*

big grand(e)

bird oiseau *(m.)*

birthday anniversaire *(m.)*

black noir(e)

blond blond(e)

blue bleu(e)

boat bateau *(m.)*; **sailboat** bateau à voiles

book livre *(m.)*

booth *(telephone)* cabine *(f.)* téléphonique

bore ennuyer; **become bored** s'ennuyer

born: to be born naître *(p.p.* né)

borrow emprunter (à)

boss patron(ne)

bother ennuyer

bowl bol *(m.)*

box boîte *(f.)*

boy garçon *(m.)*

break casser

breakfast petit déjeuner *(m.)*

bring *(a person)* amener; *(a thing)* apporter

brother frère *(m.)*

brown brun(e), châtain

brush brosser; **brush (oneself)** se brosser

build bâtir

bus bus *(m.)*, autobus *(m.)*

but mais

buy acheter

by à, en, par; **by bus** en bus

café café *(m.)*

cake gâteau *(m.)*

call appeler; *(phone)* téléphoner (à)

camera appareil-photo *(m.)*

camp camp *(m.)*; colonie *(f.)* de vacances; *(v.)* camper

can pouvoir

car voiture *(f.)* automobile *(f.)*; **sports car** voiture de sport

card carte *(f.)*; **postcard** carte postale

career carrière *(f.)*

castle château *(m.)* *(pl.* x), palais *(m.)*

CD disque compact *(m.)*

celebrate célébrer, fêter

certain certain(e), sûr(e)

charming charmant(e)

chat bavarder

check chèque *(m.)*; **check book** carnet *(m.)* de chèques; **traveler's check** chèque de voyage

cheese fromage *(m.)*

chew mâcher

chewing gum chewing-gum *(m.)*

child enfant *(m./f.)*

chocolate chocolat *(m.)*; **chocolate mousse** mousse *(f.)* au chocolat; **chocolate cake** gâteau *(m.)* au chocolat; **hot chocolate** chocolat

choose choisir

city ville *(f.)*

civilization civilisation *(f.)*

class classe *(f.)*

clean *(v.)* nettoyer; *(adj.)* propre

clear *(v.)* débarrasser; *(adj.)* clair(e)

college université *(f.)*

come venir; **come along** venir; **come back** revenir; **come home** rentrer (à la maison)

commerce commerce *(m.)*

complete finir

computer ordinateur *(m.)*

computer science informatique *(f.)*

concert concert *(m.)*; **rock concert** concert de rock

confide se confier à

conscientious consciencieux (-euse)

conscientiously consciencieusement

continue continuer (à)

contrary contraire *(m.)*; **on the contrary** au contraire

cook cuisiner, faire la cuisine

cook cuisinier (-ière)

cooking cuisine *(f.)*

cooperate coopérer

cost coûter

costume costume *(m.)*; **costume party** bal costumé *(m.)*

country campagne *(f.)*; pays *(m.)*

cousin cousin(e)

cure guérir

customer client(e)

D.J. disc-jockey *(m.)*

dance danser

dangerous dangereux (-euse)

daughter fille *(f.)*

day jour *(m.)*; journée *(f.)*; **every day** tous les jours

decide décider (de)

decorate décorer

delicious délicieux (-ieuse)

delighted ravi(e)

department département *(m.)*

deserve mériter

desire désir *(m.)*; *(v.)* désirer, avoir envie de

diet régime *(m.)*; **to go on a diet** se mettre au régime

different différent(e)

dinner dîner *(m.)*; **eat dinner** dîner

diploma diplôme *(m.)*

director directeur (-trice)

discotheque discothèque *(f.)*

discuss discuter (de)

disguise déguiser; **disguise oneself** se déguiser en

dish plat *(m.)*; **wash/do the dishes** faire la vaisselle

disobey désobéir

do faire

doctor docteur *(m.)*, médecin *(m.)*

dog chien(ne)

dollar dollar *(m.)*

door porte *(f.)*
doubt: no doubt sans doute
doubtful douteux (-euse)
downtown en ville
dress habiller; **dress (oneself)** s'habiller
drink boisson *(f.);(v.)* boire
drive conduire
during pendant, durant

each chaque
early de bonne heure, tôt
earn gagner
eat manger; **eat dinner** dîner
eclair éclair *(m.)*
economy économie *(f.)*
eight huit
eighteen dix-huit
eighteenth dix-huitième
eighty quatre-vingt(s)
eighty-three quatre-vingt-trois
either non plus
elegant élégant(e)
eleven onze
embarrass embarasser
employee employé(e)
end fin *(f.)*; **at the end** à la fin
engineer ingénieur
England Angleterre *(f.)*
English anglais *(m.)*
enough assez (de)
escape échapper à, s'échapper
especially surtout
Europe Europe *(f.)*
even même
evening soir *(m.)*, nuit *(f.)*; **in the evening** le soir
every chaque; tout (tous, toute, toutes); **every day** tous les jours
everybody tout le monde *(m.)*
everyone tout le monde *(m.)*
excited excité(e)
expect s'attendre à
expensive cher *(f.* chère)
extraordinary extraordinaire

eye œil *(m.)* *(pl.* yeux)

factory worker ouvrier (-ère) des usines
fall tomber
family famille *(f.)*
famous célèbre, fameux (-euse), renommé(e)
farmer fermier (-ère)
fat gros(se); **become/get fat** grossir
father père *(m.)*
favorite favori(te), préféré(e)
February février *(m.)*
feed nourrir
fewer moins de
fifteen quinze
fifth cinquième
fifty cinquante
finally finalement, enfin
find trouver
finish finir, achever
fireplace cheminée *(f.)*
first premier (-ère)
fish poisson *(m.); (v.)* pêcher, aller à la pêche
five cinq
fix réparer
flight vol *(m.)*
flower fleur *(f.)*
food nourriture *(f.)*, aliments *(m. pl.)*
for depuis, pendant, pour
forbid interdire, défendre
foreign étranger (-ère)
forget oublier
forgiveness pardon *(m.)*
fortunately heureusement
fortieth quarantième
forty quarante
four quatre
fourteen quatorze
France France *(f.)*
freeze geler
French français(e)
fresh frais *(f.* fraîche)

Friday vendredi *(m.)*
friend ami *(m.)*, copain *(m.)* *(f.* copine), camarade *(m. /f.)*
friendly amical(e), aimable
from (the) de, du, de la, de l', des
fruit fruit *(m.)*; **fruit store** fruiterie *(f.)*
fun amusement *(m.)*; **have fun** s'amuser
funny drôle, amusant

game jeu *(m.)*, match *(m.)*
gas(oline) essence *(f.)*; **gas station** station-service *(f.)*
generally généralement, d'habitude
generous généreux (-euse)
get up se lever; **get dressed** s'habiller; **get fat** grossir; **get used to** s'habituer à
gift cadeau *(m.)*
girl fille *(f.)*
girlfriend petite amie *(f.)*
give donner; **give back** rendre
glass verre *(m.)*
go aller; **go back home** rentrer; **go camping** faire du camping; **go down** descendre; **go out** sortir; **go upstairs** monter
good bon(ne); **good luck** bonne chance; **have a good time** s'amuser; **a good deal** bien des/beaucoup
good-bye au revoir
governor gouverneur *(m.)*
grade note *(f.)*
grandfather grand-père *(m.)*
grandmother grand-mère *(f.)*
grandparents *(m. pl.)* grands-parents
great formidable, grand
group groupe *(m.)*
guide guide *(m.)*
guitar guitare *(f.)*

gum chewing-gum *(m.)*

hair cheveux *(m. pl.)*
half demi(e)
hand main *(f.)*
handsome beau, bel *(f. belle)*
happiness bonheur *(m.)*
happy content(e), heureux
  (-euse)
hardworking travailleur (-euse)
have avoir; **have a good time**
  s'amuser; **have fun** s'amuser;
  have to devoir; **have time**
  to avoir le temps de + *(inf.)*
he il, lui
health santé *(f.)*
hear entendre
help aider
her elle, la, lui; son, sa, ses
here ici; **here is/are** voici
hi salut
high school lycée *(m.)*
him le; lui
his son, sa, ses
history histoire *(f.)*
hit succès *(m.)*; **latest hits**
  derniers succès
holiday fête *(f.)*
home maison *(f.)*; **(at) home**
  à la maison; **at the home of**
  chez
homework devoirs *(m.pl.)*; **do**
  homework faire les devoirs
honest honnête
hope espérer
horse cheval *(m.)* *(pl.* chevaux);
  go horseback riding
  monter à cheval; **on**
  horseback à cheval
hospital hôpital *(pl.* -aux)
hot chaud(e); **to be hot**
  (person) avoir chaud; **to be**
  hot *(weather)* faire chaud
hotel hôtel *(m.)*
hour heure *(f.)*
house maison *(f.)*

housework ménage *(m.)*
how comment; **how long**
  depuis quand, depuis
  combien de temps; **how**
  much, many combien (de)
hundred cent

I je, moi
idea idée *(f.)*
if si
imaginative imaginatif (–ve)
imagine imaginer
immediately immédiatement,
  tout de suite
imperative impératif (–ve)
important important(e)
impression impression *(f.)*
in dans, en, à
inflation inflation *(f.)*
instead (of) au lieu (de)
intelligent intellingent(e)
intend compter
interested in (to be)
  s'intéresser à
interesting intéressant(e)
intuitive intuitif (–ive)
invitation invitation *(f.)*
it il, elle, le, la
its son, sa, ses
Italy Italie *(f.)*

job emploi *(m.)*, travail *(m.)*
July juillet *(m.)*
June juin *(m.)*
jungle jungle *(f.)*
junior high school collège
  (m.)

kind gentil(le), aimable,
  sympathique
knock frapper
know *(be acquainted with)*
  connaître; *(a fact)* savoir

lake lac *(m.)*
language langue *(f.)*

large grand(e)
last dernier (–ière); **last night**
  hier soir
late tard
latest dernier (–ière)
lawn pelouse *(f.)*
lawyer avocat *(m.)*
lazy paresseux (-euse)
learn apprendre
leave partir; *(behind)* laisser
lemonade citronnade *(f.)*
lend prêter
less moins; **less and less** de
  moins en moins
lesson leçon *(f.)*
letter lettre *(f.)*
life vie *(f.)*
like *(v.)* aimer; *(adv.)* comme
likeable aimable
limousine limousine *(f.)*
listen écouter
little petit(e); peu
live habiter, demeurer, vivre
living room salon *(m.)*, salle
  (f.) de séjour
long long(ue); **a long time**
  longtemps
longer: no longer ne... plus
look regarder; **look like**
  ressembler à
(a) lot (of) beaucoup (de)
love aimer, adorer
luck chance *(f.)*; **good luck**
  bonne chance

magnificent magnifique
mail courrier *(m.)*
mailbox boîte aux lettres *(f.)*
mailman facteur (-trice)
make faire; do; **make happy**
  rendre heureux
make-up maquillage *(m.)*; **to**
  put make-up on se
  maquiller
man homme *(m.)*
many beaucoup (de); bien des;

how many combien (de)

matter: it doesn't matter ça ne fait rien

may pouvoir

maybe peut-être

mayor maire *(m.)*

me me; moi

meal repas *(m.)*

meat viande *(f.)*

meet rencontrer; faire la connaissance (de)

member membre *(m.)*

memory souvenir *(m.)*; mémoire *(f.)*

midnight minuit *(m.)*

million million *(m.)*

modern moderne

money argent *(m.)*

month mois *(m.)*

more plus; **more and more** de plus en plus

morning matin *(m.)*; **in the morning** le matin; **from morning to night** du matin au soir

most la plupart (de); plus

mother mère *(f.)*

mount mont *(m.)*

mountain montagne *(f.)*; **mountain climbing** alpinisme *(m.)*

mow tondre

much beaucoup; **as much . . . as** autant (de)... que; **how much** combien (de); **so much the better** tant mieux

museum musée *(m.)*

music musique *(f.)*

musician musicien(ne)

my mon, ma, mes

myself moi-même

name nom *(m.)*

natural naturel(le)

naturally naturellement

near près (de)

necessary nécessaire: **be necessary (to)** être nécessaire (de), falloir

need besoin *(m.)*; *(v.)* avoir besoin de

neighbor voisin(e)

neighborhood quartier *(m.)*, voisinage *(m.)*

neither . . . nor ne... ni... ni

nervous nerveux (-euse)

never ne... jamais, jamais

new nouveau, nouvel *(f.* nouvelle)

news informations *(f. pl)*

next prochain(e); **next day** lendemain *(m.)*

nice sympathique, agréable, gentil(le); **to be nice** *(weather)* faire beau

night nuit *(f.)*, soir *(m.)*; **at night** la nuit; **night table** table *(f.)* de nuit

nine neuf

ninety quatre-vingt-dix

no non; **no. . . longer** ne... plus; **no one** ne... personne, personne

nobody ne... personne, personne

noise bruit *(m.)*

nor ni

normal normal(e)

north nord

not ne... pas

notebook cahier *(m.)*

nothing ne... rien, rien

now maintenant

number *(phone)* numéro *(m.)*

o'clock heure *(f.)*

obey obéir (à)

observe observer

of de, (du, des); **of course** bien sûr

office bureau *(m.)*

often souvent

old ancien(ne),vieux, vieil *(f.* vieille); **to be . . . years old** avoir... ans; **old age** vieillesse *(f.)*

older plus âgé

on sur; *(. . . days of week)* le... ; **on time** à l'heure

once une fois

one un(e); **the one who** celui / celle qui

only seul *(adj.)*; seulement *(adv.)*

open ouvrir; **open up** s'ouvrir

operator opérateur (-trice)

opinion opinion *(f.)*, avis *(m.)*; **in my opinion** à mon avis

or ou

orangeade orangeade *(f.)*

orchestra orchestre *(m.)*

order ordre *(m.)*; **in order to** pour, afin de

other autre

our notre, nos

over there là-bas

owe devoir

own posséder; *(adj.)* propre

p.m. de l'après-midi, du soir

pack faire une valise

package colis *(m.)*, paquet *(m.)*

parent parent *(m.)*

park parc *(m.)*

party fête *(f.)*, boum *(f.)*

pastry pâtisserie *(f.)*; **pastry shop** pâtisserie *(f.)*

patience patience *(f.)*

peace paix *(f.)*

perfect parfait(e)

perhaps peut-être

persist (in) persister (à)

personality personnalité *(f.)*

persuade persuader

phone téléphone *(m.)*; **phone book** annuaire *(m.)*; **phone booth** cabine *(f.)*; **phone**

call coup de téléphone *(m.)*;
phone number numéro de
téléphone *(m.)*; **on the
phone** au téléphone

piano piano *(m.)*

picnic pique-nique *(m.)*

picture image *(f.)*, illustration
(f.), photo *(f.)*

pie tarte *(f.)*

plane avion *(m.)*

plant plante *(f.)*

plate assiette *(f.)*

play jouer à *(+ sport)*; jouer de
(+ musical instrument)

pleasant agréable

pleasure plaisir *(m.)*

pocket poche *(f.)*; **pocket
money** argent de poche *(m.)*

politely poliment

poor pauvre

port port *(m.)*

possible possible

post office bureau de poste
(m.), poste *(f.)*

postcard carte postale *(f.)*

practical pratique

practice pratiquer, s'exercer

prefer préférer, aimer mieux

preferable préférable

prepare préparer; **prepare
oneself** se préparer

present présent *(m.)*; **at present**
à présent

president président(e)

pretty joli(e)

principal directeur (-trice)

probable probable

probably probablement

promise promettre

promotion promotion *(f.)*

proud fier (-ère)

punishment punition *(f.)*

put (on) mettre; **put on
make-up** se maquiller

quarter quart *(m.)*

question question *(f.)*; **out of
the question** jamais de la
vie, pas question

quickly vite, rapidement

quite assez

rain *(v.)* pleuvoir; pluie *(f.)*

raise lever

read lire

ready prêt(e)

really vraiment

receive recevoir

receiver *(phone)* récepteur *(m.)*

recommend recommander

recovery guérison *(f.)*

rehearse répéter

remember rappeler, se
souvenir de

rent louer

reporter reporter *(m.)*

representative député(e)

reputation réputation *(f.)*

resemble ressembler (à)

reserve réserver

rest (oneself) se reposer

restaurant restaurant *(m.)*

return *(v.)* *(home)* rentrer; *(an
item)* rendre, retourner;
retour *(m.)*

rich riche

room chambre *(f.)*, pièce *(f.)*,
salle *(f.)*

rule règle *(f.)*; règlement *(m.)*

sacrifice sacrifice *(m.)*

sad triste, malheureux (-euse)

safe coffre-fort *(m.)*

salad salade *(f.)*

salary salaire *(m.)*

salesgirl vendeuse *(f.)*

salespeople vendeurs *(m. pl.)*

salesperson vendeur (-euse)

sandwich sandwich *(m.)*

say dire

school école *(f.)*, lycée *(m.)*

season saison *(f.)*

secret secret (-ète)

see voir

seem paraître, sembler

selfish égoïste

sell vendre

send envoyer

September septembre *(m.)*

serious grave, sérieux (-euse)

serve servir

service station station-service
(f.)

set régler; **set the table** mettre
le couvert/la table

seven sept

seventeen dix-sept

seventy-nine soixante-dix-neuf

share partager

shave raser; **shave (oneself)** se
raser

she elle

shirt chemise *(f.)*

shoe chaussure *(f.)*, soulier
(m.)

shop: do the shopping faire
les courses; **go shopping**
faire des achats/courses

short court(e), petit(e)

show montrer

shy timide

silence silence *(m.)*

sing chanter

sister sœur *(f.)*

sit s'asseoir

six six

sleep sommeil *(m.)*; dormir

sleepy: to be sleepy avoir
sommeil

slowly lentement

smart intelligent(e)

snow neige *(f.)*; *(v.)* neiger

so donc; si; **so many, much**
tant (de)

soda soda *(m.)*

some du, de la, de l', des, en,
quelques

someone quelqu'un, on

something quelque chose

sometimes quelquefois,
  parfois

son fils *(m.)*

song chanson *(f.)*

soon bientôt; **as soon as**
  aussitôt que, dès que

soup soupe *(f.)*

south sud *(m.)*, midi *(m.)*

spare libre; **spare time** temps
  libre

speak parler

special spécial(e)

specialty spécialité *(f.)*

speech discours *(m.)*

speedy rapide

spend dépenser *(money)*; passer
  (time)

spring printemps *(m.)*

stamp timbre *(m.)*

start commencer (à); **start out**
  se mettre en route

state état *(m.)*

stay rester

steal voler

still encore

stop arrêter, s'arrêter

store magasin *(m.)*

story histoire *(f.)*

strong fort(e)

student élève *(m. /f.)*,
  étudiant(e)

study étude *(f.); (v.)* étudier

suburb banlieue *(f.);* **in the**
  suburbs en banlieue

succeed réussir

suggest suggérer

suit *(female)* tailleur *(m.); (male)*
  complet *(m.)*

suitcase valise *(f.)*

summer été *(m.)*

sure certain(e), sûr(e)

surf faire du surf

surprise surprise *(f.)*

swimming nage *(f.);*
  swimming pool piscine *(f.);*

go swimming aller nager

table table *(f.);* **night table**
  table de nuit; **set the table**
  mettre le couvert/la table

take prendre; apporter; **take a**
  trip faire un voyage; **take a**
  walk faire une promenade,
  se promener; **take care of**
  garder

talk parler

tall grand(e)

taste goûter

teach enseigner

teacher professeur *(m.)*, maître
  (m.)

telephone *(v.)* téléphoner (à);
  téléphone *(m.);* **on the**
  phone au téléphone;
  telephone book annuaire
  (m.); **telephone booth**
  cabine téléphonique *(f.)*

television télévision *(f.)*

tell dire, raconter

ten dix

tennis tennis *(m.)*

tent tente *(f.)*

than que

thank remercier; **thank you**
  merci

that que; qui; ce, cet, cette,
  cela; **that one** celui (celle)-là

the le, la, l', les

theater théâtre *(m.)*

their leur, leurs

them eux, elles, les

then puis, alors, ensuite

there là; y; **over there** là-bas;
  there is / are il y a; voilà

these ces, ceux, celles

they ils, elles

thin mince

thing chose *(f.);* affaires *(f. pl.)*

think (about) penser (à),
  réfléchir

third troisième

thirty trente

this ce, cet, cette, ceci; **this is**
  voici; **this one** celui (celle)-ci

those ces, ceux, celles

though bien que

thousand mille, mil *(in dates)*

three trois

Thursday jeudi *(m.)*

ticket billet *(m.)*

tie cravate *(f.)*

time temps *(m.); (in series)* fois
  (f.); **all the time** tout le
  temps; **from time to time**
  de temps en temps; **have a**
  good time s'amuser; **have**
  time to avoir le temps de; **a**
  long time longtemps; **on**
  time à l'heure; **many times**
  souvent

to à; **(in order) to** pour, afin de

today aujourd'hui

together ensemble

tomorrow demain *(m.)*

tonight ce soir

too aussi, trop

travel voyager

tree arbre *(m.)*

trip voyage *(m.);* **to take a**
  trip faire un voyage

truly vraiment

truth vérité *(f.)*

Tuesday mardi

twenty vingt

two deux

typewriter machine à écrire *(f.)*

uncle oncle *(m.)*

under sous

unfortunately
  malheureusement

United States États-Unis *(m. pl.)*

university université *(f.)*

until jusqu'à

upstairs en haut; **go upstairs**
  monter

us nous

use utiliser, se servir de

usual habituel; **as usual** comme d'habitude

vacation vacances *(f. pl.)*; **to go on vacation** aller en vacances

value valeur *(f.)*

vegetable légume *(m.)*

vegetarian végétarien(ne)

very très

villa villa *(f.)*

visit rendre visite à, visiter

vote voter

wait (for) attendre

waiter serveur *(m.)*

walk marcher; promener; **to go for/to take a walk** se promener

walkman baladeur *(m.)*

want vouloir, avoir envie de, désirer

wash laver; **wash oneself** se laver, **wash the dishes** faire la vaisselle

watch regarder, garder, surveiller

watch montre *(f.)*

water eau *(f.)*; **mineral water** eau minérale; *(v.)* arroser

we nous

weak faible

wear porter

weather temps *(m.)*; **bad weather** mauvais temps

wedding mariage *(m.)*

Wednesday mercredi *(m.)*

week semaine *(f.)*

weekend fin *(f.)* de semaine, week-end *(m.)*

what que, qu'est-ce que, quoi; quel(le); ce que

when quand

where où

which qui, que; **which (one)** lequel, laquelle; auquel, duquel; **which (ones)** lesquels (-elles); auxquels (-elles), desquels (-elles)

while pendant que

who qui

whole entier (-ière); tout

whom qui

whose à qui; de qui

why pourquoi

wife femme *(f.)*

wild sauvage

window *(for service)* guichet *(m.)*

wine vin *(m.)*

winter hiver *(m.)*; **winter**

sports sports d'hiver

wish souhaiter

with avec

without sans

wonder se demander

wonderful merveilleux (-euse), formidable

woods bois *(m. pl.)*

work travail *(m.)*; *(v.)* travailler; marcher *(machines)*

worker ouvrier(-ère), employé(e)

worry (s') inquiéter; **to become worried** s'inquiéter

write écrire

year an *(m.)*, année *(f.)*; **to be . . . years old** avoir... ans

yes oui

yesterday hier

yet encore; **not yet** pas encore

you tu, toi, vous

young jeune; young people jeunes gens *(m. pl.)*

your ton, ta, tes, votre, vos

youth jeunesse *(f.)*

zip code code postal *(m.)*

zoo zoo *(m.)*, parc zoologique *(m.)*

Index

NOTE: For specific verb conjugations, see the Appendix.